中国古典文学名著丛书

警世通言

冯梦龙 著

黑龙江出版集团
黑龙江美术出版社

中国古典文学名著丛书

出品人：
李久军

编辑委员会（按姓氏笔画）：
于晓北　于茂昌　李正刚　衣国强　陈　澈
步庆权　金海滨　林洪海　赵云长　梁　昌

责任编辑：
陈颖杰　郭建廷

藏

书

票

装帧设计：
滕文静

编　　务：
于　澜

电脑制作：
杨　鑫　郭志芹　李　莹

重梓弁语

说起最脍炙人口的中国古代短篇小说，当首推“三言”（《喻世明言》、《警世通言》、《醒世恒言》）了。诞生于距今近四百年、收录作品一百二十篇的这三卷奇书，在中国古代短篇小说发展史上堪称一座丰碑，它的编著者冯梦龙的名字理所当然地被镌刻在丰碑之上。

生于明万历初（1574）、卒于清军入关后（1646）的冯梦龙，长洲（今江苏苏州）人，字犹龙，别署龙子犹，自幼聪颖，少有文名。然而一生科场蹭蹬，仕途淹滞，反以文学著称；虽工诗文，但却于小说、戏曲和其他通俗文学的研究、整理和创作方面用力甚勤，成果颇丰。“三言”的编著，是他文学创作上最重要的成就。

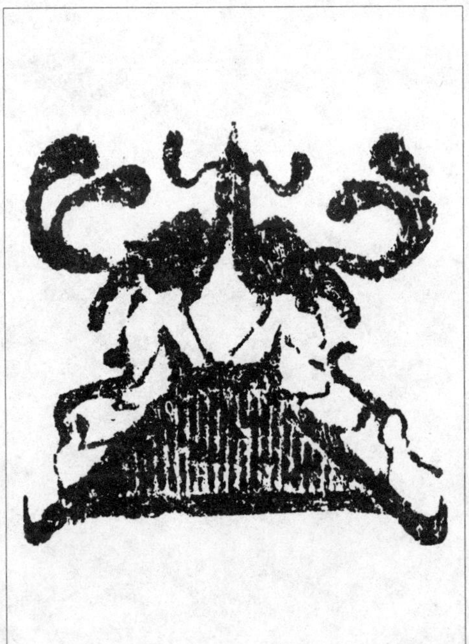

在冯梦龙编著“三言”之前，白话长篇小说已经形成繁盛发展的局面，特别是《西游记》、《金瓶梅词话》等巨制自嘉靖以来相继问世并产生了广泛的影响。此刻白话短篇小说却还是几近荒芜，虽有少量话本小说汇编和刊行，也只是依据传抄原文，未经润饰，仍处于原生态阶段。冯梦龙以敏锐的观察力洞察到这一点，以宏大的魄力开始了这一中国古代小说史上首开先河的宏伟工程。

“问渠那得清如许，为有源头活水来。”编著洋洋大观的“三言”，冯梦龙首先把目光投向流传已久的宋元话本和当时流传的明代话本，这是“三言”作品创作的最重要的来源。来源之二是文言小说中的优秀篇章，像《喻世明言》中的《蒋兴哥重会珍珠衫》和《警世通言》中的《杜十娘怒沉百宝箱》，就是分别根据宋懋澄的《九籥别集》中的《珠衫》和《九籥集》中的《负情侬传》两篇改写而成。“三言”中的另一些篇章则是根据前代笔记小说、传奇、历史故事及社会传闻进行创作。这样，这些不同时代、不同文体的作品和素材，经过冯梦龙或移花接木、或脱胎换骨、或点石成金的重新创作，就成了我们今天所看到的“三言”。

由于作家注意从广阔的视角对社会观察提炼，继而以生动、细腻的笔触对新兴市民的风俗场景描摹刻画，“三言”再现了晚明社会丰富的生活图景和多姿的风貌，反映了新兴市民的思想感情和道德观念，使它成为一部广泛流传、深受各阶层人民喜爱的作品。同时，在艺术上也取得了巨大的成就，对后世的白话短篇小说创作产生了重大而深远的影响。当然，由于时代的局限，它在思想内容上的消极成分和糟粕之处也是显而易见的。今天，我们把“三言”重新整理出版，呈现在读者面前，主要着眼的是对它产生的那个时代的社会和文学两个方面的认识价值，也是为了使我们丰富的古代文学遗产得到继承和恢弘。

叙

野史尽真乎？曰：不必也。尽赝乎？曰：不必也。然则去其赝而存其真乎？曰：不必也。六经、《语》、《孟》，谭者纷如，归于令人为忠臣，为孝子，为贤牧，为良友，为义夫，为节妇，为树德之士，为积善之家，如是而已矣。经书著其理，史传述其事，其揆一也。理著而世不皆切磋之彦；事述而世不皆博雅之儒。于是乎，村夫稚子里妇估儿，以甲是乙非为喜怒，以前因后果为劝惩，以道听途说为学问。而通俗演义一种，遂足以佐经书史传之穷。

而或者曰："村醪市脯，不入宾筵，乌用是齐东娓娓者为？"呜呼，《大人》、《子虚》，曲终奏雅，顾其旨何如耳？人不必有其事，事不必丽其人。其真者可以补金匮石室之遗，而赝者亦必有一番激扬劝诱、悲歌感慨之意。事真而理不赝，即事赝而理亦真，不害于风化，不谬于圣贤，不戾于诗书经史，若此者其可废乎！里中儿代庖而创其指，不呼痛，或怪之，曰："吾顷从玄妙观听说《三国志》来，关云长刮骨疗毒，且谈笑自若，我何痛为！"夫能使里中儿顿有刮骨疗毒之勇，推此，说孝而孝，说忠而忠，说节义而节义。触性性通，导情情出。视彼切磋之彦，貌而不情；博雅之儒，文而丧质，所得竟未知熟赝而熟真也。

陇西君，海内畸士，与余相遇于栖霞山房，倾盖莫逆，各叙旅况。因出其新刻数卷佐酒，且曰："尚未成书，子盍先为我命名？"余阅之，大抵如僧家因果说法度世之语，譬如村醪市脯，所济者众，遂名之曰《警世通言》，而从臾其成时。

天启甲子腊月，豫章无碍居士题

目录

第一卷
俞伯牙摔琴谢知音

浪说曾分鲍叔金，谁人辨得伯牙琴！

于今交道奸如鬼，湖海空悬一片心。

古来论交情至厚，莫如管鲍。管是管夷吾，鲍是鲍叔牙。他两个同为商贾，得利均分。时管夷吾多取其利，叔牙不以为贪，知其贫也。后来管夷吾被囚，叔牙脱之，荐为齐相。这样朋友，才是个真正相知。这相知有几样名色：恩德相结者，谓之知己；腹心相照者，谓之知心；声气相求者，谓之知音；总来叫做相知。今日听在下说一桩俞伯牙的故事。列位看官们，要听者，洗耳而听；不要听者，各随尊便。正是：

知音说与知音听，不是知音不与谈。

话说春秋战国时，有一名公，姓俞名瑞，字伯牙，楚国郢都人氏，即今湖广荆州府之地也。那俞伯牙身虽楚人，官星却落于晋国，仕至上大夫之位。因奉晋主之命，来楚国修聘。伯牙讨这个差使，一来，是个大才，不辱君命；二来，就便省视乡里，一举两得。当时从陆路至于郢都。朝见了楚王，致了晋主之命。楚王设宴款待，十分相敬。那郢都乃是桑梓之地，少不得去看一看坟墓，会一会亲友。然虽如此，各事其主，君命在身，不敢迟留。公事已毕，拜辞楚王。楚王赠以黄金采缎，高车驷马。伯牙离楚一十二年，思想故国江山之胜，欲得恣情观览，要打从水路大宽转而回。乃假奏楚王道：“臣不幸有犬马之疾，不胜车马驰骤。乞假臣舟楫，以便医药。”楚王准奏，命水师拨大船二只，一正一副。正船单坐晋国来使，副船安顿仆从行李。都是兰桡画桨，锦帐高帆，甚是齐整。群臣直送至江头而别。

只因览胜探奇，不顾山遥水远。

伯牙是个风流才子，那江山之胜，正投其怀。张一片风帆，凌千层碧浪，看不尽遥山叠翠，远水澄清。不一日，行至汉阳江口。时当八月十五日，中秋之夜。偶然风狂浪涌，大雨如注。舟楫不能前进，泊于山崖之下。不多时，风恬浪静，雨止云开，现出一轮明月。那雨后之月，其光倍常。伯牙在船舱中，独坐无聊，命童子焚香炉内，“待我抚琴一操，以遣情怀。”童子焚香罢，捧琴囊置于案间。伯牙开囊取琴，调弦转轸，弹出一曲。曲犹未终，指下“刮喇”的一声响，琴弦断了一根。伯牙大惊，叫童子去问船头：“这住船所在是甚么去处？”船头答道：“偶因风雨，停泊于山脚之下，虽然有些草树，并无人家。”伯牙惊讶，想道：“是荒山了。若是城郭村庄，或有聪明好学之人，盗听吾琴，所以琴声忽变，有弦断之异。这荒山下，那得有听琴之人？哦，我知道了，想是有仇家差来刺客，不然，或是贼盗伺候更深，登舟劫我财物。”叫左右：“与我上崖搜检一番。不在柳阴深处，定在芦苇丛中！”

左右领命，唤齐众人，正欲搭跳上崖。忽听得岸上有人答应道：“舟中大人，不必见疑。小子并非奸盗之流，乃樵夫也。因打柴归晚，值骤雨狂风，雨具不能遮蔽，潜身岩畔。闻君雅操，少住听琴。”伯牙大笑道：“山中打柴之人，也敢称听琴二字！此言未知真伪，我也不计较了。左右的，叫他去罢。”那人不去，在崖上高声说道：“大人出言谬矣！岂不闻‘十室之邑，必有忠信。’‘门内有君子，门外君子至。’大人若欺负山野中没有听琴之人，这夜静更深，荒崖下也不该有抚琴之客了。”

伯牙见他出言不俗，或者真是个听琴的，亦未可知。止住左右不要罗唣，走近舱门，回嗔作喜的问道：“崖上那位君子，既是听琴，站立多时，可知道我适才所弹何曲？”那人道：“小子若不知，却也不来听琴了。方才大人所弹，乃孔仲尼叹颜回，谱入琴声。其词云：‘可惜颜回命早亡，教人思想鬓如霜。只因陋巷箪瓢乐，’到这一句，就断了琴弦，不曾抚出第四句来。小子也还记得：——‘留得贤名万古扬。’”伯牙闻言，大喜道：“先生果非俗士，隔崖窎远，难以问答。”命左右：“掌跳，看扶手，请那位先生登舟细讲。”左右掌跳，此人上船，果然是个樵夫：头戴箬笠，身披蓑衣，手持尖担，腰插板斧，脚踏芒鞋。手下人那知言谈好歹，见是樵夫，下眼相看。“咄，那樵夫！下舱去，见我老爷叩头，问你甚么言语，小心答应。官尊着哩！”樵夫却是个有意思的，道：“列位不须粗鲁，待我解衣相见。”除了斗笠，头上是青布包巾；脱了蓑衣，身上是蓝布衫儿；搭膊拴腰，露出布裩下截。那时不慌不忙，将蓑衣、斗笠、尖担、板斧，俱安放舱门之外。脱下芒鞋，蹝去泥水，重复穿上，步入舱来。官舱内公座上灯烛辉煌。樵夫长揖而不跪，道：“大人施礼了。”俞伯牙是晋国大臣，眼界中那有两接的布衣。下来还礼，恐失了官体，既请下船，又不好叱他回去。伯牙没奈何，微微举手道：“贤友免礼罢。”叫童子看坐的。童子取一张杌坐儿置于下席。伯牙全无客礼，把嘴向樵夫一努道：“你且坐了。”你我之称，怠慢可知。那樵夫亦不谦让，俨然坐下。

伯牙见他不告而坐，微有嗔怪之意。因此不问姓名，亦不呼手下人看茶。默坐多时，怪而问之：“适才崖上听琴的，就是你么？”樵夫答言：“不敢。”伯牙道：“我且问你，既来听琴，必知琴之出处。此琴何人所造？抚他有甚好处？”正问之时，船头来禀话：“风色顺了，月明如昼，可以开船。”伯牙分付："且慢些！"樵夫道，"承大人下问，小子若讲话絮烦，恐担误顺风行舟。"伯牙笑道："惟恐你不知琴理。若讲得有理，就不做官，亦非大事，何况行路之迟速乎！"

樵夫道："既如此，小子方敢僭谈。此琴乃伏羲氏所琢，见五星之精，飞坠梧桐，凤皇来仪。凤乃百鸟之王，非竹实不食，非梧桐不栖，非醴泉不饮。伏羲以知梧桐乃树中之良材，夺造化之精气，堪为雅乐，令人伐之。其树高三丈三尺，按三十三天之数，截为三段，分天、地、人三才。取上一段叩之，其声太清，以其过轻而废之；取下一段叩之，其声太浊，以其过重而废之；取中一段叩之，其声清浊相济，轻重相兼。送长流水中，浸七十二日，按七十二候之数。取起阴干，选良时吉日，用高手匠人刘子奇斲成乐器。此乃瑶池之乐，故名瑶琴。长三尺六寸一分，按周天三百六十一度。前阔八寸，按八节；后阔四寸，按四时；厚二寸，按两仪。有金童头，玉女腰，仙人背，龙池，凤沼，玉轸，金徽。那徽有十二，按十二月；又有一中徽，按闰月。先是五条弦在上，外按五行：金、木、水、火、土；内按五音：宫、商、角、徵、羽。尧舜时操五弦琴，歌'南风'诗，天下大治。后因周文王被囚于羑里，吊子伯邑考，添弦一根，清幽哀怨，谓之文弦。后武王伐纣，前歌后舞，添弦一根，激烈发扬，谓之武弦。先是宫、商、角、徵、羽五弦，后加二弦，称为文武七弦琴。此琴有六忌，七不弹，八绝。何为六忌？一忌大寒，二忌大暑，三忌大风，四忌大雨，五忌迅雷，六忌大雪。何为七不弹？闻丧者不弹，奏乐不弹，事冗不弹，不净身不弹，衣冠不整不弹，不焚香不弹，不遇知音者不弹。何为八绝？总之清奇幽雅，悲壮悠长。此琴抚到尽美尽善之处，啸虎闻而不吼，哀猿听而不啼。乃雅乐之好处也。"

伯牙听见他对答如流，犹恐是记问之学。又想道："就是记问之学，也亏他了。我再试他一试。"此时已不似在先你我之称了，又问道："足下既知乐理，当时孔仲尼鼓琴于室中，颜回自外入，闻琴中有幽沉之声，疑有贪杀之意，怪而问之。仲尼曰：'吾适鼓琴，见猫方捕鼠，欲其得之，又恐其失之。此贪杀之意，遂露于丝桐。'始知圣门音乐之理，入于微妙。假如下官抚琴，心中有所思念，足下能闻而知之否？"樵夫道："《毛诗》云：'他人有心，予忖度之。'大人试抚弄一过，小子任心猜度。若猜不着时，大人休得见罪。"伯牙将断弦重整，沉思半晌。其意在于高山，抚琴一弄。樵夫赞道："美哉洋洋乎，大人之意，在高山也！"伯牙不答。又凝神一会，将琴再鼓，其意在于流水。樵夫又赞道："美哉汤汤乎，志在流水！"只两句，道着了伯牙的心事。伯牙大惊，推琴而起，与子期施宾主之礼。连呼："失敬失敬！石中有美玉之藏。若以衣貌取人，岂不误了天下贤士！先生高名雅姓？"樵夫欠身而答："小子姓钟，名徽，贱字子期。"伯牙拱手道："是钟子期先生。"

子期转问："大人高姓？荣任何所？"伯牙道："下官俞瑞，仕于晋朝，因修聘上国而来。"子期道："原来是伯牙大人。"伯牙推子期坐于客位，自己主席相陪，命童子点茶。茶罢，又命童子取酒共酌。伯牙道："借此攀话，休嫌简亵。"子期称："不敢。"

童子取过瑶琴，二人入席饮酒。伯牙开言又问："先生声口是楚人了，但不知尊居何处？"子期道："离此不远，地名马安山集贤村，便是荒居。"伯牙点头道："好个集贤村。"又问："道艺何为？"子期道："也就是打柴为生。"伯牙微笑道："子期先生，下官也不该僭言，似先生这等抱负，何不求取功名，立身于廊庙，垂名于竹帛。却乃赍志林泉，混迹樵牧，与草木同朽，窃为先生不取也。"子期道："实不相瞒，舍间上有年迈二亲，下无手足相辅。采樵度日，以尽父母之馀年。虽位为三公之尊，不忍易我一日之养也。"伯牙道："如此大孝，一发难得。"

二人杯酒酬酢了一会。子期宠辱无惊，伯牙愈加爱重。又问子期："青春多少？"子期道："虚度二十有七。"伯牙道："下官年长一旬。子期若不见弃，结为兄弟相称，不负知音契友。"子期笑道："大人差矣！大人乃上国名公，钟徽乃穷乡贱子，怎敢仰扳，有辱俯就。"伯牙道："相识满天下，知心能几人？下官碌碌风尘，得与高贤结契，实乃生平之万幸。若以富贵贫贱为嫌，觑俞瑞为何等人乎！"遂命童子重添炉火，再爇名香，就船舱中与子期顶礼八拜。伯牙年长为兄，子期为弟。今后兄弟相称，生死不负。拜罢，复命取暖酒再酌。子期让伯牙上坐，伯牙从其言。换了杯箸，子期下席，兄弟相称，彼此谈心叙话。正是：

合意客来心不厌，知音人听话偏长。

谈论正浓，不觉月淡星稀，东方发白。船上水手都起身收拾篷索，整备开船。子期起身告辞，伯牙捧一杯酒递与子期，把子期之手叹道："贤弟，我与你相见何太迟，相别何太早！"子期闻言，不觉泪珠滴于杯中。子期一饮而尽，斟酒回敬伯牙。二人各有眷恋不舍之意。伯牙道："愚兄馀情不尽，意欲曲延贤弟同行数日，未知可否？"子期道："小弟非不欲相从。怎奈二亲年老，'父母在，不远游。'"伯牙道："既是二位尊人在堂，回去告过二亲，到晋阳来看愚兄一看，这就是'游必有方'了。"子期道："小弟不敢轻诺而寡信，许了贤兄，就当践约。万一禀命于二亲，二亲不允，使仁兄悬望于数千里之外，小弟之罪更大矣。"伯牙道："贤弟真所谓至诚君子。也罢，明年还是我来看贤弟。"子期道："仁兄明岁何时到此？小弟好伺候尊驾。"伯牙屈指道："昨夜是中秋节，今日天明，是八月十六日了。贤弟，我来仍在仲秋中五六日奉访。若过了中旬，迟到季秋月分，就是爽信，不为君子。"叫童子："分付记室，将钟贤弟所居地名及相会的日期，登写在日记簿上。"子期道："既如此，小弟来年仲秋中五六日，准在江边侍立拱候，不敢有误。天色已明，小弟告辞了。"伯牙道："贤弟且住。"命童子取黄金二笏，不用封帖，双手捧定道："贤弟，些须薄礼，权为二位尊人甘旨之费。斯文骨肉，勿得嫌轻。"子期不敢谦让，即时收下。再拜告别，含泪出舱，取尖担挑了蓑衣斗笠，插板斧于腰间，掌跳搭扶手上崖。伯牙直送至船头，各各洒泪而别。

不题子期回家之事。再说俞伯牙点鼓开船，一路江山之胜，无心观览，心心念念，只想着知音之人。又行了几日，舍舟登岸。经过之地，知是晋国上大夫，不敢轻慢，安排车马相送。直至晋阳，回覆了晋主，不在话下。

光阴迅速，过了秋冬，不觉春去夏来。伯牙心怀子期。无日忘之。想着中秋节近，奏过晋主，给假还乡。晋主依允。伯牙收拾行装，仍打大宽转，从水路而行。下船之后，分付水手，但是湾泊所在，就来通报地名。事有偶然，刚刚八月十五夜，水手禀复，此去马安山不远。伯牙依稀还认得去年泊船相会子期之处。分付水手，将船湾泊，水底抛锚，崖边钉橛。其夜晴明，船舱内一线月光，射进朱帘。伯牙命童子将帘卷起，步出舱门，立于船头之上，仰观斗柄。水底天心，万顷茫然，照如白昼。思想去岁与知己相逢，雨止月明。今夜重来，又值良夜。他约定江边相候，如何全无踪影，莫非爽信！又等了一会，想道："我理会得了。江边来往船只颇多。我今日所驾的，不是去年之船了。吾弟急切如何认得？去岁我原为抚琴惊动知音。今夜仍将瑶琴抚弄一曲，吾弟闻之，必来相见。"命童子取琴桌安放船头，焚香设座。伯牙开囊，调弦转轸，才泛音律，商弦中有哀怨之声。伯牙停琴不操："呀！商弦哀声凄切，吾弟必遭忧在家。去岁曾言父母年高。若非父丧，必是母亡。他为人至孝，事有轻重，宁失信于我，不肯失礼于亲，所以不来也。来日天明，我亲上崖探望。"叫童子收拾琴桌，下舱就寝。

伯牙一夜不睡，真个巴明不明，盼晓不晓。看看月移帘影，日出山头。伯牙起来梳洗整衣，命童子携琴相随，又取黄金十镒带去。"傥吾弟居丧，可为赠礼。"踹跳登崖，行于樵径，约莫十数里，出一谷口，伯牙站住。童子禀道："老爷为何不行？"伯牙道："山分南北，路列东西。从山谷出来，两头都是大路，都去得。知道那一路往集贤村去？等个识路之人，问明了他，方才可行。"伯牙就石上少憩，童儿退立于后。不多时，左手官路上有一老叟，髯垂玉线，发挽银丝，箬冠野服，左手举藤杖，右手携竹篮，徐步而来。伯牙起身整衣，向前施礼。那老者不慌不忙，将右手竹篮轻轻放下，双手举藤杖还礼，道："先生有何见教？"伯牙道："请问两头路，那一条路，往集贤村去的？"老者道："那两头路，就是两个集贤村。左手是上集贤村，右手是下集贤村，通衢三十里官道。先生从谷出来，正当其半。东去十五里，西去也是十五里。不知先生要往那一个集贤村？"

伯牙默默无言，暗想道："吾弟是个聪明人，怎么说话这等糊涂！相会之日，你知道此间有两个集贤村，或上或下，就该说个明白了。"伯牙却才沉吟，那老者道："先生这等吟想，一定那说路的，不曾分上下，总说了个集贤村，教先生没处抓寻了。"伯牙道："便是。"老者道："两个集贤村中，有一二十家庄户，大抵都是隐遁避世之辈。老夫在这山里，多住了几年，正是'土居三十载，无有不亲人'。这些庄户，不是舍亲，就是敝友。先生到集贤村必是访友，只说先生所访之友，姓甚名谁，老夫就知他住处了。"伯牙道："学生要往钟家庄去。"老者闻"钟家庄"三字，一双昏花眼内，扑簌簌掉下泪来，道："先生别家可去，若说钟家庄，不必去了。"伯牙惊问："却是为何？"老者道："先生到钟家庄，要访何人？"伯牙道："要访子期。"老者闻言，放声大哭道："子期钟徽，乃吾儿也。去年八月十五采樵归晚，遇晋国上大夫俞伯牙先生。讲论之间，意气相投，临行赠黄金二笏。吾儿买书攻读，老拙无才，不曾禁止。旦则采樵负重，暮则诵读辛勤，心力耗废，染成怯疾，数月之间，已亡故了。"

伯牙闻言，五内崩裂，泪如涌泉，大叫一声，傍山崖跌倒，昏绝于地。钟公用手搀扶，回顾小童道："此位先生是谁？"小童低低附耳道："就是俞伯牙老爷。"钟公道："原来是吾儿好友。"扶起伯牙苏醒。伯牙坐于地下，口吐痰涎，双手捶胸，恸哭不已。道："贤弟呵，我昨夜泊舟，还说你爽信，岂知已为泉下之鬼！你有才无寿了！"钟公拭泪相劝。伯牙哭罢起来，重与钟公施礼，不敢呼老丈，称为老伯，以见通家兄弟之意。伯牙道："老伯，令郎还是停柩在家，还是出瘗郊外了？"钟公道："一言难尽！亡儿临终，老夫与拙荆坐于卧榻之前。亡儿遗语嘱付道：'修短由天，儿生前不能尽人子事亲之道，死后乞葬于马安山江边。与晋大夫俞伯牙有约，欲践前言耳。'老夫不负亡儿临终之言。适才先生来的小路之右，一丘新土，即吾儿钟徽之冢。今日是百日之忌，老夫提一陌纸钱，往坟前烧化，何期与先生相遇！"伯牙道："既如此，奉陪老伯，就坟前一拜。"命小童代太公提了竹篮。

钟公策杖引路，伯牙随后，小童跟定，复进谷口。果见一丘新土，在于路左。伯牙整衣下拜："贤弟，在世为人聪明，死后为神灵应。愚兄此一拜，诚永别矣！"拜罢，放声又哭。惊动山前山后，山左山右，黎民百姓，不问行的住的，远的近的，闻得朝中大臣来祭钟子期，回绕坟前，争先观看。伯牙却不曾摆得祭礼，无以为情。命童子把瑶琴取出囊来，放于祭石台上，盘膝坐于坟前，挥泪两行，抚琴一操。那些看者，闻琴韵铿锵，鼓掌大笑而散。伯牙问："老伯，下官抚琴，吊令郎贤弟，悲不能已，众人为何而笑？"钟公道："乡野之人，不知音律。闻琴声以为取乐之具，故此长笑。"伯牙道："原来如此。老伯可知所奏何曲？"钟公道："老夫幼年也颇习。如今年迈，五官半废，模糊不懂久矣。”伯牙道：“这就是下官随心应手一曲短歌，以吊令郎者，口诵于老伯听之。”钟公道：“老夫愿闻。”伯牙诵云：

忆昔去年春，江边曾会君。今日重来访，不见知音人！但见一抔土，惨然伤我心！伤心伤心复伤心，不忍泪珠纷！来欢去何苦，江畔起愁云。子期子期兮，你我千金义，历尽天涯无足语，此曲终兮不复弹，三尺瑶琴为君死！

伯牙于衣夹间取出解手刀，割断琴弦，双手举琴，向祭石台上，用力一摔，摔得玉轸抛残，金徽零乱。钟公大惊，问道：“先生为何摔碎此琴？”伯牙道：

摔碎瑶琴凤尾寒，子期不在对谁弹！
春风满面皆朋友，欲觅知音难上难。

钟公道：“原来如此，可怜可怜！”伯牙道：“老伯高居，端的在上集贤村，还是下集贤村？”钟公道：“荒居在上集贤村第八家就是。先生如今又问他怎的？”伯牙道：“下官伤感在心，不敢随老伯登堂了。随身带得有黄金二镒，一半代令郎甘旨之奉，一半买几亩祭田，为令郎春秋扫墓之费。待下官回本朝时，上表告归林下。那时却到上集贤村，迎接老伯与老伯母，同到寒家，以尽天年。吾即子期，子期即吾也。老伯勿以下官为外人相嫌。”说罢，命小僮取出黄金，亲手递与钟公，哭拜于地。钟公答拜，盘桓半晌而别。

这回书，题作《俞伯牙摔琴谢知音》。后人有诗赞云：

势利交怀势利心，斯文谁复念知音！
伯牙不作钟期逝，千古令人说破琴。

第二卷
庄子休鼓盆成大道

富贵五更春梦，功名一片浮云。眼前骨肉亦非真，恩爱翻成仇恨。　莫把金枷套颈，休将玉锁缠身。清心寡欲脱凡尘，快乐风光本分。

这首《西江月》词，是个劝世之言。要人割断迷情，逍遥自在。且如父子天性，兄弟手足，这是一本连枝，割不断的。儒、释、道三教虽殊，总抹不得“孝”“弟”二字。至于生子生孙，就是下一辈事，十分周全不得了。常言道得好：

儿孙自有儿孙福，莫与儿孙作马牛。

若论到夫妇，虽说是红线缠腰，赤绳系足，到底是剜肉粘肤，可离可合。常言又说得好：

夫妻本是同林鸟，巴到天明各自飞。

近世人情恶薄，父子兄弟到也平常，儿孙虽是疼痛，总比不得夫妇之情。他溺的是闺中之爱，听的是枕上之言。多少人被妇人迷惑，做出不孝不弟的事来。这断不是高明之辈。如今说这庄生鼓盆的故事，不是唆人夫妻不睦，只要人辨出贤愚，参破真假。从第一着迷处，把这念头放淡下来。渐渐六根清净，道念滋生，自有受用。昔人看田夫插秧，咏诗四句，大有见解。诗曰：

手把青秧插野田，低头便见水中天。

六根清净方为稻，退步原来是向前。

话说周末时，有一高贤，姓庄名周，字子休，宋国蒙邑人也，曾仕周为漆园吏。师事一个大圣人，是道教之祖，姓李名耳，字伯阳。伯阳生而白发，人都呼为老子。庄生常昼寝，梦为蝴蝶，栩栩然于园林花草之间，其意甚适。醒来时，尚觉臂膊如两翅飞动，心甚异之，以后不时有此梦。庄生一日在老子座间讲《易》之暇，将此梦诉之于师。却是个大圣人，晓得三生来历。向庄生指出夙世因由，那庄生原是混沌初分时一个白蝴蝶。天一生水，二生木，木荣花茂。那白蝴蝶采百花之精，夺日月之秀，得了气候，长生不死，翅如车轮。后游于瑶池，偷采蟠桃花蕊，被王母娘娘位下守花的青鸾啄死。其神不散，托生于世，做了庄周。因他根器不凡，道心坚固，师事老子，学清净无为之教。今日被老子点破了前生，如梦初醒。自觉两腋风生，有栩栩然蝴蝶之意。把世情荣枯得丧，看做行云流水，一丝不挂。老子知他心下大悟，把《道德》五千字的秘诀，倾囊而授。庄生嘿嘿诵习修炼，遂能分身隐形，出神变化。从此弃了漆园吏的前程，辞别老子，周游访道。

他虽宗清净之教，原不绝夫妇之伦，一连娶过三遍妻房。第一妻，得疾夭亡；第二妻，有过被出。如今说的是第三妻，姓田，乃田齐族中之女。庄生游于齐国，田宗重其人品，以女妻之。那田氏比先前二妻，更有姿色。肌肤若冰雪，绰约似神仙。庄生不是好色之徒，却也十分相敬，真个如鱼似水。楚威王闻庄生之贤，遣使持黄金百镒，文锦千端，安车驷马，聘为上相。庄生叹道："牺牛身被文绣，口食刍菽，见耕牛力作辛苦，自夸其荣。及其迎入太庙，刀俎在前，欲为耕牛而不可得也。"遂却之不受，挈妻归宋，隐于曹州之南华山。

一日，庄生出游山下，见荒冢累累，叹道："'老少俱无辨，贤愚同所归。'人归冢中，冢中岂能复为人乎？"嗟咨了一回。再行几步，忽见一新坟，封土未干。一年少妇人，浑身缟素，坐于此冢之傍，手运齐纨素扇，向冢连扇不已。庄生怪而问之："娘子，冢中所葬何人？为何举扇扇土？必有其故。"那妇人并不起身，运扇如故，口中莺啼燕语，说出几句不通道理的话来。正是：

听时笑破千人口，说出加添一段羞。

那妇人道："冢中乃妾之拙夫，不幸身亡，埋骨于此。生时与妾相爱，死不能舍。遗言教妾如要改适他人，直待葬事毕后，坟土干了，方才可嫁。妾思新筑之土，如何得就干，因此举扇扇之。"庄生含笑，想道："这妇人好性急！亏他还说生前相爱。若不相爱的，还要怎么？"乃问道："娘子，要这新土干燥极易。因娘子手腕娇软，举扇无力，不才愿替娘子代一臂之劳。"那妇人方才起身，深深道个万福："多谢官人！"双手将素白纨扇，递与庄生。庄生行起道法，举手照冢顶连扇数扇，水气都尽，其土顿干。妇人笑容可掬，谢道："有劳官人用力。"将纤手向鬓傍拔下一股银钗，连那纨扇送庄生，权为相谢。庄生却其银钗，受其纨扇。妇人欣然而去。

庄子心下不平，回到家中，坐于草堂，看了纨扇，口中叹出四句：

不是冤家不聚头，冤家相聚几时休？

早知死后无情义，索把生前恩爱勾。

田氏在背后，闻得庄生嗟叹之语，上前相问。那庄生是个有道之士，夫妻之间亦称为先生。田氏道："先生有何事感叹？此扇从何而得？"庄生将妇人扇冢，要土干改嫁之言述了一遍。"此扇即扇土之物。因我助力，以此相赠。"田氏听罢，忽发忿然之色，向空中把那妇人"千不贤，万不贤"骂了一顿。对庄生道："如此薄情之妇，世间少有！"

庄生又道出四句：

生前个个说恩深，死后人人欲扇坟。

画龙画虎难画骨，知人知面不知心。

田氏闻言大怒。自古道："怨废亲，怒废礼。"那田氏怒中之言，不顾体面，向庄生面上一啐，说道："人类虽同，贤愚不等。你何得轻出此语，将天下妇道家看作一例？却不道歉人带累好人。你却也不怕罪过！"庄生道："莫要弹空说嘴。假如不幸，我庄周死后，你这般如花似玉的年纪，难道捱得过三年五载？"田氏道："忠臣不事二君，烈女不更二夫。那见好人家妇女吃两家茶，睡两家床？若不幸轮到我身上，这样没廉耻的事，莫说三年五载，就是一世也成不得，梦儿里也还有三分的志气！"庄生道："难说！难说！"田氏口出詈语道："有志妇人胜如男子。似你这般没仁没义的，死了一个，又讨一个，出了一个，又纳一个，只道别人也是一般见识。我们妇道家一鞍一马，到是站得脚头定的。怎么肯把话与他人说，惹后世耻笑！你如今又不死，直恁枉杀了人！"就庄生手中夺过纨扇，扯得粉碎。庄生道："不必发怒，只愿得如此争气甚好！”自此无话。

过了几日，庄生忽然得病，日加沉重。田氏在床头，哭哭啼啼。庄生道：“我病势如此，永别只在早晚。可惜前日纨扇扯碎了，留得在此，好把与你扇坟！”田氏道：“先生休要多心！妾读书知礼，从一而终，誓无二志。先生若不见信，妾愿死于先生之前，以明心迹。”庄生道：“足见娘子高志，我庄某死亦瞑目。”说罢，气就绝了。田氏抚尸大哭。少不得央及东邻西舍，制备衣衾棺椁殡殓。田氏穿了一身素缟，真个朝朝忧闷，夜夜悲啼，每想着庄生生前恩爱，如痴如醉，寝食俱废。山前山后庄户，也有晓得庄生是个逃名的隐士，来吊孝的，到底不比城市热闹。

到了第七日，忽有一年少秀士，生得面如傅粉，唇若涂朱，俊俏无双，风流第一。穿扮的紫衣玄冠，绣带朱履，带着一个老苍头。自称楚国王孙，向年曾与庄子休先生有约，欲拜在门下，今日特来相访。见庄生已死，口称：“可惜！”慌忙脱下色衣，叫苍头于行囊内取出素服穿了，向灵前四拜道：“庄先生，弟子无缘，不得面会侍教。愿为先生执百日之丧，以尽私淑之情。”说罢，又拜了四拜，洒泪而起，便请田氏相见。田氏初次推辞。王孙道：“古礼，通家朋友，妻妾都不相避，何况小子与庄先生有师弟之约。”田氏只得步出孝堂，与楚王孙相见，叙了寒温。田氏一见楚王孙人才标致，就动了怜爱之心，只恨无由厮近。楚王孙道：“先生虽死，弟子难忘思慕。欲借尊居，暂住百日；一来守先师之丧，二者先师留下有什么著述，小子告借一观，以领遗训。”田氏道：“通家之谊，久住何妨。”当下治饭相款。饭罢，田氏将庄子所著《南华真经》及《老子道德》五千言，和盘托出，献与王孙。王孙殷勤感谢。草堂中间占了灵位，楚王孙在左边厢安顿。田氏每日假以哭灵为由，就左边厢，与王孙攀话。日渐情熟，眉来眼去，情不能已。楚王孙只有五分，那田氏到有十分。所喜者深山隐僻，就做差了些事，没人传说。所恨者新丧未久，况且女求于男，难以启齿。

又挨了几日，约莫有半月了。那婆娘心猿意马，按捺不住。悄地唤老苍头进房，赏以美酒，将好言抚慰。从容问：“你家主人曾婚配否？”老苍头道：“未曾婚配。”婆娘又问道：“你家主人要拣什么样人物才肯婚配？”老苍头带醉道：“我家王孙曾有言，若得像娘子一般丰韵的，他就心满意足。”婆娘道：“果有此话？莫非你说谎？”老苍头道：“老汉一把年纪，怎么说谎？”婆娘道：“我央你老人家为媒说合，若不弃嫌，奴家情愿服事你主人。”老苍头道：“我家主人也曾与老汉说来，道一段好姻缘，只碍师弟二字，恐惹人议论。”婆娘道：“你主人与先夫，原是生前空约，没有北面听教的事，算不得师弟。又且山僻荒居，邻舍罕有，谁人议论！你老人家是必委曲成就，教你吃杯喜酒。”老苍头应允。临去时，婆娘又唤转来嘱付道：“若是说得允时，不论早晚，便来房中，回覆奴家一声。奴家在此专等。”

老苍头去后，婆娘悬悬而望。孝堂边张了数十遍，恨不能一条细绳缚了那俏后生俊脚，扯将入来，搂做一处。将及黄昏，那婆娘等得个不耐烦，黑暗里走入孝堂，听左边厢声息。忽然灵座上作响。婆娘吓了一跳，只道亡灵出现。急急走转内室，取灯火来照，原来是老苍头吃醉了，直挺挺的卧于灵座桌上。婆娘又不敢嗔责他，又不敢声唤他，只得回房，挨更挨点，又过了一夜。

次日，见老苍头行来步去，并不来回覆那话儿。婆娘心下发痒，再唤他进房，问其前事。老苍头道：“不成不成!”婆娘道：“为何不成？莫非不曾将昨夜这些话剖豁明白?”老苍头道：“老汉都说了，我家王孙也说得有理。他道：‘娘子容貌，自不必言。未拜师徒，亦可不论。但有三件事未妥，不好回覆得娘子。’”婆娘道：“那三件事?”老苍头道：“我家王孙道：‘堂中见摆着个凶器，我却与娘子行吉礼，心中何忍，且不雅相。二来庄先生与娘子是恩爱夫妻，况且他是个有道德的名贤，我的才学万分不及，恐被娘子轻薄。三来我家行李尚在后边未到，空手来此，聘礼筵席之费，一无所措。为此三件，所以不成。’”婆娘道：“这三件都不必虑。凶器不是生根的，屋后还有一间破空房，唤几个庄客抬他出去就是，这是一件了。第二件，我先夫那里就是个有道德的名贤？当初不能正家，致有出妻之事，人称其薄德。楚威王慕其虚名，以厚礼聘他为相。他自知才力不胜，逃走在此。前月独行山下，遇一寡妇，将扇扇坟，待坟土干燥，方才嫁人。拙夫就与他调戏，夺他纨扇，替他扇土，将那把纨扇带回，是我扯碎了。临死时几日还为他淘了一场气，又什么恩爱！你家主人青年好学，进不可量。况他乃是王孙之贵，奴家亦是田宗之女，门第相当。今日到此，姻缘天合。第三件，聘礼筵席之费，奴家做主，谁人要得聘礼？筵席也是小事。奴家更积得私房白金二十两，赠与你主人，做一套新衣服。你再去道达，若成就时，今夜是合婚吉日，便要成亲。”老苍头收了二十两银子，回覆楚王孙，楚王孙只得顺从。老苍头回覆了婆娘。那婆娘当时欢天喜地，把孝服除下，重勾粉面，再点朱唇，穿了一套新鲜色衣。叫苍头顾唤近山庄客，扛抬庄生尸柩，停于后面破屋之内。打扫草堂，准备做合婚筵席。有诗为证：

俊俏孤孀别样娇，王孙有意更相挑。

一鞍一马谁人语？今夜思将快婿招。

是夜，那婆娘收拾香房，草堂内摆得灯烛辉煌。楚王孙簪缨袍服，田氏锦袄绣裙，双双立于花烛之下。一对男女，如玉琢金装，美不可说。交拜已毕，千恩万爱的，携手人于洞房。吃了合卺杯，正欲上床解衣就寝。忽然楚王孙眉头双皱，寸步难移，登时倒于地下，双手磨胸，只叫心疼难忍。田氏心爱王孙，顾不得新婚廉耻，近前抱住，替他抚摩，问其所以。王孙痛极不语，口吐涎沫，奄奄欲绝。老苍头慌做一堆。田氏道："王孙平日曾有此症候否？"老苍头代言："此症平日常有。或一二年发一次，无药可治。只有一物，用之立效。"田氏急问："所用何物？"老苍头道："太医传一奇方，必得生人脑髓热酒吞之，其痛立止。平日此病举发，老殿下奏过楚王，拨一名死囚来，缚而杀之，取其脑髓。今山中如何可得？其命合休矣！"田氏道："生人脑髓，必不可致。第不知死人的可用得么？"老苍头道："太医说，凡死未满四十九日者，其脑尚未干枯，亦可取用。"田氏道："吾夫死方二十馀日，何不斲棺而取之？"老苍头道："只怕娘子不肯。"田氏道："我与王孙成其夫妇，妇人以身事夫，自身尚且不惜，何有于将朽之骨乎？"

即命老苍头伏侍王孙，自己寻了砍柴板斧，右手提斧，左手携灯，往后边破屋中。将灯檠放于棺盖之上，觑定棺头，双手举斧，用力劈去。妇人家气力单微，如何劈得棺开？有个缘故，那庄周是达生之人，不肯厚敛。桐棺三寸，一斧就劈去了一块木头。再一斧去，棺盖便裂开了。只见庄生从棺内叹口气，推开棺盖，挺身坐起。田氏虽然心狠，终是女流，吓得腿软筋麻，心头乱跳，斧头不觉坠地。庄生叫："娘子扶起我来。"那婆娘不得已，只得扶庄生出棺。庄生携灯，婆娘随后同进房来。婆娘心知房中有楚王孙主仆二人，捏两把汗，行一步，反退两步。比及到房中看时，铺设依然灿烂，那主仆二人，阒然不见。婆娘心下虽然暗暗惊疑，却也放下了胆，巧言抵饰。向庄生道："奴家自你死后，日夕思念。方才听得棺中有声响，想古人中多有还魂之事，望你复活，所以用斧开棺。谢天谢地，果然重生！实乃奴家之万幸也！"庄生道："多谢娘子厚意。只是一件，娘子守孝未久，为何锦袄绣裙？"婆娘又解释道："开棺见喜，不敢将凶服冲动，权用锦绣，以取吉兆。"庄生道："罢了！还有一节，棺木何不放在正寝，却撇在破屋之内，难道也是吉兆？"婆娘无言可答。

庄生又见杯盘罗列，也不问其故，教暖酒来饮。庄生放开大量，满饮数觥。那婆娘不达时务，指望煨热老公，重做夫妻。紧挨着酒壶，撒娇撒痴，甜言美语，要哄庄生上床同寝。庄生饮得酒大醉，索纸笔写出四句：

> 从前了却冤家债，你爱之时我不爱。
> 若重与你做夫妻，怕你巨斧劈开天灵盖。

那婆娘看了这四句诗，羞惭满面，顿口无言。庄生又写出四句：

> 夫妻百夜有何恩？见了新人忘旧人。
> 甫得盖棺遭斧劈，如何等待扇干坟！

庄生又道："我则教你看两个人。"庄生用手将外面一指，婆娘回头而看，只见楚王孙和老苍头踱将进来，婆娘吃了一惊。转身不见了庄生，再回头时，连楚王孙主仆都不见了。——那里有什么楚王孙、老苍头，此皆庄生分身隐形之法也。

那婆娘精神恍惚，自觉无颜。解腰间绣带，悬梁自缢，呜呼哀哉！这到是真死了。庄生见田氏已死，解将下来，就将劈破棺木盛放了他。把瓦盆为乐器，鼓之成韵，倚棺而作歌。歌曰：

大块无心兮，生我与伊。我非伊夫兮，伊非我妻。偶然邂逅兮，一室同居。大限既终兮，有合有离。人之无良兮，生死情移。真情既见兮，不死何为！伊生兮拣择去取，伊死兮还返空虚。伊吊我兮，赠我以巨斧；我吊伊兮，慰伊以歌词。斧声起兮我复活，歌声发兮伊可知！噫嘻，敲碎瓦盆不再鼓，伊是何人我是谁！

庄生歌罢，又吟诗四句：

你死我必埋，我死你必嫁。
我若真个死，一场大笑话！

庄生大笑一声，将瓦盆打碎。取火从草堂放起，屋宇俱焚，连棺木化为灰烬。只有《道德经》、《南华经》不毁，山中有人检取，传流至今。庄生遨游四方，终身不娶。或云：遇老子于函谷关，相随而去，已得大道成仙矣。诗云：

杀妻吴起太无知，荀令伤神亦可嗤。
请看庄生鼓盆事，逍遥无碍是吾师。

第三卷
王安石三难苏学士

海鳖曾欺井内蛙，大鹏张翅绕天涯。
强中更有强中手，莫向人前满自夸。

这四句诗，奉劝世人虚己下人，勿得自满。古人说得好，道是："满招损，谦受益。"俗谚又有"四不可尽"的话。那"四不可尽"？

势不可使尽，福不可享尽，便宜不可占尽，聪明不可用尽。

你看如今有势力的，不做好事，往往任性使气，损人害人，如毒蛇猛兽，人不敢近。他见别人惧怕，没奈何他，意气扬扬，自以为得计。却不知八月潮头，也有平下来的时节。危滩急浪中，趁着这刻儿顺风，扯了满篷，望前只顾使去，好不畅快。不思去时容易，转时甚难。当时夏桀、商纣，贵为天子，不免窜身于南巢，悬头于太白。那桀纣有何罪过？也无非倚贵欺贱，恃强凌弱，总来不过是使势而已。假如桀纣是个平民百姓，还造得许多恶业否？所以说势不可使尽。

怎么说福不可享尽？常言道："惜衣有衣，惜食有食。"又道："人无寿夭，禄尽则亡。"晋时石崇太尉，与皇亲王恺斗富，以酒沃釜，以蜡代薪。锦步障大至五十里，坑厕间皆用绫罗供帐，香气袭人。跟随家僮，都穿火浣布衫，一衫价值千金。买一妾，费珍珠十斛。后来死于赵王伦之手，身首异处。此乃享福太过之报。

怎么说便宜不可占尽？假如做买卖的错了分文入己，满脸堆笑。却不想小经纪若折了分文，一家不得吃饱饭，我贪此些须小便宜，亦有何益？昔人有占便宜诗云：

我被盖你被，你毡盖我毡。你若有钱我共使，我若无钱用你钱。上山时你扶我脚，下山时我靠你肩。我有子时做你婿，你有女时伴我眠。你依此誓时，我死在你后；我违此誓时，你死在我前。

若依得这诗时，人人都要如此，谁是呆子，肯束手相让？就是一时得利，暗中损福折寿，自己不知。所以佛家劝化世人，吃一分亏，受无量福。有诗为证：

得便宜处欣欣乐，不遂心时闷闷忧。
不讨便宜不折本，也无欢乐也无愁。

说话的，这三句都是了。则那聪明二字，求之不得，如何说聪明不可用尽？见不尽者，天下之事。读不尽者，天下之书。参不尽者，天下之理。宁可懵懂而聪明，不可聪明而懵懂。如今且说一个人，古来第一聪明的。他聪明了一世，懵懂在一时。留下花锦般一段话文，传与后生小子，恃才夸己的看样。那第一聪明的是谁？

吟诗作赋般般会，打诨猜谜件件精。
不是仲尼重出世，定知颜子再投生。

话说：宋神宗皇帝在位时，有一名儒，姓苏名轼，字子瞻，别号东坡，乃四川眉州眉山人氏。一举成名，官拜翰林学士。此人天资高妙，过目成诵，出口成章。有李太白之风流，胜曹子建之敏捷。在宰相荆公王安石先生门下，荆公甚重其才。东坡自恃聪明，颇多讥诮。荆公因作《字说》，一字解作一义。偶论东坡的坡字，从土从皮，谓坡乃土之皮。东坡笑道："如相公所言，滑字乃水之骨也。"一日，荆公又论及鲵字，从鱼从兒，合是鱼子。四马曰驷，天虫为蚕，古人制字，定非无义。东坡拱手进言："鸠字九鸟，可知有故？"荆公认以为真，欣然请教。东坡笑道："《毛诗》云：'鸣鸠在桑，其子七兮。'连娘带爷，共是九个。"荆公默然，恶其轻薄，左迁为湖州刺史。正是：

是非只为多开口，烦恼皆因巧弄唇。

东坡在湖州做官，三年任满，朝京，作寓于大相国寺内。想当时因得罪于荆公，自取其咎。常言道："未去朝天子，先来谒相公。"分付左右备脚色手本，骑马投王丞相府来。离府一箭之地，东坡下马步行而前。见府门首许多听事官吏，纷纷站立。东坡举手问道："列位，老太师在堂上否？"守门官上前答道："老爷昼寝未醒，且请门房中少坐。"从人取交床在门房中，东坡坐下，将门半掩。

不多时，相府中有一少年人，年方弱冠，戴缠骔大帽，穿青绢直摆，攧手洋洋，出府下阶。众官吏皆躬身揖让，此人从东向西而去。东坡命从人去问，相府中适才出来者何人？从人打听明白回覆，是丞相老爷府中掌书房的，姓徐。东坡记得荆公书房中宠用的有个徐伦，三年前还未冠。今虽冠了，面貌依然，叫从人："既是徐掌家，与我赶上一步，快请他转来。"从人飞奔去了，赶上徐伦，不敢于背后呼唤，从傍边抢上前去，垂手侍立于街傍，道："小的是湖州府苏爷的长班。苏爷在门房中，请徐老爹相见，有句话说。"徐伦问："可是长胡子的苏爷？"从人道："正是。"东坡是个风流才子，见人一团和气，平昔与徐伦相爱，时常写扇送他。徐伦听说是苏学士，微微而笑，转身便回。从人先到门房，回覆徐掌家到了。徐伦进门房来见苏爷，意思要跪下去。东坡用手搀住。这徐伦立身相府，掌内书房，外府州县首领官员到京参谒丞相，知会徐伦，俱有礼物，单帖通名，今日见苏爷怎么就要下跪？因苏爷久在丞相门下往来，徐伦自小书房答应，职任烹茶，就如旧主人一般，一时大不起来。苏爷却全他的体面，用手搀住道："徐掌家，不要行此礼。"徐伦道："这门房中不是苏爷坐处，且请进府到东书房待茶。"

这东书房，便是王丞相的外书房了。凡门生知友往来，都到此处。徐伦引苏爷到东书房，看了坐，命童儿烹好茶伺候。"禀苏爷，小的奉老爷遣差往太医院取药，不得在此伏侍，怎么好？"东坡道："且请治事。"徐伦去后，东坡见四壁书橱关闭有锁，文几上只有笔砚，更无馀物。东坡开砚匣，看了砚池，是一方绿色端砚，甚有神采。砚上馀墨未干。方欲掩盖，忽见砚匣下露出些纸角儿。东坡扶起砚匣，乃是一方素笺，叠做两摺。取而观之，原来是两句未完的诗稿，认得荆公笔迹，题是《咏菊》。东坡笑道："士别三日，换眼相待。昔年我曾在京为官时，此老下笔数千言，不由思索。三年后，也就不同了。正是江淹才尽，两句诗不曾终韵。"念了一遍，"呀，原来连这两句诗都是乱道。"这两句诗怎么样写？

西风昨夜过园林，吹落黄花满地金。

东坡为何说这两句诗是乱道？一年四季，风各有名：春天为和风，夏天为薰风，秋天为金风，冬天为朔风。和、薰、金、朔四样风配着四时。这诗首句说西风，西方属金，金风乃秋令也。那金风一起，梧叶飘黄，群芳零落。第二句说："吹落黄花满地金"，黄花即菊花。此花开于深秋，其性属火，敢与秋霜鏖战，最能耐久，随你老来焦干枯烂，并不落瓣。说个"吹落黄花满地金"，岂不是错误了？兴之所发，不能自已。举笔舐墨，依韵续诗二句：

秋花不比春花落，说与诗人仔细吟。

写便写了，东坡愧心复萌："倘此老出书房相待，见了此诗，当面抢白，不像晚辈体面。欲待袖去以灭其迹，又恐荆公寻诗不见，带累徐伦。"思算不妥，只得仍将诗稿折叠，压于砚匣之下，盖上砚匣，步出书房。到大门首，取脚色手本，付与守门官吏嘱付道："老太师出堂，通禀一声，说苏某在此伺候多时。因初到京中，文表不曾收拾。明日早朝赍过表章，再来谒见。"说罢，骑马回下处去了。

不多时，荆公出堂。守门官吏，虽蒙苏爷嘱付，没有纸包相送，那个与他禀话，只将脚色手本和门簿缴纳。荆公也只当常规，未及观看，心下记着菊花诗二句未完韵。恰好徐伦从太医院取药回来，荆公唤徐伦送置东书房，荆公也随后入来。坐定，揭起砚匣，取出诗稿一看，问徐伦道："适才何人到此？"徐伦跪下，禀道："湖州府苏爷伺候老爷，曾到。"荆公看其字迹，也认得是苏学士之笔。口中不语，心下踌躇："苏轼这个小畜生，虽遭挫折，轻薄之性不改！不道自己学疏才浅，敢来讥讪老夫！明日早朝，奏过官里，将他削职为民。"又想道："且住，他也不晓得黄州菊花落瓣，也怪他不得！"叫徐伦取湖广缺官册籍来看。单看黄州府，馀官俱在，只缺少个团练副使。荆公暗记在心。命徐伦将诗稿贴于书房柱上。

明日早朝，密奏天子，言苏轼才力不及，左迁黄州团练副使。天下官员到京上表章，升降勾除，各自安命。惟有东坡心中不服，心下明知荆公为改诗触犯，公报私仇。没奈何，也只得谢恩。朝房中才卸朝服，长班禀道："丞相爷出朝。"东坡露堂一恭。荆公肩舆中举手道："午后老夫有一饭。"东坡领命。回下处修书，打发湖州跟官人役，兼本衙管家，往旧任接取家眷黄州相会。

午牌过后，东坡素服角带，写下新任黄州团练副使脚色手本，乘马来见丞相领饭。门吏通报，荆公分付请进到大堂拜见。荆公待以师生之礼，手下点茶。荆公开言道："子瞻左迁黄州，乃圣上主意，老夫爱莫能助。子瞻莫错怪老夫否？"东坡道："晚学生自知才力不及，岂敢怨老太师！"荆公笑道："子瞻大才，岂有不及！只是到黄州为官，闲暇无事，还要读书博学。"东坡目穷万卷，才压千人。今日劝他读书博学，还读什么样书！口中称谢道："承老太师指教。"心下愈加不服。荆公为人至俭，肴不过四器，酒不过三杯，饭不过一箸。东坡告辞，荆公送下滴水檐前，携东坡手道："老夫幼年灯窗十载，染成一症，老年举发，太医院看是痰火之症。虽然服药，难以除根。必得阳羡茶，方可治。有荆溪进贡阳羡茶，圣上就赐与老夫。老夫问太医院官如何烹服，太医院官说：须用瞿塘中峡水。瞿塘在蜀，老夫几欲差人往取，未得其便，兼恐所差之人未必用心。子瞻桑梓之邦，倘尊眷往来之便，将瞿塘中峡水，携一瓮寄与老夫，则老夫衰老之年，皆子瞻所延也。”东坡领命，回相国寺。

次日辞朝出京，星夜奔黄州道上。黄州合府官员知东坡天下有名才子，又是翰林谪官，出郭远迎。选良时吉日公堂上任，过月之后，家眷方到。东坡在黄州与蜀客陈季常为友。不过登山玩水，饮酒赋诗，军务民情，秋毫无涉。

光阴迅速，将及一载。时当重九之后，连日大风。一日风息，东坡兀坐书斋，忽想：“定惠院长老曾送我黄菊数种，栽于后园，今日何不去赏玩一番？”足犹未动，恰好陈季常相访。东坡大喜，便拉陈慥同往后园看菊。到得菊花棚下，只见满地铺金，枝上全无一朵。唬得东坡目瞪口呆，半晌无语。陈慥问道：“子瞻见菊花落瓣，缘何如此惊诧？”东坡道：“季常有所不知。平常见此花只是焦干枯烂，并不落瓣。去岁在王荆公府中，见他《咏菊》诗二句，道：‘西风昨夜过园林，吹落黄花满地金。’小弟只道此老错误了，续诗二句道：‘秋花不比春花落，说与诗人仔细吟。’却不知黄州菊花果然落瓣！此老左迁小弟到黄州，原来使我看菊花也。”陈慥笑道：“古人说得好：

广知世事休开口，纵会人前只点头。
假若连头俱不点，一生无恼亦无愁。”

东坡道：“小弟初然被谪，只道荆公恨我摘其短处，公报私仇。谁知他到不错，我到错了。真知灼见者，尚且有误，何况其他！吾辈切记，不可轻易说人笑人，正所谓经一失长一智耳。”东坡命家人取酒，与陈季常就落花之下，席地而坐。正饮酒间，门上报道：“本府马太爷拜访，将到。”东坡分付：“辞了他罢。”是日，两人对酌闲谈，至晚而散。

次日，东坡写了名帖，答拜马太守，马公出堂迎接。彼时没有迎宾馆，就在后堂分宾而坐。茶罢，东坡因叙出去年相府错题了菊花诗，得罪荆公之事。马太守微笑道：“学生初到此间，也不知黄州菊花落瓣。亲见一次，此时方信。可见老太师学问渊博，有包罗天地之抱负。学士大人，一时忽略，陷于不知，何不到京中太师门下赔罪一番，必然回嗔作喜。”东坡道：“学生也要去，恨无其由。”太守道：“将来有一事方便，只是不敢轻劳。”东坡问何事。太守道：“常规，冬至节必有贺表到京，例差地方官一员。学士大人若不嫌琐屑，假进表为由，到京也好。”东坡道：“承堂尊大人用情，学生愿往。”太守道：“这道表章，只得借重学士大笔。”东坡应允。

别了马太守回衙，想起荆公嘱付要取瞿塘中峡水的话来。初时心中不服，连这取水一节，置之度外。如今却要替他出力做这件事，以赎妄言之罪。但此事不可轻托他人。现今夫人有恙，思想家乡。既承贤守公美意，不若告假亲送家眷还乡，取得瞿塘中峡水，庶为两便。黄州至眉州，一水之地，路正从瞿塘三峡过。那三峡？西陵峡，巫峡，归峡。西陵峡为上峡，巫峡为中峡，归峡为下峡。那西陵峡又唤做瞿塘峡，在夔州府城之东。两崖对峙，中贯一江。滟滪堆当其口，乃三峡之门。所以总唤做瞿塘三峡。此三峡共长七百馀里，两岸连山无阙，重峦叠嶂，隐天蔽日。风无南北，惟有上下。自黄州到眉州，总有四千馀里之程，夔州适当其半。东坡心下计较：“若送家眷直到眉州，往回将及万里，把贺冬表又担误了。我如今有个道理，叫做公私两尽。从陆路送家眷至夔州，却令家眷自回。我在夔州换船下峡，取了中峡之水，转回黄州，方往东京。可不是公私两尽。”算计已定，对夫人说知，收拾行李，辞别了马太守，衙门上悬一个告假的牌面。择了吉日，准备车马，唤集人夫，合家起程。一路无事，自不必说。

才过夷陵州，早是高唐县。

驿卒报好音，夔州在前面。

东坡到了夔州，与夫人分手。嘱付得力管家，一路小心伏侍夫人回去。东坡讨个江船，自夔州开发，顺流而下。原来这滟滪堆，是江口一块孤石，亭亭独立，夏即浸没，冬即露出。因水满石没之时，舟人取途不定，故又名犹豫堆。俗谚云：

犹豫大如象，瞿塘不可上。

犹豫大如马，瞿塘不可下。

东坡在重阳后起身，此时尚在秋后冬前。又其年是闰八月，迟了一个月的节气，所以水势还大。上水时，舟行甚迟，下水时却甚快。东坡来时正怕迟慢，所以舍舟从陆。回时乘着水势，一泻千里，好不顺溜。东坡看见那峭壁千寻，沸波一线，想要做一篇《三峡赋》，结构不就。因连日鞍马困倦，凭几构思，不觉睡去，不曾分付得水手打水。及至醒来问时，已是下峡，过了中峡了。东坡分付：“我要取中峡之水，快与我拨转船头。”水手禀道：“老爷，三峡相连，水如瀑布，船如箭发。若回船便是逆水，日行数里，用力甚难。”东坡沉吟半晌，问：“此地可以泊船，有居民否？”水手禀道：“上二峡悬崖峭壁，船不能停。到归峡，山水之势渐平，崖上不多路，就有市井街道。”

东坡叫泊了船，分付苍头：“你上崖去看有年长知事的居民，唤一个上来，不要声张惊动了他。”苍头领命。登崖不多时，带一个老人上船，口称居民叩头。东坡以美言抚慰："我是过往客官，与你居民没有统属，要问你一句话。那瞿塘三峡，那一峡的水好？"老者道："三峡相连，并无阻隔。上峡流于中峡，中峡流于下峡，昼夜不断。一般样水，难分好歹。"东坡暗想道："荆公胶柱鼓瑟。三峡相连，一般样水，何必定要中峡？"叫手下，给官价与百姓买个干净磁瓮，自己立于船头，看水手将下峡水满满的汲了一瓮，用柔皮纸封固，亲手佥押。

即刻开船，直至黄州拜了马太守。夜间草成贺冬表，送去府中。马太守读了表文，深赞苏君大才。赍表官就佥了苏轼名讳，择了吉日，与东坡饯行。

东坡赍了表文，带了一瓮蜀水，星夜来到东京，仍投大相国寺内。天色还早，命手下抬了水瓮，乘马到相府来见荆公。荆公正当闲坐，闻门上通报："黄州团练使苏爷求见。"荆公笑道："已经一载矣！"分付守门官："缓着些出去，引他东书房相见。"守门官领命。荆公先到书房，见柱上所贴诗稿，经年尘埃迷目。亲手于鹊尾瓶中，取拂尘将尘拂去，俨然如旧。荆公端坐于书房。却说守门官延挨了半晌，方请苏爷。东坡听说东书房相见，想起改诗的去处，面上赧然。勉强进府，到书房见了荆公下拜。荆公用手相扶道："不在大堂相见，惟思远路风霜，休得过礼。"命童儿看坐。东坡坐下，偷看诗稿，贴于对面。荆公用拂尘往左一指道："子瞻，可见光阴迅速，去岁作此诗，又经一载矣！"东坡起身拜伏于地，荆公用手扶住道："子赡为何？"东坡道："晚学生甘罪了！"荆公道："你见了黄州菊花落瓣么？"东坡道："是。"荆公道："目中未见此一种，也怪不得子瞻！"东坡道："晚学生才疏识浅，全仗老太师海涵。"

茶罢，荆公问道："老夫烦足下带瞿塘中峡水，可有么？"东坡道："见携府外。"荆公命堂候官两员，将水瓮抬进书房。荆公亲以衣袖拂拭，纸封打开。命童儿茶灶中煨火，用银铫汲水烹之。先取白定碗一只，投阳羡茶一撮于内。候汤如蟹眼、急取起倾入，其茶色半晌方见。荆公问："此水何处取来？"东坡道："巫峡。"荆公道："是中峡了。"东坡道："正是。"荆公笑道："又来欺老夫了！此乃下峡之水，如何假名中峡？"东坡大惊，述土人之言，"三峡相连，一般样水。晚学生误听了，实是取下峡之水！老太师何以辨之？"荆公道："读书人不可轻举妄动，须是细心察理。老夫若非亲到黄州，看过菊花，怎么诗中敢乱道黄花落瓣？这瞿塘水性，出于《水经补注》。上峡水性太急，下峡太缓，惟中峡缓急相半。太医院官乃明医，知老夫乃中脘变症，故用中峡水引经。此水烹阳羡茶，上峡味浓，下峡味淡，中峡浓淡之间。今见茶色半晌方见，故知是下峡。"东坡离席谢罪。

荆公道："何罪之有！皆因子瞻过于聪明，以致疏略如此。老夫今日偶然无事，幸子瞻光顾。一向相处，尚不知子瞻学问真正如何？老夫不自揣量，要考子瞻一考。”东坡欣然答道：“晚学生请题。”荆公道：“且住！老夫若遽然考你，只说老夫恃了一日之长。子瞻到先考老夫一考，然后老夫请教。”东坡鞠躬道：“晚学生怎么敢？”荆公道：“子瞻既不肯考老夫，老夫却不好僭妄。也罢，叫徐伦把书房中书橱尽数与我开了。左右二十四橱，书皆积满。但凭于左右橱内上中下三层取书一册，不拘前后，念上文一句，老夫答下句不来，就算老夫无学。”东坡暗想道：“这老甚迂阔，难道这些书都记在腹内？虽然如此，不好去考他。”答应道：“这个晚学生不敢！”荆公道：“咳！道不得个‘恭敬不如从命’了！”东坡使乖，只拣尘灰多处，料久不看，也忘记了，任意抽书一本，未见签题，揭开居中，随口念一句道：“如意君安乐否？”

荆公接口道：“‘窃已啖之矣。’可是？”东坡道：“正是。”荆公取过书来，问道：“这句书怎么讲？”东坡不曾看得书上详细，暗想：“唐人讥则天后，曾称薛敖曹为如意君。或者差人问候，曾有此言。只是下文说‘窃已啖之矣’，文理却接上面不来。”沉吟了一会，又想道：“不要惹这老头儿。千虚不如一实。”答应道：“晚学生不知。”荆公道：“这也不是什么秘书，如何就不晓得？这是一桩小故事。汉末灵帝时，长沙郡武冈山后有一狐穴，深入数丈。内有九尾狐狸二头。日久年深，皆能变化，时常化作美妇人，遇着男子往来，诱入穴中行乐。小不如意，分而食之。后有一人姓刘名玺，入山采药，被二妖所掳。夜晚求欢，枕席之间，二狐快乐，称为如意君。大狐出山打食，则小狐看守。小狐出山，则大狐亦如之。日就月将，并无忌惮。酒后，露其本形。刘玺有恐怖之心，精力衰倦。一日，大狐出山打食，小狐在穴，求其云雨，不果其欲。小狐大怒，生啖刘玺于腹内。大狐回穴，心记刘生，问道，‘如意君安乐否？’小狐答道：‘窃已啖之矣。’二狐相争追逐，满山喊叫。樵人窃听，遂得其详，记于“汉末全书”。子瞻想未涉猎？”东坡道：“老太师学问渊深，非晚辈浅学可及！”

荆公微笑道：“这也算考过老夫了。老夫还席，也要考子瞻一考。子瞻休得吝教！”东坡道：“求老太师命题平易。”荆公道：“考别件事，又道老夫作难。久闻子瞻善于作对，今年闰了个八月，正月立春，十二月又是立春，是个两头春。老夫就将此为题，出句求对，以观子瞻妙才。”命童儿取纸笔过来，荆公写出一对道：“一岁二春双八月，人间两度春秋。”东坡虽是妙才，这对出得跷蹊，一时寻对不出，羞颜可掬，面皮通红了。荆公问道：“子瞻从湖州至黄州，可从苏州、润州经过么？”东坡道：“此是便道。”荆公道：“苏州金阊门外，至于虎丘，这一带路，叫做山塘，约有七里之遥，其半路名为半塘。润州古名铁瓮城，临于大江，有金山，银山，玉山，这叫做三山。俱有佛殿僧房，想子瞻都曾游览？”东坡答应道：“是。”荆公道：“老夫再将苏润二州，各出一对，求子瞻对之。苏州对云：‘七里山塘，行到半塘三里半。’润州对云：‘铁瓮城西，金、玉、银山三宝地。’”东坡思想多时，不能成对，只得谢罪而出。荆公晓得东坡受了些醃臜，终惜其才。明日奏过神宗天子，复了他翰林学士之职。

后人评这篇话道：以东坡天才，尚然三被荆公所屈。何况才不如东坡者！因作诗戒世云：

项托曾为孔子师，荆公反把子瞻嗤。
为人第一谦虚好，学问茫茫无尽期。

第四卷
拗相公饮恨半山堂

得岁月，延岁月，得欢悦，且欢悦。
万事乘除总在天，何必愁肠千万结。
放心宽，莫量窄，古今兴废言不彻。
金谷繁华眼底尘，淮阴事业锋头血。
临潼会上胆气消，丹阳县里萧声绝。
时来弱草胜春花，运去精金逊顽铁。
逍遥快乐是便宜，到老方知滋味别。
粗衣淡饭足家常，养得浮生一世拙。

开话已毕，未入正文，且说唐诗四句：

周公恐惧流言日，王莽谦恭下士时。
假使当年身便死，一生真伪有谁知！

此诗大抵说人品有真有伪，须要恶而知其美，好而知其恶。第一句说周公。那周公，姓姬名旦，是周文王少子。有圣德，辅其兄武王伐商，定了周家八百年天下。武王病，周公为册文告天，愿以身代。藏其册于金匮，无人知之。以后武王崩，太子成王年幼。周公抱成王于膝，以朝诸侯。有庶兄管叔、蔡叔将谋不轨，心忌周公，反布散流言，说周公欺侮幼主，不久篡位，成王疑之。周公辞了相位，避居东国，心怀恐惧。一日天降大风疾雷，击开金匮，成王见了册文，方知周公之忠，迎归相位，诛了管叔、蔡叔，周室危而复安。假如管叔、蔡叔流言方起，说周公有反叛之心，周公一病而亡，金匮之文未开，成王之疑未释，谁人与他分辨？后世却不把好人当做恶人？

第二句说王莽。王莽字巨君，乃西汉平帝之舅，为人奸诈。自恃椒房宠势，相国威权，阴有篡汉之意。恐人心不服，乃折节谦恭，尊礼贤士，假行公道，虚张功业。天下郡县称莽功德者，共四十八万七千五百七十二人。莽知人心归己，乃鸩平帝，迁太后，自立为君。改国号曰新，一十八年。直至南阳刘文叔起兵复汉，被诛。假如王莽早死了十八年，却不是完名全节一个贤宰相，垂之史册。不把恶人当做好人么？所以古人说："日久见人心，"又道："盖棺论始定。"不可以一时之誉，断其为君子；不可以一时之谤，断其为小人。有诗为证：

毁誉从来不可听，是非终久自分明。

一时轻信人言语，自有明人话不平。

如今说先朝一个宰相，他在下位之时，也着实有名有誉的。后来大权到手，任性胡为，做错了事，惹得万口唾骂，饮恨而终。假若有名誉的时节，一个瞌睡死去了不醒，人还千惜万惜，道国家没福，恁般一个好人，未能大用，不尽其才，却到也留名于后世。及至万口唾骂时，就死也迟了。这到是多活了几年的不是！那位宰相是谁？在那一个朝代？这朝代不近不远，是北宋神宗皇帝年间，一个首相，姓王，名安石，临川人也。此人目下十行，书穷万卷。名臣文彦博、欧阳修、曾巩、韩维等，无不奇其才而称之。方及二旬，一举成名。初任浙江庆元府鄞县知县，兴利除害，大有能声。转在扬州佥判，每读书达旦不寐。日已高，闻太守坐堂，多不及盥漱而往。时扬州太守，乃韩魏公名琦者。见安石头面垢污，知未盥漱，疑其夜饮，劝以勤学。安石谢教，绝不分辨。后韩魏公察听他彻夜读书，心甚异之，更夸其美。升江宁府知府，贤声愈著，直达帝聪。正是：

只因前段好，误了后来人。

神宗天子励精图治，闻王安石之贤，特召为翰林学士。天子问为治何法，安石以尧舜之道为对，天子大悦。不二年，拜为首相，封荆国公，举朝以为皋、夔复出，伊、周再生，同声相庆。惟李承之见安石双眼多白，谓是奸邪之相，他日必乱天下。苏老泉见安石衣服垢敝，经月不洗面，以为不近人情，作《辨奸论》以刺之。此两个人是独得之见，谁人肯信！不在话下。

安石既为首相，与神宗天子相知，言听计从，立起一套新法来，那几件新法？农田法、水利法、青苗法、均输法、保甲法、免役法、市易法、保马法、方田法、免行法。专听一个小人，姓吕名惠卿，及伊子王雱，朝夕商议，斥逐忠良，拒绝直谏。民间怨声载道，天变迭兴。荆公自以为是，复倡为三不足之说："天变不足畏，人言不足恤，祖宗之法不足守。"因他性子执拗，主意一定，佛菩萨也劝他不转，人皆呼为拗相公。文彦博、韩琦许多名臣，先夸佳说好的，到此也自悔失言。一个个上表争论，不听，辞官而去。自此持新法益坚。祖制纷更，万民失业。

一日，爱子王雱病疽而死，荆公痛思之甚。招天下高僧，设七七四十九日斋醮，荐度亡灵，荆公亲自行香拜表。其日，第四十九日斋醮已完，漏下四鼓。荆公焚香送佛，忽然昏倒于拜毡之上，左右呼唤不醒。到五更，如梦初觉，口中道："诧异诧异！"左右扶进中门。吴国夫人命丫鬟接入内寝，问其缘故。荆公眼中垂泪道："适才昏愦之时，恍恍忽忽到一个去处，如大官府之状，府门尚闭。见吾儿王雱荷巨枷约重百斤，力殊不胜，蓬首垢面，流血满体，立于门外。对我哭诉其苦，道：'阴司以儿父久居高位，不思行善，专一任性执拗，行青苗等新法，蠹国害民，怨气腾天。儿不幸阳禄先尽，受罪极重，非斋醮可解。父亲宜及早回头，休得贪恋富贵！……'说犹未毕，府中开门吆喝，惊醒回来。"夫人道："宁可信其有，不可信其无。妾亦闻外面人言籍籍，归怨相公。相公何不急流勇退？早去一日，也省了一日的咒詈。"

荆公从夫人之言，一连十来道表章，告病辞职。天子风闻外边公论，亦有厌倦之意，遂从其请，以使相判江宁府。故宋时，凡宰相解位，都要带个外任的职衔，到那地方资禄养老，不必管事。荆公想江宁乃金陵古迹之地，六朝帝王之都，江山秀丽，人物繁华，足可安居，甚是得意。夫人临行，尽出房中钗钏衣饰之类，及所藏宝玩，约数千金，布施各庵院寺观打醮焚香，以资亡儿王雱冥福。择日辞朝起身，百官设饯送行。荆公托病，都不相见。府中有一亲吏，姓江名居，甚会答应。荆公只带此一人，与僮仆随家眷同行。

东京至金陵，都有水路，荆公不用官船，微服而行，驾一小艇，由黄河溯流而下。将次开船，荆公唤江居及众僮仆分付："我虽宰相，今已挂冠而归。凡一路马头歇船之处，有问我何姓何名何官何职，汝等但言过往游客，切莫对他说实话，恐惊动所在官府，前来迎送，或起夫防护，骚扰居民不便。若或泄漏风声，必是汝等需索地方常例，诈害民财。吾若知之，必皆重责。"众人都道："谨领钧旨。"江居禀道："相公白龙鱼服，隐姓潜名，倘或途中小辈不识高低，有毁谤相公者，何以处之？"荆公道："常言'宰相腹中撑得船过'，从来人言不足恤。言吾善者，不足为喜；道吾恶者，不足为怒。只当耳边风过去便了，切莫揽事。"江居领命，并晓谕水手知悉。自此水路无话。

不觉二十馀日，已到锺离地方。荆公原有痰火症，住在小舟多日，情怀抑郁，火症复发。思欲舍舟登陆，观看市井风景，少舒愁绪。分付管家道："此去金陵不远，你可小心伏侍夫人家眷，从水路，由瓜步淮扬过江。我从陆路而来，约到金陵江口相会。"

安石打发家眷开船，自己只带两个僮仆，并亲吏江居，主仆共是四人，登岸。

只因水陆舟车扰，断送南来北往人。

江居禀道："相公陆行，必用脚力。还是拿钧帖到县驿取讨，还是自家用钱雇赁？"荆公道："我分付在前，不许惊动官府，只自家雇赁便了。"江居道："若自家雇赁，须要投个主家。"当下僮仆携了包裹，江居引荆公到一个经纪人家来。主人迎接上坐，问道："客官要往那里去？"荆公道："要往江宁，欲觅肩舆一乘，或骡或马三匹，即刻便行。"主人道："如今不比当初，忙不得哩！"荆公道："为何？"主人道："一言难尽！自从拗相公当权，创立新法，伤财害民，户口逃散。虽留下几户穷民，只好奔走官差，那有空役等雇？况且民穷财尽，百姓饔餐不饱，没闲钱去养马骡。就有几头，也不勾差使。客官坐稳，我替你抓寻去。寻得下，莫喜，寻不来，莫怪。只是比往常一倍钱要两倍哩！"江居问道："你说那拗相公是谁？"主人道："叫做王安石，闻说一双白眼睛，恶人自有恶相。"荆公垂下眼皮，叫江居莫管别人家闲事。主人去了多时，来回覆道："轿夫只许你两个，要三个也不能勾，没有替换，却要把四个人的夫钱雇他。马是没有，止寻得一头骡，一个叫驴。明日五鼓到我店里。客官将就去得时，可付些银子与他。"荆公听了前番许多恶话，不耐烦，巴不得走路。想道："就是两个夫子，缓缓而行也罢。只是少一个头口。没奈何，把一匹与江居坐，那一匹，教他两个轮流坐罢。"分付江居，但凭主人定价，不要与他计较。江居把银子称付主人。

日光尚早，荆公在主人家闷不过，唤童儿跟随，走出街市闲行。果然市井萧条，店房稀少。荆公暗暗伤感。步到一个茶坊，到也洁净，荆公走进茶坊，正欲唤茶，只见壁间题一绝句云：

祖宗制度至详明，百载馀黎乐太平。
白眼无端偏固执，纷纷变乱拂人情。

后款云："无名子慨世之作。"荆公默然无语，连茶也没兴吃了，慌忙出门。

又走了数百步，见一所道院。荆公道："且去随喜一回，消遣则个。"走进大门，就是三间庙宇。荆公正欲瞻礼，尚未跨进殿槛，只见朱壁外面粘着一幅黄纸，纸上有诗句：

五叶明良致太平，相君何事苦纷更？
既言尧舜宜为法，当效伊周辅圣明！
排尽旧臣居散地，尽为新法误苍生。
翻思安乐窝中老，先识天津杜宇声。

先前英宗皇帝时，有一高士，姓邵名雍，别号尧夫，精于数学，通天彻地，自名其居为安乐窝。常与客游洛阳天津桥上，闻杜宇之声，叹道："天下从此乱矣！"客问其故。尧夫答道："天下将治，地气自北而南；天下将乱，地气自南而北。洛阳旧无杜宇，今忽有之，乃地气自南而北之征。不久天子必用南人为相，变乱祖宗法度，终宋世不得太平。”这个兆，正应在王安石身上。荆公默诵此诗一遍，问香火道人：“此诗何人所作？没有落款。”道人道：“数日前，有一道侣到此索纸题诗，粘于壁上，说是骂什么拗相公的。”荆公将诗纸揭下，藏于袖中，默然而出。回到主人家，闷闷的过了一夜。

五鼓鸡鸣，两名夫和一个赶脚的牵着一头骡，一个叫驴都到了。荆公素性不十分梳洗，上了肩舆。江居乘了驴子，让那骡子与僮仆两个更换骑坐。约行四十馀里，日光将午，到一村镇。江居下了驴，走上一步，禀道：“相公，该打中火了。”荆公因痰火病发，随身扶手，带得有清肺干糕，及丸药茶饼等物。分付手下：“只取沸汤一瓯来，你们自去吃饭。”荆公将沸汤调茶，用了点心。众人吃饭，兀自未了。荆公见屋傍有个坑厕，讨一张毛纸，走去登东。只见坑厕土墙上，白石灰画诗八句：

初知鄞邑未升时，为负虚名众所推。
苏老《辨奸》先有识，李丞劾奏已前知。
斥除贤正专威柄，引进虚浮起祸基。
最恨邪言“三不足”，千年流毒臭声遗。

荆公登了东，觑个空，就左脚脱下一只方舄，将舄底向土墙上抹得字迹糊涂，方才罢手。

众人中火已毕，荆公复上肩舆而行，又三十里，遇一驿舍。江居禀道，“这官舍宽敞，可以止宿。”荆公道：“昨日叮咛汝辈是甚言语！今宿于驿亭，岂不惹人盘问？还到前村，择僻静处民家投宿，方为安稳。”又行五里许，天色将晚。到一村家，竹篱茅舍，柴扉半掩。荆公叫江居上前借宿，江居推扉而入。内一老叟扶杖走出，问其来由。江居道：“某等游客，欲暂宿尊居一宵，房钱依例奉纳。”老叟道：“但随官人们尊便。”江居引荆公进门，与主人相见。老叟延荆公上坐，见江居等三人侍立，知有名分，请到侧屋里另坐。老叟安排茶饭去了。

荆公看新粉壁上，有大书律诗一首，诗云：

文章谩说自天成，曲学偏邪识者轻。
强辨鹑刑非正道，误餐鱼饵岂真情。
奸谋已遂生前志，执拗空遗死后名。
亲见亡儿阴受梏，始知天理报分明。

荆公阅毕，惨然不乐。须臾，老叟搬出饭来，从人都饱餐，荆公也略用了些。问老叟道：“壁上诗何人写作？”老叟道：“往来游客所书，不知名姓。”公俯首寻思：“我曾辨帛勒为鹑刑，及误餐鱼饵，二事人颇晓得。只亡儿阴府受梏事，我单对夫人说，并没第二人得知，如何此诗言及？好怪。好怪！”

荆公因此诗末句刺着他痛心之处，狐疑不已。因问老叟：“高寿几何？”

老叟道："年七十八了。"荆公又问："有几位贤郎？"老叟扑簌簌泪下，告道："有四子，都死了。与老妻独居于此。"荆公道："四子何为俱夭？"老叟道："十年以来，苦为新法所害。诸子应门，或殁于官，或丧于途。老汉幸年高，得以苟延残喘，倘若少壮，也不在人世了。"荆公惊问："新法有何不便，乃至于此？"老叟道："官人只看壁间诗可知矣。自朝廷用王安石为相，变易祖宗制度，专以聚敛为急，拒谏饰非，驱忠立佞。始设青苗法以虐农民，继立保甲、助役、保马、均输等法，纷纭不一。官府奉上而虐下，日以箠掠为事。吏卒夜呼于门，百姓不得安寝。弃产业，携妻子，逃于深山者，日有数十。此村百有馀家，今所存八九家矣。寒家男女共一十六口，今只有四口仅存耳！"说罢，泪如雨下。荆公亦觉悲酸。又问道："有人说新法便民，老丈今言不便，愿闻其详。"老叟道："王安石执拗，民间称为拗相公。若言不便，便加怒贬；说便，便加升擢。凡说新法便民者，都是谄佞辈所为，其实害民非浅！且如保甲上番之法，民家每一丁，教阅于场，又以一丁朝夕供送。虽说五日一教，那做保正的，日聚于教场中，受贿方释。如没贿赂，只说武艺不熟，拘之不放，以致农时俱废，往往冻馁而死。"言毕，问道："如今那拗相公何在？"荆公哄他道："见在朝中辅相天子。"老叟唾地大骂道："这等奸邪，不行诛戮，还要用他，公道何在！朝廷为何不相了韩琦、富弼、司马光、吕诲、苏轼诸君子，而偏用此小人乎！"

江居等听得客坐中喧嚷之声，走来看时，见老叟说话太狠，咤叱道："老人家不可乱言，倘王丞相闻知此语，获罪非轻了。"老叟矍然怒起道："吾年近八十，何畏一死！若见此奸贼，必手刃其头，刳其心肝而食之。虽赴鼎镬刀锯，亦无恨矣！"众人皆吐舌缩项。荆公面如死灰，不敢答言，起立庭中，对江居说道："月明如昼，还宜赶路。"江居会意，去还了老叟饭钱，安排轿马。荆公举手与老叟分别，老叟笑道："老拙自骂奸贼王安石，与官人何干，乃怫然而去？莫非官人与王安石有甚亲故么？"荆公连声答道："没有，没有！"荆公登舆，分付快走，从者跟随，踏月而行。

又走十馀里，到树林之下，只有茅屋三间，并无邻比。荆公道："此颇幽寂，可以息劳。"命江居叩门。内有老妪启扉。江居亦告以游客贪路，错过邸店，特来借宿，来早奉谢。老妪指中一间屋道："此处空在，但宿何妨。只是草房窄狭，放不下轿马。"江居道："不妨，我有道理。"荆公降舆入室，江居分付将轿子置于檐下，骡驴放在树林之中。荆公坐于室内，看那老妪时，衣衫蓝缕，鬓发蓬松，草舍泥墙，颇为洁净。老妪取灯火，安置荆公，自去睡了。荆公见窗间有字，携灯看时，亦是律诗八句。诗云：

生已沽名衒气豪，死犹虚伪惑儿曹。
既无好语遗吴国，却有浮辞诳叶涛。

四野逃亡空白屋，千年嗔恨说青苗。

想因过此来亲睹，一夜愁添雪鬓毛。

荆公阅之，如万箭攒心，好生不乐。想道："一路来，茶坊道院，以至村镇人家，处处有诗讥诮。这老妪独居，谁人到此？亦有诗句，足见怨词詈语遍于人间矣！那第二联说'吴国'，乃吾之夫人也。叶涛，是吾故友。此二句诗意犹不可解。"欲唤老妪问之，闻隔壁打鼾之声。江居等马上辛苦，俱已睡去。荆公展转寻思，抚膺顿足，懊悔不迭。想道："吾只信福建子之言，道民间甚便新法，故吾违众而行之，焉知天下怨恨至此！此皆福建子误我也！"——吕惠卿是闽人，故荆公呼为福建子。——是夜，荆公长吁短叹，和衣偃卧，不能成寐，吞声暗泣，两袖皆沾湿了。

将次天明，老妪起身，蓬着头同一赤脚蠢婢，赶二猪出门外。婢携糠秕，老妪取水，用木杓搅于木盆之中，口中呼："罗，罗，罗，拗相公来。"二猪闻呼，就盆吃食。婢又呼鸡："朔，朔，朔，朔，王安石来。"群鸡俱至。江居和众人看见，无不惊讶。荆公心愈不乐，因问老妪道："老人家何为呼鸡豕之名如此？"老妪道："官人难道不知，王安石即当今之丞相，拗相公是他的浑名。自王安石做了相公，立新法以扰民。老妾二十年孀妇，子媳俱无，止与一婢同处。妇女二口，也要出免役、助役等钱。钱既出了，差役如故。老妾以桑麻为业，蚕未成眠，便预借丝钱用了。麻未上机，又借布钱用了。桑麻失利，只得畜猪养鸡，等候吏胥里保来征役钱。或准与他，或烹来款待他，自家不曾尝一块肉。故此民间怨恨新法，入于骨髓。畜养鸡豕，都呼为拗相公、王安石，把王安石当做畜生。今世没奈何他，后世得他变为异类，烹而食之，以快胸中之恨耳！"荆公暗暗垂泪，不敢开言。左右惊讶，荆公容颜改变。索镜自照，只见须发俱白，两目皆肿，心下凄惨，自己忧恚所致。思想"一夜愁添雪鬓毛"之句，岂非数乎！命江居取钱谢了老妪，收拾起身。

江居走到舆前，禀道："相公施美政于天下，愚民无知，反以为怨。今宵不可再宿村舍，还是驿亭官舍，省些闲气。"荆公口虽不答，点头道是。上路多时，到一邮亭。江居先下驴，扶荆公出轿升亭而坐，安排早饭。荆公看亭子壁间，亦有绝句二首，第一首云：

富韩司马总孤忠，恳谏良言过耳风。

只把惠卿心腹待，不知杀羿是逢蒙！

第二首云：

高谈道德口悬河，变法谁知有许多。

他日命衰时败后，人非鬼责奈愁何？

荆公看罢，勃然大怒，唤驿卒问道："何物狂夫，敢毁谤朝政如此！"有一老卒应道："不但此驿有诗，是处皆有留题也。"荆公问道："此诗为何而作？”老卒道：“因王安石立新法以害民，所以民恨入骨。近闻得安石辞了相位，判江宁府，必从此路经过。早晚常有村农数百在此左近，伺候他来。”荆公道：“伺他来，要拜谒他么？”老卒笑道：“仇怨之人，何拜谒之有！众百姓持白梃，候他到时，打杀了他，分而啖之耳。”荆公大骇，不等饭熟，趋出邮亭上轿，江居唤众人随行。一路只买干粮充饥，荆公更不出轿，分付兼程赶路。直至金陵，与吴国夫人相见。羞入江宁城市，乃卜居于钟山之半，名其堂曰半山。

荆公只在半山堂中，看经念佛，冀消罪愆。他原是过目成诵极聪明的人，一路所见之诗，无字不记。私自写出与吴国夫人看之，方信亡儿王雱阴府受罪，非偶然也。以此终日忧愤，痰火大发。兼以气膈，不能饮食。延及岁馀，奄奄待尽，骨瘦如柴，支枕而坐。吴国夫人在旁堕泪问道：“相公有甚好言语分付？”荆公道：“夫妇之情，偶合耳。我死，更不须挂念。只是散尽家财，广修善事便了……”言未已，忽报故人叶涛特来问疾。夫人回避。荆公请叶涛床头相见，执其手，嘱道：“君聪明过人，宜多读佛书，莫作没要紧文字，徒劳无益。王某一生枉费精力，欲以文章胜人。今将死之时，悔之无及。”叶涛安慰道：“相公福寿正远，何出此言？”荆公叹道：“生死无常，老夫只恐大限一至，不能发言，故今日为君叙及此也。”叶涛辞去。荆公忽然想起老妪草舍中诗句第二联道“既无好语遗吴国，却有浮词诳叶涛”，今日正应其语，不觉抚髀长叹道：“事皆前定，岂偶然哉！作此诗者，非鬼即神。不然，如何晓得我未来之事？吾被鬼神诮让如此，安能久于人世乎！”

不几日，疾革，发谵语，将手批颊自骂道：“王某上负天子，下负百姓，罪不容诛。九泉之下，何面目见唐子方诸公乎？”一连骂了三日，呕血数升而死。那唐子方名介，乃是宋朝一个直臣，苦谏新法不便，安石不听，也是呕血而死的。一般样死，比王安石死得有名声。至今山间人家，尚有呼猪为拗相公者。后人论宋朝元气，都为熙宁变法所坏，所以有靖康之祸。有诗为证：

熙宁新法谏书多，执拗行私奈尔何！
不是此番元气耗，虏军岂得渡黄河？

又有诗惜荆公之才：

好个聪明介甫翁，高才历任有清风。
可怜覆悚因高位，只合终身翰苑中。

第五卷
吕大郎还金完骨肉

毛宝放龟悬大印，宋郊渡蚁占高魁。

世人尽说天高远，谁识阴功暗里来。

话说浙江嘉兴府长水塘地方，有一富翁，姓金名钟，家财万贯，世代都称员外，性至悭吝。平生常有五恨，那五恨？一恨天，二恨地，三恨自家，四恨爹娘，五恨皇帝。恨天者，恨他不常常六月，又多了秋风冬雪，使人怕冷，不免费钱买衣服来穿。恨地者，恨他树木生得不凑趣，若是凑趣，生得齐整如意，树本就好做屋柱，枝条大者，就好做梁，细者就好做椽，却不省了匠人工作。恨自家者，恨肚皮不会作家，一日不吃饭，就饿将起来。恨爹娘者，恨他遗下许多亲眷朋友，来时未免费茶费水。恨皇帝者，我的祖宗分授的田地，却要他来收钱粮。不止五恨，还有四愿，愿得四般物事。那四般物事？一愿得邓家铜山，二愿得郭家金穴，三愿得石崇的聚宝盆，四愿得吕纯阳祖师点石为金这个手指头。因有这四愿、五恨，心常不足。积财聚谷，日不暇给。真个是数米而炊，称柴而爨。因此乡里起他一个异名，叫做金冷水，又叫金剥皮。尤不喜者是僧人。世间只有僧人讨便宜，他单会布施俗家的东西，再没有反布施与俗家之理。所以金冷水见了僧人，就是眼中之钉，舌中之刺。

他住居相近处，有个福善庵。金员外生年五十，从不晓得在庵中破费一文的香钱。所喜浑家单氏，与员外同年同月同日，只不同时，他偏吃斋好善。金员外喜他的是吃斋，恼他的是好善。因四十岁上，尚无子息，单氏瞒过了丈夫，将自己钗梳二十馀金，布施与福善庵老僧，教他妆佛诵经，祈求子嗣。佛门有应，果然连生二子，且是俊秀。因是福善庵祈求来的，大的小名福儿，小的小名善儿。单氏自得了二子之后，时常瞒了丈夫，偷柴偷米，送与福善庵，供养那老僧。金员外偶然察听了些风声，便去咒天骂地，夫妻反目，直聒得一个不耐烦方休，如此也非止一次。只为浑家也是个硬性，闹过了，依旧不理。

其年夫妻齐寿，皆当五旬。福儿年九岁，善儿年八岁，踏肩生下来的，都已上学读书，十全之美。到生辰之日，金员外恐有亲朋来贺寿，预先躲出。单氏又凑些私房银两，送与庵中打一坛斋醮。一来为老夫妇齐寿，二来为儿子长大，了还愿心。日前也曾与丈夫说过来，丈夫不肯，所以只得私房做事。其夜，和尚们要铺设长生佛灯，叫香火道人至金家，问金阿妈要几斗糙米。单氏偷开了仓门，将米三斗，付与道人去了。随后金员外回来，单氏还在仓门口封锁。被丈夫窥见了，又见地下狼藉些米粒，知是私房做事。欲要争嚷，心下想道："今日生辰好日，况且东西去了，也讨不转来，干拌去了涎沫。"只推不知，忍住这口气。一夜不睡，左思右想道："叵耐这贼秃常时来蒿恼我家，到是我看家的一个耗鬼。除非那秃驴死了，方绝其患。"恨无计策。

到天明时，老僧携着一个徒弟来回覆醮事。原来那和尚也怕见金冷水，且站在门外张望。金老早已瞧见，眉头一皱，计上心来。取了几文钱，从侧门走出市心，到山药铺里赎些砒霜。转到卖点心的王三郎店里。王三郎正蒸着一笼熟粉，摆一碗糖馅，要做饼子。金冷水袖里摸出八文钱撇在柜上道："三郎收了钱，大些的饼子与我做四个，馅却不要下少了。你只捏着窝儿，等我自家下馅则个。"王三郎口虽不言，心下想道："有名的金冷水，金剥皮，自从开这几年点心铺子，从不见他家半文之面。今日好利市，也撰他八个钱。他是好便宜的，便等他多下些馅去，扳他下次主顾。"王三郎向笼中取出雪团样的熟粉，真个捏做窝儿，递与金冷水说道："员外请尊便。"金冷水却将砒霜末悄悄的撒在饼内，然后加馅，做成饼子。如此一连做了四个，热烘烘的放在袖里。离了王三郎店，望自家门首踱将进来。那两个和尚，正在厅中吃茶。金老欣然相揖。揖罢，入内对浑家道："两个师父侵早到来，恐怕肚里饥饿。适才邻舍家邀我吃点心，我见饼子热得好，袖了他四个来，何不就请了两个师父？"单氏深喜丈夫回心向善，取个朱红楪子，把四个饼子装做一楪，叫丫鬟托将出去。那和尚见了员外回家，不敢久坐，已无心吃饼了。见丫鬟送出来，知是阿妈美意，也不好虚得。将四个饼子装做一袖，叫声聒噪，出门回庵而去。金老暗暗欢喜，不在话下。

却说金家两个学生，在社学中读书，放了学时，常到庵中顽要。这一晚，又到庵中。老和尚想道："金家两位小官人，时常到此，没有什么请得他。今早金阿妈送我四个饼子还不曾动，放在橱柜里。何不将来熯热了，请他吃一杯茶？"当下分付徒弟，在橱柜里取出四个饼子，厨房下熯得焦黄，热了两杯浓茶，摆在房里，请两位小官人吃茶。两个学生顽要了半晌，正在肚饥，见了热腾腾的饼子，一人两个，都吃了。不吃时犹可，吃了呵，分明是：

一块火烧着心肝，万杆枪攒却腹肚。

两个一时齐叫肚疼。跟随的学童慌了，要扶他回去。奈两个疼做一堆，跑走不动。老和尚也着了忙，正不知什么意故。只得叫徒弟一人背了一个，学童随着，送回金员外家，二僧自去了。金家夫妇这一惊非小，慌忙叫学童问其缘故。学童道："方才到福善庵吃了四个饼子，便叫肚疼起来。那老师父说，这饼子原是我家今早把与他吃的。他不舍得吃，将来恭敬两位小官人。”金员外情知跷蹊了，只得将砒霜实情对阿妈说知。单氏心下越慌了，便把凉水灌他，如何灌得醒！须臾七窍流血，呜呼哀哉，做了一对殇鬼。

单氏千难万难，祈求下两个孩儿，却被丈夫不仁，自家毒死了。待要厮骂一场，也是枉然。气又忍不过，苦又熬不过。走进内房，解个束腰罗帕，悬梁自缢。金员外哭了儿子一场，方才收泪。到房中与阿妈商议说话，见梁上这件打秋千的东西，唬得半死。登时就得病上床，不勾七日，也死了。金氏族家，平昔恨那金冷水、金剥皮悭吝，此时天赐其便，大大小小，都蜂拥而来，将家私抢个罄尽。此乃万贯家财，有名的金员外一个终身结果，不好善而行恶之报也。有诗为证：

饼内砒霜那得知？害人番害自家儿。

举心动念天知道，果报昭彰岂有私！

方才说金员外只为行恶上，拆散了一家骨肉。如今再说一个人，单为行善，周全了一家骨肉。正是：

善恶相形，祸福自见。

戒人作恶，劝人为善。

话说江南常州府无锡县东门外，有个小户人家，兄弟三人。大的叫做吕玉，第二的叫做吕宝，第三的叫做吕珍。吕玉娶妻王氏，吕宝娶妻杨氏，俱有姿色。吕珍年幼未娶。王氏生下一个孩子，小名喜儿，方才六岁，跟邻舍家儿童出去看神会。夜晚不回。夫妻两个烦恼，出了一张招子，街坊上，叫了数日，全无影响。吕玉气闷，在家里坐不过，向大户家借了几两本钱，往太仓嘉定一路，收些棉花布匹，各处贩卖，就便访问儿子消息。每年正二月出门，到八九月回家，又收新货。走了四个年头，虽然趁些利息，眼见得儿子没有寻处了。日久心慢，也不在话下。

到第五个年头，吕玉别了王氏，又去做经纪。何期中途遇了个大本钱的布商，谈论之间，知道吕玉买卖中通透，拉他同往山西脱货，就带绒货转来发卖，于中有些用钱相谢。吕玉贪了蝇头微利，随着去了。及至到了山西，发货之后，遇着连岁荒歉，讨赊帐不起，不得脱身。吕玉少年久旷，也不免行户中走了一两遍，走出一身风流疮，服药调治，无面回家。挨到三年，疮才痊好，讨清了帐目。那布商因为稽迟了吕玉的归期，加倍酬谢。吕玉得了些利物，等不得布商收货完备，自己贩了些粗细绒褐，相别先回。

一日早晨，行至陈留地方，偶然去坑厕出恭，见坑板上遗下个青布搭膊。检在手中，觉得沉重。取回下处，打开看时，都是白物，约有二百金之数。吕玉想道：“这不意之财，虽则取之无碍，倘或失主追寻不见，好大一场气闷。古人见金不取，拾带重还。我今年过三旬，尚无子嗣，要这横财何用？”

忙到坑厕左近伺候，只等有人来抓寻，就将原物还他。等了一日，不见人来。次日只得起身。

又行了五百馀里，到南宿州地方。其日天晚，下一个客店，遇着一个同下的客人，闲论起江湖生意之事。那客人说起自不小心，五日前侵晨到陈留县解下搭膊登东。偶然官府在街上过，心慌起身，却忘记了那搭膊，里面有二百两银子。直到夜里脱衣要睡，方才省得。想着过了一日，自然有人拾去了，转去寻觅，也是无益，只得自认晦气罢了。吕玉便问："老客尊姓？高居何处？"客人道："在下姓陈，祖贯徽州。今在扬州闸上开个粮食铺子。敢问老兄高姓？"吕玉道："小弟姓吕，是常州无锡县人，扬州也是顺路。相送尊兄到彼奉拜。"客人也不知详细，答应道："若肯下顾最好。"次早，二人作伴同行。

不一日，来到扬州闸口。吕玉也到陈家铺子，登堂作揖。陈朝奉看坐献茶。吕玉先提起陈留县失银子之事，盘问他搭膊模样。"是个深蓝青布的，一头有白线缉一个陈字。"吕玉心下晓然，便道："小弟前在陈留拾得一个搭膊，到也相像，把来与尊兄认看。"陈朝奉见了搭膊，道："正是。"搭膊里面银两，原封不动。吕玉双手递还陈朝奉。陈朝奉过意不去，要与吕玉均分，吕玉不肯。陈朝奉道："便不均分，也受我几两谢礼，等在下心安。"吕玉那里肯受。

陈朝奉感激不尽，慌忙摆饭相款。思想："难得吕玉这般好人，还金之恩，无门可报。自家有十二岁一个女儿，要与吕君扳一脉亲往来，第不知他有儿子否？"饮酒中间，陈朝奉问道："恩兄，令郎几岁了？"吕玉不觉掉下泪来，答道："小弟只有一儿，七年前为看神会，失去了，至今并无下落。荆妻亦别无生育。如今回去，意欲寻个螟蛉之子，出去帮扶生理，只是难得这般凑巧的。"陈朝奉道："舍下数年之间，将三两银子，买得一个小厮，貌颇清秀，又且乖巧，也是下路人带来的。如今一十三岁了，伴着小儿在学堂中上学。恩兄若看得中意时，就送与恩兄伏侍，也当我一点薄敬。"吕玉道："若肯相借，当奉还身价。"陈朝奉道："说那里话来！只恐恩兄不用时，小弟无以为情。"当下便教掌店的，去学堂中唤喜儿到来。

吕玉听得名字与他儿子相同，心中疑惑。须臾，小厮唤到，穿一领芜湖青布的道袍，生得果然清秀。习惯了学堂中规矩，见了吕玉，朝上深深唱个喏。吕玉心下便觉得欢喜，仔细认出儿子面貌来。四岁时，因跌损左边眉角，结一个小疤儿，有这点可认。吕玉便问道："几时到陈家的？"那小厮想一想道："有六七年了。"又问他："你原是那里人？谁卖你在此？"那小厮道："不十分详细，只记得爹叫做吕大，还有两个叔叔在家。娘姓王，家在无锡城外。小时被人骗出，卖在此间，"吕玉听罢，便抱那小厮在怀，叫声："亲儿！我正是无锡吕大！是你的亲爹了。失了你七年，何期在此相遇！”正是。

水底捞针针已得，掌中失宝宝重逢。

筵前相抱殷勤认，犹恐今朝是梦中。

小厮眼中流下泪来。吕玉伤感，自不必说。吕玉起身拜谢陈朝奉：“小儿若非府上收留，今日安得父子重会？”陈朝奉道：“恩兄有还金之盛德，天遣尊驾到寒舍，父子团圆。小弟一向不知是令郎，甚愧怠慢。”吕玉又叫喜儿拜谢了陈朝奉。陈朝奉定要还拜，吕玉不肯，再三扶住，受了两礼。便请喜儿坐于吕玉之傍。陈朝奉开言：“承恩兄相爱，学生有一女年方十二岁，欲与令郎结丝萝之好。”吕玉见他情意真恳，谦让不得，只得依允。是夜父子同榻而宿，说了一夜的话。

次日，吕玉辞别要行。陈朝奉留住，另设个大席面，管待新亲家、新女婿，就当送行。酒行数巡，陈朝奉取出白金二十两，向吕玉说道：“贤婿一向在舍有慢，今奉些须薄礼相赎，权表亲情，万勿固辞。”吕玉道：“过承高门俯就，舍下就该行聘定之礼。因在客途，不好苟且，如何反费亲家厚赐？决不敢当！”陈朝奉道：“这是学生自送与贤婿的，不干亲翁之事。亲翁若见却，就是不允这头亲事了。”吕玉没得说，只得受了，叫儿子出席拜谢。陈朝奉扶起道：“些微薄礼，何谢之有。”喜儿又进去谢了丈母。当日开怀畅饮，至晚而散。吕玉想道：“我因这还金之便，父子相逢，诚乃天意。又攀了这头好亲事，似锦上添花，无处报答天地。有陈亲家送这二十两银子，也是不意之财。何不择个洁净僧院，籴米斋僧，以种福田？”主意定了。

次早，陈朝奉又备早饭。吕玉父子吃罢，收拾行囊，作谢而别。唤了一只小船，摇出闸外。约有数里，只听得江边鼎沸。原来坏了一只人载船，落水的号呼求救。崖上人招呼小船打捞，小船索要赏犒，在那里争嚷。吕玉想道：“救人一命，胜造七级浮屠。比如我要去斋僧，何不舍这二十两银子做赏钱，教他捞救，见在功德。”当下对众人说：“我出赏钱，快捞救。若救起一船人性命，把二十两银子与你们。”众人听得有二十两银子赏钱，小船如蚁而来。连崖上人，也有几个会水性的，赴水去救。须臾之间，把一船人都救起。吕玉将银子付与众人分散。水中得命的，都千恩万谢。只见内中一人，看了吕玉叫道：“哥哥那里来？”吕玉看他，不是别人，正是第三个亲弟吕珍。吕玉合掌道：“惭愧，惭愧！天遣我捞救兄弟一命。”忙扶上船，将干衣服与他换了。吕珍纳头便拜，吕玉答礼，就叫侄儿见了叔叔。把还金遇子之事，述了一遍，吕珍惊讶不已。

吕玉问道：“你却为何到此？”吕珍道：“一言难尽。自从哥哥出门之后，一去三年。有人传说哥哥在山西害了疮毒身故。二哥察访得实，嫂嫂已是成服戴孝，兄弟只是不信。二哥近日又要逼嫂嫂嫁人，嫂嫂不从。因此教兄弟亲到山西访问哥哥消息，不期于此相会。又遭覆溺，得哥哥捞救，天与之幸！哥哥不可怠缓，急急回家，以安嫂嫂之心，迟则怕有变了。”吕玉闻说惊慌，急叫家长开船，星夜赶路。正是：

心忙似箭惟嫌缓，船走如梭尚道迟！

再说王氏闻丈夫凶信，初时也疑惑。被吕宝说得活龙活现，也信了，少不得换了些素服。吕宝心怀不善，想着哥哥已故，嫂嫂又无所出，况且年纪后生，要劝他改嫁，自己得些财礼。教浑家杨氏与阿姆说，王氏坚意不从。又得吕珍朝夕谏阻，所以其计不成。王氏想道：“千闻不如一见。虽说丈夫已死，在几千里之外，不知端的。”央小叔吕珍是必亲到山西，问个备细。如果然不幸，骨殖也带一块回来。

吕珍去后，吕宝愈无忌惮。又连日赌钱输了，没处设法。偶有江西客人丧偶，要讨一个娘子，吕宝就将嫂嫂与他说合。那客人也访得吕大的浑家，有几分颜色，情愿出三十两银子。吕宝得了银子，向客人道：“家嫂有些妆乔，好好里请他出门，定然不肯。今夜黄昏时分，唤了人轿，悄地到我家来。只看戴孝髻的，便是家嫂，更不须言语，扶他上轿，连夜开船去便了。”客人依计而行。

却说吕宝回家，恐怕嫂嫂不从，在他眼前不露一字。却私下对浑家做个手势道：“那两脚货，今夜要出脱与江西客人去了。我生怕他哭哭啼啼，先躲出去。黄昏时候，你劝他上轿，日里且莫对他说。”吕宝自去了，却不曾说明孝髻的事。原来杨氏与王氏妯娌最睦，心中不忍，一时丈夫做主，没奈他何。欲言不言，直挨到酉牌时分，只得与王氏透个消息：“我丈夫已将姆姆嫁与江西客人，少停，客人就来取亲，教我莫说。我与姆姆情厚，不好瞒得。你房中有甚细软家私，预先收拾，打个包裹，省得一时忙乱。”王氏啼哭起来，叫天叫地起来。杨氏道：“不是奴苦劝姆姆。后生家孤孀，终久不了。吊桶已落在井里，也是一缘一会，哭也没用！”王氏道：“婶婶说那里话！我丈夫虽说已死，不曾亲见。且待三叔回来，定有个真信。如今逼得我好苦！”说罢又哭。杨氏左劝右劝，王氏住了哭说道：“婶婶，既要我嫁人，罢了。怎好戴孝髻出门？婶婶寻一顶黑髻与奴换了。”杨氏又要忠丈夫之托，又要姆姆面上讨好，连忙去寻黑髻来换。也是天数当然，旧髻儿也寻不出一顶。王氏道：“婶婶，你是在家的，暂时换你头上的髻儿与我，明早你教叔叔铺里取一顶来换了就是。”杨氏道：“使得。”便除下髻来递与姆姆。王氏将自己孝髻除下，换与杨氏戴了。王氏又换了一身色服。黄昏过后，江西客人，引着灯笼火把，抬着一顶花花轿，吹手虽有一副，不敢吹打。如风似雨，飞奔吕家来。吕宝已自与了他暗号，众人推开大门，只认戴孝髻的就抢。杨氏嚷道：“不是！”众人那里管三七二十一，抢上轿时，鼓手吹打，轿夫飞也似抬去了。

一派笙歌上客船，错疑孝髻是姻缘。

新人若向新郎诉，只怨亲夫不怨天。

王氏暗暗叫谢天谢地。关了大门，自去安歇。次日天明，吕宝意气扬扬，敲门进来。看见是嫂嫂开门，吃了一惊，房中不见了浑家。见嫂子头上戴的是黑髻，心中大疑。问道："嫂嫂，你婶子那里去了？"王氏暗暗好笑，答道："昨夜被江西蛮子抢去了。"吕宝道："那有这话！且问嫂嫂如何不戴孝髻？"王氏将换髻的缘故，述了一遍。吕宝捶胸只是叫苦。指望卖嫂子，谁知到卖了老婆！江西客人已是开船去了。三十两银子，昨晚一夜，就赌输了一大半，再要娶这房媳妇子，今生休想。复又思量，一不做，二不休，有心是这等，再寻个主顾把嫂子卖了，还有讨老婆的本钱。方欲出门，只见门外四五个人，一拥进来。不是别人，却是哥哥吕玉，兄弟吕珍，侄子喜儿，与两个脚家，驮了行李货物进门。吕宝自觉无颜，后门逃出，不知去向。

王氏接了丈夫，又见儿子长大回家，问其缘故。吕玉从头至尾，叙了一遍。王氏也把江西人抢去婶婶，吕宝无颜，后门走了一段情节叙出。吕玉道："我若贪了这二百两非意之财，怎勾父子相见？若惜了那二十两银子，不去捞救覆舟之人，怎能勾兄弟相逢？若不遇兄弟时，怎知家中信息？今日夫妻重会，一家骨肉团圆，皆天使之然也。逆弟卖妻，也是自作自受。皇天报应，的然不爽！"自此益修善行，家道日隆，后来喜儿与陈员外之女做亲，子孙繁衍，多有出仕贵显者。诗云：

本意还金兼得子，立心卖嫂反输妻。

世间惟有天工巧，善恶分明不可欺。

第六卷 俞仲举题诗遇上皇

日月盈亏，星辰失度，为人岂无兴衰？子房年幼，逃难在徐邳，伊尹曾耕莘野，子牙尝钓磻溪。君不见：韩侯未遇，遭胯下受驱驰，蒙正瓦窑借宿，裴度在古庙依栖，时来也，皆为将相，方表是男儿。

汉武帝元狩二年，四川成都府一秀士，司马长卿，双名相如。自父母双亡，孤身无倚，齑盐自守。贯串百家，精通经史。虽然游艺江湖，其实志在功名。出门之时，过城北七里许，曰升仙桥。相如大书于桥柱上："大丈夫不乘驷马车，不复过此桥。"所以北抵京洛，东至齐楚，遂依梁孝王之门，与邹阳、枚皋辈为友。不期梁王薨，相如谢病归成都市上。临邛县有县令王吉，每每使人相招。一日到彼相会，盘桓旬日。谈间，言及本处卓王孙，巨富，有亭台池馆，华美可玩。县令着人去说，教他接待。卓王孙资财巨万，僮仆数百，门阑奢侈。园中有花亭一所，名曰瑞仙。四面芳菲烂熳，真可游息。京洛名园，皆不能过此。这卓员外丧偶不娶，慕道修真。止有一女，小字文君，年方十九，新寡在家。聪慧过人，姿态出众。琴棋书画，无所不通。员外一日早晨，闻说县令友人司马长卿，乃文章巨儒，要来游玩园池，特来拜访。慌忙迎接，至后花园中，瑞仙亭上。动问已毕，卓王孙置酒相待。见长卿丰姿俊雅，且是王县令好友，甚相敬重。道："先生去县中安下不便，何不在敝舍权住几日？"相如感其厚意，遂令人唤琴童携行李来瑞仙亭安下。倏忽半月。

且说卓文君在绣房中闲坐，闻侍女春儿说："有秀士司马长卿相访，员外留他在瑞仙亭安寓。此生丰姿俊雅，且善抚琴。"文君心动，乃于东墙琐窗内，窃窥视相如才貌，"日后必然大贵。但不知有妻无妻？我若得如此之丈夫，平生愿足！争奈此人箪瓢屡空，若待媒证求亲，俺父亲决然不肯。倘若挫过此人，再后难得。"过了两日，女使春儿见小姐双眉愁蹙，必有所思，乃对小姐道："今夜三月十五日，月色光明，何不往花园中散闷则个？"小姐口中不说，心下思量："自见了那秀才，日夜废寝忘餐，放心不下。我今主意已定，虽然有亏妇道，是我一世前程。"收拾了些金珠首饰，分付春儿安排酒果："今夜与你赏月散闷。"春儿打点完备，随小姐行来。

话中且说相如久闻得文君小姐貌美聪慧，甚知音律，也有心去挑逗他。今夜月明如水，闻花阴下有行动之声，教琴童私觑，知是小姐。乃焚香一炷，将瑶琴抚弄。文君正行数步，只听得琴声清亮，移步将近瑞仙亭，转过花阴下，听得所弹音曰：

凤兮凤兮思故乡，遨游四海兮求其凰。时未遇兮无所将，何如今夕兮升斯堂？有艳淑女在闺房，室迩人遐在我傍。何缘交颈为鸳鸯，期颉颃兮共翱翔！

凤兮凤兮从我栖，得托孳尾永为妃。交情通体心和谐，中夜相从知者谁？双翼俱起翻高飞，无感我思使余悲。

小姐听罢，对侍女道："秀才有心，妾亦有心。今夜既到这里，可去与秀才相见。"遂乃行到亭边。相如月下见了文君，连忙起身迎接道，"小生梦想花容，何期光降。不及远接，恕罪，恕罪！"文君敛衽向前道："高贤下临，甚缺款待。孤馆寂寞，令人相念无已。"相如道："不劳小姐挂意。小生有琴一张，自能消遣。"文君笑道："先生不必迂阔。琴中之意，妾已备知。"相如跪下告道："小生得见花颜，死也甘心。"文君道："请起，妾今夜到此，与先生赏月，同饮三杯。”春儿排酒果于瑞仙亭上，文君相如对饮。相如细视文君，果然生得：

眉如翠羽，肌如白雪。振绣衣，披锦裳，浓不短，纤不长。临溪双洛浦，对月两嫦娥。

酒行数巡，文君令春儿收拾前去：“我便回来。”相如道：“小姐不嫌寒陋，愿就枕席之欢。”文君笑道：“妾欲奉终身箕帚，岂在一时欢爱乎？”相如问道：“小姐计将安出？”文君道：“如今收拾了些金珠在此。不如今夜同离此间，别处居住。倘后父亲想念，搬回一家完聚，岂不美哉？”当下二人同下瑞仙亭，出后园而走。却是：

鳌鱼脱却金钩去，摆尾摇头更不回。

且说春儿至天明不见小姐在房，亭子上又寻不见，报与老员外得知。寻到瑞仙亭上，和相如都不见。员外道：“相如是文学之士，为此禽兽之行！小贱人，你也自幼读书，岂不闻女子‘事无擅为，行无独出’？你不闻父命，私奔苟合，非吾女也！”欲要讼之于官，争奈家丑不可外扬，故尔中止。“且看他有何面目相见亲戚！”从此隐忍无语，亦不追寻。

却说相如与文君到家，相如自思囊箧罄然，难以度日：“想我浑家乃富贵之女，岂知如此寂寞！所喜者略无愠色，颇为贤达。他料想司马长卿必有发达时分。”正愁闷间，文君至。相如道：“日与浑家商议，欲做些小营运，奈无资本。”文君道：“我首饰钗钏，尽可变卖。但我父亲万贯家财，岂不能周济一女？如今不若开张酒肆，妾自当垆。若父亲知之，必然懊悔。”相如从其言，修造房屋，开店卖酒。文君亲自当垆记帐。忽一日，卓王孙家僮有事到成都府，入肆饮酒。事有凑巧，正来到司马长卿肆中。见当垆之妇，乃是主翁小姐，吃了一惊。慌忙走回临邛，报与员外知道。员外满面羞惭，不肯认女，但杜门不见宾客而已。

再说相如夫妇卖酒，约有半年。忽有天使捧着一纸诏书，问司马相如名字，到于肆中，说道：“朝廷观先生所作《子虚赋》，文章浩烂，超越古人。官里叹赏，飘飘然有凌云之志气，恨不得与此人同时。有杨得意奏言：‘此赋是臣之同里司马长卿所作，见在成都闲居。’天子大喜，特差小官来征召。走马临朝，不许迟延。”相如收拾行装，即时要行。文君道：“官人此行富贵，则怕忘了瑞仙亭上！”相如道：“小生受小姐大恩，方恨未报，何出此言？”文君道：“秀才们也有两般。有那君子儒，不论贫富，志行不移；有那小人儒，贫时又一般，富时就忘了。”相如道：“小姐放心！”夫妻二人，不忍相别。临行，文君又嘱道：“此时已遂题桥志，莫负当垆涤器人！”

且不说相如同天使登程。却说卓王孙有家僮从长安回，听得杨得意举荐司马相如，蒙朝廷征召去了。自言：“我女儿有先见之明，为见此人才貌双全，必然显达，所以成了亲事。老夫想起来，男婚女嫁，人之大伦。我女婿不得官时，我先带侍女春儿同往成都去望，乃是父子之情，无人笑我。若是他得了官时去看他，教人道我趋时奉势。”次日，带同春儿迳到成都府，寻见文君。文君见了父亲，拜道：“孩儿有不孝之罪，望爹爹饶恕！”员外道：“我儿，你想杀我！从前之话，更不须提了。如今且喜朝廷征召，正称孩儿之心。我今日送春儿来伏侍，接你回家居住。我自差家僮往长安报与贤婿知道。”文君执意不肯。员外见女儿主意定了，乃将家财之半，分授女儿，于成都起建大宅，市买良田，僮仆三四百人。员外伴着女儿同住，等候女婿佳音。

再说司马相如同天使至京师朝见，献《上林赋》一篇。天子大喜，即拜为著作郎，待诏金马门。近有巴蜀开通南夷诸道，用军兴法转槽繁冗，惊扰夷民。官里闻知大怒，召相如议论此事，令作谕巴蜀之檄。官里道：“此一事，欲待差官，非卿不可。”乃拜相如为中郎将，持节而往，令剑金牌，先斩后奏。相如谢恩，辞天子出朝，一路驰驿而行。到彼处，劝谕巴蜀已平，蛮夷清静。不过半月，百姓安宁，衣锦还乡。数日之间，已达成都府。本府官员迎接。到于新宅，文君出迎。相如道：“读书不负人，今日果遂题桥之愿。”文君道：“更有一喜，你丈人先到这里迎接。”相如连声：“不敢，不敢！”老员外出见，相如向前施礼。彼此相谢，排筵贺喜。自此遂为成都富室。有诗为证。

夜静瑶台月正圆，请风淅沥满林峦。
朱弦慢促相思调，不是知音不与弹。

司马相如本是成都府一个穷儒，只为一篇文字上投了至尊之意，一朝发迹。如今再说南宋朝一个贫士，也是成都府人，在濯锦江居住。亦因词篇遭际，衣锦还乡。此人姓俞名良，字仲举，年登二十五岁，幼丧父母，娶妻张氏。这秀才日夜勤攻诗史，满腹文章。时当春榜动，选场开，广招天下人才，赴临安应举。俞良便收拾琴剑书箱，择日起程，亲朋饯送。分付浑家道：“我去求官，多则三年，少则一载。但得一官半职，即便回来。”道罢，相别，跨一蹇驴而去。不则一日，行至中途，偶染一疾，忙寻客店安下，心中烦恼。不想病了半月，身边钱物使尽。只得将驴儿卖了做盘缠。又怕误了科场日期，只得买双草鞋穿了，自背书囊而行。不数日，脚都打破了，鲜血淋漓，于路苦楚。心中想道：“几时得到杭州！”看着那双脚，作一词以述怀抱，名《瑞鹤仙》：

春闱期近也，望帝京迢递，犹在天际。懊恨这双脚底，不惯行程，如今怎免得拖泥带水。痛难禁，芒鞋五耳倦行时，着意温存，笑语甜言安慰。　　争气扶持我去，选得官来，那时赏你穿对朝靴，安排在轿儿里。抬来抬去，饱餐羊肉滋味，重教细腻。更寻对小小脚儿，夜间伴你。

不则一日，已到杭州，至贡院前桥下，有个客店，姓孙，叫做孙婆店。俞良在店中安歇了。过不多几日，俞良入选场已毕，俱各伺候挂榜。只说举子们，原来却有这般苦处。假如俞良八千有馀多路，来到临安，指望一举成名。争奈时运未至，龙门点额，金榜无名。俞良心中好闷，眼中流泪。自寻思道："千乡万里，来到此间，身边囊箧消然，如何勾得回乡？"不免流落杭州。每日出街，有些银两，只买酒吃，消愁解闷。看看穷乏，初时还有几个相识看觑他。后面蒿恼人多了，被人憎嫌。但遇见一般秀才上店吃酒，俞良便入去投谒。每日吃两碗饿酒，烂醉了归店中安歇。孙婆见了，埋冤道："秀才，你却少了我房钱不还，每日吃得大醉，却有钱买酒吃！"俞良也不分说。每日早间，问店小二讨些汤洗了面，便出门。"长篇见宰相，短卷谒公卿"，搪得几碗酒吃，吃得烂醉，直到昏黑，便归客店安歇。每日如是。

一日，俞良走到众安桥，见个茶坊，有几个秀才在里面，俞良便挨身入去坐地。只见茶博士向前唱个喏，问道："解元吃甚么茶？"俞良口中不道，心下思量："我早饭也不曾吃，却来问我吃茶？身边铜钱又无，吃了却捉甚么还他？"便道："我约一个相识在这里等，少间客至来问。"茶博士自退。俞良坐于门首，只要看一个相识过，却又遇不着。正闷坐间，只见一个先生，手里执着一个招儿，上面写道："如神见"。俞良想是个算命先生，且算一命看。则一请，请那先生入到茶坊里坐定。俞良说了年月日时，那先生便算。茶博士见了道："这是他等的相识来了。"便向前问道："解元吃甚么茶？"俞良分付："点两个椒茶来。"二人吃罢。先生道："解元好个造物！即目三日之内，有分遇大贵人发迹，贵不可言。"俞良听说，自想："我这等模样，几时能勾发迹？眼下茶钱也没得还。"便做个意头，抽身起道："先生，我若真个发迹时，却得相谢。"便起身走。茶博士道："解元，茶钱！"俞良道："我只借坐一坐，你却来问我茶，我那得钱还？先生说我早晚发迹，等我好了，一发还你。"掉了便走。先生道："解元，命钱未还。"俞良道："先生得罪，等我发迹，一发相谢。"先生道："我方才出来，好不顺溜！"茶博士道："我没兴，折了两个茶钱！"当下自散。

俞良又去赶趁，吃了几碗饿酒。直到天晚，酩酊烂醉，踉踉跄跄，到孙婆店中，昏迷不醒，睡倒了。孙婆见了，大骂道："这秀才好没道理！少了我若干房钱不肯还，每日吃得大醉。你道别人请你，终不成每日有人请你！"俞良便道："我醉自醉，干你甚事！别人请不请，也不干你事！"孙婆道："老娘情愿折了许多时房钱，你明日便请出门去。"俞良带酒胡言乱语，便道："你要我去，再与我五贯钱，我明日便去。"孙婆听说，笑将起来道："从不曾见恁般主顾！白住了许多时店房，到还要诈钱撒泼，也不像斯文体面。"俞良听得，骂将起来道：“我有韩信之志，你无漂母之仁。我俞某是个饱学秀才，少不得今科不中来科中。你就供养我到来科，打甚么紧！”乘着酒兴，敲台打凳，弄假成真起来。孙婆见他撒酒风，不敢惹他。关了门，自进去了。俞良弄了半日酒，身体困倦，跌倒在床铺上，也睡去了。五更酒醒，想起前情，自觉惭愧。欲要不别而行，又没个去处，正在两难。

却说孙婆与儿子孙小二商议，没奈何，只得破两贯钱，倒去陪他个不是，央及他动身。若肯轻轻撇开，便是造化。俞良本待不受，其奈身无半文。只得忍着羞，收了这两贯钱，作谢而去。心下想道：“临安到成都有八千里之遥。这两贯钱，不勾吃几顿饭，却如何盘费得回去？”出了孙婆店门，在街坊上东走西走，又没寻个相识处。走到饭后，肚里又饥，心中又闷。身边只有两贯钱，买些酒食吃饱了，跳下西湖，且做个饱鬼。

当下一径走出涌金门外西湖边，见座高楼，上面一面大牌，朱红大书“丰乐楼”。只听得笙簧缭绕，鼓乐喧天。俞良立定脚打一看时，只见门前上下首立着两个人，头戴方顶样头巾，身穿紫衫，脚下丝鞋净袜，叉着手，看着俞良道：“请坐！”俞良见请，欣然而入，直走到楼上，拣一个临湖傍槛的阁儿坐下。只见一个当日的酒保，便向俞良唱个喏：“覆解元，不知要打多少酒？”俞良道：“我约一个相识在此。你可将两双箸放在桌上，铺下两只盏，等一等来问。”酒保见说，便将酒缸、酒提、匙、箸、盏、碟，放在面前，尽是银器。俞良口中不道，心中自言：“好富贵去处！我却这般生受！只有两贯钱在身边，做甚用？”少顷，酒保又来问：“解元要多少酒，打来？”俞良便道：“我那相识，眼见的不来了，你与我打两角酒来。”酒保便应了。又问：“解元，要甚下酒？”俞良道：“随你把来。”当下酒保只当是个好客，折莫甚新鲜果品，可口肴馔，海鲜，案酒之类，铺排面前，般般都有。将一个银酒缸盛了两角酒，安一把杓儿。酒保频将酒荡。俞良独自一个，从晌午前直吃到日晡时后。面前按酒，吃得阑残。俞良手抚雕栏，下视湖光，心中愁闷。唤将酒保来：“烦借笔砚则个。”酒保道：“解元借笔砚，莫不是要题诗赋？却不可污了粉壁，本店自有诗牌。若是污了粉壁，小人今日当直，便折了这一日日事钱。”俞良道：“恁地时，取诗牌和笔砚来。”须臾之间，酒保取到诗牌笔砚，安在桌上。俞良道：“你自退，我教你便来。不叫时，休来。”当下酒保自去。

俞良拽上阁门，用凳子顶住，自言道：“我只要显名在这楼上，教后人知我。你却教我写在诗牌上则甚？”想起：身边只有两贯钱，吃了许多酒食，捉甚还他？不如题了诗，推开窗，看着湖里，只一跳，做一个饱鬼。当下磨得墨浓，蘸得笔饱，拂拭一堵壁子干净，写下《鹊桥仙》词：

来时秋暮，到时春暮，归去又还秋暮。丰乐楼上望西川，动不动八千里路。　　青山无数，白云无数，绿水又还无数。人生七十古来稀，算恁地光阴，能来得几度！

题毕，去后面写道："锦里秀才俞良作"。放下笔，不觉眼中流泪。自思量道："活他做甚，不如寻个死处，免受穷苦！"当下推开槛窗，望着下面湖水，待要跳下去，争奈去岸又远。倘或跳下去，不死，颠折了腿脚，如何是好？心生一计，解下腰间系的旧绦，一搭搭在阁儿里梁上，做一个活落圈。俞良叹了一口气，却待把头钻入那圈里去。你道好凑巧！那酒保，见多时不叫他，走来阁儿前，见关着门，不敢敲，去那窗眼里打一张。只见俞良在内，正要钻入圈里去，又不舍得死。酒保吃了一惊，火急向前，推开门，入到里面，一把抱住俞良道："解元甚做作！你自死了，须连累我店中！"声张起来，楼下掌管、师工、酒保、打杂人等，都上楼来，一时嚷动。众人看那俞良时，却有八分酒，只推醉，口里胡言乱语，不住声。酒保看那壁上时，茶盏来大小字写了一壁，叫苦不迭："我今朝却不没兴，这一日事钱休了也！"道："解元，吃了酒，便算了钱回去。"俞良道："做甚么？你要便打杀了我！"酒保道："解元，不要寻闹。你今日吃的酒钱，总算起来，共该五两银子。"俞良道："若要我五两银子，你要我性命便有，那得银子还你！我自从门前走过，你家两个着紫衫的邀住我，请我上楼吃酒。我如今没钱，只是死了罢。"便望窗槛外要跳，唬得酒保连忙抱住。

当下众人商议："不知他在那里住，忍晦气放他去罢。不时，做出人命来，明日怎地分说？"便问俞良道："解元，你在那里住？"俞良道："我住在贡院桥孙婆客店里。我是西川成都府有名的秀才，因科举来此间。若我回去，路上攧在河里水里，明日都放不过你们。"众人道："若真个死了时不好。"只得忍晦气，着两个人送他去，有个下落，省惹官司。当下教两个酒保，搀扶他下楼。出门迤逦上路，却又天色晚了。两个人一路扶着，到得孙婆店前，那客店门却关了。酒保便把俞良放在门前，却去敲门。里面只道有甚客来，连忙开门。酒保见开了门，撒了手便走。俞良东倒西歪，踉踉跄跄，只待要攧。孙婆讨灯来一照，却是俞良。吃了一惊，没奈何，叫儿子孙小二扶他入房里去睡了。孙婆便骂道："昨日在我家蒿恼，白白里送了他两贯钱。说道：'还乡去。'却原来将去买酒吃！"俞良只推醉，由他骂，不敢则声。正是：

人无气势精神减，囊少金钱应对难。

话分两头。却说南宋高宗天子传位孝宗，自为了太上皇，居于德寿宫。孝宗尽事亲之道，承颜顺志，惟恐有违。自朝贺问安，及良辰美景，父子同游之外，上皇在德寿宫闲暇，每同内侍官到西湖游玩。或有时恐惊扰百姓，微服潜行，以此为常。忽一日，上皇来到灵隐寺冷泉亭闲坐。怎见得冷泉亭好处，有张舆诗四句：

朵朵峰峦拥翠华，倚云楼阁是僧家。

凭栏尽日无人语，濯足寒泉数落花。

上皇正坐观泉，寺中住持僧献茶。有一行者，手托茶盘，高擎下跪。上皇龙目观看，见他相貌魁梧，且是执礼恭谨。御音问道：“朕看你不像个行者模样，可实说是何等人？”那行者双行流泪，拜告道：“臣姓李名直，原任南剑府太守。得罪于监司，被诬赃罪，废为庶人，家贫无以餬口。本寺住持是臣母舅，权充行者，觅些粥食，以延微命。”上皇恻然不忍道：“待朕回宫，当与皇帝言之。”是晚回宫，恰好孝宗天子差太监到德寿宫问安，上皇就将南剑太守李直分付去了，要皇帝复其原官。

过了数日，上皇再到灵隐寺中，那行者依旧来送茶。上皇问道：“皇帝已复你的原官否？”那行者叩头奏道：“还未。”上皇面有愧容。次日，孝宗天子恭请太上皇、皇太后，幸聚景园。上皇不言不笑，似有怨怒之意。孝宗奏道：“今日风景融和，愿得圣情开悦。”上皇嘿然不答。太后道：“孩儿好意招老夫妇游玩，没事恼做甚么？”上皇叹口气道：“‘树老招风，人老招贱。’朕今年老，说来的话，都没人作准了。”孝宗愕然，正不知为甚缘故，叩头请罪。上皇道：“朕前日曾替南剑府太守李直说个分上，竟不作准。昨日于寺中复见其人，令我愧杀。”孝宗道：“前奉圣训，次日即谕宰相。宰相说：‘李直赃污狼藉，难以复用。’既承圣眷，此小事，来朝便行。今日且开怀一醉。”上皇方才回嗔作喜，尽醉方休。第二日，孝宗再谕宰相，要起用李直。宰相依旧推辞。孝宗道：“此是太上主意。昨日发怒，朕无地缝可入。便是大逆谋反，也须放他。”遂尽复其原官。此事阁起不题。

再说俞良在孙婆店借宿之夜，上皇忽得一梦，梦游西湖之上，见毫光万道之中，却有两条黑气冲天，竦然惊觉。至次早，宣个圆梦先生来，说其备细。先生奏道：“乃是有一贤人流落此地，游于西湖，口吐怨气冲天，故托梦于上皇，必主朝廷得一贤人。应在今日，不注吉凶。”上皇闻之大喜，赏了圆梦先生。遂入宫中，更换衣装，扮作文人秀才，带几个近侍官，都扮作斯文模样，一同信步出城。行至丰乐楼前，正见两个着紫衫的，又在门前邀请。当下上皇与近侍官一同入酒肆中，走上楼去。那一日楼上阁儿恰好都有人坐满，只有俞良夜来寻死的那阁儿关着。上皇便揭开帘儿，却待入去。只见酒保告：“解元，不可入去，这阁儿不顺溜！今日主人家便要打醋炭了。待打过醋炭，却教客人吃酒。”上皇便问：“这阁儿如何不顺溜？”酒保告：“解元，说不可尽。夜来有个秀才，是西川成都府人，因赴试不第，流落在此。独自一个在这阁儿里，吃了五两银子酒食，吃的大醉。直至日晚，身边无银子还酒钱，便放无赖，寻死觅活，自割自吊。没奈何怕惹官司，只得又赔店里两个人送他归去。且是住的远，直到贡院桥孙婆客店里歇。因此不顺溜，主家要打醋炭了，方教客人吃酒。”上皇见说，道：“不妨，我们是秀才，不惧此事。”遂乃一齐坐下。上皇抬头只见壁上茶盏来大小字写满，却是一只《鹊桥仙》词。读至后面写道：“锦里秀才俞良作”，龙颜暗喜。想道：“此人正是应梦贤士，这词中有怨望之言。”便问酒保：“此词是谁所作？”酒保道：“解元，此词便是那夜来撒赖秀才写的。”上皇听了，便问：“这秀才见在那里住？”酒保道：“见在贡院桥孙婆客店里安歇。”上皇买些酒食吃了，算了酒钱，起身回宫。

一面分付内侍官，传一道旨意，着地方官于贡院桥孙婆店中，取锦里秀才俞良火速回奏。内侍传将出去，只说太上圣旨，要唤俞良，却不曾叙出缘由明白。地方官心下也只糊涂，当下奉旨飞马到贡院桥孙婆店前，左右的一索抠住孙婆。因走得气急，口中连唤：“俞良，俞良！”孙婆只道被俞良所告，惊得面如土色，双膝跪下，只是磕头。差官道：“那婆子莫忙。官里要西川秀才俞良，在你店中也不在？”孙婆方敢回言道：“告恩官，有却有个俞秀才在此安下，只是今日清早起身回家乡去了。家中儿子送去，兀自未回。临行之时，又写一首词在壁上。官人如不信，下马来看便见。”差官听说，入店中看时，见壁上真个有只词，墨迹尚然新鲜，词名也是《鹊桥仙》，道是：

杏花红雨，梨花白雪，羞对短亭长路。东君也解数归程，遍地落花飞絮。　胸中万卷，笔头千古，方信儒冠多误。青霄有路不须忙，便着鞴草鞋归去。

原来那俞良隔夜醉了，由那孙婆骂了一夜。到得五更，孙婆怕他又不去，教儿子小二清早起来，押送他出门。俞良临去，就壁上写了这只词。孙小二送去，兀自未回。差官见了此词，便教左右抄了，飞身上马。另将一匹空马，也教孙婆骑坐，一直望北赶去。路上正迎见孙小二。差官教放了孙婆，将孙小二抠住，问俞良安在。孙小二战战兢兢道：“俞秀才为盘缠缺少，踌蹰不进，见在北关门边汤团铺里坐。”当下就带孙小二做眼，飞马赶到北关门下。

只见俞良立在那灶边，手里拿着一碗汤团正吃哩。被使命叫一声：“俞良听圣旨。”吓得俞良大惊，连忙放下碗，走出门跪下。使命口宣上皇圣旨：“教俞良到德寿宫见驾。”俞良不知分晓，一时被众人簇拥上马，迤逦直到德寿宫。各人下马，且于侍班阁子内，听候传宣。

地方官先在宫门外叩头复命：“俞良秀才取到了。”上皇传旨，教俞良借紫入内。俞良穿了紫衣软带，纱帽皂靴，到得金阶之下，拜舞起居已毕。上皇传旨，问俞良：“丰乐楼上所写《鹊桥仙》词，是卿所作？”俞良奏道：“是臣醉中之笔，不想惊动圣目。”上皇道：“卿有如此才，不远千里而来，应举不中，是主司之过也。卿莫有怨望之心？”俞良奏道：“穷达皆天，臣岂敢怨！”上皇曰：“以卿大才，岂不堪任一方之寄？朕今赐卿衣紫，说与皇帝，封卿大官，卿意若何？”俞良叩头拜谢曰：“臣有何德能，敢膺圣眷如此！”上皇曰：“卿当于朕前，或诗或词，可做一首，胜如使命所抄店中壁上之作。”俞良奏乞题目。上皇曰：“便只指卿今日遭遇朕躬为题。”俞良领旨，左右便取过文房四宝，放在俞良面前。俞良一挥而就，做了一只词，名《过龙门令》：

冒险过秦关，跋涉长江，崎岖万里到钱塘。举不成名归计拙，趁食街坊。　命蹇苦难当，空有词章，片言争敢动吾皇。敕赐紫袍归故里，衣锦还乡。

上皇看了，龙颜大喜，对俞良道：“卿要衣锦还乡，朕当遂卿之志。”当下御笔亲书六句：

锦里俞良，妙有词章。
高才不遇，落魄堪伤。
敕赐高官，衣锦还乡。

分付内侍官，将这道旨意，送与皇帝。就引俞良去见驾。孝宗见了上皇圣旨，因数日前为南剑太守李直一事，险些儿触了太上之怒，今番怎敢迟慢？想俞良是锦里秀才，如今圣旨批赐衣锦还乡，若用他别处地方为官，又恐拂了太上的圣意。即刻批旨：“俞良可授成都府太守，加赐白金千两，以为路费。”次日，俞良紫袍金带，当殿谢恩已毕，又往德寿官，谢了上皇。将御赐银两备办鞍马仆从之类，又将百金酬谢孙婆。前呼后拥，荣归故里，不在话下。

是日孝宗御驾，来往德寿宫朝见上皇，谢其贤人之赐。上皇又对孝宗说过：传旨遍行天下，下次秀才应举，须要乡试得中，然后赴京殿试。今时乡试之例，皆因此起，流传至今，永远为例矣。

昔年司马逢杨意，今日俞良际上皇。
若使文章皆遇主，功名迟早又何妨。

第七卷
陈可常端阳仙化

利名门路两无凭，百岁风前短焰灯。
只恐为僧僧不了，为僧得了尽输僧。

话说大宋高宗绍兴年间，温州府乐清县，有一秀才，姓陈名义，字可常，年方二十四岁。生得眉目清秀，且是聪明，无书不读，无史不通。绍兴年间，三举不第，就于临安府众安桥命铺，算看本身造物。那先生言："命有华盖，却无官星，只好出家。"陈秀才自小听得母亲说，生下他时，梦见一尊金身罗汉投怀。今日功名蹭蹬之际，又闻星家此言，忿一口气，回店歇了一夜，早起算还了房宿钱，雇人挑了行李，径来灵隐寺投奔印铁牛长老出家，做了行者。这个长老，博通经典，座下有十个侍者，号为"甲、乙、丙、丁、戊、己、庚、辛、壬、癸"，皆读书聪明。陈可常在长老座下做了第二位侍者。

绍兴十一年间，高宗皇帝母舅吴七郡王，时遇五月初四日，府中裹粽子。当下郡王钧旨分付都管："明日要去灵隐寺斋僧，可打点供食齐备。"都管领钧旨，自去关支银两，买办什物，打点完备。至次日早饭后，郡王点看什物。上轿，带了都管、干办、虞候、押番，一干人等出了钱塘门，过了石涵桥、大佛头，径到西山灵隐寺。先有报帖报知，长老引众僧鸣锣擂鼓，接郡王上殿烧香，请至方丈坐下。长老引众僧参拜献茶，分立两傍。郡王说："每年五月重五，入寺斋僧解粽，今日依例布施。"院子抬供食献佛，大盘托出粽子，各房都要散到。

郡王闲步廊下，见壁上有诗四句：

齐国曾生一孟尝，晋朝镇恶又高强。
五行偏我遭时蹇，欲向星家问短长。

郡王见诗道："此诗有怨望之意，不知何人所作？"回至方丈，长老设宴管待。郡王问："长老，你寺中有何人能作得好诗？"长老："覆恩王，敝寺僧多，座下有甲、乙、丙、丁、戊、己、庚、辛、壬、癸十个侍者，皆能作诗。"郡王说："与我唤来！"长老："覆恩王，止有两个在敝寺，这八个教去各庄上去了。"只见甲乙二侍者到郡王面前。郡王叫甲侍者："你可作诗一首。"甲侍者禀乞题目，郡王教就将粽子为题。甲侍者作诗曰：

四角尖尖草缚腰，浪荡锅中走一遭。
若还撞见唐三藏，将来剥得赤条条。

郡王听罢，大笑道："好诗，却少文采。"再唤乙侍者作诗。乙侍者问讯了，乞题目，也教将粽子为题。作诗曰：

香粽年年祭屈原，斋僧今日结良缘。
满堂供尽知多少，生死工夫那个先？

郡王听罢大喜道："好诗！"问乙侍者："廊下壁间诗，是你作的？"乙侍者："覆恩王，是侍者做的。"郡王道："既是你做的，你且解与我知道。"乙侍者道："齐国有个孟尝君，养三千客，他是五月五日午时生。晋国有个大将王镇恶，此人也是五月五日午时生。小侍者也是五月五日午时生，却受此穷苦，以此做下四句自叹。"郡王问："你是何处人氏？"侍者答道："小侍者温州

府乐清县人氏，姓陈名义，字可常。”郡王见侍者言语清亮，人才出众，意欲抬举他。当日就差押番，去临安府僧录司讨一道度牒，将乙侍者剃度为僧，就用他表字可常，为佛门中法号，就作郡王府内门僧。郡王至晚回府，不在话下。

光阴似箭，不觉又早一年。至五月五日，郡王又去灵隐寺斋僧。长老引可常并众僧接入方丈，少不得安办斋供，款待郡王。坐间叫可常到面前道："你做一篇词，要见你本身故事。"可常问讯了，口念一词，名《菩萨蛮》：

平生只被今朝误，今朝却把平生补。重午一年期，斋僧只待时。　　主人恩义重，两载蒙恩宠。清净得为憎，幽闲度此生。

郡王大喜，尽醉回府，将可常带回见两国夫人说："这个和尚是温州人氏，姓陈名义，三举不第，因此弃俗出家，在灵隐寺做侍者。我见他作得好诗，就剃度他为门憎，法号可常。如今一年了，今日带回府来，参拜夫人。"夫人见说，十分欢喜，又见可常聪明朴实，一府中人都欢喜。郡王与夫人解粽，就将一个与可常，教做"粽子词"，还要《菩萨蛮》。可常问讯了，乞纸笔写出一词来：

包中香黍分边角，彩丝剪就交绒索。樽俎泛菖蒲，年年五月初。　　主人恩义重，对景承欢宠。何日玩山家？葵蒿三四花！

郡王见了大喜，传旨唤出新荷姐，就教他唱可常这词。那新荷姐生得眉长眼细，面白唇红，举止轻盈。手拿象板，立于筵前，唱起绕梁之声，众皆喝采。郡王又教可常做新荷姐词一篇，还要《菩萨蛮》。可常执笔便写，词曰：

天生体态腰肢细，新词唱彻歌声利。一曲泛清奇，扬尘簌簌飞。　　主人恩义重，宴出红妆宠。便要赏"新荷"，时光也不多！

郡王越加欢喜。至晚席散，着可常回寺。

至明年五月五日，郡王又要去灵隐寺斋僧。不想大雨如倾，郡王不去，分付院公："你自去分散众僧斋供，就教同可常到府中来看看。"院公领旨去灵隐寺斋僧，说与长老："郡王教同可常回府。"长老说："近日可常得一心病，不出僧房，我与你同去问他。"院公与长老同至可常房中。可常睡在床上，分付院公："拜覆恩王，小僧心病发了，去不得。有一柬帖，与我呈上恩王。"院公听说，带来这封柬帖回府。郡王问："可常如何不来？"院公："告恩王，可常连日心疼病发，来不得。教男女奉上一简，他亲自封好。"郡王拆开看，又是《菩萨蛮》词一首：

去年共饮菖蒲酒，今年却向僧房守。好事更多磨，教人没奈何。　　主人恩义重，知我心头痛。待要赏"新荷"，争知疾愈么？

郡王随即唤新荷出来唱此词。有管家婆禀："覆恩王，近日新荷眉低眼慢，乳大腹高，出来不得。"郡王大怒，将新荷送交府中五夫人勘问。新荷供说："我与可常奸宿有孕。"五夫人将情词"覆恩王"。郡王大怒："可知道这秃驴词内都有赏'新荷'之句，他不是害什么心病，是害的相思病！今日他自觉心亏，不敢到我府中！"教人分付临安府，差人去灵隐寺，拿可常和尚。临安府差人去灵隐寺印长老处要可常。长老离不得安排酒食，送些钱钞与公人。常言道："官法如炉，谁肯容情！"可常推病不得，只得挣阖起来，随着公人到临安府厅上跪下。

府主升堂：

冬冬牙鼓响，公吏两边排。

阎王生死案，东岳摄魂台。

带过可常问道："你是出家人，郡王怎地恩顾你，缘何做出这等没天理的事出来？你快快招了！"可常说："并无此事。"府尹不听分辨，"左右拿下好生打！"左右将可常拖倒，打得皮开肉绽，鲜血迸流。可常招道："小僧果与新荷有奸。一时念头差了，供招是实。"将新荷勘问，一般供招。临安府将可常、新荷供招呈上郡王。郡王本要打杀可常，因他满腹文章，不忍下手，监在狱中。

却说印长老自思："可常是个有德行和尚，日常山门也不出，只在佛前看经。便是郡王府里唤去半日，未晚就回，又不在府中宿歇，此奸从何而来？内中必有跷蹊！"连忙入城去传法寺，央住持槁大惠长老同到府中，与可常讨饶。郡王出堂，赐二长老坐，待茶。郡王开口便说："可常无礼！我平日怎么看待他，却做下不仁之事！"二位长老跪下，再三禀说："可常之罪，僧辈不敢替他分辨，但求恩王念平日错爱之情，可以饶恕一二。"郡王请二位长老回寺，"明日分付临安府量轻发落。"印长老开言："覆恩王，此事日久自明。"郡王闻言心中不喜，退入后堂，再不出来。二位长老见郡王不出，也走出府来。槁长者道："郡王嗔怪你说'日久自明'。他不肯认错，便不出来。"印长老便说："可常是个有德行的，日常无事，山门也不出，只在佛前看经。便是郡王府里唤去，去了半日便回，又不曾宿歇，此奸从何而来？故此小僧说'日久自明'，必有冤枉。"槁长老道："'贫不与富敌，贱不与贵争。'僧家怎敢与王府争得是非？这也是宿世冤业，且得他量轻发落，却又理会。"说罢，各回寺去了，不在话下。次日郡王将封简子去临安府，即将可常、新荷量轻打断。有大尹禀郡王："待新荷产子，可断。"郡王分付，便要断出。府官只得将僧可常追了度牒，杖一百，发灵隐寺，转发宁家当差。将新荷杖八十，发钱塘县转发宁家，追原钱一千贯还郡王府。

却说印长老接得可常，满寺僧众教长老休要安着可常在寺中，玷辱宗风。长老对众僧说："此事必有跷蹊，久后自明。"长老令人山后搭一草舍，教可常将息棒疮好了，着他自回乡去。

且说郡王把新荷发落宁家，追原钱一千贯。新荷父母对女儿说："我又无钱，你若有私房积蓄，将来凑还府中。"新荷说："这钱自有人替我出。"张公骂道："你这贱人！与个穷和尚通奸，他的度牒也被追了，却那得钱来替你还府中。"新荷说："可惜屈了这个和尚！我自与府中钱原都管有奸，他见我有孕了，恐事发，'到郡王面前，只供与可常和尚有奸。郡王喜欢可常，必然饶你。我自来供养你家，并使用钱物。'说过的话，今日只去问他讨钱来用，并还官钱。我一个身子被他骗了，先前说过的话，如何赖得？他若欺心不招架时，左右做我不着，你两个老人家将我去府中，等我郡王面前实诉，也出脱了可常和尚。"

父母听得女儿说，便去府前伺候钱都管出来，把上项事一一说了。钱都管到焦躁起来，骂道："老贱才！老无知！好不识廉耻！自家女儿偷了和尚，官司也问结了，却说恁般鬼话来图赖人！你欠了女儿身价钱，没处措办时，好言好语，告个消乏，或者可怜你的，一两贯钱助了你也不见得。你却说这样没根蒂的话来，傍人听见时，教我怎地做人？"骂了一顿，走开去了。

张老只得忍气吞声回来，与女儿说知。新荷见说，两泪交流，乃言："爹娘放心，明日却与他理会。"至次日，新荷跟父母到郡王府前，连声叫屈。郡王即时叫人拿来，却是新荷父母。郡王骂道："你女儿做下迷天大罪，到来我府前叫屈！"张老跪覆："恩王，小的女儿没福，做出事来，其中屈了一人，望恩王做主！"郡王问："屈了何人？"张老道："小人不知，只问小贱人便有明白。"郡王问："贱人在那里？"张老道："在门首伺候。"郡王唤他入来，问他详细。新荷入到府堂跪下。郡王问："贱人，做下不仁之事，你今说屈了甚人？"新荷告："恩王，贱妾犯奸，妄屈了可常和尚。"郡王问："缘何屈了他？你可实说，我到饶你。"新荷告道："贱妾犯奸，却不干可常之事。"郡王道："你先前怎地不说？"新荷告道："妾实被干办钱原奸骗。有孕之时，钱原怕事露，分付妾：'如若事露，千万不可说我！只说与可常和尚有奸。因郡王喜欢可常，必然饶你。'"郡王骂道："你这贱人，怎地依他说，害了这个和尚！"新荷告道："钱原说：'你若无事退回，我自养你一家老小，如要原钱还府，也是我出。'今日贱妾宁家，恩王责取原钱，一时无措，只得去向他讨钱还府中。以此父亲去与他说，到把父亲打骂，被害无辜。妾今诉告明白，情愿死在恩王面前。"郡王道："先前他许供养你一家，有甚表记为证？"新荷告："恩王，钱原许妾供养，妾亦怕他番悔，已拿了他上直朱红牌一面为信。"郡王见说，十分大怒，跌脚大骂："泼贱人！屈了可常和尚！"就着人分付临安府，拿钱原到厅审问拷打，供认明白。一百日限满，脊杖八十，送沙门岛牢城营料高。新荷宁家，饶了一千贯原钱。随即差人去灵隐寺取可常和尚来。

却说可常在草舍中将息好了，又是五月五日到。可常取纸墨笔来，写下一首《辞世颂》：

生时重午，为僧重午，得罪重午，死时重午。为前生欠他债负，若不当时承认，又恐他人受苦。今日事已分明，不若抽身回去！

五月五日午时书，赤口白舌尽消除；

五月五日天中节，赤口白舌尽消灭。

可常作了《辞世颂》，走出草舍边，有一泉水。可常脱了衣裳，遍身抹净，穿了衣服，入草舍结跏趺坐圆寂了。道人报与长老知道。长老将自己龛子，妆了可常，抬出山顶。长老正欲下火，只见郡王府院公来取可常。长老道："院公，你去禀覆恩王，可常坐化了，正欲下火。郡王来取，今且暂停，待恩王令旨。"院公说："今日事已明白，不干可常之事。皆因屈了，教我来取，却又圆寂了。我去禀恩王，必然亲自来看下火。"院公急急回府，将上项事并《辞世颂》呈上，郡王看了大惊。

次日，郡王同两国夫人去灵隐寺烧化可常，众僧接到后山。郡王与两国夫人亲自拈香罢，郡王坐下。印长老带领众僧看经毕。印长老手执火把，口中念道：

留得屈原香粽在，龙舟竞渡尽争先。

从今剪断缘丝索，不用来生复结缘。

恭惟圆寂可常和尚：重午本良辰，谁把兰汤浴？角黍漫包金，菖蒲空切玉。须知《妙法华》，大乘俱念足。手不折"新荷"，枉受攀花辱。目下事分明，唱彻阳关曲。今日是重午，归西何太速！寂灭本来空，管甚时辰毒？山僧今日来，赠与光明烛。凭此火光三昧，要见本来面目。咦！

唱彻当时《菩萨蛮》，撒手便归兜率国。

众人只见火光中现出可常，问讯谢郡王、夫人、长老并众僧："只因我前生欠宿债，今世转来还，吾今归仙境，再不往人间。吾是五百尊罗汉中名常欢喜尊者。"正是：

从来天道岂痴聋？好丑难逃久照中。

说好劝人归善道，算来修德积阴功。

第八卷
崔待诏生死冤家

山色晴岚景物佳，暖烘回雁起平沙。东郊渐觉花供眼，南陌依稀草吐芽。　　堤上柳，未藏鸦，寻芳趁步到山家。陇头几树红梅落，红杏枝头未着花。

这首《鹧鸪天》说孟春景致，原来又不如《仲春词》做得好：

每日青楼醉梦中，不知城外又春浓。杏花初落疏疏雨，杨柳轻摇淡淡风。　　浮画舫，跃青骢，小桥门外绿阴笼。行人不入神仙地，人在珠帘第几重？

这首词说仲春景致，原来又不如黄夫人做着《季春词》又好：

先自春光似酒浓，时听燕语透帘栊。小桥杨柳飘香絮，山寺绯桃散落红。　　莺渐老，蝶西东，春归难觅恨无穷。侵阶草色迷朝雨，满地梨花逐晓风。

这三首词，都不如王荆公看见花瓣儿片片风吹下地来，原来这春归去，是东风断送的。有诗道：

春日春风有时好，春日春风有时恶。
不得春风花不开，花开又被风吹落。

苏东坡道："不是东风断送春归去，是春雨断送春归去。"有诗道：

雨前初见花间蕊，雨后全无叶底花。
蜂蝶纷纷过墙去，却疑春色在邻家。

秦少游道："也不干风事，也不干雨事，是柳絮飘将春色去。"有诗道：

三月柳花轻复散，飘飏澹荡送春归。
此花本是无情物，一向东飞一向西。

邵尧夫道："也不干柳絮事，是蝴蝶采将春色去。"有诗道：

花正开时当三月，蝴蝶飞来忙劫劫。
采将春色向天涯，行人路上添凄切。

曾两府道："也不干蝴蝶事，是黄莺啼得春归去。"有诗道：

花正开时艳正浓，春宵何事恼芳丛？
黄鹂啼得春归去，无限园林转首空。

朱希真道："也不干黄莺事，是杜鹃啼得春归去。"有诗道：

杜鹃叫得春归去，吻边啼血尚犹存。

庭院日长空悄悄，教人生怕到黄昏！

苏小小道："都不干这几件事，是燕子衔将春色去。"有《蝶恋花》词为证：

妾本钱塘江上住，花开花落，不管流年度。燕子衔将春色去，纱窗几阵黄梅雨。　斜插犀梳云半吐，檀板轻敲，唱彻黄金缕。歌罢彩云无觅处，梦回明月生南浦。

王岩叟道："也不干风事，也不干雨事，也不干柳絮事，也不干蝴蝶事，也不干黄莺事，也不干杜鹃事，也不干燕子事。是九十日春光已过，春归去。"曾有诗道：

怨风怨雨两俱非，风雨不来春亦归。

腮边红褪青梅小，口角黄消乳燕飞。

蜀魄健啼花影去，吴蚕强食柘桑稀。

直恼春归无觅处，江湖辜负一蓑衣！

说话的，因甚说这《春归词》？绍兴年间，行在有个关西延州延安府人，本身是三镇节度使咸安郡王。当时怕春归去，将带着许多钧眷游春。至晚回家，来到钱塘门里，车桥前面，钧眷轿子过了，后面是郡王轿子到来。则听得桥下裱褙铺里一个人叫道："我儿出来看郡王！"当时郡王在轿里看见，叫帮窗虞候道："我从前要寻这个人，今日却在这里。只在你身上，明日要这个人入府中来。"

当时虞候声诺，来寻这个看郡王的人，是甚色目人？正是：

尘随车马何年尽？情系人心早晚休。

只见车桥下一个人家，门前出着一面招牌，写着"璩家装裱古今书画"。铺里一个老儿，引着一个女儿，生得如何？

云鬓轻笼蝉翼，蛾眉淡拂春山；朱唇缀一颗樱桃，皓齿排两行碎玉。莲步半折小弓弓，莺啭一声娇滴滴。

便是出来看郡王轿子的人。虞候即时来他家对门一个茶坊里坐定，婆婆把茶点来。虞候道："启请婆婆，过对门裱褙铺里请璩大夫来说话。"婆婆便去请到来，两个相揖了就坐。璩待诏问："府干有何见谕？"虞候道："无甚事，闲问则个。适来叫出来看郡王轿子的人是令爱么？"待诏道："正是拙女，止有三口。"虞候又问："小娘子贵庚？"待诏应道："一十八岁。"再问："小娘子如今要嫁人，却是趋奉官员？"待诏道："老拙家寒，那讨钱来嫁人，将来也只是献与官员府第。"虞候道："小娘子有甚本事？"待诏说出女孩儿一件本事来，有词寄《眼儿媚》为证：

深闺小院日初长，娇女绮罗裳。不做东君造化，金针刺绣群芳。　　斜枝嫩叶包开蕊，唯只欠馨香。曾向园林深处，引教蝶乱蜂狂。

原来这女儿会绣作。虞候道："适来郡王在轿里，看见令爱身上系着一条绣裹肚。府中正要寻一个绣作的人，老丈何不献与郡王？"璩公归去，与婆婆说了。到明日写一纸献状，献来府中。郡王给与身价，因此取名秀秀养娘。

不则一日，朝廷赐下一领团花绣战袍，当时秀秀依样绣出一件来。郡王看了欢喜道："主上赐与我团花战袍，却寻甚么奇巧的物事献与官家？"去府库里寻出一块透明的羊脂美玉来，即时叫将门下碾玉待诏，问："这块玉堪做甚么？"内中一个道："好做一副劝杯。"郡王道："可惜恁般一块玉，如何将来只做得一副劝杯！"又一个道："这块玉上尖下圆，好做一个摩侯罗儿。"郡王道："摩侯罗儿，只是七月七日乞巧使得，寻常间又无用处。"数中一个后生，年纪二十五岁，姓崔，名宁，趋事郡王数年，是升州建康府人。当时叉手向前，对着郡王道："告恩王，这块玉上尖下圆，甚是不好，只好碾一个南海观音。"郡王道："好，正合我意。"就叫崔宁下手。不过两个月，碾成了这个玉观音。郡王即时写表进上御前，龙颜大喜。崔宁就本府增添请给，遭遇郡王。

不则一日，时遇春天，崔待诏游春回来，入得钱塘门，在一个酒肆，与三四个相知，方才吃得数杯，则听得街上闹吵吵。连忙推开楼窗看时，见乱烘烘道："井亭桥有遗漏！"吃不得这酒成，慌忙下酒楼看时，只见：

初如萤火，次若灯光，千条蜡烛焰难当，万座糁盆敌不住。六丁神推倒宝天炉，八力士放起焚山火。骊山会上，料应褒姒逞娇容；赤壁矶头，想是周郎施妙策。五通神牵住火葫芦，宋无忌赶番赤骡子。又不曾泻烛浇油，直恁的烟飞火猛！

崔待诏望见了，急忙道："在我本府前不远。"奔到府中看时，已搬挈得罄尽，静悄悄地无一个人。崔待诏既不见人，且循着左手廊下入去，火光照得如同白日。去那左廊下，一个妇女，摇摇摆摆，从府堂里出来。自言自语，与崔宁打个胸厮撞。崔宁认得是秀秀养娘，倒退两步，低身唱个喏。原来郡王当日，尝对崔宁许道："待秀秀满日，把来嫁与你。"这些众人，都撺掇道："好对夫妻！"崔宁拜谢了，不则一番。崔宁是个单身，却也痴心。秀秀见恁地个后生，却也指望。当日有这遗漏，秀秀手中提着一帕子金珠富贵，从左廊下出来。撞见崔宁便道："崔大夫，我出来得迟了。府中养娘各自四散，管顾不得，你如今没奈何只得将我去躲避则个。"

当下崔宁和秀秀出府门，沿着河，走到石灰桥。秀秀道："崔大夫，我脚疼了走不得。"崔宁指着前面道："更行几步，那里便是崔宁住处，小娘子到家中歇脚，却也不妨。"到得家中坐定。秀秀道："我肚里饥，崔大夫与我买些点心来吃！我受了些惊，得杯酒吃更好。”当时崔宁买将酒来，三杯两盏，正是：

三杯竹叶穿心过，两朵桃花上脸来。

道不得个“春为花博士，酒是色媒人”。秀秀道：“你记得当时在月台上赏月，把我许你，你兀自拜谢。你记得也不记得？”崔宁叉着手，只应得“喏”。秀秀道：“当日众人都替你喝采，‘好对夫妻！’你怎地到忘了？”崔宁又则应得“喏”。秀秀道：“比似只管等待，何不今夜我和你先做夫妻，不知你意下何如？”崔宁道：“岂敢。”秀秀道：“你知道不敢！我叫将起来，教坏了你，你却如何将我到家中？我明日府里去说。”崔宁道：“告小娘子，要和崔宁做夫妻，不妨；只一件，这里住不得了，要好趁这个遗漏人乱时，今夜就走开去，方才使得。”秀秀道：“我既和你做夫妻，凭你行。”当夜做了夫妻。

四更已后，各带着随身金银物件出门。离不得饥餐渴饮，夜住晓行，迤逦来到衢州。崔宁道：“这里是五路总头，是打那条路去好？不若取信州路上去，我是碾玉作，信州有几个相识，怕那里安得身。”即时取路到信州。住了几日，崔宁道：“信州常有客人到行在往来，若说道我等在此，郡王必然使人来追捉，不当稳便。不若离了信州，再往别处去。”两个又起身上路，径取潭州。不则一日，到了潭州，却是走得远了。就潭州市里讨间房屋，出面招牌，写着“行在崔待诏碾玉生活”。崔宁便对秀秀道：“这里离行在有二千馀里了，料得无事，你我安心，好做长久夫妻。”潭州也有几个寄居官员，见崔宁是行在待诏，日逐也有生活得做。崔宁密使人打探行在本府中事。有曾到都下的，得知府中当夜失火，不见了一个养娘，出赏钱寻了几日，不知下落。也不知道崔宁将他走了，见在潭州住。

时光似箭，日月如梭，也有一年之上。忽一日方早开门，见两个着皂衫的，一似虞候府干打扮，入来铺里坐地，问道：“本官听得说有个行在崔待诏，教请过来做生活。”崔宁分付了家中，随这两个人到湘潭县路上来。便将崔宁到宅里相见官人，承揽了玉作生活，回路归家。正行间，只见一个汉子头上带个竹丝笠儿，穿着一领白段子两上领布衫，青白行缠找着裤子口，着一双多耳麻鞋，挑着一个高肩担儿。正面来，把崔宁看了一看，崔宁却不见这汉面貌，这个人却见崔宁，从后大踏步尾着崔宁来。正是：

谁家稚子鸣榔板，惊起鸳鸯两处飞。

这汉子毕竟是何人？且听下回分解。

竹引牵牛花满街，疏篱茅舍月光筛。琉璃盏内茅柴酒，白玉盘中簇豆梅。　休懊恼，且开怀，平生赢得笑颜开。三千里地无知己，十万军中挂印来。

这只《鹧鸪天》词是关西秦州雄武军刘两府所作。从顺昌大战之后，闲在家中，寄居湖南潭州湘潭县。他是个不爱财的名将，家道贫寒，时常到村店中吃酒。店中人不识刘两府，谨呼啰唣。刘两府道："百万番人，只如等闲，如今却被他们诬罔！"做了这只《鹧鸪天》，流传直到都下。当时殿前太尉是杨和王，见了这词，好伤感，"原来刘两府直恁孤寒！"教提辖官差人送一项钱与这刘两府。今日崔宁的东人郡王，听得说刘两府恁地孤寒，也差人送一项钱与他，却经由潭州路过。见崔宁从湘潭路上来，一路尾着崔宁到家，正见秀秀坐在柜身子里。便撞破他们道："崔大夫，多时不见，你却在这里。秀秀养娘他如何也在这里？郡王教我下书来潭州，今日遇着你们。原来秀秀养娘嫁了你，也好。"当时吓杀崔宁夫妻两个，被他看破。

那人是谁？却是郡王府中一个排军，从小伏侍郡王，见他朴实，差他送钱与刘两府。这人姓郭名立，叫做郭排军。当下夫妻请住郭排军，安排酒来请他。分付道："你到府中千万莫说与郡王知道！"郭排军道："郡王怎知得你两个在这里。我没事，却说甚么。"当下酬谢了出门，回到府中，参见郡王，纳了回书。看着郡王道："郭立前日下书回，打潭州过，却见两个人在那里住。"郡王问："是谁？"郭立道："见秀秀养娘并崔待诏两个，请郭立吃了酒食，教休来府中说知。"郡王听说便道："叵耐这两个做出这事来，却如何直走到那里？"郭立道："也不知他仔细，只见他在那里住地，依旧挂招牌做生活。"

郡王教干办去分付临安府，即时差一个缉捕使臣，带着做公的，备了盘缠，径来湖南潭州府，下了公文，同来寻崔宁和秀秀，却似：

皂雕追紫燕，猛虎啖羊羔。

不两月，捉将两个来，解到府中。报与郡王得知，即时升厅。原来郡王杀番人时，左手使一口刀，叫做"小青"；右手使一口刀，叫做"大青"。这两口刀不知剁了多少番人。那两口刀，鞘内藏着，挂在壁上。郡王升厅，众人声喏，即将这两个人押来跪下。郡王好生焦躁，左手去壁牙上取下"小青"，右手一掣，掣刀在手，睁起杀番人的眼儿，咬得牙齿剥剥地响。当时吓杀夫人，在屏风背后道："郡王，这里是帝辇之下，不比边庭上面，若有罪过，只消解去临安府施行，如何胡乱凯得人？"郡王听说道："叵耐这两个畜生逃走，今日捉将来，我恼了，如何不凯？既然夫人来劝，且捉秀秀入府后花园去，把崔宁解去临安府断治。"当下喝赐钱酒，赏犒捉事人。

解这崔宁到临安府，一一从头供说："自从当夜遗漏，来到府中，都搬尽了。只见秀秀养娘从廊下出来，揪住崔宁道：'你如何安手在我怀中？若不依我口，教坏了你！'要共崔宁逃走。崔宁不得已，只得与他同走。只此是实。"临安府把文案呈上郡王，郡王是个刚直的人，便道："既然恁地，宽了崔宁，且与从轻断治。崔宁不合在逃，罪杖，发还建康府居住。"

当下差人押送，方出北关门，到鹅项头，见一顶轿儿。两个人抬着，从后面叫："崔待诏，且不得去。"崔宁认得像是秀秀的声音，赶将来又不知恁地？心下好生疑惑。伤弓之鸟，不敢揽事，且低着头只顾走。只见后面赶将上来，歇了轿子，一个妇人走出来，不是别人，便是秀秀，道："崔待诏，你如今去建康府，我却如何？"崔宁道："却是怎地好？"秀秀道："自从解你去临安府断罪，把我捉入后花园，打了三十竹蓖，遂便赶我出来。我知道你建康府去，赶将来同你去。"崔宁道："恁地却好。"讨了船，直到建康府，押发人自回。若是押发人是个学舌的，就有一场是非出来。因晓得郡王性如烈火，惹着他不是轻放手的。他又不是王府中人，去管这闲事怎地？况且崔宁一路买酒买食，奉承得他好，回去时就隐恶而扬善了。

再说崔宁两口在建康居住，既是问断了，如今也不怕有人撞见，依旧开个碾玉作铺。浑家道："我两口却在这里住得好，只是我家爹妈自从我和你逃去潭州，两个老的吃了些苦。当日捉我入府时，两个去寻死觅活，今日也好教人去行在取我爹妈来这里同住。"崔宁道："最好。"便教人来行在取他丈人丈母，写了他地理脚色与来人。到临安府寻见他住处，问他邻舍，指道："这一家便是。"来人去门首看时，只见两扇门关着，一把锁锁着，一条竹竿封着。问邻舍："他老夫妻那里去了？"邻舍道："莫说！他有个花枝也似女儿，献在一个奢遮去处。这个女儿不受福德，却跟一个碾玉的待诏逃走了。前日从湖南潭州捉将回来，送在临安府吃官司，那女儿吃郡王捉进后花园里去。老夫妻见女儿捉去，就当下寻死觅活，至今不知下落，只恁地关着门在这里。"来人见说，再回建康府来，兀自未到家。

且说崔宁正在家中坐，只见外面有人道："你寻崔待诏住处？这里便是。"崔宁叫出浑家来看时，不是别人，认得是璩公璩婆，都相见了，喜欢的做一处。那去取老儿的人，隔一日才到，说如此这般，寻不见，却空走了这遭。两个老的且自来到这里了。两个老人道："却生受你，我不知你们在建康住，教我寻来寻去，直到这里。"其时四口同住，不在话下。

且说朝廷官里，一日到偏殿看玩宝器，拿起这玉观音来看。这个观音身上，当时有一个玉铃儿，失手脱下，即时问近侍官员："却如何修理得？"官员将玉观音反覆看了，道："好个玉观音！怎地脱落了铃儿？"看到底下，下面碾着三字："崔宁造"。"恁地容易，既是有人造，只消得宣这个人来，教他修整。"敕下郡王府，宣取碾玉匠崔宁。郡王回奏："崔宁有罪，在建康府居住。"即时使人去建康，取得崔宁到行在歇泊了。当时宣崔宁见驾，将这玉观音教他领去，用心整理。崔宁谢了恩，寻一块一般的玉，碾一个铃儿，接住了，御前交纳。破分请给养了崔宁，令只在行在居住。崔宁道："我今日遭际御前，争得气。再来清湖河下寻间屋儿开个碾玉铺，须不怕你们撞见！"

可煞事有斗巧，方才开得铺三两日，一个汉子从外面过来，就是那郭排军。见了崔待诏，便道："崔大夫恭喜了！你却在这里住？"抬起头来，看柜身里却立着崔待诏的浑家。郭排军吃了一惊，拽开脚步就走。浑家说与丈夫道："你与我叫住那排军！我相问则个。"正是：

平生不作皱眉事，世上应无切齿人。

崔待诏即时赶上扯住，只见郭排军把头只管侧来侧去，口里喃喃地道："作怪，作怪！"没奈何，只得与崔宁回来，到家中坐地。浑家与他相见了，便问："郭排军，前者我好意留你吃酒，你却归来说与郡王，坏了我两个的好事。今日遭际御前，却不怕你去说。"郭排军吃他相问得无言可答，只道得一声"得罪！"相别了。便来到府里，对着郡王道："有鬼！"郡王道："这汉则甚？"郭立道："告恩王，有鬼！"郡王问道："有甚鬼？"郭立道："方才打清湖河下过，见崔宁开个碾玉铺，却见柜身里一个妇女，便是秀秀养娘。"郡王焦躁道："又来胡说！秀秀被我打杀了，埋在后花园，你须也看见，如何又在那里？却不是取笑我？"郭立道："告恩王，怎敢取笑！方才叫住郭立，相问了一回。怕恩王不信，勒下军令状了去。"郡王道："真个在时，你勒军令状来！"那汉也是合苦，真个写一纸军令状来。郡王收了，叫两个当直的轿番，抬一顶轿子，教："取这妮子来。若真个在，把来剀取一刀；若不在，郭立，你须替他剀取一刀！"郭立同两个轿番来取秀秀。正是：

麦穗两岐，农人难辨。

郭立是关西人，朴直，却不知军令状如何胡乱勒得！三个一径来到崔宁家里，那秀秀兀自在柜身里坐地。见那郭排军来得恁地慌忙，却不知他勒了军令状来取你。郭排军道："小娘子，郡王钧旨，教来取你则个。"秀秀道："既如此，你们少等，待我梳洗了同去。"即时入去梳洗，换了衣服出来，上了轿，分付了丈夫。两个轿番便抬着，径到府前。郭立先入去，郡王正在厅上等待。郭立唱了喏，道："已取到秀秀养娘。"郡王道："着他入来！"郭立出来道："小娘子，郡王教你进来。"掀起帘子看一看，便是一桶水倾在身上，开着口，则合不得，就轿子里不见了秀秀养娘。问那两个轿番，道："我不知，则见他上轿，抬到这里，又不曾转动。"那汉叫将入来道："告恩王，恁地真个有鬼！"郡王道："却不叵耐！"教人："捉这汉，等我取过军令状来，如今剀了一刀。先去取下'小青'来。"那汉从来伏侍郡王，身上也有十数次官了。盖缘是粗人，只教他做排军。这汉慌了道："见有两个轿番见证，乞叫来问。"即时叫将轿番来道："见他上轿，抬到这里，却不见了。"说得一般，想必真个有鬼，只消得叫将崔宁来问。便使人叫崔宁来到府中。崔宁从头至尾说了一遍。郡王道："恁地，又不干崔宁事，且放他去。"崔宁拜辞去了。郡王焦躁，把郭立打了五十背花棒。

崔宁听得说浑家是鬼，到家中问丈人丈母。两个面面厮觑，走出门，看着清湖河里，扑通地都跳下水去了。当下叫救人，打捞，便不见了尸首。——原来当时打杀秀秀时，两个老的听得说，便跳在河里，已自死了，这两个也是鬼。——崔宁到家中，没情没绪，走进房中，只见浑家坐在床上。崔宁道："告姐姐，饶我性命！"秀秀道："我因为你，吃郡王打死了，埋在后花园里。却恨郭排军多口，今日已报了冤仇，郡王已将他打了五十背花棒。如今都知道我是鬼，容身不得了。"道罢起身，双手揪住崔宁，叫得一声，匹然倒地。邻舍都来看时，只见：

两部脉尽总皆沉，一命已归黄壤下。

崔宁也被扯去，和父母四个，一块儿做鬼去了。后人评论得好：

咸安王捺不下烈火性，郭排军禁不住闲磕牙。
璩秀娘舍不得生眷属，崔待诏撇不脱鬼冤家。

第九卷
李谪仙醉草吓蛮书

堪羡当年李谪仙，吟诗斗酒有连篇。
蟠胸锦绣欺时彦，落笔风云迈古贤。
书草和番威远塞，词歌倾国媚新弦。
莫言才子风流尽，明月长悬采石边。

话说唐玄宗皇帝朝，有个才子，姓李名白，字太白。乃西梁武昭兴圣皇帝李暠九世孙，西川绵州人也。其母梦长庚入怀而生，那长庚星又名太白星，所以名字俱用之。那李白生得姿容美秀，骨格清奇，有飘然出世之表。十岁时，便精通书史，出口成章，人都夸他锦心绣口，又说他是神仙降生，以此又呼为李谪仙。有杜工部赠诗为证：

昔年有狂客，号尔谪仙人。
笔落惊风雨，诗成泣鬼神！
声名从此大，汩没一朝伸。
文采承殊渥，流传必绝伦。

李白又自称青莲居士。一生好酒，不求仕进，志欲遨游四海，看尽天下名山，尝遍天下美酒。先登峨眉，次居云梦，复隐于徂徕山竹溪，与孔巢父等六人，日夕酣饮，号为竹溪六逸。有人说："湖州乌程酒甚佳。"白不远千里而往，到酒肆中，开怀畅饮，旁若无人。时有迦叶司马经过，闻白狂歌之声，遣从者问其何人。白随口答诗四句：

青莲居士谪仙人，酒肆逃名三十春。

湖州司马何须问，金粟如来是后身。

迦叶司马大惊，问道："莫非蜀中李谪仙么？闻名久矣。"遂请相见，留饮十日，厚有所赠。临别，问道："以青莲高才，取青紫如拾芥，何不游长安应举?"李白道："目今朝政紊乱，公道全无，请托者登高第，纳贿者获科名。非此二者，虽有孔孟之贤，晁董之才，无自由达。白所以流连诗酒，免受盲试官之气耳。"迦叶司马道："虽则如此，足下谁人不知，一到长安，必有人荐拔。"

李白从其言，乃游长安。一日到紫极宫游玩，遇了翰林学士贺知章，通姓道名，彼此相慕。知章遂邀李白于酒肆中，解下金貂，当酒同饮。至夜不舍，遂留李白于家中下榻，结为兄弟。次日，李白将行李搬至贺内翰宅，每日谈诗饮酒，宾主甚是相得。

时光荏苒，不觉试期已迫。贺内翰道："今春南省试官，正是杨贵妃兄杨国忠太师，监视官乃太尉高力士，二人都是爱财之人。贤弟却无金银买嘱他，便有冲天学问，见不得圣天子。此二人与下官皆有相识，下官写一封札子去，预先嘱托，或者看薄面一二。"李白虽则才大气高，遇了这等时势，况且内翰高情，不好违阻。贺内翰写了柬帖，投与杨太师、高力士。二人接开看了，冷笑道："贺内翰受了李白金银，却写封空书在我这里讨白人情。到那日专记，如有李白名字卷子，不问好歹，即时批落。"

时值三月三日，大开南省，会天下才人，尽呈卷子。李白才思有馀，一笔挥就，第一个交卷。杨国忠见卷子上有李白名字，也不看文字，乱笔涂抹道："这样书生，只好与我磨墨。"高力士道："磨墨也不中，只好与我着袜脱靴。"喝令将李白推抢出去。正是：

不愿文章中天下，只愿文章中试官！

李白被试官屈批卷子，怨气冲天，回至内翰宅中，立誓："久后吾若得志，定教杨国忠磨墨，高力士与我脱靴，方才满愿。"贺内翰劝白："且休烦恼，权在舍下安歇。待三年，再开试场，别换试官，必然登第。"终日共李白饮酒赋诗。

日往月来，不觉一载。忽一日，有番使赍国书到。朝廷差使命急宣贺内翰陪接番使，在馆驿安下。次日阁门舍人接得番使国书一道。玄宗敕宣翰林学士，拆开番书，全然不识一字，拜伏金阶启奏："此书皆是鸟兽之迹，臣等学识浅短，不识一字。"天子闻奏，将与南省试官杨国忠开读。杨国忠开看，双目如盲，亦不晓得。天子宣问满朝文武，并无一人晓得，不知书上有何吉凶言语。龙颜大怒，喝骂朝臣："枉有许多文武，并无一个饱学之士与朕分忧。此书识不得，将何回答，发落番使，却被番邦笑耻，欺侮南朝，必动干戈，来侵边界，如之奈何！敕限三日，若无人识此番书，一概停俸；六日无人，一概停职；九日无人，一概问罪。别选贤良，共扶社稷。"圣旨一出，诸官默默无言，再无一人敢奏。天子转添烦恼。

贺内翰朝散回家，将此事述于李白。白微微冷笑："可惜我李某去年不曾及第为官，不得与天子分忧。"贺内翰大惊道："想必贤弟博学多能，辨识番书，下官当于驾前保奏。"次日，贺知章入朝，越班奏道："臣启陛下，臣家有一秀才，姓李名白，博学多能。要辨番书，非此人不可。"天子准奏，即遣使命，赍诏前去内翰宅中，宣取李白。李白告天使道："臣乃远方布衣，无才无识，今朝中有许多官僚，都是饱学之儒，何必问及草莽？臣不敢奉诏，恐得罪于朝贵。"说这句"恐得罪于朝贵"，隐隐刺着杨、高二人。使命回奏。天子初问贺知章："李白不肯奉诏，其意云何？"知章奏道："臣知李白文章盖世，学问惊人。只为去年试场中，被试官屈批了卷子，羞抢出门，今日教他白衣入朝，有愧于心。乞陛下赐以恩典，遣一位大臣再往，必然奉诏。"玄宗道："依卿所奏。钦赐李白进士及第，着紫袍金带，纱帽象简见驾。就烦卿自往迎取，卿不可辞！"

贺知章领旨回家，请李白开读，备述天子惓惓求贤之意。李白穿了御赐袍服，望阙拜谢。遂骑马随贺内翰入朝。玄宗于御座专待李白。李白至金阶拜舞，山呼谢恩，躬身而立。天子一见李白，如贫得宝，如暗得灯，如饥得食，如旱得云。开金口，动玉音，道："今有番国赍书，无人能晓，特宣卿至，为朕分忧。"白躬身奏道："臣因学浅，被太师批卷不中，高太尉将臣推抢出门。今有番书，何不令试官回答，却乃久滞番官在此？臣是批黜秀才，不能称试官之意，怎能称皇上之意？"天子道："朕自知卿，卿其勿辞！"遂命侍臣捧番书赐李白观看。李白看了一遍，微微冷笑，对御座前将唐音译出，宣读如流。番书云：

> 渤海国大可毒书达唐朝官家。自你占了高丽，与俺国逼近，边兵屡屡侵犯吾界，想出自官家之意。俺如今不可耐者，差官来讲和，可将高丽一百七十六城，让与俺国，俺有好物事相送：太白山之菟，南海之昆布，栅城之鼓，扶馀之鹿，鄚颉之豕，率宾之马，沃州之绵，湄沱河之鲫，九都之李，乐游之梨，你官家都有分。若还不肯，俺起兵来厮杀，且看那家胜败？

众官听得读罢番书，不觉失惊，面面相觑，尽称"难得"。天子听了番书，龙情不悦。沉吟良久，方问两班文武："今被番家要兴兵抢占高丽，有何策可以应敌？"两班文武，如泥塑木雕，无人敢应。贺知章启奏道："自太宗皇帝三征高丽，不知杀了多少生灵，不能取胜，府库为之虚耗。天幸盖苏文死了，其子男生兄弟争权，为我乡导。高宗皇帝遣老将李勣、薛仁贵统百万雄兵，大小百战，方才殄灭。今承平日久，无将无兵，倘干戈复动，难保必胜。兵连祸结，不知何时而止？愿吾皇圣鉴！”天子道：“似此如何回答他？”知章道：“陛下试问李白，必然善于辞命。”天子乃召白问之。李白奏道：“臣启陛下，此事不劳圣虑。来日宣番使入朝，臣当面回答番书，与他一般字迹，书中言语，羞辱番家，须要番国可毒拱手来降。”天子问：“可毒何人也？”李白奏道：“渤海风俗，称其王曰可毒。犹回纥称可汗，吐番称赞普，六诏称诏，诃陵称悉莫威，各从其俗。”天子见其应对不穷，圣心大悦，即日拜为翰林学士。遂设宴于金銮殿，宫商迭奏，琴瑟喧阗，嫔妃进酒，彩女传杯。御音传示：“李卿，可开怀畅饮，休拘礼法。”李白尽量而饮，不觉酒浓身软。天子令内官扶于殿侧安寝。

次日五鼓，天子升殿。

净鞭三下响，文武两班齐。

李白宿酲犹未醒，内官催促进朝。百官朝见已毕，天子召李白上殿，见其面尚带酒容，两眼兀自有矇眬之意。天子分付内侍，教御厨中造三分醒酒酸鱼羹来。须臾，内侍将金盘捧到鱼羹一碗。天子见羹气太热，御手取牙箸调之良久，赐与李学士。李白跪而食之，顿觉爽快。是时百官见天子恩幸李白，且惊且喜；惊者怪其破格，喜者喜其得人。惟杨国忠高力士愀然有不乐之色。

圣旨宣番使入朝，番使山呼见圣已毕。李白紫衣纱帽，飘飘然有神仙凌云之态，手捧番书立于左侧柱下，朗声而读，一字无差，番使大骇。李白道：“小邦失礼，圣上洪度如天，置而不较，有诏批答，汝宜静听！”番官战战兢兢，跪于阶下。天子命设七宝床于御座之傍，取于阗白玉砚，象管兔毫笔，独草龙香墨，五色金花笺，排列停当。赐李白近御榻前，坐锦墩草诏。

李白奏道：“臣靴不净，有污前席，望皇上宽恩，赐臣脱靴结袜而登。”天子准奏，命一小内侍：“与李学士脱靴。”李白又奏道：“臣有一言，乞陛下赦臣狂妄，臣方敢奏。”天子道：“任卿失言，朕亦不罪。”李白奏道：“臣前入试春闱，被杨太师批落，高太尉赶逐，今日见二人押班，臣之神气不旺。乞玉音分付杨国忠与臣捧砚磨墨，高力士与臣脱靴结袜，臣意气始得自豪，举笔草诏，口代天言，方可不辱君命。”天子用人之际，恐拂其意，只得传旨，教“杨国忠捧砚，高力士脱靴。”二人心里暗暗自揣，前日科场中轻薄了他，“这样书生，只好与我磨墨脱靴。”今日恃了天子一时宠幸，就来还话，报复前仇。出于无奈，不敢违背圣旨，正是敢怒而不敢言。常言道：

冤家不可结，结了无休歇。

侮人还自侮，说人还自说。

李白此时昂昂得意，蹦袜登褥，坐于锦墩。杨国忠磨得墨浓，捧砚侍立。论来爵位不同，怎么李学士坐了，杨太师到侍立？因李白口代天言，天子宠以殊礼。杨太师奉旨磨墨，不曾赐坐，只得侍立。李白左手将须一拂，右手举起中山兔颖，向五花笺上，手不停挥，须臾，草就吓蛮书。字画齐整，并无差落，献于龙案之上。天子看了大惊，都是照样番书，一字不识。传与百官看了，各各骇然。天子命李白诵之。李白就御座前朗诵一遍：

> 大唐开元皇帝，诏谕渤海可毒：自昔石卵不敌，蛇龙不斗。本朝应运开天，抚有四海，将勇卒精，甲坚兵锐。颉利背盟而被擒，弄赞铸鹅而纳誓。新罗奏织锦之颂，天竺致能言之鸟，波斯献捕鼠之蛇，拂菻进曳马之狗。白鹦鹉来自坷陵，夜光珠贡于林邑。骨利干有名马之纳，泥婆罗有良酢之献。无非畏威怀德，买静求安。高丽拒命，天讨再加，传世九百，一朝殄灭，岂非逆天之咎徵，衡大之明鉴与！况尔海外小邦，高丽附国，比之中国，不过一郡，士马刍粮，万分不及。若螳怒是逞，鹅骄不逊，天兵一下，千里流血，君同颉利之俘，国为高丽之续。方今圣度汪洋，恕尔狂悖，急宜悔祸，勤修岁事，毋取诛僇，为四夷笑。尔其三思哉！故谕。

天子闻之大喜，再命李白对番官面宣一通，然后用宝入函。李白仍叫高太尉着靴，方才下殿，唤番官听诏。李白重读一遍，读得声韵铿锵，番使不敢则声，面如土色，不免山呼拜舞辞朝。贺内翰送出都门，番官私问道："适才读诏者何人？"内翰道："姓李名白，官拜翰林学士。"番使道："多大的官，使太师捧砚，太尉脱靴？"内翰道："太师大臣，太尉亲臣，不过人间之极贵。那李学士乃天上神仙下降，赞助天朝，更有何人可及！"番使点头而别，归至本国，与国王述之。国王看了国书，大惊，与国人商议，天朝有神仙赞助，如何敌得。写了降表，愿年年进贡，岁岁来朝。此是后话。

话分两头，却说天子深敬李白，欲重加官职。李白启奏："臣不愿受职，愿得逍遥散诞，供奉御前，如汉东方朔故事。"天子道："卿既不受职，朕所有黄金白璧，奇珍异宝，惟卿所好。"李白奏道："臣亦不愿受金玉，愿得从陛下游幸，日饮美酒三千觞，足矣！"天子知李白清高，不忍相强。从此时时赐宴，留宿于金銮殿中，访以政事，恩幸日隆。

一日，李白乘马游长安街，忽听得锣鼓齐鸣，见一簇刀斧手，拥着一辆囚车行来。白停骖问之，乃是并州解到失机将官，今押赴东市处斩。那囚车中，囚着个美丈夫，生得甚是英伟。叩其姓名，声如洪钟，答道："姓郭名子仪。"李白相他容貌非凡，他日必为国家柱石，遂喝住刀斧手："待我亲往驾前保奏。"众人知是李谪仙学士，御手调羹的，谁敢不依。李白当时回马，直叩宫门，求见天子，讨了一道赦敕，亲往东市开读。打开囚车，放出子仪，许他带罪立功。子仪拜谢李白活命之恩，异日衔环结草，不敢忘报。此事阁过不题。

是时，宫中最重木芍药，是扬州贡来的。——如今叫做牡丹花，唐时谓之木芍药。宫中种得四本，开出四样颜色，那四样？大红、深紫、浅红、通白。玄宗天子移植于沉香亭前，与杨贵妃娘娘赏玩，诏梨园子弟奏乐。天子道："对妃子，赏名花，新花安用旧曲？"遽命梨园长李龟年召李学士入宫。有内侍说道："李学士往长安市上酒肆中去了。"龟年不往九街，不走三市，一径寻到长安市去。只听得一个大酒楼上，有人歌道：

三杯通大道，一斗合自然。

但是酒中趣，勿为醒者传。

李龟年道："这歌的不是李学士是谁?"大踏步上楼梯来，只见李白独占一个小小座头，桌上花瓶内供一枝碧桃花，独自对花而酌，已吃得酩酊大醉，手执巨觥，兀自不放。龟年上前道："圣上在沉香亭宣召学士，快去!"众酒客闻得有圣旨，一时惊骇，都站起来闲看。李白全然不理，张开醉眼，向龟年念一句陶渊明的诗，道是：

我醉欲眠君且去。

念了这句诗，就瞑然欲睡。李龟年也有三分主意，向楼窗往下一招，七八个从者，一齐上楼。不由分说，手忙脚乱，抬李学士到于门前，上了玉花骢，众人左扶右持，龟年策马在后相随，直跑到五凤楼前。天子又遣内侍来催促了，敕赐"走马入宫"。龟年遂不扶李白下马，同内侍帮扶，直至后宫，过了兴庆池，来到沉香亭。

天子见李白在马上双眸紧闭，兀自未醒。命内侍铺紫氍毹于亭侧，扶白下马，少卧。亲往省视，见白口流涎沫，天子亲以龙袖拭之。贵妃奏道："妾闻冷水沃面，可以解醒。"乃命内侍汲兴庆池水，使宫女含而喷之。白梦中惊醒，见御驾，大惊，俯伏道："臣该万死！臣乃酒中之仙，幸陛下恕臣!"天子御手搀起道："今日同妃子赏名花，不可无新词，所以召卿，可作《清平调》三章。"李龟年取金花笺授白。白带醉一挥，立成三首。

其一曰：

云想衣裳花想容，春风拂槛露华浓。

若非群玉山头见，会向瑶台月下逢。

其二曰：

一枝红艳露凝香，云雨巫山枉断肠。

借问汉宫谁得似？可怜飞燕倚新妆！

其三曰：

名花倾国两相欢，长得君王带笑看。

解释春风无限恨，沉香亭北倚栏杆。

天子览词，称美不已："似此天才，岂不压倒翰林院许多学士。"即命龟年按调而歌，梨园众子弟丝竹并进，天子自吹玉笛以和之。歌毕，贵妃敛绣巾，再拜称谢。天子道："莫谢朕，可谢学士也！"贵妃持玻璃七宝杯，亲酌西凉葡萄酒，命宫女赐李学士饮。天子敕赐李白遍游内苑，令内侍以美酒随后，恣其酣饮。自是宫中内宴，李白每每被召，连贵妃亦爱而重之。

高力士深恨脱靴之事，无可奈何。一日，贵妃重吟前所制《清平调》三首，倚栏叹羡。高力士见四下无人，乘间奏道："奴婢初意娘娘闻李白此词，怨入骨髓，何反拳拳如是?"贵妃道："有何可怨?"力士奏道："'可怜飞燕倚新妆'，那飞燕姓赵，乃西汉成帝之后。——则今画图中，画着一个武士，手托金盘，盘中有一女子，举袖而舞，那个便是赵飞燕。——生得腰肢细软，行步轻盈，若人手执花枝颤颤然，成帝宠幸无比。谁知飞燕私与燕赤凤相通，匿于复壁之中。成帝入宫，闻壁衣内有人咳嗽声，搜得赤凤杀之。欲废赵后，赖其妹合德力救而止，遂终身不入正宫。今日李白以飞燕比娘娘，此乃谤毁之语，娘娘何不熟思?"原来贵妃那时以胡人安禄山为养子，出入宫禁，与之私通，满宫皆知，只瞒得玄宗一人。高力士说飞燕一事，正刺其心。贵妃于是心下怀恨，每于天子前说李白轻狂使酒，无人臣之礼。天子见贵妃不乐李白，遂不召他内宴，亦不留宿殿中。李白情知被高力士中伤，天子存疏远之意，屡次告辞求去，天子不允。乃益纵酒自废，与贺知章、李适之、汝阳王琎、崔宗之、苏晋、张旭、焦遂为酒友，时人呼为"饮中八仙"。

却说玄宗天子心下实是爱重李白，只为宫中不甚相得，所以疏了些儿。见李白屡次乞归，无心恋阙，乃向李白道："卿雅志高蹈，许卿暂还，不日再来相召。但卿有大功于朕，岂可白手还山？卿有所需，朕当一一给与。"李白奏道："臣一无所需，但得杖头有钱，日沽一醉足矣。"天子乃赐金牌一面，牌上御书："敕赐李白为天下无忧学士，逍遥落托秀才，逢坊吃酒，遇库支钱，府给千贯，县给五百贯。文武官员军民人等，有失敬者，以违诏论。"又赐黄金千两，锦袍玉带，金鞍龙马，从者二十人。白叩头谢恩，天子又赐金花二朵，御酒三杯。于驾前上马出朝，百官俱给假，携酒送行，自长安街直接到十里长亭，樽罍不绝。只有杨太师、高太尉二人怀恨不送。内中惟贺内翰等酒友七人，直送至百里之外，流连三日而别。李白集中有《还山别金门知己诗》，略云：

恭承丹凤诏，欻起烟萝中。
一朝去金马，飘落成飞蓬。
闲来东武吟，曲尽情未终。
书此谢知己，扁舟寻钓翁。

李白锦衣纱帽，上马登程，一路只称锦衣公子。果然逢坊饮酒，遇库支钱。不一日，回至绵州，与许氏夫人相见。官府闻李学士回家，都来拜贺，无日不醉。日往月来，不觉半载。一日白对许氏说，要出外游玩山水，打扮做秀才模样，身边藏了御赐金牌，带一个小仆，骑一健驴，任意而行。府县酒资，照牌供给。

忽一日，行到华阴界上，听得人言华阴县知县贪财害民。李白生计，要去治他。来到县前，令小仆退去，独自倒骑着驴子，于县门首连打三回。那知县在厅上取问公事，观见了，连声："可恶，可恶！怎敢调戏父母官！"速令公吏人等拿至厅前取问。李白微微诈醉，连问不答。知县令狱卒押入牢中，待他酒醒，着他好生供状，来日决断。狱卒将李白领入牢中，见了狱官，掀髯长笑。狱官道："想此人是风颠的？"李白道："也不风，也不颠。"狱官道："既不风颠，好生供状。你是何人？为何到此骑驴，搪突县主？"李白道："要我供状，取纸笔来。"狱卒将纸笔置于案上，李白扯狱官在一边说道："让开一步待我写。"狱官笑道："且看这风汉写出甚么来！"李白写道：

供状绵州人，姓李单名白。弱冠广文章，挥毫神鬼泣。长安列八仙，竹溪称六逸。曾草吓蛮书，声名播绝域。玉辇每趋陪，金銮为寝室。啜羹御手调。流涎御袍拭。高太尉脱靴，杨太师磨墨。天子殿前尚容乘马行，华阴县里不许我骑驴入？请验金牌，便知来历。

写毕，递与狱官看了，狱官吓得魂惊魄散，低头下拜道："学士老爷，可怜小人蒙官发遣，身不由己，万望海涵赦罪！"李白道："不干你事，只要你对知县说，我奉金牌圣旨而来，所得何罪，拘我在此？"狱官拜谢了，即忙将供状呈与知县，并述有金牌圣旨。知县此时如小儿初闻霹雳，无孔可钻，只得同狱官到牢中参见李学士，叩头哀告道，"小官有眼不识泰山，一时冒犯，乞赐怜悯！"在职诸官，闻知此事，都来拜求，请学士到厅上正面坐下，众官庭参已毕。李白取出金牌，与众官看，牌上写道："学士所到，文武官员军民人等有不敬者以违诏论。"——"汝等当得何罪？"众官看罢圣旨，一齐低头礼拜："我等都该万死。"李白见众官苦苦哀求，笑道："你等受国家爵禄，如何又去贪财害民？如若改过前非，方免汝罪。"众官听说，人人拱手，个个遵依，不敢再犯。就在厅上大排筵宴，管待学士饮酒三日方散。自是知县洗心涤虑，遂为良牧。此信闻于他郡，都猜道朝廷差李学士出外私行观风考政，无不化贪为廉，化残为善。

李白遍历赵、魏、燕、晋、齐、梁、吴、楚，无不流连山水，极诗酒之趣。后因安禄山反叛，明皇车驾幸蜀，诛国忠于军中，缢贵妃于佛寺。白避乱隐于庐山。永王璘时为东南节度使，阴有乘机自立之志。闻白大才，强逼下山，欲授伪职，李白不从，拘留于幕府。未几，肃宗即位于灵武，拜郭子仪为天下兵马大元帅，克复两京。有人告永王璘谋叛，肃宗即遣子仪移兵讨之。永王兵败，李白方得脱身，逃至浔阳江口，被守江把总擒拿，把做叛党，解到郭元帅军前。子仪见是李学士，即喝退军士，亲解其缚，置于上位，纳头便拜道："昔日长安东市，若非恩人相救，焉有今日？"即命治酒压惊。连夜修本，奏上天子，为李白辨冤，且追叙其吓蛮书之功，荐其才可以大用，此乃施恩而得报也。正是：

两叶浮萍归大海，人生何处不相逢。

时杨国忠已死，高力士亦远贬他方，玄宗皇帝自蜀迎归，为太上皇，亦对肃宗称李白奇才。肃宗乃征白为左拾遗。白叹宦海沉迷，不得逍遥自在，辞而不受。别了郭子仪，遂泛舟游洞庭岳阳，再过金陵，泊舟于采石江边。是夜，月明如昼。李白在江头畅饮，忽闻天际乐声嘹亮，渐近舟次，舟人都不闻，只有李白听得。忽然江中风浪大作，有鲸鱼数丈，奋鬣而起。仙童二人，手持旌节，到李白面前，口称："上帝奉迎星主还位。"舟人都惊倒，须臾苏醒。只见李学士坐于鲸背，音乐前导，腾空而去。明日将此事告于当涂县令李阳冰，阳冰具表奏闻。天子敕建李谪仙祠于采石山上，春秋二祭。

到宋太平兴国年间，有书生于月夜渡采石江，见锦帆西来，船头上有白牌一面，写"诗伯"二字。书生遂朗吟二句道：

谁人江上称诗伯？锦绣文章借一观。

舟中有人和云：

夜静不堪题绝句，恐惊星斗落江寒。

书生大惊，正欲傍舟相访，那船泊于采石之下。舟中人紫衣纱帽，飘然若仙，径投李谪仙祠中。书生随后求之祠中，并无人迹，方知和诗者即李白也。至今人称"酒仙"、"诗伯"，皆推李白为第一云。

吓蛮书草见天才，天子调羹亲赐来。
一自骑鲸天上去，江流采石有馀哀。

第十卷 钱舍人题诗燕子楼

烟花风景眼前休，此地仍传燕子楼。
鸳梦肯忘三月蕙？翠颦能省一生愁。
柘因零落难重舞，莲为单开不并头。

娇艳岂无黄壤瘗？至今人过说风流。

话说大唐自政治大圣大孝皇帝谥法太宗开基之后，至十二帝宪宗登位，凡一百九十三年，天下无事日久，兵甲生尘，刑具不用。时有礼部尚书张建封做官年久，恐妨贤路，遂奏乞骸骨归田养老。宪宗曰：“卿年齿未衰，岂宜退位？果欲避冗辞繁，敕镇青徐数载。”建封奏曰：“臣虽菲才，既蒙圣恩，自当竭力。”遂敕建封节制武宁军事，建封大喜。平昔爱才好客，既镇武宁，拣选才能之士，礼置门下。后房歌姬舞妓，非知书识礼者不用。武宁有妓关盼盼，乃徐方之绝色也。但见：

歌喉清亮，舞态婆娑。调弦成合格新声，品竹作出尘雅韵。琴弹古调，棋覆新图。赋诗琢句，追风雅见于篇中；搦管丹青，夺造化生于笔下。

建封虽闻其才色无双，缘到任之初，未暇召于樽俎之间。

忽一日，中书舍人白乐天名居易，自长安来，宣谕兖郓，路过徐府，乃建封之故人也。喜乐天远来，遂置酒邀饮于公馆，只见：

幕卷流苏，帘垂朱箔。瑞脑烟喷宝鸭，香醪光溢琼壶。果劈天浆，食烹异味。绮罗珠翠，列两行粉面梅妆；脆管繁音，奏一派新声雅韵。遍地舞裀铺蜀锦，当筵歌拍按红牙。

当时酒至数巡，食供两套，歌喉少歇，舞袖亦停。忽有一妓，抱胡琴立于筵前，转袖调弦，独奏一曲，纤手斜拈，轻敲慢按。满座清香消酒力，一庭雅韵爽烦襟。须臾弹彻韶音，抱胡琴侍立。建封与乐天俱喜调韵清雅，视其精神举止，但见：花生丹脸，水剪双眸，意态天然，迥出伦辈。回视其馀诸妓，粉黛如土。遂呼而问曰：“孰氏？”其妓斜抱胡琴，缓移莲步，向前对曰：“贱妾关盼盼也。”建封喜不自胜，笑谓乐天曰：“彭门乐事，不出于此。”乐天曰：“似此佳人，名达帝都，信非虚也！”建封曰：“诚如舍人之言，何惜一诗赠之？”乐天曰：“但恐句拙，反污丽人之美。”盼盼据卸胡琴，掩袂而言：“妾姿质丑陋，敢烦珠玉？若果不以猥贱见弃，是微躯随雅文不朽，岂胜身后之荣哉。”乐天喜其黠慧，遂口吟一绝：

凤拨金钿砌，檀槽后带垂。
醉娇无气力，风袅牡丹枝。

盼盼拜谢乐天曰：“贱妾之名，喜传于后世，皆舍人所赐也。”于是宾主欢洽，尽醉而散。

翌日乐天车马东去。自此建封专宠盼盼，遂于府第之侧，择佳地创建一楼，名曰“燕子楼”，使盼盼居之。建封治政之暇，轻车潜往，与盼盼宴饮，交飞玉斝，共理笙簧，璨锦相偎，鸾衾共展。绮窗唱和，指花月为题；绣阁论情，对松筠为誓。歌笑管弦，情爱方浓。

不幸彩云易散，皓月难圆。建封染病，盼盼请医调治，服药无效，问卜无灵，转加沉重而死。子孙护持灵柩，归葬北邙，独弃盼盼于燕子楼中。香消衣被，尘满琴筝，沉沉朱户长扃，悄悄翠帘不卷。盼盼焚香指天誓曰："妾妇人，无他计报尚书恩德，请落发为尼，诵佛经资公冥福，尽此一世，誓不再嫁。"遂闭户独居，凡十换星霜，人无见面者。乡党中有好事君子，慕其才貌，怜其孤苦，暗暗通书，以窥其意。盼盼为诗以代柬答，前后积三百馀首，编缀成集，名曰《燕子楼集》，镂板流传于世。

忽一日，金风破暑，玉露生凉，雁字横空，蛩声喧草。寂寥院宇无人，静锁一天秋色。盼盼倚栏长叹，独言曰："我作之诗，皆诉愁苦，未知他人能晓我意否？"沉吟良久，忽想翰林白公必能察我，不若赋诗寄呈乐天，诉我衷肠，必表我不负张公之德。遂作诗三绝，缄封付老苍头，驰赴西洛，诣白公投下。

白乐天得诗，启缄展视，其一曰：

北邙松柏锁愁烟，燕子楼人思悄然。
因埋冠剑歌尘散，红袖香消二十年。

其二曰：

适看鸿雁岳阳回，又睹玄禽送社来。
瑶瑟玉箫无意绪，任从蛛网结成灰。

其三曰：

楼上残灯伴晓霜，独眠人起合欢床。
相思一夜知多少？地角天涯不是长！

乐天看毕，叹赏良久。不意一妓女能守节操如此，岂可弃而不答？亦和三章以嘉其意，遣老苍头驰归。盼盼接得，拆开视之，其一曰：

钿晕罗衫色似烟，一回看着一潸然。
自从不舞《霓裳曲》，叠在空箱得几年？

其二曰：

今朝有客洛阳回，曾到尚书冢上来。
见说白杨堪作柱，争教红粉不成灰。

其三曰：

满帘明月满庭霜，被冷香销拂卧床。
燕子楼前清夜雨，秋来只为一人长。

盼盼吟玩久之，虽获骊珠和璧，未足比此诗之美。笑谓侍女曰："自此之后，方表我一点真心。"正欲藏之箧中，见纸尾淡墨题小字数行，遂复展看，又有诗一首：

黄金不惜买蛾眉，拣得如花只一枝。

歌舞教成心力尽，一朝身死不相随。

盼盼一见此诗，愁锁双眉，泪盈满脸，悲泣哽咽，告侍女曰：“向日尚书身死，我恨不能自缢相随，恐人言张公有随死之妾，使尚书有好色之名，是玷公之清德也。我今苟活以度朝昏，乐天不晓，故作诗相讽。我今不死，谤语未息。”遂和韵一章云：

独宿空楼敛恨眉，身如春后败残枝。

舍人不解人深意，讽道泉台不去随。

书罢掷笔于地，掩面长吁。久之，拭泪告侍女曰：“我无计报公厚德，惟坠楼一死，以表我心。”道罢，纤手紧褰绣袂，玉肌斜靠雕栏，有心报德酬恩，无意愉生苟活，下视高楼，踊跃奋身一跳。侍女急拽衣告曰：“何事自求横夭？”盼盼曰：“一片诚心，人不能表，不死何为？”侍女劝曰，“今损躯报德，此心虽佳，但粉骨碎身，于公何益？且遗老母，使何人侍养？”盼盼沉吟久之曰：“死既不能，惟诵佛经，祝公冥福。”

自此之后，盼盼惟食素饭一盂，闭阁焚香，坐诵佛经。虽比屋未尝见面。久之鬓云懒掠，眉黛慵描，倦理宝瑟瑶琴，厌对鸳衾凤枕。不施朱粉，似春归欲谢庾岭梅花；瘦损腰肢，如秋后消疏隋堤杨柳。每遇花辰月夕，感旧悲哀，寝食失常。不幸寝疾，伏枕月馀，遽尔不起。老母遂卜吉葬于燕子楼后。盼盼既死，不二十年间，而建封子孙，亦散荡消索。盼盼所居燕子楼遂为官司所占。其地近郡圃，因其形势改作花园，为郡将游赏之地。

星霜屡改，岁月频迁，唐运告终，五代更伯。当周显德之末，天水真人承运而兴，整顿朝纲，经营礼法。顾视而妖氛寝灭，指挥而宇宙廓清。至皇宋二叶之时，四海无犬吠之警。当时有中书舍人钱易，字希白，乃吴越王钱镠之后裔也。文行诗词，独步朝野，久住紫薇，意欲一历外任。遂因奏事之暇，上章奏曰：“臣久据词掖，无毫发之功，乞一小郡，庶竭驽骀！”上曰：“青鲁地腴人善，卿可出镇彭门。”遂除希白节制武宁军，希白得旨谢恩。下车之日，宣扬皇化，整肃条章；访民瘼于井邑，察冤枉于囹圄；屈己待人，亲耕劝农；宽仁惠爱，劝化凶顽，悉皆奉业守约，廉谨公平。听政月馀，节届清明。既在暇日，了无一享，因独步东阶。天气乍暄，无可消遣，遂呼苍头前导，闲游圃中。但见：

晴光霭霭，淑景融融，小桃绽妆脸红深，嫩柳袅宫腰细软。幽亭雅榭，深藏花圃阴中；画舫兰桡，稳缆回塘岸下。莺贪春光时时语，蝶弄晴光扰扰飞。

希白信步，深入芬芳，纵意游赏，到红紫丛中。忽有危楼飞槛，映远横空，基址孤高，规模壮丽。希白举目仰观，见画栋下有牌额，上书“燕子楼”三字。希白曰：“此张建封宠盼盼之处，岁月累更，谁谓遗踪尚在！”遂摄衣登梯，径上楼中，但见：

画栋栖云，雕梁耸汉，视四野如窥目下，指万里如睹掌中。遮风翠幙高张，蔽日疏帘低下。移踪但觉烟霄近，举目方知宇宙宽。

希白倚栏长叹言曰："昔日张公清歌对酒，妙舞邀宾，百岁既终，云消雨散。此事自古皆然，不足感叹。但惜盼盼本一娼妓，而能甘心就死，报建封厚遇之恩，虽烈丈夫何以加此！何事乐天诗中，犹讥其不随建封而死？实怜守节十馀年，自洁之心，泯没不传。我既知本末，若缄口不为褒扬，盼盼必抱怨于地下。"即呼苍头磨墨，希白染毫，作古调长篇，书于素屏之上，其词曰：

人生百岁能几日？荏苒光阴如过隙。
樽中有酒不成欢，身后虚名又何益？
清河太守真奇伟，曾向春风种桃李。
欲将心事占韶华，无奈红颜随逝水。
佳人重义不顾生，感激深恩甘一死。
新诗寄语三百篇，贯串风骚洗沐耳。
清楼十二横霄汉，低下珠帘锁双燕。
娇魂媚魄不可寻，尽把阑干空倚遍！

希白题罢，朗吟数过，忽有清风袭人，异香拂面。希白大惊，此非花气，自何而来？方疑讶间，见素屏后有步履之声。希白即转屏后窥之，见一女子，云浓绀发，月淡修眉。体欺瑞雪之容光，脸夺奇花之艳丽。金莲步稳，束素腰轻。一见希白，娇羞脸黛，急挽金铺，平掩其身，虽江梅之映雪，不足比其风韵。希白惊讶，问其姓氏。此女舍金铺，掩袂向前，叙礼而言曰："妾乃守园老吏之女也。偶因令节，闲上层楼，忽值公相到来，妾荒急匿身于此，以蔽丑恶。忽闻诵吊盼盼古调新词，使妾闻之，如获珠玉，遂潜出听于素屏之后，因而得面台颜。妾之行藏，尽于此矣。"

希白见女子容颜秀丽，词气清扬，喜悦之心，不可言喻。遂以言挑之曰："听子议论，想必知音。我适来所作长篇，以为何如？"女曰："妾门品虽微，酷喜吟咏。闻适来所诵篇章，锦心绣口，使九泉衔恨之心，一旦消释。"希白又闻此语，愈加喜悦曰："今日相逢，可谓佳人才子，还有意无？"女乃款容正色，掩袂言曰："幸君无及于乱，以全贞洁之心。惟有诗一首，仰酬厚意。"遂于袖中取彩笺一幅上呈。希白展看，其诗曰：

人去楼空事已深，至今惆怅乐天吟。
非君诗法高题起，谁慰黄泉一片心？

希白读罢，谓女子曰："尔既能诗，决非园吏之女，果何人也？"女曰："君详诗意，自知贱妾微踪，何必苦问？"希白春心荡漾，不能拴束，向前拽其衣裾，忽闻槛竹敲窗惊觉，乃一枕游仙梦，优枕于书窗之下。但见炉烟尚袅，花影微欹，院宇沉沉，方当日午。

希白推枕而起，兀坐沉思："梦中所见者，必关盼盼也。何显然如是？千古所无，诚为佳梦。"反复再三叹曰："此事当作一词以记之。"遂成《蝶恋花》词，信笔书于案上，词曰：

一枕闲敧春昼午，梦入华胥，邂逅飞琼侣；娇态翠颦愁不语，彩笺遗我新奇句。　凡许芳心犹未诉，风竹敲窗，惊散无寻处！惆怅楚云留不住，断肠凝望高唐路。

墨迹未干，忽闻窗外有人鼓掌作拍，抗声而歌，调清韵美，声入帘拢。希白审听窗外歌声，乃适所作《蝶恋花》词也。希白大惊曰："我方作此词，何人早已先能歌唱？"遂启窗视之，见一女子翠冠珠珥，玉珮罗裙，向苍苍太湖石畔，隐珊珊翠竹丛中，绣鞋不动芳尘，琼裾风飘袅娜。希白仔细定睛看之，转柳穿花而去。希白叹异，不胜惆怅。后希白官至尚书，惜军爱民，百姓赞仰，一夕无病而终。这是后话。正是：

一首新词吊丽容，贞魂含笑梦相逢。

虽为翰苑名贤事，编入稗官小史中。

第十一卷 苏知县罗衫再合

早潮才罢晚潮来，一月周流六十回。

不独光阴朝复暮，杭州老去被潮催。

这四句诗，是唐朝白乐天，杭州钱塘江看潮所作。话中说杭州府有一才子，姓李名宏，字敬之。此人胸藏锦绣，腹隐珠玑，奈时运未通，三科不第。时值深秋，心怀抑郁，欲渡钱塘，往严州访友。命童子收拾书囊行李，买舟而行。拃出江口，天已下午。李生推篷一看，果然秋江景致，更自非常。有宋朝苏东坡《江神子》词为证：

凤凰山下雨初晴，水风清，晚霞明。一朵芙蓉开过尚盈盈。何处飞来双白鹭，如有意，慕娉婷。　忽闻江上弄哀筝，苦含情，遣谁听。烟敛云收依约是湘灵。欲待曲终寻问取，人不见，数峰青。

李生正看之间，只见江口有一座小亭，匾曰："秋江亭"。舟人道："这亭子上每日有游人登览，今日如何冷静？"李生想道："似我失意之人，正好乘着冷静时去看一看。"叫："家长，与我移舟到秋江亭去。"舟人依命，将船放到亭边，停挠稳缆。李生上岸，步进亭子。将那四面窗槅推开，倚栏而望，见山水相衔，江天一色。李生心喜，叫童子将桌椅拂净，焚起一炉好香，取瑶琴横于桌上，操了一回。曲终音止，举眼见墙壁上多有留题，字迹不一。独有一处连真带草，其字甚大。李生起而视之，乃是一首词，名《西江月》。是说酒色财气四件的短处：

酒是烧身焇焰，色为割肉钢刀，财多招忌损人苗，气是无烟火药。　四件将来合就，相当不欠分毫。劝君莫恋最为高，才是修身正道。

李生看罢，笑道："此词未为确论，人生在世，酒色财气四者脱离不得。若无酒，失了祭享宴会之礼；若无色，绝了夫妻子孙人事；若无财，天子庶人皆没用度；若无气，忠臣义士也尽委靡。我如今也作一词与他解释，有何不可。"当下磨得墨浓，蘸得笔饱，就在《西江月》背后，也带草连真，和他一首：

三杯能和万事，一醉善解千愁，阴阳和顺喜相求，孤寡须知绝后。　财乃润家之宝，气为造命之由，助人情性反为仇，持论何多差谬！

李生写罢，掷笔于桌上。见香烟未烬，方欲就坐，再抚一曲，忽然画檐前一阵风起。

善聚庭前草，能开水上萍。
惟闻千树吼，不见半分形。

李生此时，不觉神思昏迷，伏几而卧。朦胧中，但闻环珮之声，异香满室。有美女四人：一穿黄，一穿红，一穿白，一穿黑，自外而入，向李生深深万福。李生此时似梦非梦。便问："四女何人？为何至此？"四女乃含笑而言："妾姊妹四人，乃古来神女，遍游人间。前日有诗人在此游玩，作《西江月》一首，将妾等辱骂，使妾等羞愧无地。今日蒙先生也作《西江月》一首，与妾身解释前冤，特来拜谢！"李生心中开悟，知是酒色财气四者之精，全不畏惧。便道："四位贤姐，各请通名。"四女各言诗一句。穿黄的道：

杜康造下万家春，

穿红的道：

一面红妆爱杀人。

穿白的道：

生死穷通都属我，

穿黑的道：

氤氲世界满乾坤。

原来那黄衣女是酒，红衣女是色，白衣女是财，黑衣女是气。李生心下了然，用手轻招四女："你四人听我分剖。

香甜美味酒为先，美貌芳年色更鲜。

财积千箱称富贵，善调五气是真仙。"

四女大喜，拜谢道："既承解释，复劳褒奖，乞先生于吾姊妹四人之中，选择一名无过之女，奉陪枕席，少效恩环。"李生摇手，连声道："不可，不可！小生有志攀月中丹桂，无心恋野外闲花。请勿多言，恐亏行止"四女笑道："先生差矣。妾等乃巫山洛水之俦，非路柳墙花之比。汉司马相如文章魁首，唐李卫公开国元勋，一纳文君，一收红拂，反作风流话柄，不闻取讥于后世。况佳期良会，错过难逢，望先生三思！"李生到底是少年才子，心猿意马，拿把不定，不免转口道："既贤姐们见爱，但不知那一位是无过之女？小生情愿相留。"

言之未已，只见那黄衣酒女急急移步上前道："先生，妾乃无过之女。"李生道："怎见贤姐无过?"酒女道："妾亦有《西江月》一首：

善助英雄壮胆，能添锦绣诗肠。神仙造下解愁方，雪月风花玩赏。"

又道："还有一句要紧言语，先生听着：

好色能生疾病，贪杯总是清狂。八仙醉倒紫云乡，不羡公侯卿相。"

李生大笑道："好个'八仙醉倒紫云乡'，小生情愿相留。"

方留酒女，只见那红衣色女向前，柳眉倒竖，星眼圆睁，道："先生不要听贱婢之言！贱人，我且问你：你只讲酒的好处就罢了，为何重己轻人，乱讲好色的能生疾病？终不然三四岁孩儿害病，也从好色中来？你只夸己的好处，却不知己的不好处：

平帝丧身因酒毒，江边李白损其躯。

劝君休饮无情水，醉后教人心意迷！"

李生道："有理。古人亡国丧身，皆酒之过，小生不敢相留。"只见红衣女妖妖娆娆的走近前来，道："妾身乃是无过之女，也有《西江月》为证：

每羡鸳鸯交颈，又看连理花开。无知花鸟动情怀，岂可人无欢爱。　君子好逑淑女，佳人贪恋多才，红罗帐里两和谐，一刻千金难买。"

李生沉吟道："真个'一刻千金难买!'"才欲留色女，那白衣女早已发怒骂道："贱人，怎么说'千金难买'？终不然我到不如你？说起你的过处尽多：

尾生桥下水涓涓，吴国西施事可怜。

贪恋花枝终有祸，好姻缘是恶姻缘。"

李生道："尾生丧身，夫差亡国，皆由于色，其过也不下于酒。请去！请去！"遂问白衣女："你却如何？"白衣女上前道：

"收尽三才权柄，荣华富贵从生。纵教好善圣贤心，空手难施德行。　有我人皆钦敬，无我到处相轻。休因闲气斗和争，问我须知有命。"

李生点头道："汝言有理，世间所敬者财也。我若有财，取科第如反掌耳。"才动喜留之意，又见黑衣女粉脸生嗔，星眸带怒，骂道："你为何说'休争闲气'？为人在世，没了气还好？我想着你：

有财有势是英雄，命若无时枉用功。
昔日石崇因富死，铜山不助邓通穷。"

李生摇首不语，心中暗想："石崇因财取祸，邓通空有钱山，不救其饿，财有何益？"便问气女："卿言虽则如此，但不知卿于平昔间处世何如？"黑衣女道："像妾处世呵！——

一自混元开辟，阴阳二字成功。含为元气散为风，万物得之萌动。　但看生身六尺，喉间三寸流通。财和酒色尽包笼，无气谁人享用？"

气女说罢，李生还未及答，只见酒色财三女齐声来讲："先生休听其言，我三人岂被贱婢包笼乎？且听我数他过失：

霸王自刎在乌江，有智周瑜命不长。
多少阵前雄猛将，皆因争气一身亡。"

先生也不可相留！李生踌躇，思想："呀！四女皆为有过之人。——四位贤姐，小生褥薄衾寒，不敢相留，都请回去。"四女此时互相埋怨，这个说："先生留我，为何要你打短？"那个说："先生爱我，为何要你争先？"话不投机，一时间打骂起来：

酒骂色，盗人骨髓；色骂酒，专惹非灾；财骂气，能伤肺腑；气骂财，能损情怀。直打得酒女乌云乱，色女宝髻歪，财女捶胸叫，气女倒尘埃。一个个蓬松鬓发遮粉脸，不整金莲撇凤鞋。

四女打在一团，搅在一处。

李生暗想："四女相争，不过为我一人耳。"方欲向前劝解，被气女用手一推，"先生闪开，待我打死这三个贱婢！"李生猛然一惊，衣袖拂着琴弦，当的一声响，惊醒回来。擦磨睡眼，定睛看时，那见四女踪迹！李生抚髀长叹："我因关心太切，遂形于梦寐之间。据适间梦中所言，四者皆为有过，我为何又作这一首词赞扬其美？使后人观吾此词，恣意于酒色，沉迷于财气，我即为祸之魁首。如今欲要说他不好，难以悔笔。也罢，如今再题四句，等人酌量而行。"就在粉墙《西江月》之后，又挥一首：

饮酒不醉最为高，好色不乱乃英豪。

无义之财君莫取，忍气饶人祸自消。

这段评话，虽说酒色财气一般有过，细看起来，酒也有不会饮的，气也有耐得的，无如财色二字害事。但是贪财好色的又免不得吃几杯酒，免不得淘几场气，酒气二者又总括在财色里面了。今日说一桩异闻，单为财色二字弄出天大的祸来。后来悲欢离合，做了锦片一场佳话，正是：

说时惊破奸人胆，话出伤残义士心。

却说国初永乐年间，北直隶涿州，有个兄弟二人，姓苏，其兄名云，其弟名雨。父亲早丧，单有母亲张氏在堂。那苏云自小攻书，学业淹贯，二十四岁上，一举登科，殿试二甲，除授浙江金华府兰溪县大尹。苏云回家，住了数月，凭限已到，不免择日起身赴任。苏云对夫人郑氏说道："我早登科甲，初任牧民，立心愿为好官，此去止饮兰溪一杯水；所有家财，尽数收拾，将十分之三留为母亲供膳，其馀带去任所使用。"当日拜别了老母，嘱付兄弟苏雨："好生侍养高堂，为兄的若不得罪于地方，到三年考满，又得相见。"说罢，不觉惨然泪下。苏雨道："哥哥荣任是美事，家中自有兄弟支持，不必挂怀。前程万里，须自保重！"苏雨又送了一程方别。

苏云同夫人郑氏，带了苏胜夫妻二人，伏事登途，到张家湾地方。苏胜禀道："此去是水路，该用船只，偶有顺便回头的官座，老爷坐去稳便。"苏知县道："甚好。"原来坐船有个规矩，但是顺便回家，不论客货私货，都装载得满满的。却去揽一位官人乘坐，借其名号，免他一路税课，不要那官人的船钱，反出几十两银子送他，为孝顺之礼，谓之坐舱钱。苏知县是个老实的人，何曾晓得恁样规矩，闻说不要他船钱，已自勾了，还想甚么坐舱钱。那苏胜私下得了他四五两银子酒钱，喜出望外，从旁撺掇。苏知县同家小下了官舱。一路都是下水，渡了黄河，过了扬州广陵驿，将近仪真。因船是年远的，又带货太重，发起漏来，满船人都慌了。苏知县叫快快拢岸，一时间将家眷和行李都搬上岸来。只因搬这一番，有分教：苏知县全家受祸。正合着二句古语，道是：

谩藏诲盗，冶容诲淫。

却说仪真县有个惯做私商的人，姓徐名能，在五坝上街居住。久揽山东王尚书府中一只大客船，装载客人，南来北往，每年纳还船租银两。他合着一班水手，叫做赵三、翁鼻涕、杨辣嘴、范剥皮、沈胡子，这一班都不是个良善之辈。又有一房家人，叫做姚大。时常揽了载，约莫有些油水看得入眼时，半夜三更悄地将船移动，到僻静去处，把客人谋害，劫了财帛。如此十馀年，徐能也做了些家事。这些伙计，一个个饔香饭熟，饱食暖衣，正所谓"为富不仁，为仁不富。"你道徐能是仪真县人，如何却揽山东王尚书府中的船只，况且私商起家千金，自家难道打不起一只船？是有个缘故：王尚书初任南京为官，曾在扬州娶了一位小奶奶，后来小奶奶父母却移家于仪真居住，王尚书时常周给。后因路遥不便，打这只船与他，教他赁租用度。船上竖的是山东王尚书府的水牌，下水时，就是徐能包揽去了。徐能因为做那私商的道路，到不好用自家的船，要借尚书府的名色，又有势头，人又不疑心他，所以一向不致败露。

今日也是苏知县合当有事，恰好徐能的船空闲在家。徐能正在岸上寻主顾，听说官船发漏，忙走来看，看见搬上许多箱笼囊箧，心中早有七分动火。结末又走个娇娇滴滴少年美貌的奶奶上来，徐能是个贪财好色的都头，不觉心窝发痒，眼睛里迸出火来。又见苏胜搬运行李，料是仆人，在人丛中将苏胜背后衣袂一扯。苏胜回头，徐能陪个笑脸问道："是那里去的老爷，莫非要换船么？"苏胜道："家老爷是新科进士，选了兰溪县知县，如今去到任。因船发了漏，权时上岸，若就有个好船换得，省得又落主人家。"徐能指着河里道："这山东王尚书府中水牌在上的，就是小人的船，新修整得好，又坚固又干净。惯走浙直水路，水手又都是得力的。今晚若下船时，明早祭了神福，等一阵顺风，不几日就吹到了。"苏胜欢喜，便将这话禀知家主。苏知县叫苏胜先去看了舱口，就议定了船钱。因家眷在上，不许搭载一人。徐能俱依允了。当下先秤了一半船钱，那一半直待到县时找足。苏知县家眷行李重复移下了船。

徐能慌忙去寻那一班不做好事的帮手，赵三等都齐了，只有翁、范二人不到。买了神福，正要开船，岸上又有一个汉子跳下船来道："我也相帮你们去！"徐能看见，呆了半晌。原来徐能有一个兄弟，叫做徐用，班中都称为徐大哥，徐二哥。真个是"有性善，有性不善"，徐能惯做私商，徐用偏好善。但是徐用在船上，徐能要动手脚，往往被兄弟阻住，十遍到有八九遍做不成，所以今日徐能瞒了兄弟不去叫他。那徐用却自有心，听得说有个少年知县换船到任，写了哥子的船。又见哥哥去唤这一班如狼似虎的人，不对他说，心下有些疑惑，故意要来船上相帮。徐能却怕兄弟阻挡他这番稳善的生意，心中嘿嘿不喜。正是：

泾渭自分清共浊，薰莸不混臭和香。

却说苏知县临欲开船，又见一个汉子赶将下来，心中到有些疑虑，只道是趁船的。叫苏胜："你问那方才来的是甚么人？"苏胜去问了来，回覆道："船头叫做徐能，方才来的叫做徐用，就是徐能的亲弟。"苏知县想道："这便是一家了。"是日开船，约有数里，徐能就将船泊岸，说道："风还不顺，众弟兄且吃神福酒。"徐能饮酒中间，只推出恭上岸，招兄弟徐用对他说道："我看苏知县行李沉重，不下千金，跟随的又止一房家人，这场好买卖不可挫过，你却不要阻挡我。”徐用道：“哥哥，此事断然不可！他若任所回来，盈囊满箧，必是贪赃所致，不义之财，取之无碍。如今方才赴任，不过家中带来几两盘费，那有千金？况且少年科甲，也是天上一位星宿，哥哥若害了他，天理也不容，后来必然懊悔。”徐能道：“财采到不打紧，还有一事，好一个标致奶奶！你哥正死了嫂嫂，房中没有个得意掌家的，这是天付姻缘，兄弟这番须作成做哥的则个！”徐用又道：“从来‘相女配夫’，既是奶奶，必然也是宦家之女，把他好夫好妇拆散了，强逼他成亲，到底也不和顺，此事一发不可。”

这里兄弟二人正在唧唧哝哝，船艄上赵三望见了，正不知他商议甚事，一跳跳上岸来。徐用见赵三上岸，洋洋的到走开了。赵三问徐能：“适才与二哥说甚么？”徐能附耳述了一遍。赵三道：“既然二哥不从，到不要与他说了，只消兄弟一人便与你完成其事。今夜须如此如此，这般这般。”徐能大喜道：“不枉叫做赵一刀。”原来赵三为人粗暴，动不动自夸道：“我是一刀两段的性子，不学那粘皮带骨。”因此起个异名，叫做赵一刀。当下众人饮酒散了，权时歇息。

看看天晚，苏知县夫妇都睡了，约至一更时分，闻得船上起身，收拾篷索。叫苏胜问时，说道：“江船全靠顺风，趁这一夜风使去，明早便到南京了。老爷们睡稳莫要开口，等我自行。”那苏知县是北方人，不知水面的勾当。听得这话，就不问他了。

却说徐能撑开船头，见风色不顺，正中其意，拽起满篷，倒使转向黄天荡去。那黄天荡是极野去处，船到荡中，四望无际。姚大便去抛铁锚，杨辣嘴把定头舱门口，沈胡子守舵，赵三当先提着一口泼风刀，徐能手执板斧随后，只不叫徐用一人。却说苏胜打铺睡在舱口，听得有人推门进来，便从被窝里钻出头向外张望。赵三看得真，一刀砍去，正劈着脖子，苏胜只叫得一声“有贼！”又复一刀砍杀，拖出舱口，向水里撺下去了。苏胜的老婆和衣睡在那里，听得嚷，摸将出来，也被徐能一斧劈倒。姚大点起火把，照得舱中通亮。慌得苏知县双膝跪下，叫道：“大王，行李分毫不要了，只求饶命！”徐能道：“饶你不得！”举斧照顶门砍下，却被一人拦腰抱住道：“使不得！”却便似：

秋深逢赦至，病笃遇仙来！

你道是谁？正是徐能的亲弟徐用。晓得众人动撣，不干好事，走进舱来，却好抱住了哥哥，扯在一边，不容他动手。徐能道：“兄弟，今日骑虎之势，罢不得手了。”徐用道：“他中了一场进士，不曾做得一日官，今日劫了他财帛，占了他妻小，杀了他家人，又教他刀下身亡，也忒罪过。”徐能道：“兄弟，别事听得你，这一件听不得你，留了他便是祸根，我等性命难保，放了手！”徐用越抱得紧了，便道：“哥哥，既然放他不得，抛在湖中，也得个全尸而死。”徐能道：“便依了兄弟言语。”徐用道：“哥哥撇下手中凶器，兄弟方好放手。”徐能果然把板斧撇下，徐用放了手。徐能对苏知县道：“免便免你一斧，只是松你不得。”便将棕缆捆做一团，如一只馄饨相似，向水面扑通的撺将下去，眼见得苏知县不活了。夫人郑氏只叫得苦，便欲跳水。徐能那里容他，把舱门关闭，拨回船头，将篷扯满，又使转来。原来江湖中除了顶头大逆风，往来都使得篷。

仪真至邵伯湖，不过五十馀里，到天明，仍到了五坝口上。徐能回家，唤了一乘肩舆，教管家的朱婆先扶了奶奶上轿，一路哭哭啼啼，竟到了徐能家里。徐能分付朱婆：“你好生劝慰奶奶，到此地位，不由不顺从，不要愁烦。今夜若肯从顺，还你终身富贵，强似跟那穷官。“说得成时，重重有赏。”朱婆领命，引着奶奶归房。

徐能同众人将船中箱笼，尽数搬运上岸，打开看了，作六分均分。杀倒一口猪，烧利市纸，连翁鼻涕、范剥皮都请将来，做庆贺筵席。徐用心中甚是不忍，想着哥哥不仁，到夜来必然去逼苏奶奶，若不从他，性命难保，若从时，可不坏了他名节。虽在席中，如坐针毡。众人大酒大肉，直吃到夜。徐用心生一计，将大折碗满斟热酒，碗内约有斤许。徐用捧了这碗酒，到徐能面前跪下。徐能慌忙来搀道：“兄弟为何如此？”徐用道：“夜来船中之事，做兄弟的违拗了兄长，必然见怪。若果然不怪，可饮兄弟这瓯酒。”徐能虽是强盗，弟兄之间，到也和睦，只恐徐用疑心，将酒一饮而尽。众人见徐用劝了酒，都起身把盏道：“今日徐大哥娶了新嫂，是个大喜，我等一人庆一杯。”此时徐能七八已醉，欲推不饮。众人道：“徐二哥是弟兄，我们异姓，偏不是弟兄？”徐能被缠不过，只得每人陪过，吃得酩酊大醉。

徐用见哥哥坐在椅上打瞌睡，只推出恭，提个灯笼，走出大门，从后门来，门却锁了。徐用从墙上跳进屋里，将后门锁裂开，取灯笼藏了。厨房下两个丫头在那里烫酒。徐用不顾，径到房前。只见房门掩着，里面说话声响。徐用侧耳而听，却是朱婆劝郑夫人成亲，正不知劝过几多言语了，郑夫人不允，只是啼哭。朱婆道：“奶奶既立意不顺从，何不就船中寻个自尽？今日到此，那里有地孔钻去？”郑夫人哭道：“妈妈，不是奴家贪生怕死，只为有九个月身孕在身，若死了不打紧，我丈夫就绝后了。”朱婆道：“奶奶，你就生下儿女来，谁容你存留？老身又是妇道家，做不得程婴杵臼，也是枉然。”徐用听到这句话，一脚把房门踢开，吓得郑夫人魂不附体，连朱婆也都慌了。徐用道：“不要忙，我是来救你的。我哥哥已醉，乘此机会，送你出后门去逃命，异日相会，须记的不干我徐用之事。”郑夫人叩头称谢。朱婆因说了半日，也十分可怜郑夫人，情愿与他作伴逃走。徐用身边取出十两银子，付与朱婆做盘缠，引二人出后门，又送了他出了大街，嘱付"小心在意"，说罢，自去了。好似：

捶碎玉笼飞彩凤，掣开金锁走蛟龙。

单说朱婆与郑夫人寻思黑夜无路投奔，信步而行，只拣僻静处走去，顾不得鞋弓步窄，约行十五六里，苏奶奶心中着忙，到也不怕脚痛；那朱婆却走不动了。没奈何，彼此相扶，又捱了十馀里，天还未明。朱婆原有个气急的症候，走了许多路，发喘起来，道："奶奶，不是老身有始无终，其实寸步难移，恐怕反拖累奶奶。且喜天色微明，奶奶前去，好寻个安身之处。老身在此处途路还熟，不消挂念。"郑夫人道："奴家患难之际，只得相撇了，只是妈妈遇着他人，休得漏了奴家消息！"朱婆道："奶奶尊便，老身不误你的事。"郑夫人才转得身，朱婆叹口气想道："没处安身，索性做个干净好人。"望着路旁有口义井，将一双旧鞋脱下，投井而死。郑夫人眼中流泪，只得前行。

又行了十里，共三十馀里之程，渐觉腹痛难忍。此时天色将明，望见路傍有一茅庵，其门尚闭。郑夫人叩门，意欲借庵中暂歇。庵内答应开门。郑夫人抬头看见，惊上加惊，想道："我来错了！原来是僧人，闻得南边和尚们最不学好，躲了强盗，又撞了和尚，却不晦气。千死万死，左右一死，且进门观其动静。"那僧人看见郑夫人丰姿服色，不像个以下之人，甚相敬重，请入净室问讯。叙话起来，方知是尼僧。郑夫人方才心定，将黄天荡遇盗之事，叙了一遍。

那老尼姑道："奶奶暂住几日不妨，却不敢久留，恐怕强人访知，彼此有损……"说犹未了，郑夫人腹痛，一阵紧一阵。老尼年逾五十，也是半路出家的，晓得些道儿，问道："奶奶这痛阵，到像要分娩一般？"郑夫人道："实不相瞒，奴家怀九个月孕，因昨夜走急了路，肚疼，只怕是分娩了。"老尼道："奶奶莫怪我说，这里是佛地，不可污秽。奶奶可往别处去，不敢相留。"郑夫人眼中流泪，哀告道："师父，慈悲为本，这十方地面不留，教奴家更投何处？想是苏门前世业重，今日遭此冤劫，不如死休！"老尼心慈道："也罢，庵后有个厕屋，奶奶若没处去，权在那厕屋里住下，等生产过了，进庵未迟。"

郑夫人出于无奈，只得捧着腹肚，走到庵后厕屋里去。虽则厕屋，喜得不是个露坑，到还干净。郑夫人到了屋内，一连几阵紧痛，产下一个孩儿。老尼听得小儿啼哭之声，忙走来看，说道："奶奶且喜平安。只是一件，母子不能并留。若留下小的，我与你托人抚养，你就休住在此；你若要住时，把那小官人弃了。不然佛地中啼啼哭哭，被人疑心，查得根由，又是祸事。"

郑夫人左思右量，两下难舍，便道："我有道理。"将自己贴肉穿的一件罗衫脱下，包裹了孩儿，拔下金钗一股，插在孩儿胸前，对天拜告道："夫主苏云，倘若不该绝后，愿天可怜，遣个好人收养此儿。"祝罢，将孩儿递与老尼，央他放在十字路口。老尼念声"阿弥陀佛"，接了孩儿，走去约莫半里之遥，地名大柳村，撇于柳树之下。

　　分明路侧重逢弃，疑是空桑再产伊。

老尼转来，回覆了郑夫人，郑夫人一恸几死。老尼劝解，自不必说。老尼净了手，向佛前念了血盆经，送汤送水价看觑郑夫人。郑夫人将随身簪珥手钏，尽数解下，送与老尼为陪堂之费。等待满月，进庵做了道姑，拜佛看经。过了数月，老尼恐在本地有是非，又引他到当涂县慈湖老庵中潜住，更不出门，不在话下。

却说徐能醉了，睡在椅上，直到五鼓方醒。众人见主人酒醉，先已各散去讫。徐能醒来，想起苏奶奶之事，走进房看时，却是个空房，连朱婆也不见了。叫丫鬟问时，一个个目睁口呆，对答不出。看后门大开，情知走了，虽然不知去向，也少不得追赶。料他不走南路，必走北路，望僻静处，一直追来。也是天使其然，一径走那苏奶奶的旧路，到义井跟头，看见一双女鞋，原是他先前老婆的旧鞋，认得是朱婆的。疑猜道："难道他特地奔出去，到于此地，舍得性命。"巴着井栏一望，黑洞洞地，不要管他，再赶一程。又行十馀里，已到大柳村前，全无踪迹。正欲回身，只听得小孩子哭响，走上一步看时，那大柳树之下一个小孩儿，且是生得端正，怀间有金钗一股，正不知什么人撇下的。心中暗想："我徐能年近四十，尚无子息，这不是皇天有眼，赐与我为嗣。"轻轻抱在怀里，那孩儿就不哭了。徐能心下十分之喜，也不想追赶，抱了孩子就回。到得家中，想姚大的老婆，新育一个女儿，未及一月死了，正好接奶。把那一股钗子，就做赏钱，赏了那婆娘，教他好生喂乳，"长大之时，我自看顾你。"有诗为证：

　　插下蔷薇有刺藤，养成乳虎自伤生。
　　凡人不识天公力，种就殃苗待长成。

话分两头。再说苏知县被强贼撺入黄天荡中，自古道"死生有命"，若是命不该活，一千个也休了。只为苏知县后来还有造化，在水中半沉半浮，直滔到向水闸边。恰好有个徽州客船，泊于闸口。客人陶公夜半正起来撒溺，觉得船底下有物，叫水手将篙摘起，却是一个人，浑身捆缚，心中骇异，不知是死的活的？正欲推去水中，有这等异事，那苏知县在水中浸了半夜，还不曾死，开口道："救命！救命！"陶公见是活的，慌忙解开绳索，将姜汤灌醒，问其缘故。苏知县备细告诉，被山东王尚书船家所劫，如今待往上司去告理。陶公是本分生理之人，听得说要与山东王尚书家打官司，只恐连累，有懊悔之意。苏知县看见颜色变了，怕不相容，便改口道："如今盘费一空，文凭又失，此身无所着落，倘有安身之处，再作道理。”陶公道：“先生休怪我说，你若要去告理，在下不好管得闲事；若只要个安身之处，敝村有个市学，倘肯相就，权住几时。”苏知县道：“多谢！多谢！”陶公取些干衣服，教苏知县换了，带回家中。这村名虽唤做三家村，共有十四五家，每家多有儿女上学，却是陶公做领袖，分派各家轮流供给，在家教学，不放他出门。看官牢记着，那苏知县自在村中教学。正是：

未司社稷民人事，权作“之乎者也”师。

却说苏老夫人在家思念儿子苏云，对次子苏雨道：“你哥哥为官，一去三年，杳无音信。你可念手足之情，亲往兰溪任所，讨个音耗回来，以慰我悬悬之望。”苏雨领命，收拾包裹，陆路短盘，水路搭船，不则一月，来到兰溪。那苏雨是朴实庄家，不知委曲，一径走到县里。值知县退衙，来私宅门口敲门。守门皂隶急忙拦住，问是甚么人。苏雨道：“我是知县老爷亲属，你快通报。”皂隶道：“大爷好利害，既是亲属，可通个名姓，小人好传云板。”苏雨道：“我是苏爷的嫡亲兄弟，特地从涿州家乡而来。”皂隶兜脸打一啐，骂道：“见鬼，大爷自姓高，是江西人，牛头不对马嘴！”正说间，后堂又有几个闲荡的公人听得了，走来帮兴，骂道：“那里来这光棍，打他出去就是。”苏雨再三分辨，那个听他。正在那里七张八嘴，东扯西拽，惊动了衙内的高知县，开私宅出来，问甚缘由。

苏雨听说大爷出衙，睁眼看时，却不是哥哥，已自心慌，只得下跪禀道：“小人是北直隶涿州苏雨，有亲兄苏云，于三年前，选本县知县，到任以后，杳无音信。老母在家悬望，特命小人不远千里，来到此间，何期遇了恩相。恩相既在此荣任，必知家兄前任下落。”高知县慌忙扶起，与他作揖，看坐，说道：“你令兄向来不曾到任，吏部只道病故了，又将此缺补与下官。既是府上都没消息，不是覆舟，定是遭寇了。若是中途病亡，岂无一人回籍？”苏雨听得，哭将起来道：“老母家中悬念，只望你衣锦还乡，谁知死得不明不白，教我如何回覆老母！”高知县旁观，未免同袍之情，甚不过意，宽慰道：“事已如此，足下休得烦恼。且在敝治宽住一两个月，待下官差人四处打听令兄消息，回府未迟。一应路费，都在下官身上。”便分付门子，于库房取书仪十两，送与苏雨为程敬，着一名皂隶送苏二爷于城隍庙居住。苏雨虽承高公美意，心下痛苦，昼夜啼哭。住了半月，忽感一病，服药不愈，呜呼哀哉。

未得兄弟生逢，又见娘儿死别。

高知县买棺亲往殡殓，停柩于庙中，分付道士，小心看视。不在话下。

再说徐能，自抱那小孩儿回来，教姚大的老婆做了乳母，养为己子。俗语道：“只愁不养，不愁不长。”那孩子长成六岁，聪明出众，取名徐继祖，上学攻书。十三岁经书精通，游庠补廪。十五岁上登科，起身会试。从涿州经过，走得乏了，下马歇脚。见一老婆婆，面如秋叶，发若银丝，自提一个磁瓶向井头汲水。徐继祖上前与婆婆作揖，求一瓯清水解渴。老婆婆老眼朦胧，看见了这小官人，清秀可喜，便留他家里吃茶。徐继祖道："只怕老娘府上路远！"婆婆道："十步之内，就是老身舍下。"继祖真个下马，跟到婆婆家里，见门庭虽像旧家，甚是冷落。后边房屋都被火焚了，瓦砾成堆，无人收拾，止剩得厅房三间，将土墙隔断。左一间老婆婆做个卧房，右一间放些破家伙，中间虽则空下，傍边供两个灵位，开写着长儿苏云，次儿苏雨。厅侧边是个耳房，一个老婢在内烧火。老婆婆请小官人于中间坐下，自己陪坐。唤老婢泼出一盏热腾腾的茶，将托盘托将出来道："小官人吃茶。"

老婆婆看着小官人，目不转睛，不觉两泪交流。徐继祖怪而问之。老婆婆道："老身七十八岁了，就说错了句言语，料想郎君不怪。"徐继祖道："有活但说，何怪之有！"老婆婆道："官人尊姓？青春几岁？"徐继祖叙出姓名，年方一十五岁，今科侥幸中举，赴京会试。老婆婆屈指暗数了一回，扑簌簌泪珠滚一个不住。徐继祖也不觉惨然道："婆婆如此哀楚，必有伤心之事！"老婆婆道："老身有两个儿子，长子苏云，叨中进士，职受兰溪县尹。十五年前，同着媳妇赴任，一去杳然。老身又遣次男苏雨亲往任所体探，连苏雨也不回来。后来闻人传说，大小儿丧于江盗之手，次儿没于兰溪。老身痛苦无伸，又被邻家失火，延烧卧室。老身和这婢子两口，权住这几间屋内，坐以待死。适才偶见郎君面貌与苏云无二，又刚是十五岁，所以老身感伤不已。今日天色已晚，郎君若不嫌贫贱，在草舍权住一晚，吃老身一餐素饭。"说罢又哭。徐继祖是个慈善的人，也是天性自然感动，心内到可怜这婆婆，也不忍别去，就肯住了。老婆婆宰鸡煮饭，管待徐继祖。叙了二三更的话，就留在中间歇息。

次早，老婆婆起身，又留吃了早饭，临去时依依不舍，在破箱子内取出一件不曾开折的罗衫出来相赠，说道："这衫是老身亲手做的，男女衫各做一件，却是一般花样。女衫把与儿妇穿去了，男衫因打摺时被灯煤落下，烧了领上一个孔。老身嫌不吉利，不曾把与亡儿穿，至今老身收着。今日老身见了郎君，就如见我苏云一般。郎君受了这件衣服，倘念老身衰暮之景，来年春闱得第，衣锦还乡，是必相烦，差人于兰溪县打听苏云苏雨一个实信见报，老身死亦瞑目。"说罢放声痛哭。徐继祖没来由，不觉也掉下泪来。老婆婆送了徐继祖上马，哭进屋去了。徐继祖不胜伤感。

到了京师，连科中了二甲进士，除授中书。朝中大小官员，见他少年老成，诸事历练，甚相敬重。也有打听他未娶，情愿赔了钱，送女儿与他做亲。徐继祖为不曾禀命于父亲，坚意推辞。在京二年，为"急缺风宪事"，选授监察御史，差往南京刷卷，就便回家省亲归娶，刚好一十九岁。徐能此时已做了太爷，在家中耀武扬威，甚是得志。正合着古人两句：

常将冷眼观螃蟹，看你横行得几时？

再说郑氏夫人在慈湖尼庵，一住十九年，不曾出门。一日照镜，觉得庞儿非旧，潸然泪下。想道："杀夫之仇未报，孩儿又不知生死，就是那时有人收留，也不知落在谁手？住居何乡？我如今容貌憔瘦，又是道姑打扮，料无人认得；况且吃了这几年安逸茶饭，定害庵中，心中过意不去。如今不免出外托钵，一来也帮贴庵中，二来往仪真一路去，顺便打听孩儿消息。常言'大海浮萍，也有相逢之日'，或者天可怜，有近处人家拾得，抚养在彼，母子相会，对他说出根由，教他做个报仇之人，却不了却心愿！"当下与老尼商议停妥，托了钵盂，出庵而去。

一路抄化，到于当涂县内，只见沿街搭彩，迎接刷卷御史徐爷。郑夫人到一家化斋，其家乃是里正，辞道："我家为接官一事，甚是匆忙，改日来布施罢。"却有间壁一个人家，有女眷闲立在门前观看搭彩。看这道姑，生得十分精致，年也却不甚长，见化不得斋，便去叫唤他。郑氏闻唤，到彼问讯过了。那女眷便延进中堂，将素斋款待，问其来历。郑氏料非贼党，想道："我若隐忍不说，到底终无结末。"遂将十九年前苦情，数一数二，告诉出来。谁知屏后那女眷的家长伏着，听了半日，心怀不平，转身出来，叫道姑："你受恁般冤苦，见今刷卷御史到任，如何不去告状申理？"郑氏道："小道是女流，幼未识字，写不得状词。"那家长道："要告状，我替你写。"便去买一张三尺三的绵纸，从头至尾写道：

告状妇郑氏，年四十二岁，系直隶涿州籍贯。夫苏云，由进士选授浙江兰溪县尹。于某年相随赴任，路经仪真，因船漏过载。岂期船户积盗徐能，纠伙多人，中途劫夫财，谋夫命，又欲奸骗氏身。氏幸逃出，庵中潜躲，迄今一十九年，沉冤无雪。徐盗见在五坝街住。恳乞天台捕获正法，生死衔恩，激切上告！

郑氏收了状子，作谢而出。走到接官亭，徐御史正在宁太道周兵备船中答拜，船头上一清如水。郑氏不知利害，径跄上船。管船的急忙拦阻，郑氏便叫起屈来。徐爷在舱中听见，也是一缘一会，偏觉得音声凄惨，叫巡捕官接进状子，同周兵备观看。不看犹可，看毕时，唬得徐御史面如土色。屏去从人，私向周兵备请教："这妇人所告，正是老父，学生欲待不准他状，又恐在别衙门告理。"周兵备呵呵大笑道："先生大人，正是青年，不知机变，此事亦有何难？可分付巡捕官带那妇人明日察院中审问。到那其间，一顿板子，将那妇人敲死，可不绝了后患。"徐御史起身相谢道："承教了。"辞别周兵备，分付了巡捕官说话，押那告状的妇人，明早带进衙门面审。

当下回察院中安歇，一夜不睡。想道："我父亲积年为盗，这妇人所告，或是真情。当先劫财杀命，今日又将妇人打死，却不是冤上加冤。若是不打杀他时，又不是小可利害。”蓦然又想起三年前涿州遇见老妪，说儿子苏云被强人所算，想必就是此事了。又想道：“我父亲劫掠了一生，不知造下许多冤业，有何阴德，积下儿子科第？我记得小时上学，学生中常笑我不是亲生之子，正不知我此身从何而来？此事除非奶公姚大知其备细。”心生一计，写就一封家书，书中道：“到任忙促，不及回家，特地迎接父叔诸亲，南京衙门相会。路上乏人伏侍，可先差奶公姚大来当涂采石驿，莫误，莫误！”次日开门，将家书分付承差，送到仪真五坝街上太爷亲拆。

巡捕官带郑氏进衙。徐继祖见了那郑氏，不由人心中惨然，略问了几句言语，就问道：“那妇人有儿子没有？如何自家出身告状？”郑氏眼中流泪，将庵中产儿，并罗衫包裹，和金钗一股，留于大柳村中始末，又备细说了一遍。徐继祖委决不下，分付郑氏：“你且在庵中暂住，待我察访强盗着实，再来唤你。”郑氏拜谢去了。

徐继祖起马到采石驿住下，等得奶公姚大到来。日间无话，直至黄昏深后，唤姚大至于卧榻，将好言抚慰，问道：“我是谁人所生？”姚大道：“是太爷生的。”再三盘问，只是如此。徐爷发怒道：“我是他生之子，备细都已知道。你若说得明白，念你妻子乳哺之恩，免你本身一刀。若不说之时，发你在本县，先把你活活敲死！”姚大道：“实是太爷亲生，小的不敢说谎。”徐爷道：“黄天荡打劫苏知县一事，难道你不知？”姚大又不肯明言。徐爷大怒，便将宪票一幅，写下姚大名字，发去当涂县“打一百讨气绝缴”。姚大见佥了宪票，着了忙，连忙磕头道：“小的愿说，只求老爷莫在太爷面前泄漏。”徐爷道：“凡事有我做主，你不须惧怕！”姚大遂将打劫苏知县，谋苏奶奶为妻，及大柳树下拾得小孩子回家，教老婆接奶，备细说了一遍。徐爷又问道：“当初裹身有罗衫一件，又有金钗一股，如今可在？”姚大道：“罗衫上染了血迹，洗不净，至今和金钗留在。”此时徐爷心中已自了然，分付道：“此事只你我二人知道，明早打发你回家，取了钗子、罗衫，星夜到南京衙门来见我。”姚大领命自去。徐爷次早，一面差官，将盘缠银两“好生接取慈湖庵郑道姑到京中来见我”。一面发牌起程，往南京到任。正是：

少年科第荣如锦，御史威名猛似雷。

且说苏云知县在三家村教学，想起十九年前之事，老母在家，音信隔绝，妻房郑氏怀孕在身，不知生死下落，日夜忧惶。将此情告知陶公，欲到仪真寻访消息。陶公苦劝安命，莫去惹事。苏云乘清明日各家出去扫墓，乃写一谢帖留在学馆之内，寄谢陶公，收拾了笔墨出门。一路卖字为生，行至常州烈帝庙，日晚投宿。梦见烈帝庙中，灯烛辉煌，自己拜祷求签，签语云：

陆地安然水面凶，一林秋叶遇狂风。

要知骨肉团圆日，只在金陵豸府中。

五更醒来，记得一字不忘，自家暗解道："江中被盗遇救，在山中住这几年，首句'陆地安然水面凶'已自应了。'一林秋叶遇狂风'，应了骨肉分飞之象，难道还有团圆日子？金陵是南京地面，御史衙门号为豸府。我如今不要往仪真，径到南都御史衙门告状，或者有伸冤之日。"

天明起来，拜了神道，讨其一笤，"若该往南京，乞赐圣笤。"掷下果然是个圣笤。苏公欢喜，出了庙门，直至南京，写下一张词状，到操江御史衙门去出告，状云：

告状人苏云，直隶涿州人，忝中某科进士。初选兰溪知县，携家赴任，行至仪真。祸因舟漏，重雇山东王尚书家船只过载。岂期舟子徐能徐用等，惯于江洋打劫。夜半移船僻处，缚云抛水，幸遇救免，教授糊口，行李一空，妻仆不知存亡。势宦养盗，非天莫剿，上告！

那操江林御史，正是苏爷的同年，看了状词，甚是怜悯。即刻行个文书，知会山东抚按，着落王尚书身上要强盗徐能徐用等。刚刚发了文书，刷卷御史徐继祖来拜。操院偶然叙及此事。徐继祖有心，别了操院出门，即时叫听事官："将操院差人唤到本院衙门，有话分付。"徐爷回衙门，听事官唤到操院差人进衙磕头。禀道："老爷有何分付？"徐爷道："那王尚书船上强盗，本院已知一二；今本院赏你盘缠银二两，你可暂停两三日，待本院唤你们时，你可便来，管你有处缉拿真赃真盗，不须到山东去得。"差人领命去了。

少顷，门上通报太爷到了。徐爷出迎，就有跼蹐之意。想着养育教训之恩，恩怨也要分明，今晚且尽个礼数。当下差官往河下接取到衙。原来徐能徐用起身时，连这一班同伙赵三、翁鼻涕、杨辣嘴、范剥皮、沈胡子，都倚仗通家兄弟面上，备了百金贺礼，一齐来庆贺徐爷。这是天使其然，自来投死。姚大先进衙磕头。徐爷教请太爷、二爷到衙，铺毡拜见。徐能端然而受。次要拜徐用，徐用抵死推辞，不肯要徐爷下拜，只是长揖。赵三等一伙，向来在徐能家，把徐继祖当做子侄之辈，今日高官显耀，时势不同，赵三等口称"御史公"，徐继祖口称"高亲"，两下宾主相见，备饭款待。

至晚，徐继祖在书房中，密唤姚大，讨他的金钗及带血罗衫看了。那罗衫花样与涿州老婆婆所赠无二。"那老婆婆又说我的面庞与他儿子一般，他分明是我的祖母，那慈湖庵中道姑是我亲娘，更喜我爷不死，见在此间告状，骨肉团圆，在此一举。"

次日大排筵宴在后堂，管待徐能一伙七人，大吹大擂介饮酒。徐爷只推公务，独自出堂，先教聚集民壮快手五六十人，安排停当，听候本院挥扇为号，一齐进后堂擒拿七盗。又唤操院公差，快快请告状的苏爷，到衙门相会。

不一时，苏爷到了，一见徐爷便要下跪。徐爷双手扶住，彼此站立，问其情节。苏爷含泪而语。徐爷道："老先生休得愁烦，后堂有许多贵相知在那里，请去认一认！"苏爷走入后堂。一者此时苏爷青衣小帽，二者年远了，三者出其不意，徐能等已不认得苏爷了。苏爷时刻在念，到也还认得这班人的面貌，看得仔细，吃了一惊，倒身退出，对徐爷道："这一班人，正是船中的强盗，为何在此？"徐爷且不回话，举扇一挥，五六十个做公的蜂拥而入，将徐能等七人，一齐捆缚。徐能大叫道："继祖孩儿，救我则个！"徐爷骂道："死强盗，谁是你的孩儿？你认得这位十九年前苏知县老爷么？"徐能就骂徐用道："当初不听吾言，只叫他全尸而死，今日悔之何及！"又叫姚大出来对证，各各无言。徐爷分付巡捕官："将这八人与我一总发监，明日本院自备文书，送到操院衙门去。"

发放已毕，分付关门，请苏爷复入后堂。苏爷看见这一伙强贼，都在酒席上擒拿，正不知甚么意故。方欲待请问明白，然后叩谢。只见徐爷将一张交椅，置于面南，请苏爷上坐，纳头便拜。苏爷慌忙扶住道："老大人素无一面，何须过谦如此？"徐爷道："愚男一向不知父亲踪迹，有失迎养，望乞恕不孝之罪！"苏爷还说道："老大人不要错了！学生并无儿子。"徐爷道："不孝就是爹爹所生，如不信时，有罗衫为证。"徐爷先取涿州老婆婆所赠罗衫，递与苏爷，苏爷认得领上灯煤烧孔道："此衫乃老母所制，从何而得？"徐爷道："还有一件。"又将血渍的罗衫及金钗取来。苏爷观看，又认得："此钗乃吾妻首饰，原何也在此？"徐爷将涿州遇见老母，及采石驿中道姑告状，并姚大招出情由，备细说了一遍。苏爷方才省悟，抱头而哭。事有凑巧，这里恰才父子相认，门外传鼓报道："慈湖观音庵中郑道姑已唤到。"徐爷忙教请进后堂，苏爷与奶奶别了一十九年，到此重逢。苏爷又引孩儿拜见了母亲。痛定思痛，夫妻母子，哭做一堆，然后打扫后堂，重排个庆贺筵席。正是：

树老抽枝重茂盛，云开见月倍光明。

次早，南京五府六部六科十三道，及府县官员，闻知徐爷骨肉团圆，都来拜贺。操江御史将苏爷所告状词，奉还徐爷，听其自审。徐爷别了列位官员，分付手下，取大毛板伺候。于监中吊出众盗，一个个脚镣手杻，跪于阶下。徐爷在徐家生长，已熟知这班凶徒杀人劫财，非止一事，不消拷问。只有徐用平昔多曾谏训，且苏爷夫妇都受他活命之恩，叮嘱儿子要出脱他。徐爷一笔出豁了他，赶出衙门。徐用拜谢而去。山东王尚书窎远无干，不须推究。徐能、赵三首恶，打八十。杨辣嘴、沈胡子在船上帮助，打六十。姚大虽也在船上出尖，其妻有乳哺之恩，与翁鼻涕、范剥皮各只打四十板。虽有多寡，都打得皮开肉绽，鲜血迸流。姚大受痛不过，叫道："老爷亲许免小人一刀，如何失信?”徐爷又免他十板，只打三十。打完了，分付收监。

徐爷退于后堂，请命于父亲，草下表章，将此段情由，具奏天子。先行出姓，改名苏泰，取否极泰来之义；次要将诸贼不时处决，各贼家财，合行籍没为边储之用；表尾又说：“臣父苏云，二甲出身，一官未赴，十九年患难之余，宦情已淡。臣祖母年逾八帙，独居故里，未知存亡。臣年十九未娶，继祀无望。恳乞天恩给假，从臣父暂归涿州，省亲归娶。”云云。奏章已发。

此时徐继祖已改名苏泰，将新名写帖，遍拜南京各衙门，又写年侄帖子，拜谢了操江林御史。又记着祖母言语，写书差人往兰溪县查问苏雨下落。兰溪县差人先来回报，苏二爷十五年前曾到，因得病身死。高知县殡殓，棺寄在城隍庙中。苏爷父子痛哭了一场，即差的当人，赍了盘费银两，重到兰溪，于水路雇船装载二爷灵柩回涿州祖坟安葬。不一日，奏章准了下来，一一依准，仍封苏泰为御史之职，钦赐父子驰驿还乡。刑部请苏爷父子同临法场监斩诸盗。苏泰预先分付狱中，将姚大缢死，全尸也算免其一刀。徐能叹口气道：“我虽不曾与苏奶奶成亲，做了三年太爷，死亦甘心了。”各盗面面相觑，延颈受死。但见：

两声破鼓响，一棒碎锣鸣。监斩官如十殿阎王，刽子手似飞天罗刹！刀斧劫来财帛，万事皆空；江湖使尽英雄，一朝还报。森罗殿前，个个尽惊凶鬼至；阳间地上，人人都庆贼人亡！

在先上本时，便有文书知会扬州府官，仪真县官，将强盗六家，预先赶出人口，封锁门户。纵有金宝如山，都为官物。家家女哭儿啼，人离财散，自不必说。只有姚大的老婆，原是苏御史的乳母，一步一哭，到南京来求见御史老爷。苏御史因有乳哺之恩，况且丈夫已经正法，罪不及孥。又恐奶奶伤心，不好收留，把五十两银子赏他为终身养生送死之资，打发他随便安身。

京中无事，苏大爷辞了年兄林操江，御史公别了各官，起马，前站打两面金字牌：一面写着“奉旨省亲”，一面写着“钦赐归娶”。旗幡鼓吹，好不齐整，闹嚷嚷的从扬州一路而回。道经仪真，苏太爷甚是伤感，郑老夫人又对儿子说起朱婆投井之事，又说亏了庵中老尼。御史公差地方访问义井。居民有人说，十九年前，是曾有个死尸，浮于井面。众人捞起三日，无人识认，只得敛钱买馆盛殓，埋于左近一箭之地。地方回覆了，御史公备了祭礼，及纸钱冥锭，差官到义井坟头，通名致祭。又将白金百两，送与庵中老尼，另封白银十两，付老尼启建道场，超度苏二爷、朱婆及苏胜夫妇亡灵。这叫做以直报怨，以德报德。苏公父子亲往拈香拜佛。

诸事已毕，不一日行到山东临清，头站先到渡口驿，惊动了地方上一位乡宦。那人姓王名贵，官拜一品尚书，告老在家。那徐能揽的山东王尚书船，正是他家。徐能盗情发了，操院拿人，闹动了仪真一县，王尚书的小夫人家属，恐怕连累，都搬到山东，依老尚书居住。后来打听得苏御史审明，船虽尚书府水牌，止是租赁，王府并不知情。老尚书甚是感激。今日见了头行，亲身在渡口驿迎接。见了苏公父子，满口称谢，设席款待。席上问及："御史公钦赐归娶，不知谁家老先儿的宅眷？"苏云答道："小儿尚未择聘。"王尚书道："老夫有一末堂幼女，年方二八，才貌颇称，倘蒙御史公不弃老朽，老夫愿结丝萝。"苏太爷谦让不遂，只得依允。就于临清暂住，择吉行聘成亲，有诗为证：

月下赤绳曾绾足，何须射中雀屏目。
当初恨杀尚书船，谁想尚书为眷属。

三朝以后，苏公便欲动身，王尚书苦留。苏太爷道："久别老母，未知存亡，归心已如箭矣！"王尚书不好担阁。过了七日，备下千金妆奁，别起夫马，送小姐随夫衣锦还乡。一路无话。

到了涿州故居，且喜老夫人尚然清健，见儿子媳妇俱已半老，不觉感伤。又见孙儿就是向年汲水所遇的郎君，欢喜无限。当初只恨无子，今日抑且有孙。两代甲科，仆从甚众，旧居火焚之馀，安顿不下，暂借察院居住。起建御史第，府县都来助工，真个是"不日成之"。苏云在家，奉养太夫人直至九十馀岁方终。苏泰历官至坐堂都御史，夫人王氏，所生二子，将次子承继为苏雨之后，二子俱登第。至今闾里中传说《苏知县报冤》唱本。后人有诗云：

月黑风高浪沸扬，黄天荡里贼猖狂。
平陂往复皆天理，那见凶人寿命长？

第十二卷
范鳅儿双镜重圆

帘卷水西楼，一曲新腔唱打油。宿雨眠云年少梦，休讴，且尽生前酒一瓯。　明日又登舟，却指今宵是旧游；同是他乡沦落客，休愁！月子弯弯照几州？

这首词末句，乃借用吴歌成语，吴歌云：

月子弯弯照几州？几家欢乐几家愁；
几家夫妇同罗帐，几家飘散在他州。

此歌出自南宋建炎年间，述民间离乱之苦。只为宣和失政，奸佞专权，延至靖康，金虏凌城，掳了徽钦二帝北去。康王泥马渡江，弃了汴京，偏安一隅，改元建炎。其时东京一路百姓，惧怕鞑虏，都跟随车驾南渡。又被虏骑追赶，兵火之际，东逃西躲，不知拆散了几多骨肉！往往父子夫妻，终身不复相见。其中又有几个散而复合的，民间把作新闻传说。正是：

剑气分还合，荷珠碎复圆。

万般皆是命，半点尽由天！

话说陈州有一人姓徐名信，自小学得一身好武艺，娶妻崔氏，颇有容色。家道丰裕，夫妻二人正好过活。却被金兵入寇，二帝北迁，徐信共崔氏商议，此地安身不牢，收拾细软家财，打做两个包裹，夫妻各背了一个，随着众百姓晓夜奔走。行至虞城，只听得背后喊声振天，只道鞑虏追来，却原来是南朝杀败的溃兵。只因武备久驰，军无纪律。教他杀贼，一个个胆寒心骇，不战自走；及至遇着平民，抢掳财帛子女，一般会扬威耀武。徐信虽然有三分本事，那溃兵如山而至，寡不敌众，舍命奔走。但闻四野号哭之声，回头不见了崔氏。乱军中无处寻觅，只得前行。行了数日，叹了口气，没奈何，只索罢了。

行到睢阳，肚中饥渴，上一个村店，买些酒饭。原来离乱之时，店中也不比往昔，没有酒卖了。就是饭，也不过是粗粝之物，又怕众人抢夺，交了足钱，方才取出来与你充饥。徐信正在数钱，猛听得有妇女悲泣之声。事不关心，关心者乱。徐信且不数钱，急走出店来看，果见一妇人，单衣蓬首，露坐于地上。虽不是自己的老婆，年貌也相仿佛。徐信动了个恻隐之心，以己度人，道：这妇人想也是遭难的。不免上前问其来历。妇人诉道：“奴家乃郑州王氏，小字进奴，随夫避兵，不意中途奔散，奴孤身被乱军所掠。行了两日一夜，到于此地。两脚俱肿，寸步难移。贼徒剥取衣服，弃奴于此。衣单食缺，举目无亲，欲寻死路，故此悲泣耳。”徐信道：“我也在乱军中不见了妻子，正是同病相怜了。身边幸有盘缠，娘子不若权时在这店里住几日，将息贵体，等在下探问荆妻消耗，就便访取尊夫，不知娘子意下如何?”妇人收泪而谢道：“如此甚好。”徐信解开包裹，将几件衣服与妇人穿了，同他在店中吃了些饭食，借半间房子，做一块儿安顿。徐信殷殷勤勤，每日送茶送饭。妇人感其美意，料道寻夫访妻，也是难事。今日一鳏一寡，亦是天缘，热肉相凑，不容人不成就了。又过数日，妇人脚不痛了。徐信和他做了一对夫妻，上路直到建康。正值高宗天子南渡即位，改元建炎，出榜招军，徐信去充了个军校，就于建康城中居住。

日月如流，不觉是建炎三年。一日徐信同妻城外访亲回来，天色已晚，妇人口渴，徐信引到一个茶肆中吃茶。那肆中先有一个汉子坐下，见妇人入来，便立在一边偷看那妇人，目不转睛。妇人低眉下眼，那个在意。徐信甚以为怪。少顷，吃了茶，还了茶钱出门，那汉又远远相随。比及到家，那汉还站在门首，依依不去。徐信心头火起，问道："什么人？如何窥觑人家的妇女！"那汉拱手谢罪道："尊兄休怒！某有一言奉询。"徐信忿气尚未息，答应道："有什么话，就讲罢！"那汉道："尊兄倘不见责，权借一步，某有实情告诉；若还嗔怪，某不敢言。"徐信果然相随，到一个僻静巷里。那汉临欲开口，又似有难言之状。徐信道："我徐信也是个慷慨丈夫，有话不妨尽言。"那汉方才敢问道："适才妇人是谁？"徐信道："是荆妻。"那汉道："娶过几年了？"徐信道："三年矣。"那汉道："可是郑州人，姓王小字进奴么？"徐信大惊道："足下何以知之？"那汉道："此妇乃吾之妻也。因兵火失散，不意落于君手。"徐信闻言，甚踧踖不安，将自己虞城失散，到睢阳村店，遇见此妇始未，细细述了："当时实是怜他孤身无倚，初不晓得是尊阃，如之奈何？"那汉道："足下休疑，我已别娶浑家，旧日伉俪之盟，不必再题。但仓忙拆开，未及一言分别。倘得暂会一面，叙述悲苦，死亦无恨。"徐信亦觉心中凄惨，说道："大丈夫腹心相照，何处不可通情。明日在舍下相候。足下既然别娶，可携新阃同来，做个亲戚，庶于邻里耳目不碍。"那汉欢喜拜谢。

临别，徐信问其姓名，那汉道："吾乃郑州列俊卿是也。"是夜，徐信先对王进奴述其缘由。进奴思想前夫恩义，暗暗偷泪，一夜不曾合眼。到天明，盥漱方毕，列俊卿夫妇二人到了。徐信出门相迎，见了俊卿之妻，彼此惊骇，各各恸哭。原来俊卿之妻，却是徐信的浑家崔氏。自虞城失散，寻丈夫不着，却随个老妪同至建康，解下随身簪珥，赁房居住。三个月后，丈夫并无消息。老妪说他终身不了，与他为媒，嫁与列俊卿。谁知今日一双两对，恰恰相逢，真个天缘凑巧。彼此各认旧日夫妻，相抱而哭。当下徐信遂与列俊卿八拜为交，置酒相待。至晚，将妻子兑转，各还其旧。从此通家往来不绝，有诗为证：

夫换妻兮妻换夫，这场交易好糊涂。

相逢总是天公巧，一笑灯前认故吾。

此段话题做"交互姻缘"，乃建炎三年建康城中故事。同时又有一事，叫做"双镜重圆"。说来虽没有十分奇巧，论起夫义妇节，有关风化，到还胜似几倍。正是：

话须通俗方传远，语必关风始动人。

话说南宋建炎四年，关西一位官长，姓吕名忠翊，职授福州监税。此时七闽之地，尚然全盛。忠翊带领家眷赴任，一来福州凭山负海，东南都会，富庶之邦；二来中原多事，可以避难。于本年起程，到次年春间，打从建州经过。《舆地志》说："建州碧水丹山，为东闽之胜地。"今日合着了古语两句：

洛阳三月花如锦，偏我来时不遇春。

自古“兵荒”二字相连，金虏渡河，两浙都被他残破。闽地不遭兵火，也就遇个荒年，此乃天数。

话中单说建州饥荒，斗米千钱，民不聊生。却为国家正值用兵之际，粮饷要紧，官府只顾催征上供，顾不得民穷财尽。常言“巧媳妇煮不得没米粥”，百姓既没有钱粮交纳，又被官府鞭笞逼勒，禁受不过，三三两两，逃入山间，相聚为盗。“蛇无头而不行”，就有个草头天了出来，此人姓范名汝为，仗义执言，救民水火。群盗从之如流，啸聚至十馀万。无非是：

风高放火，月黑杀人。

无粮同饿，得肉均分。

官兵抵当不住，连败数阵。范汝为遂据了建州城，自称元帅，分兵四出抄掠。范氏门中子弟，都受伪号，做领兵官将。汝为族中有个侄儿名唤范希周，年二十三岁，自小习得一件本事，能识水性，伏得在水底三四昼夜，因此起个异名唤做范鳅儿。原是读书君子，功名未就，被范汝为所逼。——凡族人不肯从他为乱者，先将斩首示众。——希周贪了性命，不得已而从之。虽在贼中，专以方便救人为务，不做劫掠勾当。贼党见他凡事畏缩，就他鳅儿的外号，改做“范盲鳅”，是笑他无用的意思。

再说吕忠翊有个女儿，小名顺哥，年方二八，生得容颜清丽，情性温柔。随着父母福州之任。来到这建州相近，正遇着范贼一支游兵，劫夺行李财帛，将人口赶得三零四散。吕忠翊失散了女儿，无处寻觅，嗟叹了一回，只索赴任去了。单说顺哥脚小伶俜，行走不动，被贼兵掠进建州城来。顺哥啼啼哭哭，范希周中途见而怜之。问其家门，顺哥自叙乃是宦家之女。希周遂叱开军士，亲解其缚，留至家中，将好言抚慰，诉以衷情：“我本非反贼，被族人逼迫在此。他日受了朝廷招安，仍做良民。小娘子若不弃卑末，结为眷属，三生有幸。”顺哥本不愿相从，落在其中，出于无奈，只得许允，次日希周禀知贼首范汝为，汝为亦甚喜。希周送顺哥于公馆，择吉纳聘。希周有祖传宝镜，乃是两镜合扇的。清光照彻，可开可合，内铸成鸳鸯二字，名为“鸳鸯宝镜”，用为聘礼。遍请范氏宗族，花烛成婚。

一个是衣冠旧裔，一个是阀阅名姝；一个儒雅丰仪，一个温柔性格。一个纵居贼党，风云之气未衰；一个虽作囚俘，金玉之姿不改。绿林此日称佳客，红粉今宵配吉人。

自此夫妻和顺，相敬如宾。自古道：“瓦罐不离井上破”。范汝为造下弥天大罪，不过乘朝廷有事，兵力不及。岂期名将张浚、岳飞、张俊、张荣、吴玠、吴璘等，屡败金人，国家粗定。高宗卜鼎临安，改元绍兴。是年冬，高宗命韩蕲王讳世忠的，统领大军十万前来讨捕。范汝为岂是韩公敌手，只得闭城自守。韩公筑长围以困之。原来韩公与吕忠翊先在东京有旧，今番韩公统兵征剿反贼，知吕公在福州为监税官，必知闽中人情土俗。其时将帅专征的都带有空头敕，遇有地方人才，听凭填敕委用。韩公遂用吕忠翊为军中都提辖，同驻建州城下，指麾攻围之事。城中日夜号哭，范汝为几遍要夺门而出，都被官军杀回，势甚危急。

顺哥向丈夫说道："妾闻'忠臣不事二君，烈女不更二夫'。妾被贼军所掠，自誓必死。蒙君救拔，遂为君家之妇，此身乃君之身矣。大军临城，其势必破。城既破，则君乃贼人之亲党，必不能免。妾愿先君而死，不忍见君之就戮也。"引床头利剑便欲自刎。希周慌忙抱住，夺去其刀，安慰道："我陷在贼中，原非本意。今无计自明，玉石俱焚，已付之于命了。你是宦家儿女，掳劫在此，与你何干？韩元帅部下将士，都是北人，你也是北人，言语相合，岂无乡曲之情？或有亲旧相逢，宛转闻知于令尊，骨肉团圆，尚不绝望。人命至重，岂可无益而就死地乎？"顺哥道："若果有再生之日，妾誓不再嫁。便恐被军校所掳，妾宁死于刀下，决无失节之理。"希周道："承娘子志节自许，吾死亦瞑目。万一为漏网之鱼，苟延残喘，亦誓愿终身不娶，以答娘子今日之心。"顺哥道："'鸳鸯宝镜'，乃是君家行聘之物，妾与君共分一面，牢藏在身。他日此镜重圆，夫妻再合。"说罢相对而泣。

这是绍兴元年冬十二月内的说话。到绍兴二年春正月，韩公将建州城攻破，范汝为情急，放火自焚而死。韩公竖黄旗招安馀党，只有范氏一门不赦。范氏宗族一半死于乱军之中，一半被大军擒获，献俘临安。顺哥见势头不好，料道希周必死，慌忙奔入一间荒屋中，解下罗帕自缢。正是：

宁为短命全贞鬼，不作偷生失节人。

也是阳寿未终，恰好都提辖吕忠翊领兵过去，见破屋中有人自缢，急唤军校解下。近前观之，正是女儿顺哥。那顺哥死去重苏，半晌方能言语，父子重逢，且悲且喜。顺哥将贼兵掳劫，及范希周救取成亲之事，述了一遍。吕提辖嘿然无语。

却说韩元帅平了建州，安民已定，同吕提辖回临安面君奏凯。天子论功升赏，自不必说。一日，吕公与夫人商议，女儿青年无偶，终是不了之事，两口双双的来劝女儿改嫁。顺哥述与丈夫交誓之言，坚意不肯。吕公又道："好人家儿女，嫁了反贼，一时无奈。天幸死了，出脱了你，你还想他怎么。"顺哥含泪而告道："范家郎君，本是读书君子，为族人所逼，实非得已。他虽在贼中，每行方便，不做伤天理的事。倘若天公有眼，此人必脱虎口。大海浮萍，或有相逢之日。孩儿如今情愿奉道在家，侍养二亲，便终身守寡，死而不怨。若必欲孩儿改嫁，不如容孩儿自尽，不失为完节之妇。"吕公见他说出一班道理，也不去逼他了。

光阴似箭，不觉已是绍兴十二年，吕公累官至都统制，领兵在封州镇守。一日，广州守将差指使贺承信捧了公牒，到封州将领司投递。吕公延于厅上，问其地方之事，叙话良久方去。顺哥在后堂帘中窃窥，等吕公入衙，问道："适才赍公牒来的何人？"吕公道："广州指使贺承信也。"顺哥道："奇怪！看他言语行步，好似建州范家郎君。"吕公大笑道："建州城破，凡姓范的都不赦，只有枉死，那有枉活？广州差官自姓贺，又是朝廷命官，并无分毫干惹，这也是你妄想了。侍妾闻知，岂不可笑。"顺哥被父亲抢白了一场，满面羞惭，不敢再说。正是：

只为夫妻情爱重，致令父子语参差。

过了半年，贺承信又有军牒奉差到吕公衙门。顺哥又从帘下窥视，心中怀疑不已。对父亲说道："孩儿今已离尘奉道，岂复有儿女之情？但再三详审广州姓贺的，酷似范郎。父亲何不召至后堂，赐以酒食，从容叩之。范郎小名鳅儿，昔年在围城中情知必败，有'鸳鸯镜'，各分一面，以为表记。父亲呼其小名，以此镜试之，必得其真情。"吕公应承了。次日，贺承信又进衙领回文，吕公延至后堂，置酒相款。饮酒中间，吕公问其乡贯出身。承信言语支吾，似有羞愧之色。吕公道："鳅儿非足下别号乎？老夫已尽知矣，但说无妨也！"承信求吕公屏去左右，即忙下跪，口称"死罪"。吕公用手搀扶道："不须如此！"承信方敢吐胆倾心告诉道："小将建州人，实姓范。建炎四年，宗人范汝为煽诱饥民，据城为叛，小将陷于贼中，实非得已。后因大军来讨，攻破城池，贼之宗族，尽皆诛戮。小将因平昔好行方便，有人救护，遂改姓名为贺承信，出就招安。绍兴五年拨在岳少保部下，随征洞庭湖贼杨么。岳家军都是西北人，不习水战。小将南人，幼通水性，能伏水三昼夜，所以有'范鳅儿'之号。岳少保亲选小将为前锋，每战当先，遂平么贼。岳少保荐小将之功，得受军职，累任至广州指使，十年来未曾泄之他人。今既承钧问，不敢隐讳。"吕公又问道，"令孺人何姓，是结发还是再娶？"承信道："在贼中时曾获一宦家女，纳之为妻。逾年城破，夫妻各分散逃走。曾相约：苟存性命，夫不再娶，妇不再嫁。小将后来到信州，又寻得老母。至今母子相依，止畜一粗婢炊爨，未曾娶妻。"吕公又问道："足下与先孺人相约时，有何为记？"承信道："有'鸳鸯宝镜'，合之为一，分之为二，夫妇各留一面。"吕公道："此镜尚在否？"承信道："此镜朝夕随身，不忍少离。"吕公道："可借一观。"承信揭开衣袂，在锦裹肚系带上，解下一个绣囊，囊中藏着宝镜。吕公取观，遂于袖中亦取一镜合之，俨如生成。承信见二镜符合，不觉悲泣失声。吕公感其情义，亦不觉泪下，道："足下所娶，即吾女也。吾女见在衙中。"遂引承信至中堂，与女儿相见，各各大哭。吕公解劝了，且作庆贺筵席。是夜即留承信于衙门歇宿。

过了数日，吕公将回文打发女婿起身，即令女儿相随，到广州任所同居。后一年承信任满，将赴临安，又领妻顺哥同过封州，拜别吕公。吕公备下千金妆奁，差官护送承信到临安。自谅前事年远，无人推剥，不可使范氏无后。乃打通状到礼部，复姓不复名，改名不改姓，叫做范承信。后累官至两淮留守，夫妻偕老。其鸳鸯二镜，子孙世传为至宝云。

后人评论范鳅儿在逆党中涅而不淄，好行方便，救了许多人性命。今日死里逃生，夫妻再合，乃阴德积善之报也。有诗为证：

十年分散天边鸟，一旦团圆镜里鸳。
莫道浮萍偶然事，总由阴德感皇天。

第十三卷
三现身包龙图断冤

甘罗发早子牙迟，彭祖颜回寿不齐。
范丹贫穷石崇富，算来都是只争时。

话说大宋元祐年间，一个太常大卿，姓陈名亚，因打章子厚不中，除做江东留守安抚使，兼知建康府。一日与众官宴于临江亭上，忽听得亭外有人叫道："不用五行四柱，能知祸福兴衰。"大卿问："甚人敢出此语？"众官有曾认的，说道："此乃金陵术士边瞽。"大卿分付："与我叫来。"即时叫至门下，但见：破帽无檐，蓝缕衣裙，霜髯瞽目，伛偻形躯。边瞽手携节杖入来，长揖一声，摸着阶沿便坐。大卿怒道："你既瞽目，不能观古圣之书，辄敢轻五行而自高！"边瞽道："某善能听简笏声知进退，闻鞋履响辨死生。"大卿道："你术果验否？……"说言未了，见大江中画船一只，橹声咿轧，自上流而下。大卿便问边瞽，主何灾福。答言："橹声带哀，舟中必载大官之丧。大卿遣人讯问，果是知临江军李郎中，在任身故，载灵柩归乡。大卿大惊道："使汉东方朔复生，不能过汝。"赠酒十樽，银十两，遣之。

那边瞽能听橹声知灾福。今日且说个卖卦先生，姓李名杰，是东京开封府人。去兖州府奉符县前，开个卜肆，用金纸糊着一把太阿宝剑，底下一个招儿，写道："斩天下无学同声"。这个先生，果是阴阳有准。

精通《周易》，善辨六壬。瞻乾象遍识天文，观地理明知风水。五星深晓，决吉凶祸福如神；三命秘谈，断成败兴衰似见。

当日挂了招儿，只见一个人走将进来，怎生打扮？但见：

裹背系带头巾，着上两领皂衫，腰间系条丝绦，下面着一双干鞋净袜，袖里袋着一轴文字。

那人和金剑先生相揖罢，说了年月日时，铺下卦子。只见先生道："这命算不得。"那个买卦的，却是奉符县里第一名押司，姓孙名文，问道："如何不与我算这命？"先生道："上覆尊官，这命难算。"押司道："怎地难算？"先生道："尊官有酒休买，护短休问。"押司道："我不曾吃酒，也不护短。"先生道："再请年月日时，恐有差误。"押司再说了八字。先生又把卦子布了道："尊官，且休算。"押司道："我不讳，但说不妨。"先生道："卦象不好。"写下四句来，道是：

白虎临身日，临身必有灾。
不过明旦丑，亲族尽悲哀。

押司看了，问道："此卦主何灾福？"先生道："实不敢瞒，主尊官当死。"又问："却是我几年上当死？"先生道："今年死。"又问："却是今年几月死？"先生道："今年今月死。"又问："却是今年今月几日死？"先生道："今年今月今日死。"再问："早晚时辰？"先生道："今年今月今日三更三点子时当死。"押司道："若今夜真个死，万事全休；若不死，明日和你县里理会！"先生道："今夜不死，尊官明日来取下这斩无学同声的剑，斩了小子的头！"押司听说，不觉怒从心上起，恶向胆边生，把那先生捽出卦铺去。怎地计结？那先生：

只因会尽人间事，惹得闲愁满肚皮。

只见县里走出数个司事人来拦住孙押司，问做甚闹。押司道："甚么道理！我闲买个卦，却说我今夜三更三点当死。我本身又无疾病，怎地三更三点便死？待捽他去县中，官司究问明白。"众人道："若信卜，卖了屋；卖卦口，没量斗。"众人和烘孙押司大了。转来埋怨那先生道："李先生，你触了这个有名的押司，想也在此卖卦不成了。从来贫好断，贱好断，只有寿数难断。你又不是阎王的老子，判官的哥哥，那里便断生断死、刻时刻日，这般有准，说话也该放宽缓些。"先生道："若要奉承人，卦就不准了；若说实话，又惹人怪。此处不留人，自有留人处！"叹口气，收了卦铺，搬在别处去了。

却说孙押司虽则被众人劝了，只是不好意思，当日县里押了文字归去，心中好闷。归到家中，押司娘见他眉头不展，面带忧容，便问丈夫："有甚事烦恼？想是县里有甚文字不了。"押司道："不是，你休问。"再问道："多是今日被知县责罚来？"又道："不是。"再问道："莫是与人争闹来？"押司道："也不是。我今日去县前买个卦，那先生道，我主在今年今月今日三更三点子时当死。"押司娘听得说，柳眉剔竖，星眼圆睁，问道："怎地平白一个人、今夜便教死！如何不捽他去具里官司？押司道："便捽他去，众人劝了。"浑家道："丈夫，你且只在家里少待。我寻常有事，兀自去知县面前替你出头，如今替你去寻那个先生问他。我丈夫又不少官钱私债，又无甚官事临逼，做甚么今夜三更便死？"押司道："你且休去。待我今夜不死，明日我自与他理会，却强如你妇人家。"当日天色已晚，"押司道："且安排几杯酒来吃着。我今夜不睡，消遣这一夜。"三杯两盏，不觉吃得烂醉。只见孙押司在校椅上，朦胧着醉眼，打磕睡。浑家道："丈夫，怎地便睡着？"叫迎儿："你且摇觉爹爹来。"迎儿到身边摇着不醒，叫一会不应。押司娘道："迎儿，我和你扶押司入房里去睡。"若还是说话的同年生，并肩长，拦腰抱住，把臂拖回。孙押司只吃着酒消遣一夜，千不合万不合上床去睡，却教孙押司只就当年当月当日当夜，死得不如《五代史》李存孝，《汉书》里彭越。正是：

金风吹树蝉先觉，暗送无常死不知。

浑家见丈夫先去睡，分付迎儿厨下打来了火烛，说与迎儿道："你曾听你爹爹说，日间卖卦的算你爹爹今夜三更当死？"迎儿道："告妈妈，迎儿也听得说来。那里讨这话！"押司娘道："迎儿，我和你做些针钱，且看今夜死也不死？若还今夜不死，明日却与他理会。教迎儿："你且莫睡！"迎儿道："那里敢睡！道犹未了，迎儿打瞌睡。押司娘道："迎儿，我教你莫睡，如何便睡着！"迎儿道："我不睡。"才说罢，迎儿又睡着。押司娘叫得应，问他如今甚时候了？迎儿听县衙更鼓，正打三更三点。押司娘道："迎儿，且莫睡则个！这时辰正尴尬！"那迎儿又睡着，叫不应。只听得押司从床上跳将下来，兀底中门响。押司娘急忙叫醒迎儿，点灯看时，只听得大门响。迎儿和押司娘点灯去赶，只见一个着白的人，一只手掩着面，走出去，扑通地跳入奉符县河里去了。正是：

情到不堪回首处，一齐分付与东风。

那条河直通着黄河水，滴溜也似紧，那里打捞尸首！

押司娘和迎儿就河边号天大哭道"押司，你却怎地投河，教我两个靠兀谁！"即时叫起四家邻舍来，上手住的刁嫂，下手住的毛嫂，对门住的高嫂鲍嫂，一发都来。押司娘把上件事对他们说了一遍。刁嫂道："真有这般作怪的事！"毛嫂道："我日里兀自见押司着了皂衫，袖着文字归来，老媳妇和押司相叫来。"高嫂道："便是，我也和押司厮叫来。"鲍嫂道："我家里的早间去县前干事，见押司捽着卖卦的先生，兀自归来说。怎知道如今真个死了！"刁嫂道："押司，你怎地不分付我们邻舍则个，如何便死！"簌地两行泪下。毛嫂道："思量起押司许多好处来，如何不烦恼！"也眼泪出。鲍嫂道："押司，几时再得见你！"即时地方申呈官司，押司娘少不得做些功果，追荐亡灵。

捻指间过了三个月。当日押司娘和迎儿在家坐地，只见两个妇女，吃得面红颊赤。上手的提着一瓶酒，下手的把着两朵通草花，掀开布帘入来道："这里便是。"押司娘打一看时，却是两个媒人，无非是姓张姓李。押司娘道："婆婆多时不见。"媒婆道："押司娘烦恼，外日不知，不曾送得香纸来，莫怪则个！押司如今也死得几时？"答道："前日已做过百日了。"两个道："好快！早是百日了。押司在日，直恁地好人，有时老媳妇和他厮叫，还喏不迭。时今死了许多时，宅中冷静，也好说头亲事，是得。"押司娘道："何年月日再生得一个一似我那丈夫孙押司这般人？"媒婆道："恁地也不难，老媳妇却有一头好亲。"押司娘道："且住，如何得似我先头丈夫？"两个吃了茶，归去。过了数日，又来说亲。押司娘道："婆婆休只管来说亲。你若依得我三件事，便来说。若依不得我，一世不说这亲，宁可守孤孀度日。"当时押司娘启齿张舌，说出这三件事来。有分撞着五百年前夙世的冤家，双双受国家刑法。正是：

鹿迷秦相应难辨，蝶梦庄周未可知。

媒婆道："却是那三件事？"押司娘道："第一件，我死的丈夫姓孙，如今也要嫁个姓孙的；第二件，我先丈夫是奉符县里第一名押司，如今也只要恁般职役的人；第三件，不嫁出去，则要他入舍。"两个听得说，道："好也！你说要嫁个姓孙的，也要一似先押司职役的，教他入舍的。若是说别件事，还费些计较，偏是这三件事，老媳妇都依得。好教押司娘得知，先押司是奉符县里第一名押司，唤做大孙押司。如今来说亲的，元是奉符县第二名押司。如今死了大孙押司，钻上差役，做第一名押司，唤做小孙押司。他也肯来入舍。我教押司娘嫁这小孙押司，是肯也不？"押司娘道："不信有许多凑巧！"张媒道："老媳妇今年七十二岁了。若胡说时，变做七十二只雌狗，在押司娘家吃屎。"押司娘道："果然如此，烦婆婆且去说看，不知缘分如何？"张媒道："就今日好日，讨一个利市团圆吉帖。"押司娘道："却不曾买在家里。"李媒道："老媳妇这里有。"便从抹胸内取出一幅五男二女花笺纸来，正是：

雪隐鹭鸶飞始见，柳藏鹦鹉语方知。

当日押司娘教迎儿取将笔砚来，写了帖子，两个媒婆接去。免不得下财纳礼，往来传话。不上两月，入舍小孙押司在家。夫妻两个，好一对儿，果是说得着。

不则一日，两口儿吃得酒醉，教迎儿做些个醒酒汤来吃。迎儿去厨下一头烧火，口里埋冤道："先的押司在时，恁早晚，我自睡了。如今却教我做醒酒汤！"只见火筒塞住了孔，烧不着，迎儿低着头，把火筒去灶床脚上敲。

敲未得几声，则见灶床脚渐渐起来，离地一尺已上，见一人顶着灶床，胈项上套着井栏，披着一带头发，长伸着舌头，眼里滴出血来，叫道："迎儿，与爹爹做主则个！"唬得迎儿大叫一声，匹然倒地，面皮黄，眼无光，唇口紫，指甲青，未知五脏如何，先见四肢不举。正是：

身如五鼓衔山月，命似三更油尽灯。

夫妻两人急来救得迎儿苏醒，讨些安魂定魄汤与他吃了。问道："你适来见了甚么，便倒了？"迎儿告妈妈："却才在灶前烧火，只见灶床渐渐起来，见先押司爹爹，胈项上套着井栏，眼中滴出血来，披着头发，叫声迎儿，便吃惊倒了。"押司娘见说，倒把迎儿打个漏风掌："你这丫头，教你做醒酒汤，则说道懒做便了，直装出许多死模活样！莫做莫做，打灭了火去睡！"迎儿自去睡了。

且说夫妻两个归房，押司娘低低叫道："二哥，这丫头见这般事，不中用，教他离了我家罢。"小孙押司道："却教他那里去？"押司娘道："我自有个道理。"到天明，做饭吃了，押司自去官府承应。押司娘叫过迎儿来道："迎儿，你在我家里也有七八年，我也看你在眼里，如今比不得先押司在日做事。我看你肚里莫是要嫁个老公？如今我与你说头亲。"迎儿道："那里敢指望，却教迎儿嫁兀谁？"押司娘只因教迎儿嫁这个人，与大孙押司索了命。正是：

风定始知蝉在树，灯残方见月临窗。

当时不由迎儿做主，把来嫁了一个人。那厮姓王名兴，浑名唤做王酒酒，又吃酒，又要赌。迎儿嫁将去，那得三个月，把房卧都费尽了。那厮吃得醉，走来家把迎儿骂道："打脊贱人！见我恁般苦，不去问你使头借三五百钱来做盘缠？"迎儿吃不得这厮骂，把裙儿系了腰，一程走来小孙押司家中。押司娘见了道："迎儿，你自嫁了人，又来说甚么？"迎儿告妈妈："实不敢瞒，迎儿嫁那厮不着，又吃酒，又要赌。如今未得三个月，有些房卧，都使尽了。没计奈何，告妈妈借换得三五百钱，把来做盘缠。"押司娘道："迎儿，你嫁人不着，是你的事。我今与你一两银子，后番却休要来。"迎儿接了银子，谢了妈妈归家。那得四五日，又使尽了。

当日天色晚，王兴那厮吃得酒醉，走来看着迎儿道："打脊贱人，你见恁般苦，不去再告使头则个？"迎儿道："我前番去，借得一两银子，吃尽千言万语，如今却教我又怎地去？"王兴骂道："打脊贱人！你若不去时，打折你一只脚！"迎儿吃骂不过，只得连夜走来孙押司门首看时，门却关了。迎儿欲待敲门，又恐怕他埋怨，进退两难，只得再走回来。过了两三家人家，只见一个人道："迎儿，我与你一件物事。"只因这个人身上，我只替押司娘和小孙押司烦恼！正是：

龟游水面分开绿，鹤立松梢点破青。

迎儿回过头来看那叫的人，只见人家屋檐头一个人，舒角幞头，绯袍角带，抱着一骨碌文字，低声叫道："迎儿，我是你先的押司。如今见在一个去处，未敢说与你知道。你把手来，我与你一件物事。"迎儿打一接，接了这件物事，随手不见了那个绯袍角带的人。迎儿看那物事时，却是一包碎银子。

迎儿归到家中敲门，只听得里面道："姐姐，你去使头家里，如何恁早晚才回。"迎儿道："好教你知，我去妈妈家借米，他家关了门。我又不敢敲，怕吃他埋怨。再走回来，只见人家屋檐头立着先的押司，舒角幞头，绯袍角带，与我一包银子在这里。"王兴听说道："打脊贱人！你却来我面前说鬼话！你这一包银子，来得不明，你且进来。"迎儿入去，王兴道："姐姐，你寻常说那灶前看见先押司的话，我也都记得。这事一定有些蹊跷。我却怕邻舍听得，故恁地如此说。你把银子收好，待天明去县里首告他。"正是：

着意种花花不活，等闲插柳柳成荫。

王兴到天明时，思量道："且住，有两件事告首不得。第一件，他是县里头名押司，我怎敢恶了他！第二件，却无实迹，连这些银子也待入官，却打没头脑官司。不如赎几件衣裳，买两个盒子送去孙押司家里，到去谒索他则个。"计较已定，便去买下两个盒子送去。两人打扮身上干净，走来孙押司家。押司娘看见他夫妻二人，身上干净，又送盒子来，便道："你那得钱钞？"王兴道："昨日得押司一件文字，撰得有二两银子，送些盒子来。如今也不吃酒，也不赌钱了。"押司娘道："王兴，你自归去，且教你老婆在此住两日。"王兴去了，押司娘对着迎儿道："我有一柱东峰岱岳愿香要还，我明日同你去则个。"当晚无话。

明早起来，梳洗罢，押司自去县里去。押司娘锁了门，和迎儿同行。到东岳庙殿上烧了香，下殿来去那两廊下烧香。行到速报司前，迎儿裙带系得松，脱了裙带。押司娘先行过去。迎儿正在后面系裙带，只见速报司里，有个舒角幞头、绯袍角带的判官，叫："迎儿，我便是你先的押司。你与我申冤则个！我与你这件物事。"迎儿接得物事在手，看了一看，道："却不作怪！泥神也会说起话来！如何与我这物事。"正是：

开天辟地罕曾闻，从古至今希得见。

迎儿接得来，慌忙揣在怀里，也不敢说与押司娘知道。当日烧了香，各自归家。把上项事对王兴说了。王兴讨那物事看时，却是一幅纸。上写道：

大女子，小女子，前人耕来后人饵。要知三更事，掇开火下水。来年二三月，"句已"当解此。

王兴看了解说不出，分付迎儿不要说与别人知道，看来年二三月间有甚么事。

捻指间，到来年二月间，换个知县，是庐州金斗城人，姓包名拯，就是今人传说有名的包龙图相公。——他后来官至龙图阁学士，所以叫做包龙图。——此时做知县还是初任。那包爷自小聪明正直，做知县时，便能剖人间暖昧之情，断天下狐疑之狱。到任三日，未曾理事。夜间得其一梦，梦见自己坐堂，堂上贴一联对子：

要知三更事，掇开火下水。

包爷次日早堂，唤合当吏书，将这两句教他解说，无人能识。包公讨白牌一面，将这一联楷书在上。却就是小孙押司动笔。写毕，包公将朱笔判在后面："如有能解此语者，赏银十两。"将牌挂于县门，烘动县前县后，官身私身，挨肩擦背，只为贪那赏物，都来赌先争看。

却说王兴正在县前买枣糕吃，听见人说知县相公挂一面白牌出来，牌上有二句言语，无人解得。王兴走来看时，正是速报司判官一幅纸上写的话。暗地吃了一惊："欲要出首，那新知县相公，是个古怪的人，怕去惹他。欲待不说，除了我，再无第二个人晓得这二句话的来历。"买了枣糕回去，与浑家说知此事。迎儿道："先押司三遍出现，教我与他申冤，又白白里得了他一包银子。若不去出首，只怕鬼神见责。"王兴意犹不决。再到县前，正遇了邻人裴孔目。王兴平昔晓得裴孔目是知事的，一手扯到僻静巷里，将此事与他商议："该出首也不该？"裴孔目道："那速报司这一幅纸在那里？"王兴道："现藏在我浑家衣服箱里。"裴孔目道："我先去与你禀官。你回去取了这幅纸，带到县里。待知县相公唤你时，你却拿将出来，做个证见。"当下王兴去了。裴孔目候包爷退堂，见小孙押司不在左右，就跪将过去，禀道："老爷白牌上写这二句，只有邻舍王兴晓得来历。他说是岳庙速报司与他一幅纸，纸上还写许多言语，内中却有这二句。"包爷问道："王兴如今在那里？"裴孔目道："已回家取那一幅纸去了。"包爷差人速拿王兴回话。

却说王兴回家，开了浑家的衣箱，检那幅纸出来看时，只叫得苦，原来是一张素纸，字迹全无。不敢到县里去，怀着鬼胎，躲在家里。知县相公的差人到了，新官新府，如火之急，怎好推辞。只得带了这张素纸，随着公差进县，直至后堂。包爷屏去左右，只留裴孔目在傍。包爷问王兴道："裴某说你在岳庙中收得一幅纸，可取上来看。"王兴连连叩头禀道："小人的妻子，去年在岳庙烧香，走到速报司前，那神道出现，与他一幅纸。纸上写着一篇说话，中间其实有老爷白牌上写的两句。小的把来藏在衣箱里。方才去检看，变了一张素纸。如今这素纸见在，小人不敢说谎。"包爷取纸上来看了，问道："这一篇言语，你可记得？"王兴道："小人还记得。"即时念与包爷听了。

包爷将纸写出，仔细推详了一会，叫：“王兴，我且问你，那神道把这一幅纸与你的老婆，可再有甚么言语分付？”王兴道：“那神道只叫与他申冤。”包爷大怒，喝道：“胡说！做了神道，有甚冤没处申得！偏你的婆娘会替他申冤？他到来央你！这等无稽之言，却哄谁来！”王兴慌忙叩头道：“老爷，是有个缘故。”包爷道：“你细细讲。讲得有理，有赏；如无理时，今日就是你开棒了。”王兴禀道：“小人的妻子，原是伏侍本县大孙押司的，叫做迎儿。因算命的算那大孙押司其年其月其日三更三点命里该死，何期果然死了。主母随了如今的小孙押司，却把这迎儿嫁出与小人为妻。小人的妻子，初次在孙家灶下，看见先押司现身。项上套着井栏，披发吐舌，眼中流血，叫道：‘迎儿，可与你爹爹做主。’第二次夜间到孙家门首，又遇见先押司，舒角幞头，绯袍角带，把一包碎银，与小人的妻子。第三遍岳庙里速报司判官出现，将这一幅纸与小人的妻子，又嘱付与他申冤。那判官的模样，就是大孙押司，原是小人妻子旧日的家长。”

包爷闻言，呵呵大笑：“原来如此！”喝教左右去拿那小孙押司夫妇二人到来：“你两个做得好事！”小孙押司道：“小人不曾做甚么事。”包爷将速报司一篇言语解说出来：“‘大女子，小女子，’女之子，乃外孙；是说外郎姓孙，分明是大孙押司，小孙押司；‘前人耕来后人饵’，饵者食也，是说你白得他的老婆，享用他的家业；‘要知三更事，掇开火下水’，大孙押司死于三更时分，要知死的根由，‘掇开火下之水，’那迎儿见家长在灶下，披发吐舌，眼中流血，此乃勒死之状。头上套着井栏，井者水也，灶者火也。水在火下，你家灶必砌在井上。死者之尸，必在井中。‘来年二三月’，正是今日。‘句已当解此’，‘句已’两字，合来乃是个包字，是说我包某今日到此为官，解其语意，与他雪冤。”喝教左右同王兴押着小孙押司，到他家灶下，不拘好歹，要勒死的尸首回话。

众人似疑不信，到孙家发开灶床脚，地下是一块石皮。揭起石皮，是一口井。唤集土工，将井水吊干，络了竹篮，放人下去打捞，捞起一个尸首来。众人齐来认看，面色不改，还有人认得是大孙押司，项上果有勒帛。小孙押司唬得面如土色，不敢开口。众人俱各骇然。

原来这小孙押司当初是大雪里冻倒的人。当时大孙押司见他冻倒，好个后生，救他活了，教他识字，写文书。不想浑家与他有事。当日大孙押司算命回来时，恰好小孙押司正闪在他家。见说三更前后当死，趁这个机会，把酒灌醉了，就当夜勒死了大孙押司，撺在井里。小孙押司却掩着面走去，把一块大石头漾在奉符县河里，扑通地一声响，当时只道大孙押司投河死了。后来却把灶来压在井上。次后说成亲事。当下众人回覆了包爷。押司和押司娘不打自招，双双的问成死罪，偿了大孙押司之命。包爷不失信于小民，将十两银子赏与王兴，王兴把三两谢了裴孔目，不在话下。

包爷初任，因断了这件公事，名闻天下。至今人说包龙图，日间断人，夜间断鬼。有诗为证：

诗句藏谜谁解明，包公一断鬼神惊。

寄声暗室亏心者，莫道天公鉴不清。

第十四卷
一窟鬼癞道人除怪

杏花过雨，渐残红零落胭脂颜色。流水飘香，人渐远，难托春心脉脉。恨别王孙，墙阴目断，谁把青梅摘？金鞍何处？绿杨依旧南陌。　消散云雨须臾，多情因甚有轻离轻拆。燕语千般，争解说些子伊家消息。厚约深盟，除非重见，见了方端的。而今无奈，寸肠千恨堆积。

这只词名唤做《念奴娇》，是一个赴省士人，姓沈名文述所作，原来皆是集古人词章之句。如何见得？从头与各位说开——

第一句道："杏花过雨。"陈子高曾有《寒食词》，寄《谒金门》：

柳丝碧，柳下人家寒食。莺语匆匆花寂寂，玉阶春草湿。　闲凭熏笼无力，心事有谁知得？檀炷绕窗背壁，杏花残雨滴。

第二句道："渐残红零落胭脂颜色。"李易安曾有《暮春词》，寄《品令》：

零落残红，似胭脂颜色。一年春事，柳飞轻絮，笋添新竹。寂寞，幽对小园嫩绿。　登临未足，怅游子归期促。他年清梦，千里犹到城阴溪曲。应有凌波，时为故人凝目。

第三句道："流水飘香。"延安李氏曾有《春雨词》，寄《浣溪沙》：

无力蔷薇带雨低，多情蝴蝶趁花飞，流水飘香乳燕啼。　南浦魂消春不管，东阳衣减镜先知，小楼今夜月依依。

第四句道："人渐远，难托春心脉脉。"宝月禅师曾有《春词》，寄《柳梢青》：

脉脉春心，情人渐远，难托离愁。雨后寒轻，风前香软，春在梨花。　行人倚棹天涯，酒醒处残阳乱鸦。门外秋千，墙头红粉，深院谁家？

第五句第六句道："恨别王孙，墙阴目断。"欧阳永叔曾有《清明词》，寄《一斛珠》：

伤春怀抱，清明过后莺花好。劝君莫向愁人道，又被香轮辗破青青草。　　夜来风月连清晓，墙阴目断无人到。恨别王孙愁多少，犹顿春寒未放花枝老。

第七句道："谁把青梅摘。"晁无咎曾有《春词》，寄《清商怨》：

风摇动，雨濛松，翠条柔弱花头重。春衫窄，娇无力，记得当初，共伊把青梅来摘。　　都如梦，何时共？可怜敧损钗头凤！关山隔，暮云碧，燕子来也，全然又无些子消息。

第八句第九句道："金鞍何处？绿杨依旧南陌。"柳耆卿曾有《春词》，寄《清平乐》：

阴晴未定，薄日烘云影。金鞍何处寻芳径？绿杨依旧南陌静。　　厌厌几许春情，可怜老去难成！看取镊残霜鬓，不随芳草重生。

第十句道："消散云雨须臾。"晏叔原曾有《春词》，寄《虞美人》：

飞花自有牵情处，不向枝边住。晓风飘薄已堪愁，更伴东流流水过秦楼。　　消散须臾云雨怨，闲倚阑干见。远弹双泪湿香红，暗恨玉颜光景与花同。

第十一句道："多情因甚有轻离轻拆。"魏夫人曾有《春词》，寄《卷珠帘》：

记得来时春未暮，执手攀花，袖染花梢露。暗卜春心共花语，争寻双朵争先去。　　多情因甚相辜负？有轻拆轻离，向谁分诉？泪湿海棠花枝处，东君空把奴分付。

第十二句道："燕语千般。"康伯可曾有《春词》，寄《减字木兰花》：

杨花飘尽，云压绿阴风乍定。帘幕闲垂，弄语千般燕子飞。　　小楼深静，睡起残妆犹未整。梦不成归，泪滴斑斑金缕衣。

第十三句道："争解说些子伊家消息。"秦少游曾有《春词》，寄《夜游宫》：

何事东君又去？空满院落花飞絮。巧燕呢喃向人语，何曾解说伊家些子？　　况是伤心绪，念个人儿成睽阻。一觉相思梦回处，连宵雨。更那堪，闻杜宇！

第十四句第十五句道："厚约深盟，除非重见。"黄鲁直曾有《春词》，寄《捣练子》：

梅凋粉，柳摇金，微雨轻风敛陌尘。厚约深盟何处诉？除非重见那人人。

第十六句道："见了方端的。"周美成曾有《春词》，寄《滴滴金》：

梅花漏泄春消息，柳丝长，草芽碧；不觉星霜鬓白，念时光堪惜！　　兰堂把酒思佳客，黛眉颦，愁春色。音书千里相疏隔，见了方端的。

第十七句第十八句道：“而今无奈，寸肠千恨堆积。”欧阳永叔曾有词寄《蝶恋花》：

帘幕东风寒料峭，雪里梅花先报春来早。而今无奈寸肠思，堆积千愁空懊恼。　　旋暖金炉薰兰澡，闷把金刀剪彩呈纤巧。绣被五更香睡好，罗帏不觉纱窗晓。

话说沈文述是一个士人；自家今日也说一个士人，因来行在临安府取选，变做十数回蹊蹊作怪的小说。我且问你：这个秀才姓甚名谁？却说绍兴十年间，有个秀才，是福州威武军人，姓吴名洪。离了乡里，来行在临安府求取功名，指望：

一举首登龙虎榜，十年身到凤凰池。

争知道时运未至，一举不中。吴秀才闷闷不已，又没甚么盘缠，也自羞归故里，且只得胡乱在今时州桥下开一个小小学堂度日。等待后三年，春榜动，选场开，再去求取功名。逐月却与几个小男女打交。捻指开学堂后，也有一年之上。也罪过那街上人家，都把孩儿们来与他教训，颇自有些趱足。

当日正在学堂里教书，只听得青布帘儿上铃声响，走将一个人入来。吴教授看那入来的人，不是别人，却是半年前搬去的邻舍王婆。原来那婆子是个撮合山，专靠做媒为生。吴教授相揖罢，道：“多时不见，而今婆婆在那里住？”婆子道：“只道教授忘了老媳妇，如今老媳妇在钱塘门里沿城住。”教授问：“婆婆高寿？”婆子道：“老媳妇犬马之年七十有五。教授青春多少？”教授道：“小子二十有二。”婆子道：“教授方才二十有二，却像三十以上人。想教授每日价费多少心神！据老媳妇愚见，也少不得一个小娘子相伴。”教授道：“我这里也几次问人来，却没这般头脑。”婆子道：“这个‘不是冤家不聚会’。好教官人得知，却有一头好亲在这里。一千贯钱房卧，带一个从嫁，又好人材。却有一床乐器都会，又写得算得。又是咋嗻大官府第出身。只要嫁个读书官人。教授却是要也不？”教授听得说罢，喜从天降，笑逐颜开，道：“若还真个有这人时，可知好哩！只是这个小娘子如今在那里？”婆子道：“好教教授得知：这个小娘子，从秦太师府三通判位下出来，有两个月，不知放了多少帖子。也曾有省、部、院里当职事的来说他；也曾有内诸司当差的来说他；也曾有门面铺席人来说他。只是高来不成，低来不就。小娘子道：‘我只要嫁个读书官人。’更兼又没有爹娘，只有个从嫁，名唤锦儿。因他一床乐器都会，一府里人都叫做李乐娘，见今在白雁池一个旧邻舍家里住。……”

两个兀自说犹未了，只见风吹起门前布帘儿来，一个人从门首过去。王婆道："教授，你见过去的那人么？便是你有分取他做浑家……"王婆出门赶上，那人不是别人，便是李乐娘在他家住的，姓陈，唤做陈干娘。王婆厮赶着入来，与吴教授相揖罢。王婆道："干娘，宅里小娘子说亲成也未？"干娘道："说不得，又不是没好亲来说他，只是吃他执拗的苦，口口声声，只要嫁个读书官人，却又没这般巧。"王婆道："我却有个好亲在这里，未知干娘与小娘子肯也不？"干娘道："却教孩儿嫁兀谁？"王婆指着吴教授道："我教小娘子嫁这个官人，却是好也不好？"干娘道："休取笑，若嫁得这个官人，可知好哩！"吴教授当日一日教不得学，把那小男女早放了，都唱了喏，先归去。教授却把一把锁锁了门，同着两个婆子上街，免不得买些酒相待他们。三杯之后，王婆起身道："教授既是要这头亲事，却问干娘觅一个帖子。"干娘道："老媳妇有在这里。"侧手从抹胸里取出一个帖子来。王婆道："干娘，'真人面前说不得假话，旱地上打不得拍浮。'你便约了一日，带了小娘子和从嫁锦儿来梅家桥下酒店里，等我便同教授来过眼则个。"干娘应允，和王婆谢了吴教授，自去。教授还了酒钱归家，把闲话提过。

到那日，吴教授换了几件新衣裳，放了学生，一程走将来梅家桥下酒店里时，远远地王婆早接见了。两个同入酒店里来。到得楼上，陈干娘接着，教授便问道："小娘子在那里？"干娘道："孩儿和锦儿在东阁儿里坐地。"教授把三寸舌尖舐破窗眼儿，张一张，喝声采，不知高低，道："两个都不是人！"如何不是人？原来见他生得好了，只道那妇人是南海观音；见锦儿是玉皇殿下侍香玉女。恁地道他不是人？看那李乐娘时：

水剪双眸，花生丹脸。云鬓轻梳蝉翼，蛾眉淡拂春山。朱唇缀一颗夭桃，皓齿排两行碎玉。意态自然，迥出伦辈，有如织女下瑶台，浑似嫦娥离月殿。

看那从嫁锦儿时：

眸清可爱，鬓耸堪观！新月笼眉，春桃拂脸。意态幽花未艳，肌肤嫩玉生香。金莲着弓弓扣绣鞋儿，螺髻插短短紫金钗子。如捻青梅窥小俊，似骑红杏出墙头。

自从当日插了钗，离不得下财纳礼，奠雁传书。不则一日，吴教授取过那妇女来。夫妻两个好，说得着：

云淡淡天边鸾凤，水沉沉交颈鸳鸯。

写成今世不休书，结下来生双绾带。

却说一日是月半，学生子都来得早，要拜孔夫子。吴教授道："姐姐，我先起去。"来那灶前过，看那从嫁锦儿时，脊背后披着一带头发，一双眼插将上去，脮项上血污着。教授看见，大叫一声，匹然倒地。即时浑家来救得苏醒，锦儿也来扶起。浑家道："丈夫，你见甚么来？"吴教授是个养家人，不成说道："我见锦儿恁地来？"自己也认做眼花了，只得使个脱空，瞒过道："姐姐，我起来时少着了件衣裳，被冷风一吹，忽然头晕倒了。"锦儿慌忙安排些个安魂定魄汤与他吃罢，自没事了。只是吴教授肚里有些疑惑。

话休絮烦，时遇清明节假，学生子却都不来。教授分付了浑家，换了衣服，出去闲走一遭。取路过万松岭，出今时净慈寺里，看了一会，却待出来。只见一个人看着吴教授唱个喏，教授还礼不迭。却不是别人，是净慈寺对门酒店里量酒，说道："店中一个官人，教男女来请官人！"吴教授同量酒入酒店来时，不是别人，是王七府判儿，唤做王七三官人。两个叙礼罢，王七三官人道："适来见教授，又不敢相叫，特地教量酒来相请。"教授道："七三官人如今那里去？"王七三官人口里不说，肚里思量："吴教授新娶一个老婆在家不多时，你看我消遣他则个。"道："我如今要同教授去家里坟头走一遭，早间看坟的人来说道：'桃花发，杜酝又熟。'我们去那里吃三杯。"教授道："也好。"

两个出那酒店，取路来苏公堤上，看那游春的人，真个是：

> 人烟辐辏，车马骈阗。只见和风扇景，丽日增明。流莺啭绿柳阴中，粉蝶戏奇花枝上。管弦动处，是谁家舞榭歌台？语笑喧时，斜侧傍春楼夏阁。香车竞逐，玉勒争驰。白面郎敲金镫响，红妆人揭绣帘看。

南新路口讨一只船，直到毛家步上岸，迤逦过玉泉龙井。王七三官人家里坟，直在西山驼献岭下。好座高岭！下那岭去，行过一里，到了坟头。看坟的张安接见了。王七三官人即时叫张安安排些点心酒来。侧首一个小小花园内，两个入去坐地。又是自做的杜酝，吃得大醉。看那天色时，早已：

> 红轮西坠，玉兔东生。佳人秉烛归房，江上渔人罢钓。渔父卖鱼归竹径，牧童骑犊入花村。

天色却晚，吴教授要起身，王七三官人道："再吃一杯，我和你同去。我们过驼献岭、九里松路上，妓弟人家睡一夜。"吴教授口里不说，肚里思量："我新娶一个老婆在家里，乾颡我一夜不归去，我老婆须在家等，如何是好？便是这时候去赶钱塘门，走到那里，也关了。"只得与王七三官人手厮挽着，上驼献岭来。你道事有凑巧，物有故然，就那岭上，云生东北，雾长西南，下一阵大雨。果然是银河倒泻，沧海盆倾，好阵大雨！且是没躲处，冒着雨又行了数十步，见一个小小竹门楼。王七三官人道："且在这里躲一躲。"不是来门楼下躲雨，却是：

> 猪羊走入屠宰家，一脚脚来寻死路。

两个奔来躲雨时，看来却是一个野墓园。只那门前一个门楼儿，里面都没甚么屋宇。石坡上两个坐着，等雨住了行。正大雨下，只见一个人貌类狱子院家打扮，从隔壁竹篱笆里跳入墓园，走将去墓堆子上叫道："朱小四，你这厮有人请唤，今日须当你这厮出头。"墓堆子里谩应道："阿公，小四来也。"不多时，墓上土开，跳出一个人来，狱子厮赶着了自去。吴教授和王七三官人见了，背膝展展，两股不摇而自颤。看那雨却住了，两个又走。地下又滑，肚里又怕，心头一似小鹿儿跳，一双脚一似斗败公鸡，后面一似千军万马赶来，再也不敢回头。行到山顶上，侧着耳朵听时，空谷传声，听得林子里面断棒响。不多时，则见狱子驱将墓堆子里跳出那个人来。两个见了又走，岭侧首却有一个败落山神庙，入去庙里，慌忙把两扇庙门关了。两个把身躯抵着庙门，真个气也不敢喘，屁也不敢放。听那外边时，只听得一个人声唤过去，道："打杀我也！"一个人道："打脊魍魉，你这厮许了我人情，又不还我，怎的不打你?"王七三官人低低说与吴教授道："你听得外面过去的，便是那狱子和墓堆里跳出来的人！"两个在里面颤做一团。吴教授却埋怨王七三官人道："你没事教我在这里受惊受怕，我家中浑家却不知怎地盼望?……"

兀自说言未了，只听得外面有人敲门，道："开门则个！"两个问道："你是谁?"仔细听时，却是妇女声音，道："王七三官人好也！你却将我丈夫在这里一夜，直教我寻到这里！锦儿，我和你推开门儿，叫你爹爹。"吴教授听得外面声音，不是别人，"是我浑家和锦儿，怎知道我和王七三官人在这里？莫教也是鬼?"两个都不敢则声。只听得外面说道："你不开庙门，我却从庙门缝里钻入来！"两个听得恁地说，日里吃的酒，都变做冷汗出来。只听得外面又道："告妈妈，不是锦儿多口，不如妈妈且归，明日爹爹自归来。"浑家道："锦儿，你也说得是，我且归去了，却理会。"却叫道："王七三官人，我且归去，你明朝却送我丈夫归来则个。"两个那里敢应他。妇女和锦儿说了自去。

王七三官人说："吴教授，你家里老婆和从嫁锦儿，都是鬼。这里也不是人去处，我们走休。"拔开庙门看时，约莫是五更天气，兀自未有人行。两个下得岭来，尚有一里多路，见一所林子里，走出两个人来。上手的是陈干娘，下手的是王婆，道："吴教授，我们等你多时，你和王七三官人却从那里来?"吴教授和王七三官人看见道："这两个婆子也是鬼了，我们走休！"——真个便是獐奔鹿跳，猿跃鹘飞，下那岭来。后面两个婆子，兀自慢慢地赶来。

"一夜热乱，不曾吃一些物事，肚里又饥，一夜见这许多不祥，怎地得个生人来冲一冲！"正恁地说，则见岭下一家人家，门前挂着一枝松柯儿，王七三官人道："这里多则是卖茅柴酒，我们就这里买些酒吃了助威，一道躲那两个婆子。”恰待奔入这店里来，见个男女：头上裹一顶牛胆青头巾，身上裹一条猪肝赤肚带，旧瞒裆裤，脚下草鞋。王七三官人道：“你这酒怎地卖?”只见那汉道：“未有汤哩。”吴教授道：“且把一碗冷的来!”只见那人也不则声，也不则气。王七三官人道：“这个开酒店的汉子又尴尬，也是鬼了!我们走休。……”兀自说未了，就店里起一阵风：

非干虎啸，不是龙吟。明不能谢柳开花，暗藏着山妖水怪。吹开地狱门前土，惹引酆都山下尘。

风过处，看时，也不见了酒保，也不见有酒店，两个立在墓堆子上。唬得两个魂不附体，急急取路到九里松麯院前讨了一只船，直到钱塘门，上了岸。王七三官人自取路归家。

吴教授一径先来钱塘门城下王婆家里看时，见一把锁锁着门。问那邻舍时，道：“王婆自死五个月有零了。”唬得吴教授目睁口呆，罔知所措。一程离了钱塘门，取今时景灵宫贡院前，过梅家桥，到白雁池边来。问到陈干娘门首时，十字儿竹竿封着门，一碗官灯在门前。上面写着八个字道：“人心似铁，官法如炉。”问那里时，“陈干娘也死一年有馀了。”离了白雁池，取路归到州桥下，见自己屋里，一把锁锁着门，问邻舍家里：“拙妻和粗婢那里去了?”邻舍道：“教授昨日一出门，小娘子分付了我们，‘自和锦儿往干娘家里去。’直到如今不归。”

吴教授正在那里面面厮觑，做声不得。只见一个瘸道人，看着吴教授道：“观公妖气太重，我与你早早断除，免致后患。”吴教授即时请那道人入去，安排香烛符水。那个道人作起法来，念念有词，喝声道：“疾!”只见一员神将出现：

黄罗抹额，锦带缠腰。皂罗袍袖绣团花，金甲束身微窄地。剑横秋水，靴踏狻猊。上通碧落之间，下彻九幽之地。业龙作祟，向海波水底擒来；邪怪为妖，入山洞穴中捉出。六丁坛畔，权为符吏之名；上帝阶前，次有天丁之号。

神将声喏道：“真君遣何方使令?”真人道：“在吴洪家里兴妖，并驼献岭上为怪的，都与我捉来!”神将领旨，就吴教授家里起一阵风：

无形无影透人怀，二月桃花被绰开。
就地撮将黄叶去，入山推出白云来。

风过处，捉将几个为怪的来。吴教授的浑家李乐娘，是秦太师府三通判位乐娘，因与通判怀身，产亡的鬼；从嫁锦儿，因通判夫人妒色，吃打了一顿，因恁地自割杀，他自是割杀的鬼；王婆是害水蛊病死的鬼；保亲陈干娘，因在白雁池边洗衣裳，落在池里死的鬼；在驼献岭上被狱子叫开墓堆，跳出来的朱小四，在日看坟，害痨病死的鬼；那个岭下开酒店的，是害伤寒死的鬼。

道人一一审问明白，去腰边取出一个葫芦来。人见时，便道是葫芦，鬼见时，便是酆都狱。作起法来，那些鬼个个抱头鼠窜，捉入葫芦中。分付吴教授"把来埋在驼献岭下。"

癞道人将拐杖望空一撇，变做一只仙鹤，道人乘鹤而去。吴教授直下拜道："吴洪肉眼不识神仙，情愿相随出家，望真仙救度弟子则个。"只见道人道："我乃上界甘真人，你原是我旧日采药的弟子。因你凡心不净，中道有退悔之意，因此堕落。今生罚为贫儒，教你备尝鬼趣，消遣色情。你今既已看破，便可离尘办道，直待一纪之年，吾当度汝。"说罢，化阵清风不见了。吴教授从此舍俗出家，云游天下。十二年后，遇甘真人于终南山中，从之而去。诗曰：

一心办道绝凡尘，众魅如何敢触人？
邪正尽从心剖判，西山鬼窟早翻身。

第十五卷 金令史美婢酬秀童

塞翁得马非为吉，宋子双盲岂是凶。
祸福前程如漆暗，但平方寸答天公。

话说苏州府城内有个玄都观，乃是梁朝所建。唐刺史刘禹锡有诗道："玄都观里桃千树"，就是此地。一名为玄妙观。这观踞郡城之中，为姑苏之胜。基址宽敞，庙貌崇宏，上至三清，下至十殿，无所不备。各房黄冠道士，何止数百。内中有个北极真武殿，俗名祖师殿。这一房道士，世传正一道教，善能书符遣将，剖断人间祸福。于中单表一个道士，俗家姓张，手中惯弄一个皮雀儿，人都唤他做张皮雀。其人有些古怪，荤酒自不必说，偏好吃一件东西。是甚东西？

吠月荒村里，奔风腊雪天。
分明一太字，移点在傍边。

他好吃的是狗肉。屠狗店里把他做个好主顾，若打得一只壮狗，定去报他来吃，吃得快活时，人家送得钱来，都把与他，也不算帐。或有鬼祟作耗，求他书符镇宅，遇着吃狗肉，就把箸蘸着狗肉汁，写个符去，教人贴于大门。邻人往往夜见贴符之处，如有神将往来，其祟立止。

有个矫大户家，积年开典获利，感谢天地，欲建一坛斋醮酬答，已请过了清真观里周道士主坛。周道士夸张皮雀之高，矫公亦慕其名，命主管即时相请。那矫家养一只防宅狗，甚是肥壮，张皮雀平昔看在眼里。今番见他相请，说道："你若要我来时，须打这只狗请我，待狗肉煮得稀烂，酒也烫热了，我才到你家里。"

主管回覆了矫公。矫公晓得他是跷蹊古怪的人，只得依允。果然烫热了酒，煮烂了狗肉，张皮雀到门。主人迎入堂中，告以相请之意。堂中香火灯烛，摆得齐整，供养着一堂神道，众道士已起过香头了。张皮雀昂然而入，也不礼神，也不与众道士作揖，口中只叫："快将烂狗肉来吃，酒要热些！"矫公道："且看他吃了酒肉，如何作用。"当下大盘装狗肉，大壶盛酒，摆列张皮雀面前，恣意饮啖。吃得盘无馀骨，酒无馀滴，十分醉饱。叫道："聒噪！"吃得快活，嘴也不抹一抹，望着拜神的铺毡上倒头而睡，鼻息如雷，自酉牌直睡至下半夜。众道士醮事已完，兀自未醒，又不敢去动掸他。矫公等得不耐烦，到埋怨周道士起来。周道士自觉无颜，不敢分辨，想道："张皮雀时常吃醉了一睡两三日不起，今番正不知几时才醒？"只得将表章焚化了，辞神谢将，收拾道场。

弄到五更，众道士吃了酒饭，刚欲告辞，只见张皮雀在拜毡上跳将起来，团团一转，乱叫："十日十日，五日五日。"矫公和众道士见他风了，都走来围着看。周道士胆大，向前抱住，将他唤醒了。口里还叫："五日五日。"周道士问其缘故，张皮雀道："适才表章，谁人写的？"周道士道："是小道亲手缮写的。"张皮雀道："中间落了一字，差了两字。"矫公道："学生也亲口念过几遍，并无差落，那有此活？"张皮雀袖中簌簌响，抽出一幅黄纸来，道："这不是表章？"众人看见，各各骇然道："这表章已焚化了，如何却在他袖中，纸角儿也不动半毫？"仔细再念一遍，到天尊宝号中，果然落了一字，却看不出差处。张皮雀指出其中一联云：

吃亏吃苦，挣来一倍之钱；柰短柰长，仅作千金之子。

"'吃亏吃苦'该写'喫'字，今写'吃'字，是'吃舌'的'吃'字了。'喫'，音'赤'，'吃'音'格'，两音也不同。'柰'字，是'李柰'之'柰'；'奈'字是'奈何'之'奈''耐'字是'耐烦'之'耐'。'柰短柰长'该写'耐烦'的'耐'字，'柰'是果名，借用不得。你欺负上帝不识字么？如今上帝大怒，教我也难处。"

矫公和众道士见了表文，不敢不信，一齐都求告道："如今重修章奏，再建斋坛，不知可否？"张皮雀道："没用，没用！你表文上差落字面还是小事，上帝因你有这道奏章，在天曹日记簿上查你的善恶。你自开解库，为富不仁，轻兑出，重兑入，水丝出，足纹入，兼将解下的珠宝，但拣好的都换了自用。又凡质物值钱者才足了年数，就假托变卖过了，不准赎取。如此刻

剥贫户，以致肥饶。你奏章中全无悔罪之言，多是自夸之语，已命雷部于即日焚烧汝屋，荡毁你的家私。我只为感你一狗之惠，求宽至十日，上帝不允。再三恳告，已准到五日了。你可出个晓字：'凡五日内来赎典者免利，只收本钱。'其向来欺心，换人珠宝，赖人质物，虽然势难吐退，发心喜舍，变卖为修桥补路之费。有此善行，上帝必然回嗔，或者收回雷部，也未可知。"

矫公初时也还有信从之意，听说到"收回雷部，也未可知"，到不免有疑："这风道士必然假托此因，来布施我的财物。难道雷部如此易收易放？"况且掌财的人，算本算利，怎肯放松。口中答应，心下不以为然。张皮雀和众道士辞别自去了。矫公将此话阁起不行。到第五日，解库里火起，前堂后厅，烧做白地。第二日，这些质当的人家都来讨当，又不肯赔偿，结起讼来，连田地都卖了。矫大户一贫如洗。有人知道张皮雀曾预言雷火之期，从此益敬而畏之。

张皮雀在玄都观五十馀年，后因渡钱塘江，风逆难行。张皮雀遣天将打缆，其去如飞。皮雀呵呵大笑，触了天将之怒，为其所击而死。后有人于徽商家扶鸾，皮雀降笔，自称"原是天上苟元帅，尘缘已满，众将请他上天归班，非击死也。"徽商闻真武殿之灵异，舍施千金，于殿前堆一石假山，以为壮观之助。这假山虽则美观，反破了风水，从此本房道侣，更无得道者。诗云：

雷火曾将典库焚，符驱鬼祟果然真。
玄都观里张皮雀，莫道无神也有神。

为何说这张皮雀的话？只为一般有个人家，信了书符召将，险些儿冤害了人的性命。那人姓金名满，也是苏州府昆山县人。少时读书不就，将银援例纳了个令史，就参在本县户房为吏。他原是个乖巧的人，待人接物，十分克己，同役中甚是得合。做不上三四个月令史，衙门上下，没一个不喜欢他。又去结交这些门子，要他在知县相公面前帮衬，不时请他们吃酒，又送些小物事。但遇知县相公比较，审问到夜静更深时，他便留在家中宿歇，日逐打诨。那门子也都感激，在县主面前虽不能用力，每事却也十分周全。时遇五月中旬，金令史知吏房要开各吏送阄库房，思量要谋这个美缺。那库房旧例，一吏轮管两季，任凭县主随意点的。众吏因见是个利薮，人人思想要管。屡屡县主点来，都不肯服；却去上司具呈批准，要六房中择家道殷实老成无过犯的，当堂拈阄，各吏具结申报上司。若新参及役将满者，俱不许阄。然虽如此，其权出在吏房。但平日与吏房相厚的，送些东道，他便混帐开上去，那里管新参，役满，家道殷实不殷实？这叫做官清私暗。

却说金满暗想道："我虽是新参，那吏房刘令史与我甚厚，拚送些东西与他，自然送阄的。若阄得着，也不枉费这一片心机；倘阄不着，却不空丢了银子，又被人笑话？怎得一个必着之策便好！”忽然想起门子王文英，他在衙门有年，甚有见识，何不寻他计较。一径走出县来，恰好县门口就遇着王文英道：“金阿叔，忙忙的那里去？”金满道：“好兄弟，正来寻你说话。”王文英道：“有什么事作成我？”金满道：“我与你坐了方好说。”二人来到侧边一个酒店里坐下，金满一头吃酒，一头把要谋库房的事，说与王文英知道。王文英说：“此事只要吏房开得上去，包在我身上，使你阄着。”金满道：“吏房是不必说了，但当堂拈阄怎么这等把稳？”王文英附耳低言道：“只消如此如此，何难之有！”金满大喜，连声称谢：“若得如此，自当厚谢。”二人又吃了一回，起身会钞而别。

金满回到公廨里买东买西，备下夜饭，请吏房令史刘云到家，将上项事与他说知。刘云应允。金满取出五两银子，送与刘云道：“些小薄礼，先送阿哥买果吃，待事成了，再找五两。”刘云假意谦让道：“自己弟兄，怎么这样客气？”金满道：“阿哥从直些罢，不嫌轻，就是阿哥的盛情了。”刘云道：“既如此，我权收去再处。”把银袖了。摆出果品肴馔，二人杯来盏去，直饮至更深而散。

明日，有一令史察听了些风声，拉了众吏与刘云说：“金某他是个新参，未及半年，怎么就想要做库房？这个定然不成的。你要开只管开，少不得要当堂禀的，恐怕连你也没趣。那时却不要见怪！”刘云道：“你们不要乱嚷，凡事也要通个情。就是他在众人面上，一团和气，并无一毫不到之处，便开上去难道就是他阄着了？这是落得做人情的事。若去一禀，朋友面上又不好看，说起来只是我们薄情。”又一个道：“争名争利，顾得什么朋友不朋友，薄情不薄情。”刘云道：“嗳！不要与人争，只去与命争。是这样说，明日就是你阄着便好；若不是你，连这几句话也是多的，还要算长。”内中有两个老成的，见刘云说得有理，便道：“老刘，你的话虽是，但他忒性急了些。就是做库房，未知是祸是福，直等结了局，方才见得好歹。什么正经？做也罢，不做也罢，不要闲争，各人自去干正事。”遂各散去。金满闻得众人有言，恐怕不稳，又去揭债，央本县显要士夫，写书嘱托知县相公，说他“老成明理，家道颇裕，诸事可托”。这分明是叫把库房与他管，但不好明言耳。

话休烦絮，到拈阄这日，刘云将应阄各吏名字，开列一单，呈与知县相公看了。唤里书房一样写下条子，又呈上看罢，命门子乱乱的总做一堆，然后唱名取阄。那卷阄传递的门子，便是王文英，已作下弊。金满一手拈起，扯开，恰好正是。你道当堂拈阄，怎么作得弊？原来刘云开上去的名单，却从吏、户、礼、兵、刑、工挨次写的。吏房也有管过的，也有役满快的，已不在数内。金满是户房司吏，单上便是第一名了。那王文英卷阄的时节，已做下暗号，金满第一个上去拈时，却不似易如反掌！众人那知就里，正是：

随你官清似水，难逃吏滑如油。

当时众吏见金满阄着，都跪下禀说："他是个新参，尚不该阄库。况且钱粮干系，不是小事，俱要具结申报上司的。若是金满管了库，众吏不敢轻易执结的。"县主道："既是新参，就不该开在单上了。"众吏道："这是吏房刘云得了他贿赂，混开在上面的。"县主道："吏房既是混开，你众人何不先来禀明，直等他阄着了方来禀话？明明是个妒忌之意。"众人见本官做了主，谁敢再道个不字，反讨了一场没趣。县主落得在乡官面上做个人情，又且当堂阄着，更无班驳。那些众吏虽怀妒忌，无可奈何，做好做歉的说发金满备了一席戏酒，方出结状，申报上司，不在话下。

且说金满自六月初一交盘，上库接管，就把五两银子谢了刘云。那些门子因作弊成全了他，当做恩人相看，比前愈加亲密。他虽则管了库，正在农忙之际，诸事俱停，那里有什么钱粮完纳。到七八月里，却又个把月不下雨，做了个秋旱。虽不至全灾，却也是个半荒，乡间人纷纷的都来告荒。知县相公只得各处去踏勘，也没甚大生意。眼见得这半年库房，扯得直就勾了。

时光迅速，不觉到了十一月里，钦天监奏准本月十五日月蚀，行文天下救护。本府奉文，帖下属县。是夜，知县相公聚集僚属师生僧道人等，在县救护，旧例库房备办公宴，于后堂款待众官。金满因无人相帮，将银教厨夫备下酒席，自已却不敢离库。转央刘云及门子在席上点管酒器，支持诸事。众官不过拜几拜，应了故事，都到后堂饮酒。只留这些僧道在前边打一套铙钹，吹一番细乐，直闹到四更方散。刚刚收拾得完，恰又报新按院到任。县主急忙忙下船，到府迎接。又要支持船上，往还供应，准准的一夜眼也不合。

天明了，查点东西时，不见了四锭元宝。金满自想："昨日并不曾离库，有谁人用障眼法偷去了？只恐怕还失落在那里。"各处搜寻，那里见个分毫。着了急，连声叫苦道："这般晦气，却失了这二百两银子，如今把什么来赔补？若不赔时，一定经官出丑，如何是好！"一头叫言，一边又重新寻起，就把这间屋翻转来，何尝有个影儿？慌做一堆，正没理会。那时外边都晓得库里失了银子，尽来探问，到拌得口干舌碎。内中单喜欢得那几个不容他管库的令史，一味说清话，做鬼脸，喜谈乐道。正是：

幸灾乐祸千人有，替力分忧半个无！

过了五六日，知县相公接了按院，回到县里，金满只得将此事禀知县主。县主还未开口，那几个令史在傍边，你一嘴，我一句，道："自已管库没了银子，不去赔补，到对老爷说，难道老爷赔不成？"县主因前番阄库时，有些偏护了金满，今日没了银子，颇有赧容，喝道："库中是你执掌，又没闲人到来，怎么没了银子？必竟将去嫖赌花费了，在此支吾。今且饶你的打，限十日内将银补库，如无，定然参究。"

金满气闷闷地，走出县来。即时寻县中阴捕商议。——江南人说阴捕，就是北方叫番子手一般。其在官有名者谓之官捕，帮手谓之白捕。——金令史不拘官捕、白捕，都邀过来，到酒店中吃三杯。说道："金某今日劳动列位，非为己私，四锭元宝寻常人家可有？不比散碎的好用，少不得败露出来。只要列位用心，若缉访得实，拿获赃盗时，小子愿出白金二十两酬劳。"捕人齐答应道："当得，当得！"一日三，三日九，看看十日限足，捕人也吃了几遍酒水，全无影响。知县相公叫金满问："银子有了么？"金满禀道："小的同捕人缉访，尚无踪迹。"知县喝道："我限你十日内赔补，那等得你缉访！"叫左右："揣下去打！"金满叩头求饶，道："小的愿赔，只求老爷再宽十日，容变卖家私什物。"知县准了转限。

金满管库又不曾趁得几多东西，今日平白地要赔这二百两银子，甚费措置。家中首饰衣服之类，尽数变卖也还不勾。身边畜得一婢，小名金杏，年方一十五岁，生得甚有姿色：

鼻端面正，齿白唇红，两道秀眉，一双娇眼。鬓似乌云发委地，手如尖笋肉凝脂。分明豆蔻尚含香，疑似夭桃初发蕊。

金令史平昔爱如己女，欲要把这婢子来出脱，思想再等一二年，遇个贵人公子，或小妻，或通房，嫁他出去，也讨得百来两银子。如今忙不择价，岂不可惜。左思右想，只得把住身的几间房子，权解与人。将银子凑足二百两之数，倾成四个元宝，当堂兑准，封贮库上。分付他："下次小心。"

金令史心中好生不乐，把库门锁了，回到公廨里，独坐在门首，越想越恼。着甚来由，用了这主屈财，却不是青白晦气！正纳闷间，只见家里小厮叫做秀童，吃得半醉，从外走来。见了家长，倒退几步。金令史骂道："蠢奴才，家长气闷，你到快活吃酒？我手里没钱使用，你到有闲钱买酒吃？"秀童道："我见阿爹两日气闷，连我也不喜欢。常听见人说酒可忘忧，身边偶然积得几分银子，买杯中物来散闷。阿爹若没钱买酒时，我还馀得有一壶酒钱，在店上，取来就是。"金令史喝道："谁要你的吃！"原来苏州有件风俗，大凡做令史的，不拘内外人都称呼为"相公"。秀童是九岁时卖在金家的，自小抚养，今已二十馀岁，只当过继的义男，故称"阿爹"。那秀童要取壶酒与阿爹散闷，是一团孝顺之心。谁知人心不同，到挑动了家长的一个机括，险些儿送了秀童的性命。正是：

老龟烹不烂，移祸于枯桑。

当时秀童自进去了。金令史蓦然想道："这一夜眼也不曾合，那里有外人进来偷了去？只有秀童拿递东西，进来几次，难道这银子是他偷了？"又想道："这小厮自幼跟随奔走，甚是得力，从不见他手脚有甚毛病，如何抖然生起盗心？"又想道："这小厮平昔好酒，凡为盗的，都从好酒赌钱两件上起。他吃溜了口，没处来方，见了大锭银子，又且手边方便，如何不爱？不然，终日买酒吃，那里来这许多钱？”又想道：“不是他。他就要偷时，或者溜几块散碎银子，这大锭元宝没有这个力量。就偷了时，那里出笏？终不然，放在钱柜上零支钱？少不得也露人眼目。就是拿出去时，只好一锭，还留下三锭在家，我今夜把他床铺搜检一番，便知分晓。”又想道：“这也不是常法，他若果偷了这大银，必然寄顿在家中父母处，怎肯还放在身边？搜不着时，反惹他笑。若不是他偷的，冤了他一场，反冷了他的心肠。哦！有计了。闻得郡城有个莫道人，召将断事，吉凶如睹。见寓在玉峰寺中，何不请他来一问，以决胸中之疑？”过了一夜，次日，金满早起，分付秀童买些香烛纸马果品之类，也要买些酒肉，为谢将之用，自己却到玉峰寺去请莫道人。

却说金令史旧邻有个闲汉，叫做计七官。偶在街上看见秀童买了许多东西，气忿忿的走来。问其缘故。秀童道：“说也好笑，我爹真是交了败运，干这样没正经事。二百两银子已自赔去了，认了晦气罢休。却又听了别人言语，请什么道人来召将。那贼道今日鬼混，哄了些酒肉吃了，明日少不得还要索谢。成不成，吃三瓶，本钱去得不爽利，又添些利钱上去，好没要紧。七官人，你想这些道人，可有真正活神仙在里面么？有这好酒好肉到把与秀童吃了，还替我爹出得些气力。斋了这贼道的嘴，‘聒噪’也可谢你一声么？”

正说之间，恰好金令史从玉峰寺转来。秀童见家长来了，自去了。金满与计七官相见问道：“你与秀童说甚么？”计七官也不信召将之事的，就把秀童适才所言，述了一遍，又道：“这小厮到也有些见识。”金满沉吟无语，那计七官也只当闲活叙过，不想又挑动了家长一个机括：

只因家长心疑，险使童儿命丧！

金令史别了计七官自回县里，腹内踌躇，这话一发可疑：“他若不曾偷银子，由我召将便了，如何要他怪那个道士？”口虽不言，分明是“土中曲蟮，满肚泥心。”

少停莫道人到了，排设坛场，却将邻家一个小学生附体。莫道人做张做智，步罡踏斗，念咒书符。小学生就舞将起来，像一个捧剑之势，口称“邓将军下坛”，其声颇洪，不似小学生口气。金满见真将下降，叩首不迭，志心通陈，求判偷银之贼。天将摇首道：“不可说，不可说。”金满再三叩求，愿乞大将指示真盗姓名。莫道人又将灵牌施设，喝道：“鬼神无私，明彰报应。有叩即答，急急如令！”金满叩之不已，天将道：“屏退闲人，吾当告汝。”

其时这些令史们家人，及衙门内做公的，闻得莫道人在金家召将，做一件希奇之事，都走来看，塞做一屋。金满好言好语都请出去了，只剩得秀童一人在傍答应。天将叫道：“还有闲人。”莫道人对金令史说：“连秀童都遣出屋外去。”天将教金满舒出手来，金满跪而舒其左手。天将伸指头蘸酒在金满手心内，写出“秀童”二字，喝道：“记着！”金满大惊，正合他心中所疑。犹恐未的，叩头嘿嘿祝告道：“金满抚养秀童已十馀年，从无偷窃之行。若此银果然是他所盗，便当严刑究讯，此非轻易之事。神明在上，乞再加详察，莫随人心，莫随人意。”天将又蘸着酒在桌上写出“秀童”二字。又向空中指画，详其字势，亦此二字。金满以为实然，更无疑矣。当下莫道人书了退符，小学生望后便倒。扶起，良久方醒，问之一无所知。

金满把谢将的三牲与莫道人散了福，只推送他一步，连夜去唤阴捕拿贼。为头的张阴捕，叫做张二哥，当下叩其所以。金令史将秀童口中所言，及天将三遍指名之事，备细说了。连阴捕也有八九分道是，只不是他缉访来的，不去担这干纪。推辞道：“未经到官，难以吊拷。”金满是衙门中出入的，岂不会意，便道：“此事有我做主，与列位无涉。只要严刑究拷，拷得真赃出来，向时所许二十两，不敢短少分毫。”张阴捕应允，同兄弟四哥，去叫了帮手，即时随金令史行走。

此时已有起更时分。秀童收拾了堂中家伙，吃了夜饭，正提碗行灯出县来迎候家主。才出得县门，被三四个阴捕，将麻绳望颈上便套。不由分说，直拖至城外一个冷铺里来。秀童却待开口，被阴捕将铁尺向肩胛上痛打一下，大喝道：“你干得好事！”秀童负痛叫道：“我干何事来？”阴捕道：“你偷库内这四锭元宝，藏于何处？窝在那家？你家主已访实了，把你交付我等。你快快招了，免吃痛苦。”秀童叫天叫地的哭将起来。自古道：

有理言自壮，负屈声必高。

秀童其实不曾做贼。被阴捕如法吊拷。秀童疼痛难忍，咬牙切齿，只是不招。原来大明律一款，捕盗不许私刑吊拷。若审出真盗，解官有功。倘若不肯招认，放了去时，明日被他告官，说诬陷平民，罪当反坐。众捕盗吊打拶夹，都已行过。见秀童不招，心下也着了忙。商议只有阎王闩、铁膝裤两件未试。阎王闩是脑箍上了箍，眼睛内乌珠都涨出寸许。铁膝裤是将石屑放于夹棍之内，未曾收紧，痛已异常。这是拷贼的极刑了。秀童上了脑箍，死而复苏者数次，昏愦中承认了，醒来依旧说没有。阴捕又要上铁膝裤，秀童忍痛不起，只得招道：“是我一时见财起意，偷来藏在姐夫李大家床下，还不曾动。”

阴捕将板门抬秀童到于家中，用粥汤将息，等候天明，到金令史公廨里来报信。此时秀童奄奄一息，爬走不动了。金令史叫了船只，自同捕役到李大家去起赃。李大家住乡间，与秀童爹娘家相去不远。阴捕到时，李大又不在家，吓得秀童的姐儿面如土色，正不知甚么缘故，开了后门，望爹娘家奔去了。阴捕走入卧房，发开床脚，看地下土实不松，已知虚言。金令史定要将锄头垦起，起土尺馀，并无一物。众人道："有心到这里蒿恼一番了。"翻箱倒笼，满屋寻一个遍，那有些影儿。金令史只得又同阴捕转来，亲去叩问秀童。秀童泪如雨下，答道："我实不曾为盗，你们非刑吊拷，务要我招认。吾吃苦不过，又不忍妄扳他人，只得自认了。说姐夫床下赃物，实是混话，毫不相干。吾自九岁时蒙爹抚养成人，今已二十多岁，在家未曾有半点差错。前日看见我爹费产完官，暗地心痛。又见爹信了野道，召将费钱，愈加不乐。不想道爹疑到我身上。今日我只欠爹一死，更无别话。"说罢闷绝去了。众阴捕叫唤，方才醒来，兀自唉唉的哭个不住。金令史心下亦觉惨然。

须臾，秀童的爹娘和姐夫李大都到了。见秀童躺在板门上，七损八伤，一丝两气，大哭了一场，奔到县前叫喊。知县相公正值坐堂，问了口词，忙差人唤金满到来，问道："你自不小心，失了库内银两，如何通同阴捕，妄杀平人，非刑吊拷？"金满禀道，"小的破家完库，自然要缉访此事。讨个明白。有莫道人善于召将，天将降坛，三遍写出秀童名字，小的又见他言语可疑，所以信了，除了此奴，更无影响。小的也是出乎无奈，不是故意。"知县也晓得他赔补得苦了，此情未知真伪，又被秀童的爹娘左禀右禀，无可奈何。此时已是腊月十八了。知县分付道："岁底事忙，且过了新年，初十后面，我与你亲审个明白。"众人只得都散了。金满回家，到抱着一个鬼胎，只恐秀童死了。到留秀童的爹娘伏侍儿子，又请医人去调治，每日大酒大肉送去将息。那秀童的爹娘，兀自哭哭啼啼絮絮聒聒的不住。正是：

青龙共白虎同行，吉凶事全然未保。

却说捕盗知得秀童的家属叫喊准了，十分着忙，商议道："我等如此绷吊，还不肯吐露真情，明日县堂上可知他不招的。若不招时，我辈私加吊拷，罪不能免。"乃请城隍纸供于库中，香花灯烛，每日参拜祷告，夜间就同金令史在库里歇宿，求一报应。金令史少不得又要破些悭在他们面上。

到了除夜，知县把库逐一盘过，支付新库吏掌管。金满已脱了干纪，只有失盗事未结，同着张阴捕向新库吏说知："原教张二哥在库里安歇。"那新库吏也是本县人，与金令史平昔相好的，无不应允。是夜，金满备下三牲香纸，携到库中，拜献城隍老爷。就将福物请新库吏和张二哥同酌。三杯以后，新库吏说家中事忙，到央金满替他照管，自己要先别。金满为是大节夜，不敢强留。新库吏将厨柜等都检看封锁，又将库门锁钥付与金满，叫声"相扰"，自去了。金满又吃了几杯，也就起身，对张二哥说："今夜除夜，来早是新年，多吃几杯，做个灵梦，在下不得相陪了。"说罢，将库门带上落了锁，带了钥匙自回。

张二哥被金满反锁在内，叹口气道："这节夜，那一家不夫妇团圆，偏我晦气，在这里替他们守库！"闷上心来，只顾自筛自饮，不觉酩酊大醉，和衣而寝。睡至四更，梦见神道伸只靴脚踢他起来道："银子有了，陈大寿将来放在厨柜顶上葫芦内了。"张阴捕梦中惊觉，慌忙爬起来，向厨柜顶上摸个遍，那里有什么葫芦。"难道神道也作弄人？还是我自己心神恍惚之故？"须臾之间，又睡去了。梦里又听得神道说："银子在葫芦里面，如何不取？"张阴捕惊醒，坐在床铺上，听更鼓，恰好发擂。爬起来，推开窗子，微微有光。再向厨柜上下看时，并无些子物事。欲要去报与金令史，库门却又锁着，只得又去睡了。少顷，听得外边人声热闹，鼓乐喧阗，乃是知县出来同众官拜牌贺节，去文庙行香。

天已将明，金满已自将库门上钥匙交还新库吏了。新库吏开门进来，取红纸用印。张阴捕已是等得不耐烦，急忙的戴了帽子，走出库来。恰好知县回县，在那里排衙公座。那金满已是整整齐齐，穿着公服，同众令史站立在堂上，伺候作揖。张阴捕走近前把他扯到旁边说梦中神道，如此如此："一连两次，甚是奇异，特来报你。你可查县中有这陈大寿的名字否？"说罢，张阴捕自回家去不题。

却说金满是日参谒过了知县，又到库中城隍面前磕了四个头。回家吃了饭，也不去拜年，只在县中稽查名姓。凡外郎、书手、皂快、门子及禁子、夜夫，曾在县里走动的，无不查到，并无陈大寿名字。整整的忙了三日，常规年节酒，都不曾吃得，气得面红腹胀，到去埋怨那张阴捕说谎。张阴捕道："我是真梦，除是神道哄我。"金满又想起前日召将之事，那天将下临，还没句实话相告，况梦中之言，怎便有准？说罢，丢在一边去了。

又过了两日，是正月初五。苏州风俗，是日家家户户，祭献五路大神，谓之烧利市。吃过了利市饭，方才出门做买卖。金满正在家中吃利市饭，忽见老门子陆有恩来拜年，叫道："金阿叔恭喜了！有利市酒，请我吃碗！"金令史道："兄弟，总是节物，不好特地来请得，今日来得极妙，且吃三杯。"即忙教嫂子暖一壶酒，安排些见成鱼肉之类，与陆门子对酌。

闲话中间，陆门子道："金阿叔，偷银子的贼有些门路么？"金满摇首："那里有！"陆门子道："要赃露，问阴捕，你若多许阴捕几两银子，随你飞来贼，也替你访着了。"金满道："我也许过他二十两银子，只恨他没本事赚我的钱。"陆门子道："假如今日有个人缉访得贼人真信，来报你时，你还舍得这二十两银子么？"金满道："怎么不肯？"陆门子道："金阿叔，你若真个把二十两银子与我，我就替你拿出贼来。"金满道："好兄弟，你果然如此，也教我明白了这桩官司，出脱了秀童。好兄弟，你须是眼见的实，莫又做猜谜的话！"陆门子道："我不是十分看得的实，怎敢多口！"金令史即忙脱下帽子，向髻上取下两钱重的一根金挖耳来，递与陆有恩道："这件小意思权为信物，追出赃来，莫说有馀，就是止剩得二十两，也都与你。"陆有恩道："不该要金阿叔的，今日是初五，也得做兄弟的发个利市。"陆有恩是已冠的门子，就将挖耳插于网巾之内，教："金阿叔且关了门，与你细讲！"金满将大门闭了，两个促膝细谈。正是：

踏破铁鞋无觅处，得来全不费工夫！

原来陆有恩间壁住的，也是个门子，姓胡名美，年十八岁。有个姐夫叫做卢智高。那卢智高因死了老婆，就与小舅同住。这胡美生得齐整，多有人调戏他，到也是个本分的小厮。自从父母双亡，全亏着姐姐拘管。一从姐姐死了，跟着姐夫，便学不出好样，惯熟的是那七字经儿：赌钱、吃酒、养婆娘。去年腊月下旬，陆门子一日出去了，浑家闻得间壁有斧凿之声。初次也不以为异。以后，但是陆门子出去了，就听得他家关门，打得一片响。陆门子回家，就住了声。浑家到除夜，与丈夫饮酒，说及此事，正不知凿甚么东西。陆门子有心，过了初一，自初二初三一连在家住两日，侧耳而听，寂然无声。到初四日假做出门往亲戚家拜节，却远远站着，等间壁关门之后，悄地回来，藏在家里。果听得间壁斧凿之声，从壁缝里张看，只见胡美与卢智高俱蹲在地下。胡美拿着一锭大银，卢智高将斧敲那锭边下来。陆门子看在眼里，晚间与二人相遇，问道："你家常常錾凿什么东西?"胡美面红不语。卢智高道："祖上传下一块好铁条，要敲断打厨刀来用。"陆有恩暗想道："不是那话儿是什么？他两个那里来有这元宝?"当夜留在肚里，次日料得金令史在家烧利市，所以特地来报。

金满听了这席话，就同陆有恩来寻张二哥，不遇，其夜就留陆有恩过宿。明日初六，起个早，又往张二哥家，并拉了四哥，共四个人，同到胡美家来。只见门上落锁，没人在内。陆门子叫浑家出来问其缘故。浑家道："昨日听见说要叫船往杭州进香，今早双双出门。恰才去得；此时就开了船，也去不远。"四个人飞星赶去，刚刚上驷马桥，只见小游船上的王溜儿，在桥堍下买酒籴米。令史们时常叫他的船，都是相熟的。王溜儿道："金相公今日起得好早!"金令史问道："溜儿，你赶早买酒籴米，往那里去?"溜儿道："托赖揽个杭州的载，要去有个把月生意。"金满拍着肩问："是谁?"王溜儿附耳低言道："是胡门官同他姓卢的亲眷合叫的船。"金满道："如今他二人可在船里?"王溜儿道："那卢家在船里，胡舍还在岸上接婊子未来。"张阴捕听说，一索先把王溜儿扣住。溜儿道："我得何罪?"金满道："不干你事，只要你引我到船上就放你。"溜儿连买的酒籴的米，都寄在店上，引着四个人下桥来，八只手准备拿贼。这正是：

闲时不学好，今日悔应迟。

却说卢智高在船中，靠着栏干，眼盼盼望那胡美接婊子下来同乐。却一眼瞧见金令史，又见王溜儿颈上麻绳带着，心头跳动，料道有些诧异，也不顾铺盖，跳在岸上，舍命奔走。王溜儿指道："那戴孝头巾的就是姓卢的。"众人放开脚去赶，口中只叫："盗库的贼休走!"卢智高着了忙，跌上一交，被众人赶上，一把拿住。也把麻绳扣颈，问道："胡美在那里?"卢智高道："在婊子刘丑姐家里。"众人教卢智高作眼，齐奔刘丑姐家来。胡美先前听得人说外面拿盗库的贼，打着心头，不对婊子说，预先走了，不知去向。众人只得拿刘丑姐去。都到张二哥家里，搜卢智高身边，并无一物。及搜到毡袜里，搜出一锭秃元宝，锭边儿都敲去了。张二哥要带他到城外冷铺里去吊拷。卢智高道："不必用刑，我便招了。去年十一月间，我同胡美都赌极了，没处设法。胡美对我说：'只有库里有许多元宝空在那里。'我教他：'且拿几个来用用。'他趁着十五月蚀这夜，偷了四锭出来，每人各分二锭。因不敢出笏，只敲得锭边使用。那一锭藏在米桶中，米上放些破衣服盖着，还在家里。那两锭却在胡美身边。"金满又问："那一夜我眼也不曾合，他怎么拿得这样即溜?"卢智高道："胡美几遍进来，见你坐着，不好动手。那一夜闪入来，恰好你们小厮在里面厨中取蜡烛，打翻了麻油，你起身去看，方得其便。"众人得了口词，也就不带去吊拷了。

此时秀童在张二哥家将息，还动掸不得。见拿着了真赃真贼，咬牙切齿的骂道："这砍头贼!你便盗了银子，却害得我好苦。如今我也没处伸冤，只要咬下他一块肉来，消这口气。"便在草铺上要爬起来，可怜那里挣扎得动。众人尽来安慰，劝住了他，心中转痛，呜呜咽咽的啼哭。金令史十分过意不去，不觉也吊下眼泪，连忙叫人抬回家中调养。自己却同众人到胡美家中，打开锁搜看。将米桶里米倾在地上，滚出一锭没边的元宝来。当日众人就带卢智高到县，禀明了知县相公。知县验了银子，晓得不枉，即将卢智高重责五十板，取了口词收监。等拿获胡美时，一同拟罪。出个广捕文书，缉访胡美，务在必获。船户王溜儿，乐妇刘丑姐，原不知情，且赃物未见破散，暂时讨保在外。先获元宝二个，本当还库，但库银已经金满变产赔补，姑照给主赃例，给还金满。这一断，满昆山人无有不服。正是：

国正天心顺，官清民自安。

却说金令史领了两个秃元宝回家，就在银匠铺里，将银鏨开，把二八一十六两白银，送与陆门子，不失前言。却将十两送与张二哥，候获住胡美时，还有奉谢。次日金满候知县出堂，叩谢。知县有怜悯之心，深恨胡美，乃出官赏银十两，立限，仰捕衙缉获。

过了半年之后，张四哥偶有事到湖州双林地方，船从苏州娄门过去，忽见胡美在娄门塘上行走。张四哥急拢船上岸，叫道："胡阿弟，慢走!"胡美回头认得是阴捕，忙走一步，转湾望一个豆腐店里头就躲。卖豆腐的老儿，才要声张，胡美向兜肚里摸出雪白光亮水磨般的一锭大银，对酒缸草盖上一丢，说道："容我躲过今夜时，这锭银子与你平分。"老儿贪了这锭银子，慌忙检过了，指一个去处，教他藏了。

张四哥赶到转湾处，不见了胡美。有个多嘴的闲汉，指点他在豆腐店里去寻。张四哥进店问时，那老儿只推没有。张四哥满屋看了一周遭，果然没有。张四哥身边取出一块银子，约有三四钱重，把与老儿说道："这小厮是昆山县门子，盗了官库出来的，大老爷出广捕拿他。你若识时务时，引他出来，这几钱银子送你老人家买果子吃。你若藏留，我禀知县主，拿出去时，问你个同盗。"老儿慌了，连银子也不肯接，将手望上一指。你道什么去处？

上不至天，下不至地。
躲得安稳，说出晦气。

那老儿和妈妈两口只住得一间屋，又做豆腐，又做白酒，狭窄没处睡，将木头架一个小小阁儿，恰好打个铺儿，临睡时把短梯爬上去，却有一个店橱儿隐着。胡美正躲得稳，却被张四哥一手拖将下来，就把麻绳缚住，骂道："害人贼！银子藏在那里？"胡美战战兢兢答应道："一锭用完了，一锭在酒缸盖上。"老儿怎敢隐瞒，于缸罅里取出。张四哥问老者："何姓何名？"老儿惧怕，不敢答应。傍边一个人替他答道："此老姓陈名大寿。"张四哥点头，便把那三四钱银子，撇在老儿柜上，带了胡美，踏在船头里面，连夜回昆山县来。正是：

莫道亏心事可做，恶人自有恶人磨！

此时卢智高已病死于狱中。知县见累死了一人，心中颇惨，又令史中多有与胡美有勾搭的，都来替他金满面前讨饶，又央门子头儿王文英来说。金满想起阁库的事亏他，只得把人情卖在众人面上，禀知县道："盗银虽是胡美，造谋实出姐夫，况原银所失不多，求老爷从宽发落。"知县将罪名都推在死者身上，只将胡美重责三十，问个徒罪，以儆后来。元宝一锭，仍给还金满领去。金满又将十两银子，谢了张四哥。张四哥因说起腐酒店老者始末，众人各各骇然。方知去年张二哥除夜梦城隍分付："陈大寿已将银子放在橱顶上葫芦内了。""葫"者，胡美；"芦"者，卢智高；"陈大寿"乃老者之姓名；胡美在店橱顶上搜出。神明之语，一字无欺。果然是：

暗室亏心，神目如电。

过了几日，备下猪羊，抬往城隍庙中赛神酬谢。金满因思屈了秀童，受此苦楚，况此童除饮酒之外，并无失德，更兼立心忠厚，死而无怨，更没有甚么好处酬答得他。乃改秀童名金秀，用己之姓，视如亲子。将美婢金杏许他为婚，待身体调治得强旺了，便配为夫妇。金秀的父母俱各欢喜无言。

后来金满无子，家业就是金秀承顶。金秀也纳个吏缺，人称为小金令史，三考满了，仕至按察司经历。后人有诗叹金秀之枉，诗云：

疑人无用用无疑，耳畔休听是与非！

凡事要凭真实见，古今冤屈有谁知？

第十六卷 小夫人金钱赠年少

谁言今古事难穷？大抵荣枯总是空。

算得生前随分过，争如云外指溟鸿！

暗添雪色眉根白，旋落花光脸上红。

惆怅凄凉两回首，暮林萧索起悲风。

这八句诗，乃西川成都府华阳县王处厚，年纪将及六旬，把镜照面，见须发有几根白的，有感而作。世上之物，少则有壮，壮则有老，古之常理，人人都免不得的。原来诸物都是先白后黑，惟有髭须却是先黑后白。又有戴花刘使君，对镜中见这头发斑白，曾作《醉亭楼》词：

平生性格，随分好些春色，沉醉恋花陌。虽然年老心未老，满头花压巾帽侧。鬓如霜，须似雪，自嗟恻！　几个相知劝我染，几个相知劝我摘。染摘有何益！当初怕作短命鬼，如今已过中年客。且留些，妆晚景，尽教白。

如今说东京汴州开封府界，有个员外，年逾六旬，须发皤然。只因不伏老，兀自贪色，荡散了一个家计，几乎做了失乡之鬼。这员外姓甚名谁？却做甚么事来？正是：

尘随车马何年尽？事系人心早晚休。

话说东京汴州开封府界身子里，一个开线铺的员外张士廉，年过六旬，妈妈死后，孑然一身，并无儿女。家有十万资财，用两个主管营运。张员外忽一日拍胸长叹，对二人说："我许大年纪，无儿无女，要十万家财何用？"二人曰："员外何不取房娘子，生得一男半女，也不绝了香火。"员外甚喜，差人随即唤张媒李媒前来。这两个媒人端的是：

开言成匹配，举口合姻缘。医世上凤只鸾孤，管宇宙单眠独宿。传言玉女，用机关把臂拖来；侍案金童，下说词拦腰抱住。调唆织女害相思，引得嫦娥离月殿。

员外道："我因无子，相烦你二人说亲。"张媒口中不道，心下思量道："大伯子许多年纪，如今说亲，说甚么人是得？教我怎地应他？"则见李媒把张媒推一推，便道："容易。"临行，又叫住了道："我有三句话。"

只因说出这三句话来，教员外：

青云有路，番为苦楚之人；白骨无坟，化作失乡之鬼。

媒人道："不知员外意下何如？"张员外道："有三件事，说与你两人：第一件，要一个人材出众，好模好样的；第二件，要门户相当；第三件，我家下有十万贯家财，须着个有十万贯房奁的亲来对付我。"两个媒人，肚里暗笑，口中胡乱答应道："这三件事都容易。"当下相辞员外自去。

张媒在路上与李媒商议道："若说得这头亲事成，也有百十贯钱撰。只是员外说的话太不着人，有那三件事的他不去嫁个年少郎君，却肯随你这老头子？偏你这几根白胡须是沙糖拌的？"李媒道："我有一头到也凑巧，人材出众，门户相当。"张媒道："是谁家？"李媒云："是王招宣府里出来的小夫人。王招宣初娶时，十分宠幸，后来只因一句话破绽些，失了主人之心，情愿白白里把与人，只要个有门风的便肯。随身房计少也有几万贯，只怕年纪忒小些。"张媒道："不愁小的忒小，还嫌老的忒老，这头亲张员外怕不中意？只是雌儿心下必然不美。如今对雌儿说，把张家年纪瞒过了一二十年，两边就差不多了。"李媒道："明日是个和合日，我同你先到张宅讲定财礼，随到王招宣府一说便成。"是晚各归无话。

次日，二媒约会了，双双的到张员外宅里说："昨日员外分付的三件事，老媳寻得一头亲，难得恁般凑巧！第一件，人材十分足色；第二件，是王招宣府里出来，有名声的；第三件，十万贯房奁，则怕员外嫌他年小。"张员外问道："却几岁？"张媒应道："小如员外三四十岁。"张员外满脸堆笑道："全仗作成则个！"

话休絮烦，当下两边俱说允了。少不得行财纳礼，奠雁已毕，花烛成亲。次早参拜家堂，张员外穿紫罗衫，新头巾，新靴新袜。这小夫人着干红销金大袖团花霞帔，销金盖头，生得：

新月笼眉，春桃拂脸。意态幽花殊丽，肌肤嫩玉生光。说不尽万种妖娆，画不出千般艳冶！何须楚峡云飞过，便是蓬莱殿里人。

张员外从下至上看过，暗暗地喝采！小夫人揭起盖头，看见员外须眉皓白，暗暗地叫苦。花烛夜过了，张员外心下喜欢，小夫人心下不乐。

过了月馀，只见一人相揖道："今日是员外生辰，小道送疏在此。"原来员外但遇初一月半，本命生辰，须有道疏。那时小夫人开疏看时，扑簌簌两行泪下，见这员外年已六十，埋怨两个媒人："将我误了。"看那张员外时，这几日又添了四五件在身上：

腰便添疼，眼便添泪。

耳便添聋，鼻便添涕。

一日，员外对小夫人道：“出外薄干，夫人耐静。”小夫人只得应道：“员外早去早归。”说了，员外自出去。小夫人自思量：“我恁地一个人，许多房奁，却嫁一个白须老儿！”心下正烦恼，身边立着从嫁道：“夫人今日何不门首看街消遣？”小夫人听说，便同养娘到外边来看。这张员外门首，是胭脂绒线铺，两壁装着厨柜，当中一个紫绢沿边帘子。养娘放下帘钩，垂下帘子。门前两个主管，一个李庆，五十来岁；一个张胜，年纪三十来岁。二人见放下帘子，问道：“为甚么？”养娘道：“夫人出来看街。”两个主管躬身在帘子前参见。小夫人在帘子底下启一点朱唇，露两行碎玉，说不得数句言语，教张胜惹场烦恼：

远如沙漠，何殊没底沧溟。重若丘山，难比无穷泰华。

小夫人先叫李主管问道：“在员外宅里多少年了？”李主管道：“李庆在此二十馀年。”夫人道：“员外寻常照管你也不曾？”李主管道：“一饮一啄，皆出员外。”却问张主管。张主管道：“张胜从先父在员外宅里二十馀年，张胜随着先父便趋事员外，如今也有十馀年。”小夫人问道：“员外曾管顾你么？”张胜道：“举家衣食，皆出员外所赐。”小夫人道：“主管少待。”小夫人折身进去不多时，递些物与李主管，把袖包手来接，躬身谢了。小夫人却叫张主管道：“终不成与了他不与你？这物件虽不直钱，也有好处。”张主管也依李主管接取，躬身谢了。夫人又看了一回，自入去。两个主管，各自出门前支持买卖。原来李主管得的是十文银钱，张主管得的却是十文金钱。当时张主管也不知道李主管得的是银钱，李主管也不知张主管得的是金钱。

当日天色已晚，但见：

野烟四合，宿鸟归林。佳人秉烛归房，路上行人投店。渔父负鱼归竹径，牧童骑犊返孤村。

当日晚算了帐目，把文簿呈张员外，今日卖几文，买几文，人上欠几文，都佥押了。原来两个主管，各轮一日在铺中当直，其日却好正轮着张主管值宿。门外面一间小房，点着一盏灯。张主管闲坐半晌，安排歇宿。则听得有人来敲门。张主管听得，问道：“是谁？”应道：“你则开门，却说与你！”张主管开了房门，那人跄将入来，闪身已在灯光背后。张主管看时，是个妇人。张主管吃了一惊，慌忙道：“小娘子，你这早晚来有甚事？”那妇人应道：“我不是私来，早间与你物事的教我来。”张主管道：“小夫人与我十文金钱，想是教你来讨还？”那妇女道：“你不理会得，李主管得的是银钱。如今小夫人又教把一件物来与你。”只见那妇人背上取下一包衣装，打开来看道：“这几件把与你穿的，又有几件妇女的衣服把与你娘。”只见妇女留下衣服，作别出门，复回身道：“还有一件要紧的到忘了。”又向衣袖里取出一锭五十两大银，撇了自去。当夜张胜无故得了许多东西，不明不白，一夜不曾睡着。

明日早起来，张主管开了店门，依旧做买卖。等得李主管到了，将铺面交割与他，张胜自归到家中，拿出衣服银子与娘看。娘问："这物事那里来的?"张主管把夜来的话，一一说与娘知。婆婆听得说道："孩儿，小夫人他把金钱与你，又把衣服银子与你，却是甚么意思？娘如今六十已上年纪，自从没了你爷，便满眼只看你。若是你做出事来，老身靠谁？明日便不要去。"这张主管是个本分之人，况又是个孝顺的，听见娘说，便不往铺里去。张员外见他不去，使人来叫，问道："如何主管不来?"婆婆应道："孩儿感些风寒，这几日身子不快，来不得。传语员外得知，一好便来。"又过了几日，李主管见他不来，自来叫道："张主管如何不来？铺中没人相帮。"老娘只是推身子不快，这两日反重，李主管自去。张员外三五遍使人来叫，做娘的只是说未得好。张员外见三回五次叫他不来，猜道："必是别有去处。"张胜自在家中。

时光迅速，日月如梭，捻指之间，在家中早过了一月有馀。道不得"坐吃山崩"。虽然得小夫人许多物事，那一锭大银子，容易不敢出笏，衣裳又不好变卖；不去营运，日来月往，手内使得没了，却来问娘道："不教儿子去张员外宅里去，闲了经纪，如今在家中日逐盘费如何措置?"那婆婆听得说，用手一指，指着屋梁上道："孩儿你见也不见?"——张胜看时，原来屋梁上挂着一个包，取将下来。道："你爷养得你这等大，则是这件物事身上。"打开纸包看时，是个花栲栲儿。婆婆道："你如今依先做这道路，习爷的生意，卖些胭脂绒线。"

当日时遇元宵，张胜道："今日元宵夜端门下放灯。"便问娘道："儿子欲去看灯则个。"娘道："孩儿，你许多时不行这条路，如今去端门看灯，从张员外门前过，又去惹是招非。"张胜道："是人都去看灯，说道'今年好灯'，儿子去去便归，不从张员外门前过便了。"娘道："要去看灯不妨，则是你自去看不得，同一个相识做伴去才好。"张胜道："我与王二哥同去。"娘道："你两个去看不妨，第一莫得吃酒！第二同去同回。"分付了，两个来端门下看灯。正撞着当时赐御酒，撒金钱，好热闹。王二哥道："这里难看灯，一来我们身小力怯，着甚来由吃挨吃搅？不如去一处看，那里也抓缚着一座鳌山。"张胜问道："在那里?"王二哥道："你到不知，王招宣府里抓缚着小鳌山，今夜也放灯。"

两个便复身回来，却到王招宣府前。原来人又热闹似端门下。就府门前不见了王二哥，张胜只叫得声苦："却是怎地归去？临出门时，我娘分付道：'你两个同去同回。'如何不见了王二哥！只我先到屋里，我娘便不焦躁。若是王二哥先回，我娘定道我那里去。"当夜看不得那灯，独自一个行来行去，猛省道："前面是我那旧主人张员外宅里，每年到元宵夜，歇浪线铺，添许多烟火，今日想他也未收灯？"迤逦信步行到张员外门前，张胜吃惊。只见张员外家门便开着，十字两条竹竿，缚着皮革底钉住一碗泡灯，照着门上一张手榜贴在。张胜看了，唬得目睁口呆，罔知所措。张胜去这灯光之下，看这手榜上写着道："开封府左军巡院，勘到百姓张士廉，为不合……"方才读到不合三个字，兀自不知道因甚罪，则见灯笼底下一人喝道："你好大胆，来这里看甚的？"张主管吃了一惊，拽开脚步便走。那喝的人大踏步赶将来，叫道："是甚么人？直恁大胆！夜晚间，看这榜做甚么？"唬得张胜便走。

渐次间，行到巷口，待要转弯归去。相次二更，见一轮明月，正照着当空。正行之间，一个人从后面赶将来，叫道："张主管，有人请你。"张胜回头看时，是一个酒博士。张胜道："想是王二哥在巷口等我，置些酒吃归去，恰也好。"同这酒博士到店内，随上楼梯，到一个阁儿前面。量酒道："在这里。"掀开帘儿，张主管看见一个妇女，身上衣服不堪齐整，头上蓬松。正是：

乌云不整，唯思昔日豪华；粉泪频飘，为忆当年富贵。秋夜月蒙云笼罩，牡丹花被土沉埋。

这妇女叫："张主管，是我请你。"张主管看了一看，虽有些面熟，却想不起。这妇女道："张主管如何不认得我？我便是小夫人。"张主管道："小夫人如何在这里？"小夫人道："一言难尽！"张胜问："夫人如何恁地？"小夫人道："不合信媒人口，嫁了张员外。原来张员外因烧煅假银事犯，把张员外缚去左军巡院里去，至今不知下落。家计并许多房产，都封估了。我如今一身无所归着，特地投奔你。你看我平昔之面，留我家中住几时则个。"张胜道："使不得！第一家中母亲严谨；第二道不得'瓜田不纳履，李下不整冠'；要来张胜家中，断然使不得！"小夫人听得道："你将为常言俗语道：'呼蛇容易遣蛇难，'怕日久岁深，盘费重大；我教你看，……"用手去怀里提出件物来：

闻钟始觉山藏寺，傍岸方知水隔村。

小夫人将一串一百单八颗西珠数珠，颗颗大如鸡豆子，明光灿烂。张胜见了喝采道："有眼不曾见这宝物！"小夫人道："许多房奁，尽被官府籍没了，则藏得这物。你若肯留在家中，慢慢把这件宝物逐颗去卖，尽可过日。"张主管听得说，正是：

归去只愁红日晚，思量犹恐马行迟。

横财红粉歌楼酒，谁为三般事不迷？

当日张胜道："小夫人要来张胜家中，也得我娘肯时方可。"小夫人道："和你同去问婆婆。我只在对门人家等回报。"张胜回到家中，将前后事情逐一对娘说了一遍。婆婆是个老人家，心慈，听说如此落难，连声叫道："苦恼，苦恼！小夫人在那里？"张胜道："见在对门等。"婆婆道："请相见！"相见礼毕，小夫人把适来说的话，从头细说一遍："如今都无亲戚投奔，特来见婆婆，望乞容留！"婆婆听得说道："夫人暂住数日不妨，只怕家寒怠慢，思量别的亲戚再去投奔。"小夫人便从怀里取出数珠递与婆婆。灯光下婆婆看见，就留小夫人在家住。小夫人道："来日剪颗来货卖，开起胭脂绒线铺，门前挂着花栲栲儿为记。"张胜道："有这件宝物，胡乱卖动，便是若干钱。况且五十两一锭大银未动，正好收买货物。"张胜自从开店，接了张员外一路买卖，其时人唤张胜做小张员外。小夫人屡次来缠张胜，张胜心坚似铁，只以主母相待，并不及乱。

当时清明节候，怎见得：

清明何处不生烟？郊外微风挂纸钱。
人笑人歌芳草地，乍晴乍雨杏花天。
海棠枝上绵蛮语，杨柳堤边醉客眠。
红粉佳人争画板，彩丝摇曳学飞仙。

满城人都出去金明池游玩，小张员外也出去游玩。到晚回来，却待入万胜门，则听得后面一人叫"张主管"。当时张胜自思道："如今人都叫我做小张员外，甚人叫我主管？"回头看时，却是旧日主人张员外。张胜看张员外面上刺着四字金印，蓬头垢面，衣服不整齐，即时邀入酒店里，一个稳便阁儿坐下。

张胜问道："主人缘何如此狼狈？"张员外道："不合成了这头亲事！小夫人原是王招宣府里出来的；今年正月初一日，小夫人自在帘儿里看街，只见一个安童托着盒儿打从面前过去。小夫人叫住问道：'府中近日有甚事说？'安童道：'府里别无甚事，则是前日王招宣寻一串一百单八颗西珠数珠不见，带累得一府的人，没一个不吃罪责。'小夫人听得说，脸上或青或红。小安童自去。不多时二三十人来家，把他房奁和我的家私，都搬将去。便捉我下左军巡院拷问，要这一百单八颗数珠。我从不曾见，回说'没有'。将我打一顿毒棒，拘禁在监。到亏当日小夫人人入去房里自吊身死，官司没决撒，把我断了。则是一事，至今日那一串一百单八颗数珠，不知下落。"张胜闻言，心下自思道："小夫人也在我家里，数珠也在我家里，早剪动几颗了。"甚是惶惑。劝了张员外些酒食，相别了。

张胜沿路思量道："好是惑人！"回到家中，见小夫人，张胜一步退一步道："告夫人，饶了张胜性命！"小夫人问道："怎恁地说？"张胜把适来大张员外说的话说了一遍。小夫人听得道："却不作怪，你看我身上衣裳有缝，一声高似一声，你岂不理会得？他道我在你这里，故意说这话教你不留我。"张胜道："你也说得是。"

又过了数日，只听得外面道：“有人寻小员外！”张胜出来迎接，便是大张员外。张胜心中道：“家里小夫人使出来相见，是人是鬼，便明白了。”教养娘请小夫人出来。养娘入去，只没寻讨处，不见了小夫人。当时小员外既知小夫人真个是鬼，只得将前面事，一一告与大张员外。问道：“这串数珠却在那里？”张胜去房中取出，大张员外叫张胜同来王招宣府中说，将数珠交纳，其馀剪去数颗，将钱取赎讫。王招宣赎免张士廉罪犯，将家私给还，仍旧开胭脂绒线铺。大张员外仍请天庆观道士做醮，追荐小夫人。只因小夫人生前甚有张胜的心，死后犹然相从。亏杀张胜立心至诚，到底不曾有染，所以不受其祸，超然无累。如今财色迷人者纷纷皆是，如张胜者万中无一。有诗赞云：

谁不贪财不爱淫？始终难染正人心。
少年得似张主管，鬼祸人非两不侵。

第十七卷
钝秀才一朝交泰

蒙正窑中怨气，买臣担上书声；丈夫失意惹人轻，才入荣华称庆。　红日偶然阴翳，黄河尚有澄清。浮云眼底总难凭，牢把脚跟立定。

这首《西江月》，大概说人穷通有时，固不可以一时之得意，而自夸其能；亦不可以一时之失意，而自坠其志。唐朝甘露年间，有个王涯丞相，官居一品，权压百僚，僮仆无数，日食万钱，说不尽荣华富贵。其府第厨房与一僧寺相邻。每日厨房中涤锅净碗之水，倾向沟中，其水从僧寺中流出。一日寺中老僧出行，偶见沟中流水中有白物，大如雪片，小如玉屑。近前观看，乃是上白米饭，王丞相厨下锅里碗里洗刷下来的。长老合掌念声“阿弥陀佛，罪过罪过！”随口吟诗一首：

春时耕种夏时耘，粒粒颗颗费力勤。
舂去细糠如剖玉，炊成香饭似堆银。
三餐饱食无馀事，一口饥时可疗贫。
堪叹沟中狼藉贱，可怜天下有穷人！

长老吟诗已罢，随唤火工道人，将笊篱笊起沟内残饭，向清水河中涤去污泥，摊于筛内，日色晒干，用磁缸收贮，且看几时满得一缸。不勾三四个月，其缸已满。两年之内，共积得六大缸有馀。

那王涯丞相只道千年富贵，万代奢华。谁知乐极生悲，一朝触犯了朝廷，阖门待勘，未知生死。其时宾客散尽，僮仆逃亡，仓廪尽为仇家所夺。王丞相至亲二十三口，米尽粮绝，担饥忍饿，啼哭之声，闻于邻寺。长老听得，心怀不忍。只是一墙之隔，除非穴墙可以相通。长老将缸内所积饭干，浸软蒸而馈之。王涯丞相吃罢，甚以为美。遣婢子问老僧，他出家之人，何以有此精食？老僧道："此非贫僧家常之饭，乃府上涤釜洗碗之馀，流出沟中。贫憎可惜有用之物，弃之无用，将清水洗尽，日色晒干，留为荒年贫丐之食。今日谁知仍济了尊府之急。正是一饮一啄，莫非前定。"王涯丞相听罢，叹道："我平昔暴殄天物如此，安得不败？今日之祸，必然不免。"其夜遂伏毒而死。当初富贵时节，怎知道有今日！正是：

贫贱常思富贵，富贵又履危机。

此乃福过灾生，自取其咎。假如今人贫贱之时，那知后日富贵？即如荣华之日，岂信后来苦楚？如今在下再说个先忧后乐的故事。列位看官们，内中倘有胯下忍辱的韩信，妻不下机的苏秦，听在下说这段评话，各人回去硬挺着头颈过日，以待时来，不要先坠了志气。有诗四句：

秋风衰草定逢春，尺蠖泥中也会伸；
画虎不成君莫笑，安排牙爪始惊人。

话说国朝天顺年间，福建延平府将乐县，有个宦家，姓马名万群，官拜吏科给事中。因论太监王振专权误国，削籍为民。夫人早丧，单生一子，名曰马任，表字德称。十二岁游庠，聪明饱学。说起他聪明，就如颜子渊闻一知十。论起他饱学，就如虞世南五车腹笥。真个文章盖世，名誉过人。马给事爱惜如良金美玉，自不必言。里中那些富家儿郎，一来为他是黉门的贵公子，二来道他经解之才，早晚飞黄腾达，无不争先奉承。其中更有两个人奉承得要紧，真个是：

冷中送暖，闲里寻忙。出外必称弟兄，使钱那问尔我。偶话店中酒美，请饮三杯；才夸妓馆容娇，代包一月。掇臀捧屁，犹云手有馀香；随口蹋痰，惟恐人先着脚。说不尽谄笑胁肩，只少个出妻献子。

一个叫黄胜，绰号黄病鬼。一个叫顾祥，绰号飞天炮仗。他两个祖上也曾出仕，都是富厚之家，目不识丁，也顶个读书的虚名。把马德称做个大菩萨供养，扳他日后富贵往来。那马德称是忠厚君子，彼以礼来，此以礼往，见他殷勤，也遂与之为友。黄胜就把亲妹六媖，许与德称为婚。德称闻此女才貌双全，不胜之喜。但从小立个誓愿：

若要洞房花烛夜，必须金榜挂名时。

马给事见他立志高明，也不相强，所以年过二十，尚未完娶。

时值乡试之年，忽一日，黄胜、顾祥邀马德称向书铺中去买书。见书铺隔壁有个算命店，牌上写道：

要知命好丑，只问张铁口！

马德称道："此人名为'铁口'，必肯直言。"买完了书，就过间壁，与那张先生拱手道："学生贱造，求教！"先生问了八字，将五行生克之数，五星虚实之理，推算了一回。说道："尊官若不见怪，小子方敢直言。"马德称道："君子问灾不问福，何须隐讳！"黄胜、顾祥两个在傍，只怕那先生不知好歹，说出话来冲撞了公子。黄胜便道："先生仔细看看，不要轻谈！"顾祥道："此位是本县大名士，你只看他今科发解，还是发魁？"先生道："小子只据理直讲，不知准否？贵造'偏才归禄'，父主峥嵘，论理必生于贵宦之家。"黄顾二人拍手大笑道："这就准了。"先生道："五星中'命缠奎壁'，文章冠世。"二人又大笑道："好先生，算得准，算得准！"先生道："只嫌二十二岁交这运不好，官煞重重，为祸不小。不但破家，亦防伤命。若过得三十一岁，后来到有五十年荣华。只怕一丈阔的水缺，双脚跳不过去。"黄胜就骂起来道："放屁，那有这话！"顾祥伸出拳来道："打这厮，打歪他的铁嘴。"马德称双手拦住道："命之理微，只说他算不准就罢了，何须计较。"黄顾二人，口中还不干净，却得马德称抵死劝回。那先生只求无事，也不想算命钱了。正是：

阿谀人人喜，直言个个嫌。

那时连马德称也只道自家唾手功名，虽不深怪那先生，却也不信。谁知三场得意，榜上无名。自十五岁进场，到今二十一岁，三科不中。若论年纪还不多，只为进场屡次了，反觉不利。又过一年，刚刚二十二岁。马给事一个门生，又参了王振一本。王振疑心座主指使而然，再理前仇，密唆朝中心腹，寻马万群当初做有司时罪过，坐赃万两，着本处抚按追解。马万群本是个清官，闻知此信，一口气得病数日身死。马德称哀戚尽礼，此心无穷。却被有司逢迎上意，逼要万两赃银交纳。此时只得变卖家产，但是有税契可查者，有司径自估价官卖；只有续置一个小小田庄，未曾起税，官府不知。马德称恃顾祥平昔至交，只说顾家产业，央他暂时承认。又有古董书籍等项，约数百金，寄与黄胜家中去讫。却说有司官，将马给事家房产田业尽数变卖，未足其数，兀自吹毛求疵不已。

马德称扶柩在坟堂屋内暂住。忽一日，顾祥遣人来言，府上馀下田庄，官府已知，瞒不得了。马德称无可奈何，只得入官。后来闻得反是顾祥举首，一则恐后连累，二者博有司的笑脸。德称知人情奸险，付之一笑。过了岁馀，马德称往黄胜家索取寄顿物件，连走数次，俱不相接，结末遣人送一封帖来。

马德称拆开看时，没有书柬，止封帐目一纸。内开：某月某日某事用银若干，某该合认，某该独认。如此非一次，随将古董书籍等项估计扣除，不还一件。德称大怒，当了来人之面，将帐目扯碎，大骂一场："这般狗彘之辈，再休相见！"从此亲事亦不题起。黄胜巴不得杜绝马家，正中其怀。正合着西汉冯公的四句，道是：

一贵一贱，交情乃见；

一死一生，乃见交情。

马德称在坟屋中守孝，弄得衣衫蓝缕，口食不周。"当初父亲存日，也曾周济过别人，今日自己遭困，却谁人周济我？"守坟的老王撺掇他把坟上树木倒卖与人，德称不肯。老王指着路上几棵大柏树道："这树不在冢傍，卖之无妨。"德称依允。讲定价钱，先倒一棵下来，中心都是虫蛀空的，不值钱了。再倒一棵，亦复如此。德称叹道："此乃命也！"就教住手。那两棵树只当烧柴，卖不多钱，不两日用完了。身边只剩得十二岁一个家生小厮，央老王作中，也卖与人，得银五两。这小厮过门之后，夜夜小遗起来。主人不要了，退还老王处，索取原价。德称不得已，情愿减退了二两身价卖了。好奇怪！第二遍去就不小遗了。这几夜小遗，分明是打落德称这二两银子，不在话下。

光阴似箭，看看服满。德称贫困之极，无门可告。想起有个表叔在浙江杭州府做二府；湖州德清县知县，也是父亲门生；不如去投奔他，两人之中，也有一遇。当下将几件什物家火，托老王卖充路费。浆洗了旧衣旧裳，收拾做一个包裹，搭船上路，直至杭州。问那表叔，刚刚十日之前，已病故了。随到德清县投那个知县时，又正遇这几日为钱粮事情，与上司争论不合，使性要回去，告病关门，无由通报。正是：

时来风送滕王阁，运去雷轰荐福碑！

德称两处投人不着，想得南京衙门做官的多有年家。又趁船到京口，欲要渡江，怎奈连日大西风，上水船寸步难行。只得往句容一路步行而去，径往留都。且数留都那几个城门：

神策金川仪凤门，怀远清凉到石城。

三山聚宝连通济，洪武朝阳定太平。

马德称由通济门入城，到饭店中宿了一夜。次早往部科等各衙门打听，往年多有年家为官的，如今升的升了，转的转了，死的死了，坏的坏了，一无所遇。乘兴而来，却难兴尽而返。流连光景，不觉又是半年有馀，盘缠俱已用尽。虽不学伍大夫吴门乞食，也难免吕蒙正僧院投斋。忽一日，德称投斋到大报恩寺，遇见个相识乡亲，问其乡里之事。方知本省宗师按临岁考。德称在先服满时因无礼物送与学里师长，不曾动得起复文书及游学呈子；也不想如此久客于外。如今音信不通，教官径把他做避考申黜。千里之遥，无由辨复。真是：

屋漏更遭连夜雨，船迟又遇打头风。

德称闻此消息，长叹数声，无面回乡。意欲觅个馆地，权且教书糊口，再作道理。谁知世人眼浅，不识高低。闻知异乡公子如此形状，必是个浪荡之徒，便有锦心绣肠，谁人信他，谁人请他？又过了几时，和尚们都怪他蒿恼，语言不逊，不可尽说。幸而天无绝人之路。有个运粮的赵指挥，要请个门馆先生同往北京，一则陪话，二则代笔。偶与承恩寺主持商议。德称闻知，想道："乘此机会，往北京一行，岂不两便。"遂央僧举荐。那俗僧也巴不得遣那穷鬼起身，就在指挥面前称扬德称好处，且是束脩甚少。赵指挥是武官，不管三七二十一，只要省。便约德称在寺，投刺相见，择日请了下船同行。德称口如悬河，宾主颇也得合。不一日到黄河岸口，德称偶然上岸登东。忽听发一声响，犹如天崩地裂之形。慌忙起身看时，吃了一惊，原来河口决了。赵指挥所统粮船三分四散，不知去向。但见水势滔滔，一望无际。

德称举目无依，仰天号哭，叹道："此乃天绝我命也，不如死休！"方欲投入河流，遇一老者相救，问其来历。德称诉罢，老者恻然怜悯，道："看你青春美质，将来岂无发迹之期？此去短盘至北京，费用亦不多，老夫带得有三两荒银，权为程敬！"说罢，去摸袖里，却摸个空，连呼"奇怪！"仔细看时，袖底有一小孔，那老者赶早出门，不知在那里遇着剪绺的剪去了。老者嗟叹道："古人云：'得咱心肯日，是你运通时。'今日看起来，就是心肯，也有个天数。非是老夫吝惜，乃足下命运不通所致耳。欲屈足下过舍下，又恐路远不便。"乃邀德称到市心里，向一个相熟的主人家，借银五钱为赠。德称深感其意，只得受了，再三称谢而别。

德称想这五钱银子，如何盘缠得许多路。思量一计，买下纸笔，一路卖字。德称写作俱佳，争奈时运未利，不能讨得文人墨士赏鉴，不过村坊野店胡乱买几张糊壁。此辈晓得什么好歹，那肯出钱。德称有一顿没一顿，半饥半饱，直捱到北京城里，下了饭店。问店主人借缙绅看查，有两个相厚的年伯，一个是兵部尤侍郎，一个是左卿曹光禄。当下写了名刺，先去谒曹公。曹公见其衣衫不整，心下不悦，又知是王振的仇家，不敢招架，送下小小程仪，就辞了。再去见尤侍郎，那尤公也是个没意思的，自家一无所赠，写一封柬帖荐在边上陆总兵处。店主人见有这封书，料有际遇，将五两银子借为盘缠。谁知正值北虏也先为寇，大掠人畜，陆总兵失机，扭解来京问罪，连尤侍郎都罢官去了。德称在塞外担阁了三四个月，又无所遇，依旧回到京城旅寓。

店主人折了五两银子，没处取讨，又欠下房钱饭钱若干，索性做个宛转，倒不好推他出门。想起一个主意来，前面胡同有个刘千户，其子八岁，要访个下路先生教书，乃荐德称。刘千户大喜，讲过束脩二十两。店主人先支一季束脩自己收受，准了所借之数。刘千户颇尽主道，送一套新衣服，迎接德称到彼坐馆。自此饔餐不缺，且训诵之暇，重温经史，再理文章。刚刚坐彀三个月，学生出起痘来，太医下药不效，十二朝身死。刘千户单只此子，正在哀痛，又有刻薄小人对他说道："马德称是个降祸的太岁，耗气的鹤神，所到之处，必有灾殃。赵指挥请了他就坏了粮船，尤侍郎荐了他就坏了官职。他是个不吉利的秀才，不该与他亲近。"刘千户不想自儿死生有命，到抱怨先生带累了，各处传说。

从此京中起他一个异名，叫做"钝秀才"。凡钝秀才街上过去，家家闭户，处处关门。但是早行遇着钝秀才的，一日没采：做买卖的折本，寻人的不遇，出官的理输，讨债的下是厮打定是厮骂，就是小学生上学也被先生打几下手心。有此数项，把他做妖物相看。倘然狭路相逢，一个个吐口涎沫，叫句吉利方走。可怜马德称衣冠之胄，饱学之儒，今日时运不利，弄得日无饱餐，夜无安宿。

同时有个浙中吴监生，性甚硬直。闻知钝秀才之名，不信有此事，特地寻他相会。延至寓所，叩其胸中所学，甚有接待之意。坐席犹未暖，忽得家书报家中老父病故，踉跄而别，转荐与同乡吕鸿胪。吕公请至寓所，待以盛馔，方才举箸，忽然厨房中火起，举家惊慌逃奔。德称因腹馁缓行了几步，被地方拿他做火头，解去官司，不由分说，下了监铺。幸吕鸿胪是个有天理的人，替他使钱，免其枷责。从此钝秀才其名益著，无人招接，仍复卖字为生。

惯与裱家书寿轴，喜逢新岁写春联。

夜间常在祖师庙、关圣庙、五显庙这几处安身。或与道人代写疏头，趁几文钱度日。

话分两头，却说黄病鬼黄胜，自从马德称去后，初时还怕他还乡。到宗师行黜，不见回家，又有人传信，道是随赵指挥粮船上京，被黄河水决，已覆没矣。心下坦然无虑，朝夕逼勒妹子六媖改聘。六媖以死自誓，决不二天。到天顺晚年乡试，黄胜夤缘贿赂，买中了秋榜，里中奉承者填门塞户。闻知六媖年长未嫁，求亲者日不离门，六媖坚执不从，黄胜也无可奈何。到冬底，打叠行囊往北京会试。马德称见了乡试录，已知黄胜得意，必然到京。想起旧恨，羞与相见，预先出京躲避。谁知黄胜不耐功名。若是自家学问上挣来的前程，倒也理之当然，不放在心里。他原是买来的举人，小人乘君子之器，不觉手之舞之，足之蹈之。又将银五十两买了个勘合，驰驿到京，寻了个大大的下处。且不去温习经史，终日穿花街过柳巷，在院子里表子家行乐。常言道“乐极悲生”，嫖出一身广疮。科场渐近，将白金百两送太医，只求速愈。太医用轻粉劫药，数日之内，身体光鲜，草草完场而归。不够半年，疮毒大发，医治不痊，呜呼哀哉，死了。既无兄弟，又无子息，族间都来抢夺家私。其妻王氏又没主张，全赖六媖一身，内支丧事，外应亲族，按谱立嗣，众心俱悦服无言。

六媖自家也分得一股家私，不下数千金。想起丈夫覆舟消息，未知真假，费了多少盘缠，各处遣人打听下落。有人自北京来，传说马德称未死，落莫在京，京中都呼为“钝秀才”。六媖是个女中丈夫，甚有劈着，收拾起辎重银两，带了丫鬟僮仆，雇下船只，一径来到北京寻取丈夫。访知马德称在真定府龙兴寺大悲阁写《法华经》。乃将白金百两，新衣数套，亲笔作书，缄封停当，差老家人王安赍去，迎接丈夫。分付道：“我如今便与马相公援例入监，请马相公到此读书应举，不可迟滞。”

王安到龙兴寺，见了长老，问：“福建马相公何在?”长老道：“我这里只有个‘钝秀才’，并没有什么马相公。”王安道：“就是了，烦引相见。”和尚引到大悲阁下，指道：“傍边桌上写经的，不是钝秀才?”王安在家时曾见过马德称几次，今日虽然蓝缕，如何不认得?一见德称便跪下磕头。马德称却在贫贱患难之中，不料有此，一时想不起来。慌忙扶住，问道：“足下何人?”王安道：“小的是将乐县黄家，奉小姐之命，特来迎接相公，小姐有书在此。”德称便问：“你小姐嫁归何宅?”王安道：“小姐守志至今，誓不改适。因家相公近故，小姐亲到京中来访相公，要与相公入粟北雍，请相公早办行期。”德称方才开缄而看，原来是一首诗，诗曰：

何事萧郎恋远游?应知乌帽未笼头。
图南自有风云便，且整双箫集凤楼。

德称看罢，微微而笑。王安献上衣服银两，且请起程日期。德称道：“小姐盛情，我岂不知?只是我有言在先：‘若要洞房花烛夜，必须金榜挂名时。’向因贫困，学业久荒。今幸有馀资可供灯火之费，且待明年秋试得意之后，方敢与小姐相见。”王安不敢相逼，求赐回书。德称取写经馀下的茧丝一幅，答诗四句：

逐逐风尘已厌游，好音刚喜见伻头。
嫦娥夙有攀花约，莫遣箫声出凤楼。

德称封了诗，付与王安。王安星夜归京，回覆了六媖小姐。开诗看毕，叹惜不已。

其年天顺爷爷正遇“土木之变”，皇太后权请郕王摄位，改元景泰。将奸阉王振全家抄没，凡参劾王振吃亏的加官赐荫。黄小姐在寓中得了这个消息，又遣王安到龙兴寺报与马德称知道。德称此时虽然借寓僧房，图书满案，鲜衣美食，已不似在先了。和尚们晓得是马公子马相公，无不钦敬。其年正是三十二岁，交逢好运，正应张铁口先生推算之语。可见：

万般皆是命，半点不由人。

德称正在寺中温习旧业，又得了王安报信，收拾行囊，别了长老赴京，另寻一寓安歇。黄小姐拨家僮二人伏侍，一应日用供给，络绎馈送。德称草成表章，叙先臣马万群直言得祸之由，一则为父亲乞恩昭雪，一则为自己辨复前程。圣旨倒下，准复马万群原官，仍加三级，马任复学复廪。所抄没田产，有司追给。德称差家僮报与小姐知道。黄小姐又差王安送银两到德称寓中，叫他廪例入粟。明春就考了监元，至秋发魁。就于寓中整备喜筵，与黄小姐成亲。来春又中了第十名会魁，殿试二甲，考选庶吉士。上表给假还乡，焚黄谒墓，圣旨准了。夫妻衣锦还乡，府县官员出郭迎接。往年抄没田宅，俱用官价赎还，造册交割，分毫不少。宾朋一向疏失者，此日奔走其门如市。只有顾祥一人自觉羞惭，迁往他郡去讫。时张铁口先生尚在，闻知马公子得第荣归，特来拜贺，德称厚赠之而去。后来马任直做到礼、兵、刑三部尚书，六媖小姐封一品夫人。所生二子，俱中甲科，簪缨不绝。至今延平府人，说读书人不得第者，把“钝秀才”为比。后人有诗叹云：

十年落魄少知音，一日风云得称心。
秋菊春桃时各有，何须海底去捞针。

第十八卷
老门生三世报恩

买只牛儿学种田，结间茅屋向林泉。
也知老去无多日，且向山中过几年。
为利为官终幻客，能诗能酒总神仙。
世间万物俱增价，老去文章不值钱。

这八句诗，乃是达者之言。末句说：“老去文章不值钱”，这一句，还有个评论。大抵功名迟速，莫逃乎命，也有早成，也有晚达。早成者未必有成，晚达者未必不达。不可以年少而自恃，不可以年老而自弃。这老少二字，也在年数上，论不得的。假如甘罗十二岁为丞相，十三岁上就死了，这十二岁之年，就是他发白齿落、背曲腰弯的时候了。后头日子已短，叫不得少年。又如姜太公八十岁还在渭水钓鱼，遇了周文王以后车载之，拜为师尚父。文王崩，武王立，他又秉钺为军师，佐武王伐纣，定了周家八百年基业，封于齐国。又教其子丁公治齐，自己留相周朝，直活到一百二十岁方死。你说八十岁一个老渔翁，谁知日后还有许多事业，日子正长哩！这等看将起来，那八十岁上还是他初束发，刚顶冠，做新郎，应童子试的时候，叫不得老年。世人只知眼前贵贱，那知去后的日长日短？见个少年富贵的奉承不暇，多了几年年纪，蹉跎不遇，就怠慢他，这是短见薄识之辈。譬如农家，也有早谷，也有晚稻，正不知那一种收成得好？不见古人云：

东园桃李花，早发还先萎。

迟迟涧畔松，郁郁含晚翠。

闲话休提。却说国朝正统年间，广西桂林府兴安县有一秀才，复姓鲜于名同，字大通。八岁时曾举神童，十一岁游庠，超增补廪。论他的才学，便是董仲舒、司马相如也不看在眼里，真个是胸藏万卷，笔扫千军。论他的志气，便像冯京、商辂连中三元，也只算他便袋里东西，真个是足蹑风云，气冲牛斗。何期才高而数奇，志大而命薄。年年科举，岁岁观场，不能得朱衣点额，黄榜标名。到三十岁上，循资该出贡了。他是个有才有志的人，贡途的前程是不屑就的。思量穷秀才家，全亏学中年规这几两廪银，做个读书本钱。若出了学门，少了这项来路，又去坐监，反费盘缠。况且本省比监里又好中，算计不通。偶然在朋友前露了此意，那下首该贡的秀才，就来打话要他让贡，情愿将几十金酬谢。鲜于同又得了这个利息，自以为得计。

第一遍是个情，第二遍是个例，人人要贡，个个争先。鲜于同自三十岁上让贡起，一连让了八遍，到四十六岁兀自沉埋于泮水之中，驰逐于青衿之队。也有人笑他的，也有人怜他的，又有人劝他的。那笑他的他也不睬，怜他的他也不受，只有那劝他的，他就勃然发怒起来道："你劝我就贡，止无过道俺年长，不能个科第了。却不知龙头属于老成，梁皓八十二岁中了状元，也替天下有骨气肯读书的男子争气。俺若情愿小就时，三十岁上就了，肯用力钻刺，少不得做个府佐县正，昧着心田做去，尽可荣身肥家。只是如今是个科目的世界，假如孔夫子不得科第，谁说他胸中才学？若是三家村一个小孩子，粗粗里记得几篇烂旧时文，遇了个盲试官，乱圈乱点，睡梦里偷得个进士到手，一般有人拜门生，称老师，谭天说地，谁敢出个题目将带纱帽的再考他一考么？不止于此，做官里头还有多少不平处，进士官就是个铜打铁铸的，撒漫做去，没人敢说他不字；科贡官，兢兢业业，捧了卵子过桥，上司还要寻趁他。比及按院复命，参论的但是进士官，凭你叙得极贪极酷，公道看来，拿问也还透头。说到结末，生怕断绝了贪酷种子，道：'此一臣者，官箴虽玷，但或念初任，或念年青，尚可望其自新，策其末路，姑照浮躁或不及例降调。'不勾几年工夫，依旧做起。倘拼得些银子央要道挽回，不过对调个地方，全然没事。科贡的官一分不是，就当做十分。晦气遇着别人有势有力，没处下手，随你清廉贤宰，少不得借重他替进士顶缸。有这许多下平处，所以下中进士，再做不得官。俺宁可老儒终身，死去到阎王面前高声叫屈，还博个来世出头。岂可屈身小就，终日受人懊恼，吃顺气丸度日！”遂吟诗一首，诗曰：

从来资格困朝绅，只重科名不重人。
楚士凤歌诚恐殆，叶公龙好岂求真。
若还黄榜终无分，宁可青衿老此身。
铁砚磨穿豪杰事，春秋晚遇说平津。

汉时有个平津侯，复姓公孙名弘，五十岁读《春秋》，六十岁对策第一，做到丞相封侯。鲜于同后来六十一岁登第，人以为诗谶，此是后话。

却说鲜于同自吟了这八句诗，其志愈锐。怎奈时运不利，看看五十齐头，“苏秦还是旧苏秦”，不能勾改换头面。再过几年，连小考都不利了。每到科举年分，第一个拦场告考的，就是他，讨了多少人的厌贱。到天顺六年，鲜于同五十七岁，鬓发都苍然了，兀自挤在后生家队里，谈文讲艺，娓娓不倦。那些后生见了他，或以为怪物，望而避之；或以为笑具，就而戏之。这都不在话下。

却说兴安县知县，姓蒯名遇时，表字顺之，浙江台州府仙居县人氏。少年科甲，声价甚高。喜的是谈文讲艺，商古论今。只是有件毛病，爱少贱老，不肯一视同仁。见了后生英俊，加意奖借；若是年长老成的，视为朽物，口呼“先辈”，甚有戏侮之意。其年乡试届期，宗师行文，命县里录科。蒯知县将合县生员考试，弥封阅卷，自恃眼力，从公品第，黑暗里拔了一个第一，心中十分得意。向众秀才面前夸奖道：“本县拔得个首卷，其文大有吴越中气脉，必然连捷，通县秀才，皆莫能及。”众人拱手听命，却似汉皇筑坛拜将，正不知拜那一个有名的豪杰。比及拆号唱名，只见一人应声而出，从人丛中挤将上来，你道这人如何？

矮又矮，胖又胖，须鬓黑白各一半。破儒巾，欠时样，蓝衫补孔重重绽。你也瞧，我也看，若还冠带像胡判。不枉夸，不枉赞，“先辈”今朝说嘴惯。休羡他，莫自叹，少不得大家做老汉。不须营，不须干，序齿轮流做领案。

那案首不是别人，正是那五十七岁的怪物，笑具，名叫鲜于同。合堂秀才哄然大笑，都道：“鲜于‘先辈’，又起用了。”连蒯公也自羞得满面通红，顿口无言。一时间看错文字，今日众人属目之地，如何番悔！忍着一肚子气，胡乱将试卷拆完。喜得除了第一名，此下一个个都是少年英俊，还有些嗔中带喜。是日蒯公发放诸生事毕，回衙闷闷不悦，不在话下。

却说鲜于同少年时本是个名士，因淹滞了数年，虽然志不曾灰，却也是：

泽畔屈原吟独苦，洛阳季子面多惭。

今日出其不意，考个案首，也自觉有些兴头。到学道考试，未必爱他文字，亏了县家案首，就搭上一名科举，喜孜孜去赴省试。众朋友都在下处看经书，温后场。只有鲜于同平昔饱学，终日在街坊上游玩。旁人看见，都猜道："这位老相公，不知是送儿子孙儿进场的？事外之人，好不悠闲自在！"若晓得他是科举的秀才，少不得要笑他几声。

日居月诸，忽然八月初七日，街坊上大吹大擂，迎试官进贡院。鲜于同观看之际，见兴安县蒯公，正征聘做《礼记》房考官。鲜于同自想，我与蒯公同经，他考过我案首，必然爱我的文字，今番遇合，十有八九。谁知蒯公心里不然，他又是一个见识，道："我取个少年门生，他后路悠远，官也多做几年，房师也靠得着他。那些老师宿儒，取之无益。"又道："我科考时不合昏了眼，错取了鲜于'先辈'，在众人前老大没趣。今番再取中了他，却不又是一场笑话。我今阅卷，但是三场做得齐整的，多应是夙学之士，年纪长了，不要取他。只拣嫩嫩的口气，乱乱的文法，歪歪的四六，怯怯的策论，愦愦的判语，那定是少年初学。虽然学问未充，养他一两科，年还不长，且脱了鲜于同这件干纪。"算计已定，如法阅卷，取了几个不整下齐，略略有些笔资的，大圈大点，呈上主司。主司都批了"中"字。

到八月廿八日，主司同各经房在至公堂上拆号填榜。《礼记》房首卷是桂林府兴安县学生，复姓鲜于名同，习《礼记》。又是那五十七的怪物，笑具侥幸了。蒯公好生惊异。主司见蒯公有不乐之色，问其缘故。蒯公道："那鲜于同年纪已老，恐置之魁列，无以压服后生，情愿把一卷换他。"主司指堂上匾额道："此堂既名为'至公堂'，岂可以老少而私爱憎乎？自古龙头属于老成，也好把天下读书人的志气鼓舞一番。"遂不肯更换，判定了第五名正魁，蒯公无可奈何。正是：

饶君用尽千般力，命里安排动不得。
本心拣取少年郎，依旧取将老怪物。

蒯公立心不要中鲜于"先辈"，故此只拣不整齐的文字才中。那鲜于同是宿学之士，文字必然整齐，如何反投其机？原来鲜于同为八月初七日看了蒯公入帘，自谓遇合十有八九。回归寓中多吃了几杯生酒，坏了脾胃，破腹起来。勉强进场，一头想文字，一头泄泻，泻得一丝两气，草草完篇。二场三场，仍复如此，十分才学，不曾用得一分出来。自谓万无中式之理。谁知蒯公到不要整齐文字，以此竟占了个高魁。也是命里否极泰来，颠之倒之，自然凑巧。那兴安县刚刚只中他一个举人。当日鹿鸣宴罢，众同年序齿，他就居了第一。各房考官见了门生，俱各欢喜，惟蒯公闷闷不悦。鲜于同感蒯公两番知遇之恩，愈加殷勤，蒯公愈加懒散。上京会试，只照常规，全无作兴加厚之意。

明年鲜于同五十八岁，会试，又下第了。相见蒯公，蒯公更无别语，只劝他选了官罢。鲜于同做了四十馀年秀才，不肯做贡生官，今日才中得一年乡试，怎肯就举人职？回家读书，愈觉有兴。每闻里中秀才会文，他就袖了纸墨笔砚，捱入会中同做。凭众人要他，笑他，嗔他，厌他，总不在意。做完了文字，将众人所作看了一遍，欣然而归，以此为常。

光阴荏苒，不觉转眼三年，又当会试之期。鲜于同时年六十有一，年齿虽增，矍铄如旧。在北京第二遍会试，在寓所得其一梦。梦见中了正魁，会试录上有名，下面却填做《诗经》，不是《礼记》。鲜于同本是个宿学之士，那一经不通？他功名心急，梦中之言，不由不信，就改了《诗经》应试。

事有凑巧，物有偶然。蒯知县为官清正，行取到京，钦授礼科给事中之职。其年又进会试经房。蒯公不知鲜于同改经之事，心中想道："我两遍错了主意，取了那鲜于'先辈'做了首卷，今番会试，他年纪一发长了。若《礼记》房里又中了他，这才是终身之玷。我如今不要看《礼记》，改看了《诗经》卷子，那鲜于'先辈'中与不中，都不干我事。"比及入帘阅卷，遂请看《诗》五房卷。蒯公又想道："天下举子像鲜于'先辈'的，谅也非止一人。我不中鲜于同，又中了别的老儿，可不是'躲了雷公，遇了霹雳'！我晓得了，但凡老师宿儒，经旨必然十分透彻。后生家专工四书，经义必然不精。如今到不要取四经整齐，但是有些笔资的，不妨题旨影响，这定是少年之辈了。"阅卷进呈，等到揭晓，《诗》五房头卷，列在第十名正魁。拆号看时，却是桂林府兴安县学生，覆姓鲜于名同，习《诗经》，刚刚又是那六十一岁的怪物，笑具！气得蒯遇时目睁口呆，如槁木死灰模样！

早知富贵生成定，悔却从前枉用心。

蒯公又想道："论起世上同名姓的尽多，只是桂林府兴安县却没有两个鲜于同。但他向来是《礼记》，不知何故又改了《诗经》，好生奇怪？"候其来谒，叩其改经之故。鲜于同将梦中所见，说了一遍。蒯公叹息连声道："真命进士，真命进士。"自此蒯公与鲜于同师生之谊，比前反觉厚了一分。殿试过了，鲜于同考在二甲头上，得选刑部主事。人道他晚年一第，又居冷局，替他气闷，他欣然自如。

却说蒯遇时在礼科衙门直言敢谏，因奏疏里面触突了大学士刘吉，被吉寻他罪过，下于诏狱。那时刑部官员，一个个奉承刘吉，欲将蒯公置之死地。却好天与其便，鲜于同在本部一力周旋看觑，所以蒯公不致吃亏。又替他纠合同年，在各衙门恳求方便，蒯公遂得从轻降处。蒯公自想道："'着意种花花不活，无心栽柳柳成阴。'若不中得这个老门生，今日性命也难保。"乃往鲜于"先辈"寓所拜谢。鲜于同道："门生受恩师三番知遇，今日小小效劳，止可少答科举而已，天高地厚，未酬万一。"当日师生二人欢饮而别。自此不论蒯公在家在任，每年必遣人问候，或一次或两次，虽俸金微薄，表情而已。

光阴荏苒，鲜于同只在部中迁转，不觉六年，应升知府。京中重他才品，敬他老成，吏部立心要寻个好缺推他。鲜于同全不在意。偶然仙居县有信至，蒯公的公子蒯敬共与豪户查家争坟地疆界，嚷骂了一场。查家走失了个小厮，赖蒯公子打死，将人命事告官。蒯敬共无力对理，一径逃往云南父亲任所去了。官府疑蒯公子逃匿，人命真情，差人雪片下来提人，家属也监了几个，阖门惊惧。鲜于同查得台州正缺知府，乃央人讨这地方。吏部知台州原非美缺，既然自己情愿，有何不从，即将鲜于同推升台州府知府。

鲜于同到任三日，豪家已知新太守是蒯公门生，特讨此缺而来，替他解纷，必有偏向之情。先在衙门谣言放刁，鲜于同只推不闻。蒯家家属诉冤，鲜于同亦佯为不理。密差的当捕人访缉查家小厮，务在必获。约过两月有馀，那小厮在杭州拿到。鲜于太守当堂审明，的系自逃，与蒯家无干。当将小厮责取查家领状。蒯氏家属，即行释放。期会一日，亲往坟所踏看疆界。查家见小厮已出，自知所讼理虚，恐结讼之日必然吃亏。一面央大分上到太守处说方便，一面又央人到蒯家，情愿把坟界相让讲和。蒯家事已得白，也不愿结冤家。鲜于太守准了和息，将查家薄加罚治，申详上司，两家莫不心服。正是：

只愁堂上无明镜，不怕民间有鬼奸。

鲜于太守乃写书信一通，差人往云南府回覆房师蒯公。蒯公大喜，想道："'树荆棘得刺，树桃李得荫'，若不曾中得这个老门生，今日身家也难保。"遂写恳切谢启一通，遣儿子蒯敬共赍回，到府拜谢。鲜于同道："下官暮年淹蹇，为世所弃，受尊公老师三番知遇，得掇科目，常恐身先沟壑，大德不报。今日恩兄被诬，理当暴白。下官因风吹火，小效区区，止可少酬老师乡试提拔之德，尚欠情多多也！"因为蒯公子经纪家事，劝他闭户读书，自此无话。

鲜于同在台州做了三年知府，声名大振，升在徽宁道做兵宪，累升河南廉使，勤于官职。年至八旬，精力比少年兀自有馀，推升了浙江巡抚。鲜于同想道："我六十一岁登第，且喜儒途淹蹇，仕途到顺溜，并不曾有风波。今官至抚台，恩荣极矣。一向清勤自矢，不负朝廷。今日急流勇退，理之当然。但受蒯公三番知遇之恩，报之未尽，此任正在房师地方，或可少效涓埃。"乃择日起程赴任。一路迎送荣耀，自不必说。不一日，到了浙江省城。此时蒯公也历任做到大参地位，因病目不能理事，致政在家。闻得鲜于"先辈"又做本省开府，乃领了十二岁孙儿，亲到杭州谒见。蒯公虽是房师，到小于鲜于公二十馀岁。今日蒯公致政在家，又有了目疾，龙钟可怜。鲜于公年已八旬，健如壮年，位至开府。可见发达不在于迟早，蒯公叹息了许多。正是：

松柏何须羡桃李，请君点检岁寒枝。

且说鲜于同到任以后，正拟遣人问候蒯公，闻说蒯参政到门，喜不自胜，倒屣而迎，直请到私宅，以师生礼相见。蒯公唤十二岁孙儿："见了老公祖。"鲜于公问："此位是老师何人?"蒯公道："老夫受公祖活命之恩，犬子昔日难中，又蒙昭雪，此恩直如覆载。今天幸福星又照吾省。老夫衰病，不久于世，犬子读书无成，只有此孙，名曰蒯悟，资性颇敏，特携来相托，求老公祖青目一二。"鲜于公道："门生年齿，已非仕途人物，正为师恩酬报未尽，所以强颜而来。今日承老师以令孙相托，此乃门生报德之会也。鄙思欲留令孙在敝衙同小孙辈课业，未审老师放心否?"蒯公道："若蒙老公祖教训，老夫死亦瞑目!"遂留两个书童服事蒯悟在都抚衙内读书，蒯公自别去了。

那蒯悟资性过人，文章日进。就是年之秋，学道按临，鲜于公力荐神童，进学补廪，依旧留在衙门中勤学。三年之后，学业已成。鲜于公道："此子可取科第，我亦可以报老师之恩矣。"乃将俸银三百两赠与蒯悟为笔砚之资，亲送到台州仙居县。适值蒯公三日前一病身亡，鲜于公哭奠已毕，问："老师临终亦有何言?"蒯敬共道："先父遗言，自己不幸少年登第，因而爱少贱老。偶尔暗中摸索，得了老公祖大人。后来许多年少的门生，贤愚不等，升沉不一，俱不得其气力，全亏了老公祖大人一人，始终看觑。我子孙世世不可怠慢老成之士!"鲜于公呵呵大笑道："下官今日三报师恩，正要天下人晓得扶持了老成人也有用处，不可爱少而贱老也!"说罢，作别回省，草上表章，告老致仕。得旨予告，驰驿还乡，优悠林下。每日训课儿孙之暇，同里中父老饮酒赋诗。后八年，长孙鲜于涵乡榜高魁，赴京会试，恰好仙居县蒯悟是年中举，也到京中。两人三世通家，又是少年同窗，并在一寓读书。比及会试揭晓，同年进士，两家互相称贺。

鲜于同自五十七岁登科，六十一岁登甲，历仕二十三年，腰金衣紫，锡恩三代。告老回家，又看了孙儿科第，直活到九十六岁，整整的四十年晚运。至今浙江人肯读书，不到六七十岁还不丢手，往往有晚达者。后人有诗叹云：

利名何必苦奔忙，迟早须臾在上苍。
但学蟠桃能结果，三千馀岁未为长。

第十九卷 崔衙内白鹞招妖

早退春朝宠贵妃，谏章争敢傍丹墀。
蓬莱殿里迎鸾驾，花萼楼前进荔枝。
羯鼓未终鼙鼓动，羽衣犹在战衣追。
子孙翻作升平祸，不念先皇创业时。

这首诗，题著唐时第七帝，谥法谓之玄宗。古老相传云：天上一座星，谓之玄星，又谓之金星，又谓之参星，又谓之长庚星，又谓之太白星，又谓之启明星。世人不识，叫做晓星。初上时，东方未明；天色将晓，那座星渐渐的暗将来。先明后暗，这个谓之玄。唐玄宗自姚崇、宋璟为相，米麦不过三四钱，千里不赍行粮。自从姚宋二相死，杨国忠、李林甫为相，教玄宗生出四件病来：

内作色荒，外作禽荒。
耽酒嗜音，峻宇雕墙。

玄宗最宠爱者，一个贵妃，叫做杨太真。那贵妃又背地里宠一个胡儿，姓安名禄山，腹重三百六十斤，坐绰飞燕，走及奔马，善舞胡旋，其疾如风。玄宗爱其骁健，因而得宠。禄山遂拜玄宗为父，贵妃为母。杨妃把这安禄山头发都剃了，擦一脸粉，画两道眉，打一个白鼻儿。用锦绣彩罗，做成襁褓，选粗壮宫娥数人扛抬，绕那六宫行走。当时则是取笑，谁知浸润之间，太真与禄山为乱。一日，禄山正在太真宫中行乐，宫娥报道："驾到！"禄山矫捷非常，逾墙逃去。贵妃怆惶出迎，冠发散乱，语言失度，错呼圣上为郎君。玄宗驾即时起，使六宫大使高力士高珪送太真归第，使其省过。贵妃求见天子不得，涕泣出宫。

却说玄宗自离了贵妃三日，食不甘味，卧不安席。高力士探知圣意，启奏道："贵妃昼寝困倦，言语失次，得罪万岁御前。今省过三日，想已知罪，万岁爷何不召之？"玄宗命高珪往看妃子在家作何事。高珪奉旨，到杨太师私第，见过了贵妃，回奏天子，言："娘娘容颜愁惨，梳沐俱废。一见奴婢，便问圣上安否，泪如雨下。乃取妆台对镜，手持并州剪刀，解散青丝，剪下一缕，用五彩绒绳结之，手自封记，托奴婢传语，送到御前。娘娘含泪而言：'妾一身所有，皆出皇上所赐。只有身体发肤，受之父母，以此寄谢圣恩，愿勿忘七夕夜半之约。'”原来玄宗与贵妃七夕夜半，曾在沉香亭有私誓，愿生生世世，同衾同枕。此时玄宗闻知高珪所奏，见贵妃封寄青丝，拆而观之，凄然不忍。即时命高力士用香车细辇，迎贵妃入宫。自此愈加宠幸。

其时四方贡献不绝：西夏国进月样琵琶，南越国进玉笛，西凉州进葡萄酒，新罗国进白鹞子。这葡萄酒供进御前；琵琶赐与郑观音；玉笛赐与御弟宁王；新罗白鹞赐与崔丞相。后因李白学士题沉香亭牡丹诗，将赵飞燕比著太真娘娘，暗藏讥刺，被高力士奏告贵妃，泣诉天子，将李白黜贬。崔丞相原来与李白是故交，事相连累，得旨令判河北定州中山府。正是：

老龟烹不烂，遗祸及枯桑。

崔丞相来到定州中山府远近，接入进府，交割牌印了毕。在任果然是如水之清，如秤之平，如绳之直，如镜之明。不一月之间，治得府中路不拾遗。时遇天宝春初：

春，春！柳嫩，花新。梅谢粉，草铺茵。莺啼北里，燕语南邻。郊原嘶宝马，紫陌广香轮。　　日暖冰消水绿，风和雨嫩烟轻。东阁广排公子宴，锦城多少赏花人。

崔丞相有个衙内，名唤崔亚，年纪二十来岁。生得美丈夫，性好畋猎。见这春间天色，宅堂里叉手向前道：“告爹爹，请一日严假，欲出野外游猎。不知爹爹尊意如何?”相公道：“吾儿出去，则索早归。”衙内道：“领爹尊旨。则是儿有一事，欲取覆慈父。”相公道：“你有甚说?”衙内道：“欲借御赐新罗白鹞同往。”相公道：“好，把出去照管，休教失了。这件物是上方所赐，新罗国进到，世上只有这一只。万弗走失！上方再来索取，却是那里去讨?”衙内道：“儿带出去无妨。但只要光耀州府，教人看玩则个。”相公道：“早归，少饮。”

衙内借得新罗白鹞，令一个五放家架著。果然是那里去讨！牵将闹装银鞍马过来，衙内攀鞍上马出门。若是说话的当时同年生，并肩长，劝住崔衙内，只好休去。千不合，万不合，带这只新罗白鹞出来，惹出一场怪事。真个是亘古未闻，于今罕有。有诗为证：

外作禽荒内色荒，滥沾些子又何妨?

早晨架出苍鹰去，日暮归来红粉香。

崔衙内寻常好畋猎。当日借得新罗白鹞，好生喜欢，教这五放家架著。一行人也有把水磨角靶弹弓，雁木乌椿弩子，架眼圆铁爪嘴弯鹰，牵搭耳细腰深口犬。出得城外，穿桃溪，过梅坞，登绿杨林，涉芳草渡，杏花村高悬酒望，茅檐畔低亚青帘。正是：

不暖不寒天气，半村半郭人家。

行了二三十里，觉道各人走得辛苦，寻一个酒店，衙内推鞍下马。入店

问道："有甚好酒买些个？先犒赏众人助脚力。"只见走一个酒保出来唱喏。看那人时，生得：

身长八尺，豹头燕颔，环眼骨髭，有如一个距水断桥张翼德，原水镇上王彦章。

衙内看了酒保，早吃一惊道："怎么有这般生得恶相貌的人？"酒保唱了喏，站在一边。衙内教："有好酒把些个来吃，就犒赏众人。"那酒保从里面掇一桶酒出来。随行自有带着底酒盏，安在桌上。筛下一盏，先敬衙内：

酒，酒！邀朋，会友。君莫待，时长久。名呼食前，礼于茶后。临风不可无，对月须教有。　李白一饮一石，刘伶解醒五斗。公子沾唇脸似桃，佳人入腹腰如柳。

衙内见筛下酒色红，心中早惊："如何恁地红！"踏著酒保脚跟，入去到酒缸前，揭开缸盖，只看了一看，吓得衙内：

顶门上不见三魂，脚底下荡散七魄。

只见血水里面浸着浮米。衙内出来，教一行人且莫吃酒，把三两银子与酒保，还了酒钱。那酒保接钱，唱喏谢了。

衙内攀鞍上马，离酒店，又行了一二里地，又见一座山冈。原来门外谓之郭，郭外谓之郊，郊外谓之野，野外谓之迥。行了半日，相次到北岳恒山。一座小峰在恒山脚下，山势果是雄勇：

山，山！突兀，回环。罗翠黛，列青蓝。洞云缥缈，涧水潺湲。峦碧千山外，岚光一望间。　暗想云峰尚在，宜陪谢屐重攀。季世七贤虽可爱，盛时四皓岂宜闲。

衙内恰待上那山去，抬起头来，见山脚下立着两条木柱，柱上钉着一面版牌，牌上写著几句言语。衙内立马看了道："这条路上恁地利害！"勒住马，叫："回去休！"众人都赶上来。衙内指著版牌，教众人看。有识字的，读道：

此山通北岳恒山路，名为定山。有路不可行。其中精灵不少，鬼怪极多。行路君子，可从此山下首小路来往，切不可经此山过。特预禀知。

"如今却怎地好？"衙内道："且只得回去。"待要回来，一个肐膊上架着一枚角鹰，出来道："覆衙内：男女在此居，上面万千景致，生数般跷蹊作怪直钱的飞禽走兽。衙内既是出来畋猎，不入这山去？从小路上去，那里是平地，有甚飞禽走兽！可惜闲了新罗白鹞，也可惜闲了某手中角鹰。这一行架的小鹞、猎狗、弹弓、弩子，都为弃物。"衙内道："也说得是，你们都听我说，若打得活的归去，到府中一个赏银三两，吃几杯酒了归；若打得死的，一人赏银一两，也吃几杯酒了归；若都打不得飞禽走兽，银子也没有，酒也没得吃。"众人各应了喏。

衙内把马摔一鞭，先上山去。众人也各上山来。可煞作怪，全没讨个飞禽走兽。只见草地里掉掉地响。衙内用五轮八光左右两点神水，则看了一看，喝声采！从草里走出一只乾红兔儿来。众人都向前。衙内道："若捉得这红兔儿的，赏五两银子！"去马后立著个人，手探着新罗白鹞。衙内道："却如何不去勒？"闲汉道："告衙内，未得台旨，不敢擅便。"衙内道一声："快去！"那闲汉领台旨，放那白鹞子勒红兔儿。这白鹞见放了手，一翅箭也似便去。这兔儿见那白鹞赶得紧，去浅草丛中便钻。鹞子见兔儿走的不见，一翅径飞过山嘴去。衙内道："且与我寻白鹞子！"衙内也勒著马，转山去赶。

赶到山腰，见一所松林：

松，松！节峻，荫浓。能耐岁，解凌冬。高侵碧汉，森耸青峰。偃蹇形如盖，虬蟠势若龙。　茂叶风声瑟瑟，繁枝月影重重。四季常持君子操，五株曾受大夫封。

衙内手拃著水磨角靶弹弓，骑那马赶。看见白鹞子飞入林子里面去，衙内也入这林子里来。当初白鹞子脖项上带着一个小铃儿。林子背后一座峭壁悬崖，没路上去，则听得峭壁顶上铃儿响。衙内抬起头来看时，吃了一惊，道："不曾见这般跷蹊作怪底事！"去那峭壁顶上，一株大树底下，坐着一个一丈来长短骷髅：

头上裹著镞金蛾帽儿，身上锦袍灼灼，金甲辉辉。锦袍灼灼，一条抹额荔枝红；金甲辉辉，靴穿一双鹦鹉绿。

看那骷髅，左手架著白鹞，右手一个指头，拨那鹞子的铃儿，口里啧啧地引这白鹞子。衙内道："却不作怪！我如今去讨，又没路上得去。"只得在下面告道："尊神，崔某不知尊神是何方神圣，一时走了新罗白鹞，望尊神见还则个！"看那骷髅，一似佯佯不采。似此告了他五七番，陪了七八个大喏。这人从又不见一个入林子来，骷髅只是不采。衙内忍不得，拿起手中弹弓，拽得满，觑得较亲，一弹子打去。一声响亮，看时，骷髅也不见，白鹞子也不见了。

乘著马，出这林子前，人从都不见。著眼看那林子，四下都是青草。看看天色晚了，衙内慢慢地行，肚中又饥。下马离鞍，吊缰牵著马，待要出这山路口。看那天色却早：

红日西沉，鸦鹊奔林高噪。打鱼人停舟罢棹，望客旅贪程，烟村缭绕。山寺寂寥，玩银灯，佛前点照。月上东郊，孤村酒旆收了。采樵人回，攀古道，过前溪，时听猿啼虎啸。深院佳人，望夫归，倚门斜靠。

衙内独自一个牵着马，行到一处，却不是早起入来的路。星光之下，远远地望见数间草屋。衙内道："惭愧！这里有人家时，却是好了。"径来到跟前一看，见一座庄院：

庄，庄！临堤，傍冈。青瓦屋，白泥墙。桑麻映日，榆柳成行。山鸡鸣竹坞，野犬吠村坊。 淡荡烟笼草舍，轻盈雾罩田桑。家有馀粮鸡犬饱，户无徭役子孙康。

衙内把马系在庄前柳树上，便去叩那庄门。衙内道："过往行人，迷失道路，借宿一宵，来日寻路归家。"庄里无人答应。衙内又道："是见任中山府崔丞相儿子，因不见了新罗白鹞，迷失道路，问宅里借宿一宵。"敲了两三次，方才听得有人应道："来也，来也！"鞋履响，脚步鸣，一个人走将出来开门。衙内打一看时，叫声苦！那出来的不是别人，却便是早间村酒店里的酒保。衙内问道："你如何却在这里？"酒保道："告官人，这里是酒保的主人家。我却入去说了便出来。"酒保去不多时，只见几个青衣，簇拥着一个著乾红衫的女儿出来：

吴道子善丹青，描不出风流体段；蒯文通能舌辨，说不尽许多精神。

衙内不敢抬头："告娘娘，崔亚迷失道路，敢就贵庄借宿一宵。来日归家，丞相爹爹却当报效。"只见女娘道："奴等衙内多时，果蒙宠访。请衙内且入敝庄。"衙内道："岂敢辄入！"再三再四，只管相请。

衙内唱了喏，随著入去。到一个草堂之上，见灯烛荧煌，青衣点将茶来。衙内告娘娘："敢问此地是何去处？娘娘是何姓氏？"女娘听得问，启一点朱唇，露两行碎玉，说出数句言语来。衙内道："这事又作怪！"茶罢，接过盏托。衙内自思量道："先自肚里又饥，却教吃茶！"正恁沉吟间，则见女娘教安排酒来。道不了，青衣掇过果桌。顷刻之间，咄嗟而办。

幕天席地，灯烛荧煌。筵排异皿奇杯，席展金觥玉斝。珠罍妆成异果，玉盘簇就珍羞。珊瑚筵上，青衣美丽捧霞觞；玳瑁杯中，粉面丫鬟斟玉液。

衙内叉手向前："多蒙赐酒，不敢祇受。"女娘道："不妨，屈郎少饮。家间也是勋臣贵戚之家。"衙内道："不敢拜问娘娘，果是那一宅？"女娘道："不必问，他日自知。"衙内道："家间父母望我回去，告娘娘指路，令某早归。"女娘道："不妨，家间正是五伯诸侯的姻眷，衙内又是宰相之子，门户正相当。奴家见爹爹议亲，东来不就，西来不成，不想姻缘却在此处相会！"衙内听得说，愈加心慌，却不敢抗违，则应得喏。一杯两盏，酒至数巡。衙内告娘娘："指一条路，教某归去。"女娘道："不妨，左右明日教爹爹送衙内归。"衙内道："男女不同席，不共食，自古'瓜田不纳履，李下不整冠'。深恐得罪于尊前。"女娘道："不妨，纵然不做夫妇，也待明日送衙内回去。"

衙内似梦如醉之间，则听得外面人语马嘶。青衣报道："将军来了。"女娘道："爹爹来了，请衙内少等则个。"女娘轻移莲步，向前去了。衙内道："这里有甚将军?"捏手捏脚，尾著他到一壁厢，转过一个阁儿里去，听得有人在里面声唤。衙内去黑处把舌尖舐开纸窗一望时，吓得浑身冷汗，动掸不得，道："我这性命休了！走了一夜，却走在这个人家里。"当时衙内窗眼里，看见阁儿里两行都摆列朱红椅子，主位上坐一个一丈来长短骷髅，却便是日间一弹子打的。且看他如何说？那女孩儿见爹爹叫了万福，问道："爹爹没甚事?"骷髅道："孩儿，你不来看我则个！我日间出去，见一只雪白鹞子，我见它奇异，捉将来架在手里。被一个人在山脚下打我一弹子，正打在我眼里，好疼！我便问山神土地时，却是崔丞相儿子崔衙内。我若捉得这厮，将来背剪缚在将军柱上，劈腹取心。左手把起酒来，右手把著他心肝；吃一杯酒，嚼一块心肝，以报冤仇。……"

说犹未了，只见一个人，从屏风背转将出来，不是别人，却是早来村酒店里的酒保。将军道："班犬，你听得说也不曾?"班犬道："才见说；却不叵耐，崔衙内早起来店中向我买酒吃，不知却打了将军的眼！"女孩儿道："告爹爹，他也想是误打了爹爹，望爹爹饶恕他。"班犬道："妹妹，莫怪我多口。崔衙内适来共妹妹在草堂饮酒。"女孩儿告："爹爹，崔郎与奴饮酒，他是五百年前姻眷。看孩儿面，且饶恕他则个！"将军便只管焦躁，女孩儿只管劝。衙内在窗子外听得，道："这里不走，更待何时！"走出草堂，开了院门，跳上马，摔一鞭，那马四只蹄一似翻盏撒钹，道不得个"慌不择路"，连夜胡乱走到天色将晓，离了定山。衙内道："惭愧!"

正说之间，林子里抢出十馀个人来，大喊大声，把衙内簇住。衙内道："我好苦！出得龙潭，又入虎穴！"仔细看时，却是随从人等。衙内道："我吃你们一惊！"众人问衙内："一夜从那里去来？今日若不见衙内，我们都打没头脑恶官司。"衙内对众人把上项事说了一遍。众人都以手加额道："早是不曾坏了性命！我们昨晚夜不敢归去，在这林子里等到今日。早是新罗白鹞，原来飞在林子后面树上，方才收得。"那养角鹰的道："覆衙内，男女在此土居，这山里有多少奇禽异兽，只好再人去出猎，可惜担搁了新罗白鹞。"衙内道："这厮又来！"众人扶策著衙内，归到府中。

一行人离了犒设，却入堂里，见了爹妈，唱了喏。相公道："一夜你不归，那里去来？忧杀了妈妈。"衙内道："告爹妈，儿子昨夜见一件诧异的事！"把说过许多活，从头说了一遍。相公焦躁："小后生乱道胡说！且罚在书院里，教院子看著，不得出离！"衙内只得入书院。

时光似箭，日月如梭，捻指间过了三个月。当时是夏间天气：

夏，夏！雨馀，亭厦。纨扇轻，薰风乍。散发披襟，弹棋打马。古鼎焚龙涎，照壁名人画。　　当头竹径风生，两行青松暗瓦。最好沉李与浮瓜，对青樽旋开新鲊。

衙内过三个月不出书院门。今日天色却热，且离书院去后花园里乘凉。坐定，衙内道："三个月不敢出书院门，今日在此乘凉，好快活！"听那更点，早是二更。只见一轮月从东上来：

月，月！无休，无歇。夜东生，晓西灭。少见团圆，多逢破缺。偏宜午夜时，最称三秋节。　幽光解敌严霜，皓色能欺瑞雪。穿窗深夜忽清风，曾遣离人情惨切。

衙内乘着月色，闲行观看。则见一片黑云起，云绽处，见一个人驾一轮香车，载着一个妇人。看那驾车的人，便是前日酒保班犬，香车里坐着乾红衫女儿，衙内月光下认得是庄内借宿留他吃酒的女娘，下车来道："衙内，外日奴好意相留，如何不别而行？"衙内道："好！不走，右手把著酒，左手把著心肝做下口。告娘娘，饶崔某性命！"女孩儿道："不要怕，我不是人，亦不是鬼，奴是上界神仙，与衙内是五百年姻眷，今日特来效于飞之乐。"教班犬自驾香车去。衙内一时被她这色迷了：

色，色！难离，易惑。隐深闺，藏柳陌。长小人志，灭君子德。后主谩多才，纣王空有力。　伤人不痛之刀，对面杀人之贼。方知双眼是横波，无限贤愚被沉溺。

两个同在书院里过了数日。院子道："这几日衙内不许我们入书院里，是何意故？"当夜张见一个妖媚的妇人。院子先来覆管家婆，便来覆了相公。相公焦躁做一片，仗剑入书院里来。衙内见了相公，只得唱个喏。相公道："我儿，教你在书院中读书，如何引惹邻舍妇女来？朝廷得知，只说我纵放你如此！也妨我儿将来仕路！"衙内只应得喏："告爹爹，无此事。"却待再问，只见屏风后走出一个女孩儿来，叫声万福。相公见了，越添焦躁，仗手中宝剑，移步向前，喝一声道："著！"剑不下去，万事俱休，一剑下去，教相公倒退三步。看手中利刃，只剩得剑靶。吃了一惊，到去住不得。只见女孩儿道："相公休焦！奴与崔郎五百年姻契，合为夫妇。不日同为神仙。"相公出豁不得，却来与夫人商量，教请法官。那里捉得住！

正恁地烦恼，则见客将司来覆道："告相公，有一司法，姓罗名公适，新到任来公参。客司说：'相公不见客。'问：'如何不见客？'客将司把上件事说了一遍。罗法司道：'此间有一修行在世神仙，可以断得。姓罗名公远，是某家兄。'客司覆相公。"相公即时请相见。茶汤罢，便问罗真人在何所。得了备细，便修札子请将罗公远下山，到府中见了。崔丞相看那罗真人，果是生得非常。便引到书院中，与这妇人相见了。罗真人劝谕那妇人："看罗某面，放舍崔衙内。"妇人那里肯依。罗真人既再三劝谕，不从。作起法来，忽起一阵怪风：

风，风！荡翠，飘红。忽南北，忽西东。春开柳叶，秋谢梧桐。凉入朱门内，寒添陋巷中。　似鼓声摇陆地，如雷响振晴空。乾坤收拾尘埃净，现日移阴却有功。

那阵风过处，叫下两个道童来。一个把著一条缚魔索，一个把著一条黑柱杖。罗真人令道童捉下那妇女。妇女见道童来捉他，叫一声班犬。从虚空中跳下班犬来，忿忿地擎起双拳，竟来抵敌。原来邪不可以干正，被两个道童一条索子，先缚了班犬，后缚了乾红衫女儿。喝教现形。班犬变做一只大虫，乾红衫女儿变做一个红兔儿，这骷髅神，原来晋时一个将军，死葬在定山之上。岁久年深，成器了，现形作怪。罗真人断了这三怪，救了崔衙内性命。从此至今，定山一路，太平无事。这段话本，则唤做《新罗白鹞》，《定山三怪》。有诗为证：

虎奴兔女活骷髅，作怪成群山上头。
一自真人明断后，行人坦道永无忧。

第二十卷
计押番金鳗产祸

终日昏昏醉梦间，忽闻春尽强登山。
因过竹院逢僧话，又得浮生半日闲。

话说大宋徽宗朝有个官人，姓计名安，在北司官厅下做个押番。止只夫妻两口儿。偶一日，下番在家，天色却热，无可消遣，却安排了钓竿，迤逦取路来到金明池上钓鱼。钓了一日，不曾发市。计安肚里焦躁，却待收了钓竿归去，觉道浮子沉下去，钓起一件物事来。计安道声好，不知高低：“只有钱那里讨！”安在篮内，收拾了竿子，起身取路归来。一头走，只听得有人叫道：“计安！”回头看时，却又没人。又行又叫：“计安，吾乃金明池掌。汝若放我，教汝富贵不可言尽；汝若害我，教你合家人口死于非命。”仔细听时，不是别处，却是鱼篮内叫声。计安道：“却不作怪！”一路无话。

到得家中，放了竿子篮儿。那浑家道：“丈夫，快去厅里去，太尉使人来叫你两遭。不知有甚事，分付便来。”计安道：“今日是下番日期，叫我做甚？……”说不了，又使人来叫：“押番，太尉等你。”计安连忙换了衣衫，和那叫的人去干当官的事。了毕，回来家中，脱了衣裳，教安排饭来吃。只见浑家安排一件物事，放在面前。押番见了，吃了一惊，叫声苦，不知高低：

"我这性命休了!"浑家也吃一惊道:"没甚事，叫苦连声!"押番却把早间去钓鱼的事说了一遍，道:"是一条金鳗，它说:'吾乃金明池掌，若放吾，大富不可言;若害我，教我合家死于非命。'你却如何把它来害了?我这性命合休!"浑家见说，啐了一口唾，道:"却不是放屁!金鳗又会说起话来!我见没下饭，安排他来吃，却又没事。你不吃，我一发吃了。"计安终是闷闷不已。

到得晚间，夫妻两个解带脱衣去睡。浑家见他怀闷，离不得把些精神来陪侍他。自当夜之间，那浑家身怀六甲，只见眉低眼慢，腹大乳高。倏忽间又十月满足。临盆之时，叫了收生婆，生下个女孩儿来。正是:

野花不种年年有，烦恼无根日日生。

那押番看了，夫妻二人好不喜欢，取名叫做庆奴。

时光如箭，转眼之间，那女孩儿年登二八，长成一个好身材，伶俐聪明，又教成一身本事。爹娘怜惜，有如性命。时遇靖康丙午年间，士马离乱。因此计安家夫妻女儿三口，收拾随身细软包裹，流落州府。后来打听得车驾杭州驻跸，官员都随驾来临安。计安便迤逦取路奔行在来。不则一日，三口儿入城，权时讨得个安歇，便去寻问旧日官员相见了，依旧收留在厅着役，不在话下。计安便教人寻间房，安顿了妻小居住。

不止一日，计安觑着浑家道:"我下番无事，若不做些营生，恐坐吃山空，须得些个道业来相助方好。"浑家道:"我也这般想，别没甚事好做，算来只好开一个酒店。便是你上番时，我也和孩儿在家里卖得。"计安道:"你说得是，和我肚里一般。"便去理会这节事。次日，便去打合个量酒的人。却是外方人，从小在临安讨衣饭吃，没爹娘，独自一人，姓周名得，排行第三。安排都了，选吉日良时，开张店面。周三就在门前卖些果子，自捏合些汤水。到晚间，就在计安家睡。计安不在家，那娘儿两个自在家中卖。那周三直是勤力，却不躲懒。倏忽之间，相及数月。

忽朝一日，计安对妻子道:"我有句话和你说，不要嗔我。"浑家道:"却有甚事，只管说。"计安道:"这几日我见那庆奴，全不像那女孩儿相态。"浑家道:"孩儿日夜不曾放出去，并没甚事，想必长成了恁么!"计安道:"莫托大!我见他和周三两个打眼色。"当日没话说。

一日，计安不在家，做娘的叫那庆奴来:"我儿，娘有件事和你说，不要瞒我。"庆奴道:"没甚事。"娘便说道:"我这几日，见你身体粗丑，全不像模样。实对我说。"庆奴见问，只不肯说。娘见那女孩儿前言不应后语，失张失志，道三不着两，面上忽青忽红。娘道:"必有缘故!"捉住庆奴，搜检她身上时，娘只叹得口气，叫声苦，连腮赠掌，打那女儿:"你却被何人坏了?"庆奴吃打不过，哭着道:"我和那周三两个有事。"娘见说，不敢出声，攧着脚，只叫得苦："却是怎的计结？爹归来时须说我在家管甚事，装这般幌子！"周三不知里面许多事，兀自在门前卖酒。

到晚，计安归来歇息了，安排些饭食吃罢。浑家道："我有件事和你说。果应你的言语，那丫头被周三那厮坏了身体。"那计安不听得说，万事全休，听得说时，"怒从心上起，恶向胆边生"。便要去打那周三。浑家拦住道："且商量。打了他，不争我家却是甚活计！"计安道："我指望教这贱人去个官员府第，却做出这般事来。譬如不养得，把这丫头打杀了罢。"做娘的再三再四劝了一个时辰。爹性稍过，便问这事却怎地出豁。做娘的不慌不忙，说出一个法儿来，正是：

金风吹树蝉先觉，断送无常死不知。

浑家道："只有一法，免得妆幌子。"计安道："你且说。"浑家道："周三那厮，又在我家得使，何不把他来招赘了？"——说话的，当时不把女儿嫁与周三，只好休；也只被人笑得一场，两下赶开去，却没后面许多说话。——不想计安听信了妻子之言，便道："这也使得。"当日且分付周三归去。那周三在路上思量："我早间见那做娘的打庆奴，晚间押番归，却打发我出门。莫是'东窗事发'？若是这事走漏，须教我吃官司，如何计结？"没做理会处。正是：

乌鸦与喜鹊同行，吉凶事全然未保。

闲话提过，离不得计押番使人去说合周三。下财纳礼，择日成亲，不在话下。

倏忽之间，周三入赘在家，一载有馀。夫妻甚是说得着。两个暗地计较了，只要搬出去住。在家起晏睡早，躲懒不动。周三那厮，打出吊入，公然乾颡。计安忍不得，不住和那周三厮闹。便和浑家商量，和这厮官司一场，夺了休，却不妨得。日前时便怕人笑，没出手；今番只说是招那厮不着。便安排圈套，捉那周三些个事，闹将起来，和他打官司。邻舍劝不住，夺了休。周三只得离了计押番家，自去赶趁。庆奴不敢则声，肚里自烦恼，正自生离死别。

讨休在家相及半载，只见有个人来寻押番娘，却是个说亲的媒人。相见之后，坐定道："闻知宅上小娘子要说亲，老媳妇特来。"计安道："有甚好头脑，万望主盟。"婆子道："不是别人，这个人是虎翼营有请受的官身，占被在官员去处，姓戚名青。"计安见说，因缘相撞，却便肯。即时便出个帖子，几杯酒相待。押番娘便说道："婆婆用心则个！事成时，却得相谢。"婆婆谢了，自去。夫妻两个却说道："也好，一则有请受官身；二则年纪大些，却老成；三则周三那厮不敢来胡生事，已自嫁了个官身。我也认得这戚青，却善熟。"话中见快，媒人一合说成。依旧少不得许多节次成亲。

却说庆奴与戚青两个，说不着，道不得个“少女少郎，情色相当”。戚青却年纪大，便不中那庆奴意。却整日闹吵，没一日静办。爹娘见不成模样，又与女夺休，告托官员，封过状子，去所属看人情面，给状判离。戚青无力势，被夺了休。遇吃得醉，便来计押番门前骂。忽朝一日，发出句说话来，教“张公吃酒李公醉”，“柳树上着刀，桑树上出血”。正是：

安乐窝中好使乖，中堂有客寄书来。
多应只是名和利，撇在床头不拆开。

那戚青遇吃得酒醉，便来厮骂，却又不敢与他争。初时邻里也来相劝。次后吃得醉便来，把做常事，不管他。一日，戚青指着计押番道：“看我不杀了你这狗男女不信！”道了自去，邻里都知。

却说庆奴在家，又经半载。只见有个婆婆来闲话。莫是来说亲？相见了。茶罢，婆子道：“有件事要说，怕押番焦躁。”计安夫妻两个道：“但说不妨。”婆子道：“老媳妇见小娘子两遍说亲不着，何不把小娘子去个好官员家？三五年一程，却出来说亲也不迟。”计安听说，肚里道：“也好，一则两遍装幌子，二则坏了些钱物。却是又嫁什么人是得？”便道：“婆婆有甚么好去处教孩儿去则个？”婆子道：“便是有个官人要小娘子。特地叫老媳妇来说，见在家中安歇。他曾来宅上吃酒，认得小娘子，他是高邮军主簿，如今来这里理会差遣，没人相伴。只是要带归宅里去，却不知押番肯也不肯？”夫妻两个计议了一会，便道：“若是婆婆说时，必不肯相误，望婆婆主盟则个。”当日说定，商量拣日，做了文字。那庆奴拜辞了爹娘，便来伏事那官人。有分教做个失乡之鬼，父子不得相见。正是：

天听寂无声，苍苍何处寻？
非高亦非远，都只在人心。

那官人是高邮军主簿，家小都在家中，来行在理会本身差遣，姓李，名子由。讨得庆奴，便一似夫妻一般。日间寒食节，夜里正月半。那庆奴思衣得衣，思食得食。数月后，官人家中信到，催那官人去，恐在都下费用钱物。不只一日，干当完备，安排行装，买了人事，雇了船只，即日起程，取水路归来。在路贪花恋酒，迁延程途，直是怏怏。

相次到家，当直人等接着。那恭人出来，与官人相见。官人只应得喏，便道：“恭人在宅干管不易。”便教庆奴入来参拜恭人。庆奴低着头，走入来立地，却待拜。恭人道：“且休拜！”便问：“这是甚么人。”官人道：“实不瞒恭人，在都下早晚无人使唤，胡乱讨来相伴。今日带来伏事恭人。”恭人看了庆奴道：“你却和官人好快活！来我这里做什么？”庆奴道：“奴一时遭际，恭人看离乡背井之面。”只见恭人教两个养娘来：“与我除了那贱人冠子，脱了身上衣裳，换几件粗布衣裳着了。解开脚，蓬松了头，罚去厨下打水烧火做饭！”庆奴只叫得万万声苦，哭告恭人道：“看奴家中有老爹娘之面，若不要庆奴，情愿转纳身钱，还归宅中。”恭人道：“你要去，可知好哩！且罚你厨下吃些苦。你从前快活也勾了。”庆奴看着那官人道：“你带我来，却教我恁地模样！你须与我告恭人则个。”官人道：“你看恭人何等情性！随你了得的包待制，也断不得这事。你且没奈何，我自性命不保。等她性下，却与你告。”即时押庆奴到厨下去。官人道：“恭人若不要他时，只消退在牙家，转变身钱便了，何须发怒！”恭人道：“你好做作！兀自说哩！”自此罚在厨下，相及一月。

忽一日晚，官人去厨下，只听得黑地里有人叫官人。官人听得，认得是庆奴声音。走近前来，两个扯住了哭，不敢高声。便说道：“我不合带你回来，教你吃这般苦！”庆奴道：“你只管教我在这里受苦，却是几时得了？”官人沉吟半晌，道：“我有道理救你处。不若我告他，只做退你去牙家，转变身钱。安排廨舍，悄悄地，教你在那里往。我自教人把钱来，我也不时自来，和你相聚。是好也不好？”庆奴道：“若得如此，可知好哩！却是灾星退度。”当夜官人离不得把这事说道：“庆奴受罪也勾了，若不要他时，教发付牙家去，转变身钱。”恭人应允，不知里面许多事。且说官人差一个心腹虞候，叫做张彬，专一料理这事。把庆奴安顿廨舍里，隔得那宅中一两条街，只瞒着恭人一个不知。官人不时便走来，安排几杯酒吃了后，免不得干些没正经的事。

却说宅里有个小官人，叫做佛郎，年方七岁，直是得人惜。有时往来庆奴那里要。爹爹便道：“我儿不要说向妈妈道，这个是你姐姐。”孩儿应喏。忽一日，佛郎来，要走入去。那张彬与庆奴两个相并肩而坐吃酒。佛郎见了，便道：“我只说向爹爹道。”两个男女回避不迭，张彬连忙走开躲了。庆奴一把抱住佛郎，坐在怀中，说：“小官人不要胡说。姐姐自在这里吃酒，等小官人来，便把果子与小官人吃。”那佛郎只是说：“我向爹爹道，你和张虞候两个做甚么。”庆奴听了，口中不道，心下思量：“你说了，我两个却如何！”眉头一纵，计上心来：“宁苦你，莫苦我。没奈何，来年今月今日今时，是你忌辰！”把条手巾，捉住佛郎，扑番在床上，便去一勒。那里消半碗饭时，那小官人命归泉世。正是：

时间风火性，烧却岁寒心。

一时把那小官人来勒杀了，却是怎地出豁？正没理会处，只见张彬走来。庆奴道：“叵耐这厮，只要说与爹爹知道。我一时慌促，把来勒死了。”那张彬听说，叫声苦，不知高低，道：“姐姐，我家有老娘，却如何出豁？”庆奴道：“你教我坏了他，怎恁地说！是你家有老娘，我也有爹娘。事到这里，我和你收拾些包裹，走归行在见我爹娘，这须不妨。”张彬没奈何，只得随顺。两个打叠包儿，漾开了逃走。离不得宅中不见了佛郎，寻到庆奴家里，见他和张彬走了，孩儿勒死在床。一面告了官司，出赏捉捕，不在话下。

张彬和庆奴两个取路到镇江。那张彬肚里思量着老娘，忆着这事，因此得病，就在客店中将息。不止一日，身边细软衣物解尽。张彬道："要一文看也没有，却是如何计结？"簌簌地两行泪下："教我做个失乡之鬼！"庆奴道："不要烦恼，我有钱。"张彬道："在那里？"庆奴道："我会一身本事，唱得好曲，到这里怕不得羞。何不买个锣儿，出去诸处酒店内卖唱，趁百十文，把来使用，是好也不好？"张彬道："你是好人家儿女，如何做得这等勾当？"庆奴道："事极无奈，但得你没事，和你归临安见我爹娘。"从此庆奴只在镇江店中赶趁。

话分两头，却说那周三自从夺休了，做不得经纪。归乡去投奔亲戚又不着，一夏衣裳着汗，到秋天都破了。再归行在来，于计押番门首过。其时是秋深天气，蒙蒙的雨下。计安在门前立地，周三见了便唱个喏。计安见是周三，也不好问他来做甚么。周三道："打这里过，见丈人，唱个喏。"计安见他身上褴楼，动了个恻隐之心，便道："入来，请你吃碗酒了去。"当时只好休引那厮，却没甚事。千不合，万不合，教入来吃酒，却教计押番：一种是死，死之太苦，一种是亡，亡之太屈！

却说计安引周三进门。老婆道："没事引他来做甚？"周三见了丈母，唱了喏，道："多时不见。自从夺了休，病了一场，做不得经纪，投远亲不着。姐姐安乐？"计安道："休说！自你去之后，又讨头脑不着。如今且去官员人家三二年，却又理会。"便教浑家暖将酒来，与周三吃。吃罢，没甚事，周三谢了自去。天色却晚，有一两点雨下。周三道："也罪过，他留我吃酒！却不是他家不好，都是我自讨得这场烦恼。"一头走，一头想："如今却是怎地好？深秋来到，这一冬如何过得？"

自古人极计生，蓦上心来："不如等到夜深，撥开计押番门。那老夫妻两个又睡得早，不防我。拿些个东西，把来过冬。"那条路却静，不甚热闹。走回来等了一歇，撥开门闪身人去，随手关了。仔细听时，只听得押番娘道："关得门户好？前面响。"押番道："撑打得好。"浑家道："天色雨下，怕有做不是的。起去看一看，放心。"押番真个起来看。周三听得，道："苦也，起来捉住我，却不利害！"去那灶头边摸着把刀在手，黑地里立着。押番不知头脑，走出房门看时，周三让他过一步，劈脑后便剁。觉得衬手，劈然倒地，命归泉世。周三道："只有那婆子，索性也把来杀了。"不则声，走上床，揭开帐子，把押番娘杀了。点起灯来，把家中有底细软包裹都收拾了。碌乱了半夜，周三背了包裹，倒拽上门，迤逦出北关门。

且说天色已晓，人家都开门，只见计押番家静悄悄不闻声息。邻舍道：

"莫是睡杀了也?"隔门叫唤不应。推那门时，随手而开。只见那中门里计押番死尸在地，便叫押番娘，又不应。走入房看时，只见床上血浸着那死尸，箱笼都开了。众人都道："不是别人，是戚青这厮，每日醉了来骂，便要杀他。今日真个做出来!"即时经由所属，便去捉了戚青。戚青不知来历，一条索缚将去，和邻舍解上临安府。府主见报杀人公事，即时升厅，押那戚青至面前，便问："有请官身，辄敢禁城内杀命掠财!"戚青初时辩说，后吃邻舍指证叫骂情由，分说不得。结正申奏朝廷，勘得戚青有请官身，禁城内图财杀人，押赴市曹处斩。但见：

刀过时一点清风，尸倒处满街流血。

戚青枉吃了一刀。且说周三坏了两个人命，只恁地休，却没有天理！天几曾错害了一个？只是时辰未到。

且说周三迤逦取路，直到镇江府，讨个客店歇了。没事出来闲走一遭，觉道肚中有些饥，就这里买些酒吃。只见一家门前招子上写道：

酝成春夏秋冬酒，醉倒东西南北人。

周三入去时，酒保唱了喏。问了升数，安排蔬菜下口。方才吃得两盏，只见一个人，头顶着厮锣，入来阁儿前，道个万福。周三抬头一看，当时两个都吃一惊，不是别人，却是庆奴。周三道："姐姐，你如何却在这里?"便教来坐地。教量酒人添只盏来，便道："你家中说卖你官员人家，如今却如何恁地?"庆奴见说，泪下数行。但见：

几声娇语如莺啭，一串真珠落线头。

道："你被休之后，嫁个人不着。如今卖我在高邮军主簿家。到得他家，娘子妒色，罚我厨下打火，挑水做饭，一言难尽，吃了万千辛苦。"周三道："却如何流落到此?"庆奴道："实不相瞒，后来与本府虞候两个有事，小官人撞见，要说与他爹爹，因此把来勒杀了。没计奈何，逃走在此。那厮却又害病在店中，解当使尽，因此我便出来撰几钱盘缠。今日天与之幸，撞见你。吃了酒，我和你同归店中。"周三道："必定是你老公一般，我须不去。"庆奴道："不妨，我自有道理。"那里是教周三去？又教坏了一个人性命。有诗为证：

日暮迎来香阁中，百年心事一宵同。
寒鸡鼓翼纱窗外，已觉恩情逐晓风。

当时两个同到店中，甚是说得着。当初兀自赎药煮粥，去看那张彬。次后有了周三，便不管他。有一顿，没一顿。张彬又见他两个公然在家乾颡，先自十分病做十五分，得口气，死了。两个正是推门入柏。免不得买具棺木盛殓，把去烧了。周三搬来店中，两个依旧做夫妻。周三道："我有句话和你说：如今却不要你出去卖唱，我自寻些道路，撰得钱来使。"庆奴道："怎么恁他说？当初是没计奈何，做此道路。”自此两个恩情，便是：

云淡淡天边鸾凤，水沉沉交颈鸳鸯。欢娱嫌夜短，寂寞恨更长。

忽一日，庆奴道：“我自离了家中，不知音信，不若和你同去行在，投奔爹娘。‘大虫恶杀不吃儿’。”周三道：“好却好，只是我和你归去不得。”庆奴道：“怎地？”周三却待说，又忍了。当时只不说便休，千不合，百不合，说出来，分明似飞蛾投火，自送其死。正是：

花枝叶下犹藏刺，人心怎保不怀毒。

庆奴务要问个备细。周三道：“实不相瞒。——如此如此，——把你爹娘都杀了，却走在这里。如何归去得！”庆奴见说，大哭起来，扯住道：“你如何把我爹娘来杀了？”周三道：“住住！我不合杀了你爹娘，你也不合杀小官人和张彬，大家是死的。”庆奴沉吟半晌，无言抵对。

倏忽之间，相及数月。周三忽然害着病，起床不得。身边有些钱物，又都使尽。庆奴看着周三道：“家中没柴米，却是如何？你却不要嗔我。‘前回意智今番在’，依旧去卖唱几时。等你好了，却又理会。”周三无计可施，只得应允。自从出去赶趁，每日撰得几贯钱来，便无话说；有时撰不得来，周三那厮便骂：“你都是又喜欢汉子，贴了他！”不由分说。若撰不来，庆奴只得去到处熟酒店里柜头上，借几贯归家，撰得来便还他。

一日，却是深冬天气，下雪起来。庆奴立在危楼上，倚着阑干立地，只见三四个客人，上楼来吃酒。庆奴道：“好大雪，晚间没钱归去，那厮又骂。且喜那三四客人来饮酒，我且胡乱去卖一卖。”便去揭开帘儿，打个照面。庆奴只叫得“苦也”，不是别人，却是宅中当直的。叫一声：“庆奴，你好做作，却在这里！”吓得庆奴不敢则声。原来宅中下状，得知道走过镇江，便差宅中一个当直厮赶着做公的来捉。便问：“张彬在那里？”庆奴道：“生病死了。我如今却和我先头丈夫周三在店里住。那厮在临安把我爹娘来杀了，却在此撞见，同做一处。”当日酒也吃不成，即时缚了庆奴，到店中床上拖起周三，缚了，解来府中，尽情勘结。两个各自认了本身罪犯，申奏朝廷。内有戚青屈死，别作施行。周三不合图财杀害外父外母，庆奴不合因奸杀害两条性命，押赴市曹处斩。但见：

犯由前引，棍棒后随。前街后巷，这番过后几时回？把眼睁开，今日始知天报近。

正是：

但存夫子三分礼，不犯萧何六尺条。

这两个正是明有刑法相系，暗有鬼神相随。道不得个：

善恶到头终有报，只争来早与来迟。

后人评论此事，道计押番钓了金鳗，那时金鳗在竹篮中，开口原说道：

"汝若害我，教你合家人口，死于非命。"只合计押番夫妻偿命；如何又连累周三、张彬、戚青等许多人？想来这一班人也是一缘一会，该是一宗案上的鬼，只借金鳗作个引头。连这金鳗说话，金明池执掌，未知虚实，总是个凶妖之先兆。计安既知其异，便不该带回家中，以致害他性命。大凡物之异常者，便不可加害，有诗为证：

李救朱蛇得美姝，孙医龙子获奇书。
劝君莫害非常物，祸福冥中报不虚。

第二十一卷
赵太祖千里送京娘

兔走乌飞疾若驰，百年世事总依稀；
累朝富贵三更梦，历代君王一局棋。
禹定九州汤受业，秦吞六国汉登基。
百年光景无多日，昼夜追欢还是迟！

话说赵宋末年，河东石室山中有个隐士，不言姓名，自称石老人。有人认得的，说他原是有才的豪杰，因遭胡元之乱，曾诣军门献策不听，自起义兵，恢复了几个州县。后来见时势日蹙，知大事已去，乃微服潜遁，隐于此山中。指"山"为姓，农圃自给，耻言仕进。或与谈论古今兴废之事，娓娓不倦。

一日近山有老少二儒，闲步石室，与隐士相遇。偶谈汉、唐、宋三朝创业之事，隐士问："宋朝何者胜于汉唐？"一士云："修文偃武。"一士云："历朝不诛戮大臣。"隐士大笑道："二公之言，皆非通论。汉好征伐四夷，儒者虽言其'黩武'，然蛮夷畏惧，称为强汉，魏武犹借其馀威以服匈奴。唐初府兵最盛，后变为藩镇，虽跋扈不臣，而犬牙相制，终藉其力。宋自澶渊和虏，惮于用兵。其后以岁币为常，以拒敌为讳，金元继起，遂至亡国，此则偃武修文之弊耳。不戮大臣虽是忠厚之典，然奸雄误国，一概姑容，使小人进有非望之福，退无不测之祸，终宋之世，朝政坏于奸相之手。乃致末年时穷势败，函侂胄于虏庭，刺似道于厕下，不亦晚乎！以是为胜于汉唐，岂其然哉？"二儒道："据先生之意，以何为胜？"隐士道："他事虽不及汉唐，惟不贪女色最胜。"二儒道："何以见之？"隐士道："汉高溺爱于戚姬，唐宗乱伦于弟妇。吕氏、武氏几危社稷，飞燕、太真并污宫闱。宋代虽有盘乐之主，绝无渔色之君，所以高、曹、向、孟，闺德独擅其美，此则远过于汉唐者矣。”二儒叹服而去。正是：

要知古往今来理，须问高明远见人。

方才说宋朝诸帝不贪女色，全是太祖皇帝贻谋之善。不但是为君以后，早朝宴罢，宠幸希疏。自他未曾“发迹变泰”的时节，也就是个铁铮铮的好汉，直道而行，一邪不染。则看他《千里送京娘》这节故事便知。正是：

说时义气凌千古，话到英风透九霄。

八百军州真帝主，一条杆棒显雄豪。

且说五代乱离，有诗四句：

朱李石刘郭，梁唐晋汉周。

都来十五帝，扰乱五十秋。

这五代都是偏霸，未能混一。其时土宇割裂，民无定主。到后周虽是五代之末，兀自有五国三镇。那五国？周郭威，北汉刘崇，南唐李璟，蜀孟昶，南汉刘晟。那三镇？吴越钱佐，荆南高保融，湖南周行逢。

虽说五国三镇，那周朝承梁、唐、晋、汉之后，号为正统。赵太祖赵匡胤曾仕周，为殿前都点检。后因陈桥兵变，代周为帝，混一宇内，国号大宋。当初未曾“发迹变泰”的时节，因他父亲赵洪殷，曾仕汉为岳州防御使，人都称匡胤为赵公子，又称为赵大郎。生得面如噀血，目若曙星，力敌万人，气吞四海。专好结交天下豪杰，任侠任气，路见不平，拔刀相助，是个管闲事的祖宗，撞没头祸的太岁。先在汴京城打了御勾栏，闹了御花园，触犯了汉末帝，逃难天涯。到关西护桥杀了董达，得了名马赤麒麟。黄州除了宋虎，朔州三棒打死了李子英，灭了潞州王李汉超一家。来到太原地面，遇了叔父赵景清。时景清在清油观出家，就留赵公子在观中居住。谁知染患，一卧三月。比及病愈，景清朝夕相陪，要他将息身体，不放他出外闲游。

一日景清有事出门，分付公子道：“侄儿耐心静坐片时，病如小愈，切勿行动!”景清去了，公子那里坐得住，想道：“便不到街坊游荡，这本观中闲步一回，又且何妨。”公子将房门拽上，绕殿游观。先登了三清宝殿，行遍东西两廊、七十二司，又看了东岳庙，转到嘉宁殿上游玩，叹息一声。真个是：

金炉不动千年火，玉盏长明万载灯。

行过多景楼玉皇阁，一处处殿宇崔嵬，制度宏敞。公子喝采不迭，果然好个清油观。观之不足，玩之有馀。转到酆都地府冷静所在，却见小小一殿，正对那子孙宫相近，上写着“降魔宝殿”，殿门深闭。

公子前后观看了一回，正欲转身，忽闻有哭泣之声，乃是妇女声音。公子侧耳而听，其声出于殿内。公子道：“蹊跷作怪！这里是出家人住处，缘何藏匿妇人在此？其中必有不明之事。且去问道童讨取钥匙，开这殿来，看个明白，也好放心。”回身到房中，唤道童讨降魔殿上钥匙。道童道：“这钥匙师父自家收管，其中有机密大事，不许闲人开看。”公子想道：“‘莫信直中直，须防人不仁！’原来俺叔父不是个好人，三回五次只教俺静坐，莫出外闲行，原来干这勾当。出家人成甚规矩？俺今日便去打开殿门，怕怎的！”

方欲移步，只见赵景清回来。公子含怒相迎，口中也不叫叔父，气忿忿地问道：“你老人家在此出家，干得好事？”景清出其不意，便道：“我不曾做甚事。”公子道：“降魔殿内锁的是什么人？”景清方才省得，便摇手道：“贤侄莫管闲事！”公子急得暴躁如雷，大声叫道：“出家人清净无为，红尘不染，为何殿内锁着个妇女，在内哭哭啼啼？必是非礼不法之事！你老人家也要放出良心。是一是二，说得明白，还有个商量；休要欺三瞒四，我赵某不是与你和光同尘的！”景清见他言词峻厉，便道：“贤侄，你错怪愚叔了！”公子道：“怪不怪是小事，且说殿内可是妇人？”景清道：“正是。”公子道：“可又来。”景清晓得公子性躁，还未敢明言，用缓词答应道：“虽是妇人，却不干本观道众之事。”公子道：“你是个一观之主，就是别人做出歹事寄顿在殿内，少不得你知情。”景清道：“贤侄息怒，此女乃是两个有名响马，不知那里掳来，一月之前寄于此处，托吾等替他好生看守，若有差迟，寸草不留。因是贤侄病未痊，不曾对你说得。”公子道：“响马在那里？”景清道：“暂往那里去了。”公子不信道：“岂有此理！快与我打开殿门，唤女子出来，俺自审问他详细。”说罢，绰了浑铁齐眉短棒，往前先走。

景清知他性如烈火，不好遮拦。慌忙取了钥匙，随后赶到降魔殿前。景清在外边开锁，那女子在殿中听得锁响，只道是强人来到，愈加啼哭。公子也不谦让，才等门开，一脚跨进。那女子躲在神道背后唬做一团。公子近前放下齐眉短棒，看那女子，果然生得标致：

> 眉扫春山，眸横秋水。含愁含恨，犹如西子捧心；欲泣欲啼，宛似杨妃剪发。琵琶声不响，是个未出塞的明妃；胡笳调若成，分明强和番的蔡女。天生一种风流态，便是丹青画不真！

公子抚慰道：“小娘子，俺不比奸淫之徒，你休得惊慌。且说家居何处？谁人引诱到此？倘有不平，俺赵某与你解救则个。”那女子方才举袖拭泪，深深道个万福。公子还礼。女子先问：“尊官高姓？”景清代答道：“此乃汴京赵公子。”女子道：“公子听禀！……”未曾说得一两句，早已扑簌簌流下泪来。

原来那女子也姓赵，小字京娘，是蒲州解梁县小祥村居住，年方一十七岁。因随父亲来阳曲县还北岳香愿，路遇两个响马强人：一个叫做满天飞张广儿，一个叫做着地滚周进。见京娘颜色，饶了他父亲性命，掳掠到山神庙中。张周二强人争要成亲，不肯相让。议论了两三日，二人恐坏了义气，将这京娘寄顿于清油观降魔殿内，分付道士小心供给看守。再去别处访求个美貌女子，掳掠而来，凑成一对，然后同日成亲，为压寨夫人。那强人去了一月，至今未回。道士惧怕他，只得替他看守。

京娘叙出缘由，赵公子方才向景清道："适才甚是粗卤，险些冲撞了叔父！既然京娘是良家室女，无端被强人所掳，俺今日不救，更待何人？"又向京娘道："小娘子休要悲伤，万事有赵某在此，管教你重回故土，再见爹娘。"京娘道："虽承公子美意，释放奴家出于虎口。奈家乡千里之遥，奴家孤身女流，怎生跋涉？"公子道："救人须救彻，俺不远千里亲自送你回去。"京娘拜谢道："若蒙如此，便是重生父母。"

景清道："贤侄，此事断然不可。那强人势大，官司禁捕他不得。你今日救了小娘子，典守者难辞其责。再来问我要人，教我如何对付？须当连累于我！"公子笑道："大胆天下去得，小心寸步难行。俺赵某一生见义必为，万夫不惧。那响马虽狠，敢比得潞州王么？他须也有两个耳朵，晓得俺赵某名字。既然你们出家人怕事，俺留个记号在此，你们好回覆那响马。"说罢，轮起浑铁齐眉棒，横着身子，向那殿上朱红槅子，狠的打一下，"枥拉"一声，把菱花窗棂都打下来。再复一下，把那四扇槅子，打个东倒西歪。唬得京娘战战兢兢，远远的躲在一边。景清面如土色，口中只叫："罪过！"公子道："强人若再来时，只说赵某打开殿门抢去了。冤各有头，债各有主。要来寻俺时，教他打蒲州一路来。"

景清道："此去蒲州千里之遥，路上盗贼生发，独马单身，尚且难走，况有小娘子牵绊？凡事宜三思而行！"公子笑道："汉末三国时，关云长独行千里，五关斩六将，护着两位皇嫂，直到古城与刘皇叔相会，这才是大丈夫所为。今日一位小娘子救他不得，赵某还做什么人？此去倘然冤家狭路相逢，教他双双受死。"景清道："然虽如此，还有一说。古者男女坐不同席，食不共器。贤侄千里相送小娘子，虽则美意，出于义气，傍人怎知就里？见你少男少女一路同行，嫌疑之际，被人谈论，可不为好成歉，反为一世英雄之玷？"公子呵呵大笑道："叔父莫怪我说，你们出家人惯妆架子，里外不一。俺们做好汉的，只要自己血心上打得过，人言都不计较。"

景清见他主意已决，问道："贤侄几时起程？"公子道："明早便行。"景清道："只怕贤侄身子还不健旺。"公子道："不妨事。"景清教道童治酒送行。公子于席上对京娘道："小娘子，方才叔父说一路嫌疑之际，恐生议论。俺借此席面，与小娘子结为兄妹。俺姓赵，小娘子也姓赵，五百年合是一家，从此兄妹相称便了。"京娘道："公子贵人，奴家怎敢扳高？"景清道："既要同行，如此最好。"呼道童取过拜毡，京娘请恩人在上："受小妹子一拜。”公子在傍还礼。京娘又拜了景清，呼为伯伯。景清在席上叙起侄儿许多英雄了得，京娘欢喜不尽。是夜直饮至更馀，景清让自己卧房与京娘睡，自己与公子在外厢同宿。

五更鸡唱，景清起身安排早饭，又备些干粮牛脯，为路中之用。公子鞴了赤麒麟，将行李扎缚停当，嘱付京娘：“妹子，只可村妆打扮，不可冶容炫服，惹是招非。”早饭已毕，公子扮作客人，京娘扮作村姑，一般的戴个雪帽，齐眉遮了。兄妹二人作别景清。景清送出房门，忽然想起一事道：“贤侄，今日去不成，还要计较。”不知景清说出甚话来？正是：

鹘得羽毛方远举，虎无牙爪不成行。

景清道：“一马不能骑两人，这小娘子弓鞋袜小，怎跟得上？可不担误了程途？从容觅一辆车儿同去却不好？”公子道：“此事算之久矣。有个车辆又费照顾，将此马让与妹子骑坐，俺誓愿千里步行，相随不惮。”京娘道：“小妹有累恩人远送，愧非男子，不能执鞭坠镫，岂敢反占尊骑？决难从命！”公子道：“你是女流之辈，必要脚力。赵某脚又不小，步行正合其宜。”京娘再四推辞，公子不允，只得上马。公子跨了腰刀，手执浑铁杆棒，随后向景清一揖而别。景清道：“贤侄路上小心，恐怕遇了两个响马，须要用心堤防！下手斩绝些，莫带累我观中之人。”公子道：“不妨不妨。”说罢，把马尾一拍，喝声：“快走。”那马拍腾腾便跑，公子放下脚步，紧紧相随。

于路免不得饥餐渴饮，夜住晓行。不一日行至汾州介休县地方。这赤麒麟原是千里龙驹马，追风逐电。自清油观至汾州不过三百里之程，不勾名马半日驰骤。一则公子步行恐奔赴不及，二则京娘女流不惯驰骋，所以控辔缓缓而行。兼之路上贼寇生发，须要慢起早歇，每日止行一百馀里。

公子是日行到一个土冈之下，地名黄茅店。当初原有村落，因世乱人荒，都逃散了，还存得个小小店儿。日色将晡，前途旷野，公子对京娘道：“此处安歇，明日早行罢。”京娘道：“但凭尊意。”店小二接了包裹，京娘下马，去了雪帽。小二一眼瞧见，舌头吐出三寸，缩不进去。心下想道：“如何有这般好女子！”小二牵马系在屋后，公子请京娘进了店房坐下。小二哥走来踮着呆看。公子问道：“小二哥有甚话说？”小二道：“这位小娘子，是客官甚么人？”公子道：“是俺妹子。”小二道：“客官，不是小人多口，千山万水，路途间不该带此美貌佳人同走！”公子道：“为何？”小二道：“离此十五里之地，叫做介山，地旷人稀，都是绿林中好汉出没之处。倘若强人知道，只好白白里送与他做压寨夫人，还要贴他个利市。”公子大怒骂道：“贼狗大胆，敢虚言恐唬客人！”照小二面门一拳打去。小二口吐鲜血，手掩着脸，向外急走去了。店家娘就在厨下发话。京娘道：“恩兄忒性躁了些。”公子道：“这厮言语不知进退，怕不是良善之人！先教他晓得俺些手段。”京娘道：

"既在此借宿，恶不得他。"公子道："怕他则甚？"京娘便到厨下与店家娘相见，将好言好语稳贴了他半晌，店家娘方才息怒，打点动火做饭。

京娘归房，房中尚有馀光，还未点灯。公子正坐，与京娘讲话。只见外面一个人入来，到房门口探头探脑。公子大喝道："什么人敢来瞧俺脚色？"那人道："小人自来寻小二哥闲话，与客官无干。"说罢，到厨房下，与店家娘唧唧哝哝的讲了一会方去。公子看在眼里，早有三分疑心。灯火已到，店小二只是不回。店家娘将饭送到房里，兄妹二人吃了晚饭，公子教京娘掩上房门先寝。自家只推水火，带了刀棒绕屋而行。约莫二更时分，只听得赤麒麟在后边草屋下有嘶喊踢跳之声。此时十月下旬，月光初起，公子悄步上前观看，一个汉子被马踢倒在地。见有人来，务能的挣闸起来就跑。公子知是盗马之贼，追赶了一程，不觉数里，转过溜水桥边，不见了那汉子。只见对桥一间小屋，里面灯烛辉煌，公子疑那汉子躲匿在内。步进看时，见一个白须老者，端坐于土床之上，在那里诵经。怎生模样？

眼如迷雾，须若凝霜。眉如柳絮之飘，面有桃花之色。若非天上金星，必是山中社长。

那老者见公子进门，慌忙起身施礼。公子答揖，问道："长者所诵何经？"老者道："《天皇救苦经》。"公子道："诵他有甚好处？"老者道："老汉见天下分崩，要保佑太平天子早出，扫荡烟尘，救民于涂炭。"公子听得此言，暗合其机，心中也欢喜。公子又问道："此地贼寇颇多，长者可知他的行藏么？"老者道："贵人莫非是同一位骑马女子，下在坡下茅店里的？"公子道："然也。"老者道："幸遇老夫，险些儿惊了贵人。"公子问其缘故。老者请公子上坐，自己傍边相陪，从容告诉道："这介山新生两个强人，聚集喽啰，打家劫舍，扰害汾潞地方。一个叫做满天飞张广儿，一个叫做着地滚周进。半月之间不知那里抢了一个女子，二人争娶未决，寄顿他方，待再寻得一个来，各成婚配。这里一路店家，都是那强人分付过的，但访得有美貌佳人，疾忙报他，重重有赏。晚上贵人到时，那小二便去报与周进知道，先差野火儿姚旺来探望虚实，说道：'不但女子貌美，兼且骑一匹骏马，单身客人，不足为惧。'有个千里脚陈名，第一善走，一日能行三百里。贼人差他先来盗马，众寇在前面赤松林下屯扎。等待贵人五更经过，便要抢劫。贵人须要防备。"公子道："原来如此，长者何以知之？"老者道："老汉久居于此，动息都知，见贼人切不可说出老汉来。"公子谢道："承教了。"绰棒起身，依先走回，店门兀自半开，公子捱身而入。

却说店小二为接应陈名盗马，回到家中，正在房门与老婆说话。老婆暖酒与他吃。见公子进门，闪在灯背后去了。公子心生一计，便叫京娘问店家讨酒吃。店家娘取了一把空壶，在房门口酒缸内舀酒。公子出其不意，将铁棒照脑后一下，打倒在地，酒壶也撇在一边。小二听得老婆叫苦，也取朴刀赶出房来。怎当公子以逸待劳，手起棍落，也打翻了。再复两棍，都结果了性命。京娘大惊，急救不及，问其打死二人之故。公子将老者所言，叙了一遍。京娘吓得面如土色道："如此途路难行，怎生是好?"公子道："好歹有赵某在此，贤妹放心。"公子撑了大门，就厨下暖起酒来，饮个半醉，上了马料，将銮铃塞口，使其无声。扎缚包裹停当，将两个尸首拖在厨下柴堆上，放起火来。前后门都放了一把火，看火势盛了，然后引京娘上马而行。

此时东方渐白，经过溜水桥边，欲再寻老者问路，不见了诵经之室。但见土墙砌的三尺高，一个小小庙儿，庙中社公坐于傍边。方知夜间所见，乃社公引导。公子想道："他呼我为贵人，又见我不敢正坐，我必非常人也。他日倘然发迹，当加封号。"公子催马前进，约行了数里，望见一座松林，如火云相似。公子叫声："贤妹慢行，前面想是赤松林了……"言犹未毕，草荒中钻出一个人来，手执钢叉，望公子便搠。公子会者不忙，将铁棒架住。那汉且斗且走，只要引公子到林中去。激得公子怒起，双手举棒，喝声："着!"将半个天灵盖劈下。那汉便是野火儿姚旺。公子叫京娘约马暂住："俺到前面林子里结果了那伙毛贼，和你同行。"京娘道："恩兄仔细!"公子放步前行。正是：

圣天子百灵助顺，大将军八面威风。

那赤松林下着地滚周进，屯住四五十喽啰，听得林子外脚步响，只道是姚旺伏路报信。手提长枪，钻将出来，正迎着公子。公子知是强人，并不打话，举棒便打。周进挺枪来敌。约斗上二十馀合，林子内喽啰知周进遇敌，筛起锣一齐上前，团团围住。公子道："有本事的都来!"公子一条铁棒，如金龙罩体，玉蟒缠身，迎着棒似秋叶翻风，近着身如落花坠地。打得三分四散，七零八落。周进胆寒起来，枪法乱了，被公子一棒打倒。众喽啰发声喊，都落荒乱跑。公子再复一棒，结果了周进。回步已不见了京娘，急往四下抓寻，那京娘已被五六个喽啰，簇拥过赤松林了。公子急忙赶上，大喝一声："贼徒那里走?"众喽啰见公子追来，弃了京娘，四散去了。公子道："贤妹受惊了!"京娘道："适才喽啰内有两个人，曾跟随响马到清油观，原认得我。方才说：'周大王与客人交手，料这客人斗大王不过，我们先送你在张大王那边去。'"公子道："周进这厮，已被俺剿除了，只不知张广儿在于何处?"京娘道："只愿你不相遇更好。"

公子催马快行，约行四十馀里，到一个市镇。公子腹中饥饿，带住辔头，欲要扶京娘下马上店。只见几个店家都忙乱乱的安排炊爨，全不来招架行客。公子心疑，因带有京娘，怕得生事，牵马过了店门，只见家家闭户。到尽头处，一个小小人家，也关着门。公子心下奇怪，去敲门时，没人答应。转身到屋后，将马拴在树上，轻轻的去敲他后门。里面一个老婆婆，开门出来看了一看，意中甚是惶惧。公子慌忙跨进门内，与婆婆作揖道："婆婆休讶。俺是过路客人，带有女眷，要借婆婆家中火，吃了饭就走的。"婆婆捻神捻鬼的叫噤声。京娘亦进门相见，婆婆便将门闭了。公子问道："那边店里安排酒会，迎接什么官府？"婆婆摇手道："客人休管闲事。"公子道："有甚闲事，直恁利害？俺这远方客人，烦婆婆说明则个！"婆婆道："今日满天飞大王在此经过，这乡村敛钱备饭，买静求安。老身有个儿子，也被店中叫去相帮了。"公子听说，思想："原来如此。一不做二不休，索性与他个干净，绝了清油观的祸根罢。"公子道："婆婆，这是俺妹子，为还南岳香愿到此，怕逢了强徒，受他惊恐。有烦婆婆家藏匿片时，等这大王过去之后方行，自当厚谢。"婆婆道："好位小娘子，权躲不妨事，只客官不要出头惹事！"公子道："俺男子汉自会躲闪，且到路傍，打听消息则个。"婆婆道："仔细！有现成馍馍，烧口热水，等你来吃。饭却不方便。"

公子提棒仍出后门，欲待乘马前去迎他一步，忽然想道："俺在清油观中说出了千里步行，今日为惧怕强贼乘马，不算好汉。"遂大踏步奔出路头。心生一计，复身到店家，大盼盼的叫道："大王即刻到了，洒家是打前站的，你下马饭完也未？"店家道："都完了。"公子道："先摆一席与洒家吃。"众人积威之下，谁敢辨其真假？还要他在大王面前方便，大鱼大肉，热酒热饭，只顾搬将出来。公子放量大嚼，吃到九分九，外面沸传："大王到了，快摆香案。"公子不慌不忙，取了护身龙，出外看时，只见十馀对枪刀棍棒，摆在前导，到了店门，一齐跪下。那满天飞张广儿骑着高头骏马，千里脚陈名执鞭紧随。背后又有三五十喽啰，十来乘车辆簇拥。

你道一般两个大王，为何张广儿恁般齐整？那强人出入聚散，原无定规，况且闻说单身客人，也不在其意了，所以周进未免轻敌。——这张广儿分路在外行劫，因千里脚陈名报道："二大王已拿得有美貌女子，请他到介山相会。"所以整齐队伍而来，行村过镇，壮观威仪。公子隐身北墙之侧，看得真切，等待马头相近，大喊一声道："强贼看棒！"从人丛中跃出，如一只老鹰半空飞下。说时迟，那时快，那马惊骇，望前一跳。这里棒势去得重，打折了马的一只前蹄。那马负疼就倒，张广儿身松，早跳下马。背后陈名持棍来迎，早被公子一棒打翻。张广儿舞动双刀，来斗公子。公子腾步到空阔处，与强人放对。斗上十馀合，张广儿一刀砍来，公子棍起中其手指。广儿右手失刀，左手便觉没势，回步便走。公子喝道："你绰号满天飞，今日不怕你飞上天去！"赶进一步，举棒望脑后劈下，打做个肉饱。可怜两个有名的强人，双双死于一日之内。正是：

三魂渺渺"满天飞"，七魄悠悠"着地滚"。

众喽啰却待要走，公子大叫道：“俺是汴京赵大郎，自与贼人张广儿、周进有仇。今日都已剿除了，并不干众人之事。”众喽啰弃了枪刀，一齐拜倒在地，道：“俺们从不见将军恁般英雄，情愿伏侍将军为寨主。”公子呵呵大笑道：“朝中世爵，俺尚不希罕，岂肯做落草之事！”公子看见众喽啰中，陈名亦在其内，叫出问道：“昨夜来盗马的就是你么？”陈名叩头服罪。公子道：“且跟我来，赏你一餐饭。”众人都跟到店中。公子分付店家：“俺今日与你地方除了二害。这些都是良民，方才所备饭食，都着他饱餐，俺自有发放。其管待张广儿一席留着，俺有用处。”店主人不敢不依。

众人吃罢，公子叫陈名道：“闻你日行三百里，有用之才，如何失身于贼人？俺今日有用你之处，你肯依否？”陈名道：“将军若有所委，不避水火。”公子道：“俺在汴京，为打了御花园，又闹了御勾栏，逃难在此。烦你到汴京打听事体如何？半月之内，可在太原府清油观赵知观处等候我，不可失信！”公子借笔砚写了叔父赵景清家书，把与陈名。将贼人车辆财帛，打开分作三分。一分散与市镇人家，偿其向来骚扰之费。就将打死贼人尸首及枪刀等项，着众人自去解官请赏。其一分众喽啰分去为衣食之资，各自还乡生理。其一分又剖为两分，一半赏与陈名为路费，一半寄与清油观修理降魔殿门窗。公子分派已毕，众心都伏，各各感恩。公子叫店主人将酒席一桌，抬到婆婆家里。婆婆的儿子也都来了，与公子及京娘相见。向婆婆说知除害之事，各各欢喜。公子向京娘道：“愚兄一路不曾做得个主人，今日借花献佛，与贤妹压惊把盏。”京娘千恩万谢，自不必说。

是夜，公子自取囊中银十两送与婆婆，就宿于婆婆家里。京娘想起公子之恩：“当初红拂一妓女，尚能自择英雄。莫说受恩之下，愧无所报，就是我终身之事，舍了这个豪杰，更托何人？”欲要自荐，又羞开口；欲待不说，“他直性汉子，那知奴家一片真心？”左思右想，一夜不睡。不觉五更鸡唱，公子起身鞴马要走。京娘闷闷不悦，心生一计，于路只推腹痛难忍，几遍要解。要公子扶他上马，又扶他下马。一上一下，将身偎贴公子，挽颈勾肩，万般旖旎。夜宿又嫌寒道热，央公子减被添衾，软香温玉，岂无动情之处。公子生性刚直，尽心伏侍，全然不以为怪。

又行了三四日，过曲沃地方，离蒲州三百馀里，其夜宿于荒村。京娘口中不语，心下踌躇：如今将次到家了，只管害羞不说，挫此机会，一到家中，此事便索罢休，悔之何及！黄昏以后，四处无声，微灯明灭，京娘兀自未睡，在灯前长叹流泪。公子道：“贤妹因何不乐？”京娘道：“小妹有句心腹之言，说来又怕唐突，恩人莫怪！”公子道：“兄妹之间，有何嫌疑？尽说无妨！”京娘道：“小妹深闺娇女，从未出门。只因随父进香，误陷于贼人之手，锁禁清油观中。还亏贼人去了，苟延数日之命，得见恩人。倘若贼人相犯，妾宁受刀斧，有死不从。今日蒙恩人拔离苦海，千里步行相送，又为妾报仇，绝其后患。此恩如重生父母，无可报答。倘蒙不嫌貌丑，愿备铺床叠被之数，使妾少尽报效之万一。不知恩人允否？”公子大笑道：“贤妹差矣！俺与你萍水相逢，出身相救，实出恻隐之心，非贪美丽之容。况彼此同姓，难以为婚，兄妹相称，岂可及乱？俺是个坐怀不乱的柳下惠，你岂可学纵欲败礼的吴孟子！休得狂言，惹人笑话。”

京娘羞惭满面，半晌无语，重又开言道：“恩人休怪妾多言，妾非淫污苟贱之辈，只为弱体馀生，尽出恩人所赐，此身之外，别无报答。不敢望与恩人婚配，得为妾婢，伏侍恩人一日，死亦瞑目。”公子勃然大怒道：“赵某是顶天立地的男子，一生正直，并无邪佞。你把我看做施恩望报的小辈，假公济私的奸人，是何道理？你若邪心不息，俺即今撒开双手，不管闲事，怪不得我有始无终了。”公子此时声色俱厉。京娘深深下拜道：“今日方见恩人心事，赛过柳下惠、鲁男子。愚妹是女流之辈，坐井观天，望乞恩人恕罪则个！”公子方才息怒，道：“贤妹，非是俺胶柱鼓瑟，本为义气上千里步行相送。今日若就私情，与那两个响马何异？把从前一片真心化为假意，惹天下豪杰们笑话。”京娘道：“恩兄高见，妾今生不能补报大德，死当衔环结草。”两人说话，直到天明。正是：

落花有意随流水，流水无情恋落花。

自此京娘愈加严敬公子，公子亦愈加怜悯京娘。一路无话，看看来到蒲州。京娘虽住在小祥村，却不认得，公子问路而行。京娘在马上望见故乡光景，好生伤感。

却说小祥村赵员外，自从失了京娘，将及两月有馀，老夫妻每日思想啼哭。忽然庄客来报，京娘骑马回来，后面有一红脸大汉，手执杆棒跟随。赵员外道：“不好了，响马来讨妆奁了！”妈妈道：“难道响马只有一人？且教儿子赵文去看个明白。”赵文道：“虎口里那有回来肉？妹子被响马劫去，岂有送转之理？必是容貌相像的，不是妹子。……”说犹未了，京娘已进中堂，爹妈见了女儿，相抱而哭。哭罢，问其得回之故。京娘将贼人锁禁清油观中，幸遇赵公子路见不平，开门救出，认为兄妹，千里步行相送，并途中连诛二寇，大略叙了一遍。“今恩人见在，不可怠慢。”赵员外慌忙出堂，见了赵公子拜谢道：“若非恩人英雄了得，吾女必陷于贼人之手，父子不得重逢矣！”遂令妈妈同京娘拜谢，又唤儿子赵文来见了恩人。庄上宰猪设宴，款待公子。

赵文私下与父亲商议道：“‘好事不出门，恶事传千里。’妹子被强人劫去，家门不幸。今日跟这红脸汉子回来，‘人无利己，谁肯早起’？必然这汉子与妹子有情，千里送来，岂无缘故？妹子经了许多风波，又有谁人聘他？不如招赘那汉子在门，两全其美，省得傍人议论。”赵公是个随风倒舵没主意的老儿，听了儿子说话，便教妈妈唤京娘来问他道："你与那公子千里相随，一定把身子许过他了。如今你哥哥对爹说，要招赘与你为夫，你意下如何？"京娘道："公子正直无私，与孩儿结为兄妹，如嫡亲相似，并无调戏之言。今日望爹妈留他在家，管待他十日半月，少尽其心，此事不可题起。"妈妈将女儿言语述与赵公，赵公不以为然。

少间筵席完备，赵公请公子坐于上席，自己老夫妇下席相陪，赵文在左席，京娘右席。酒至数巡，赵公开言道："老汉一言相告：小女馀生，皆出恩人所赐，老汉阖门感德，无以为报。幸小女尚未许人，意欲献与恩人，为箕帚之妾，伏乞勿拒。"公子听得这话，一盆烈火从心头掇起，大骂道："老匹夫！俺为义气而来，反把此言来污辱我。俺若贪女色时，路上也就成亲了，何必千里相送！你这般不识好歹的，枉费俺一片热心。"说罢，将桌子掀番，望门外一直便走。赵公夫妇唬得战战兢兢，赵文见公子粗鲁，也不敢上前。只有京娘心下十分不安，急走去扯住公子衣裾，劝道："恩人息怒！且看愚妹之面。"公子那里肯依，一手捆脱了京娘，奔至柳树下，解了赤麒麟，跃上鞍辔，如飞而去。

京娘哭倒在地，爹妈劝转回房，把儿子赵文埋怨了一场。赵文又羞又恼，也走出门去了。赵文的老婆听得爹妈为小姑上埋怨了丈夫，好生不喜，强作相劝，将冷语来奚落京娘道："姑姑，虽然离别是苦事，那汉子千里相随，恝然而去，也是个薄情的。他若是有仁义的人，就了这头亲事了。姑姑青年美貌，怕没有好姻缘相配，休得愁烦则个！"气得京娘泪流不绝，顿口无言。心下自想道："因奴命蹇时乖，遭逢强暴，幸遇英雄相救，指望托以终身。谁知事既不谐，反涉瓜李之嫌。今日父母哥嫂亦不能相谅，何况他人？不能报恩人之德，反累恩人的清名，为好成歉，皆奴之罪。似此薄命，不如死于清油观中，省了许多是非，到得干净，如今悔之无及。千死万死，左右一死，也表奴贞节的心迹。"捱至夜深，爹妈睡熟，京娘取笔题诗四句于壁上，撮土为香，望空拜了公子四拜，将白罗汗巾，悬梁自缢而死。

可怜闺秀千金女，化作南柯一梦人。

天明老夫妇起身，不见女儿出房，到房中看时，见女儿缢在梁间。吃了一惊，两口儿放声大哭，看壁上有诗云：

天付红颜不遇时，受人凌辱被人欺。
今宵一死酬公子，彼此清名天地知。

赵妈妈解下女儿，儿子媳妇都来了。赵公玩其诗意，方知女儿冰清玉洁，把儿子痛骂一顿。免不得买棺成殓，择地安葬，不在话下。

再说赵公子乘着千里赤麒麟，连夜走至太原，与赵知观相会，千里脚陈名已到了三日。说汉后主已死，郭令公禅位，改国号曰周，招纳天下豪杰。

公子大喜，住了数日，别了赵知观，同陈名还归汴京，应募为小校。从此随世宗南征北讨，累功至殿前都点检。后受周禅为宋太祖。陈名相从有功，亦官至节度使之职。太祖即位以后，灭了北汉。追念京娘昔日兄妹之情，遣人到蒲州解梁县寻访消息。使命寻得四句诗回报，太祖甚是嗟叹，敕封为贞义夫人，立祠于小祥村。那黄茅店溜水桥社公，敕封太原都土地，命有司择地建庙，至今香火不绝。这段话，题做“赵公子大闹清油观，千里送京娘”。后人有诗赞云：

不恋私情不畏强，独行千里送京娘。
汉唐吕武纷多事，谁及英雄赵大郎。

第二十二卷 宋小官团圆破毡笠

不是姻缘莫强求，姻缘前定不须忧。
任从波浪翻天起，自有中流稳渡舟。

话说正德年间，苏州府昆山县大街，有一居民，姓宋名敦，原是宦家之后。浑家卢氏，夫妻二口，不做生理，靠着祖遗田地，见成收些租课为活。年过四十，并不曾生得一男半女。宋敦一日对浑家说：“自古道：‘养儿待老，积谷防饥。’你我年过四旬，尚无子嗣。光阴似箭，眨眼头白。百年之事，靠着何人？”说罢，不觉泪下。卢氏道：“宋门积祖善良，未曾作恶造业；况你又是单传，老天决不绝你祖宗子嗣。招子也有早晚，若是不该招时，便是养得长成，半路上也抛撇了，劳而无功，枉添许多悲泣。”宋敦点头道是。

方才拭泪未干，只听得坐启中有人咳嗽，叫唤道：“玉峰在家么？”原来苏州风俗，不论大家小家，都有个外号，彼此相称。玉峰就是宋敦的外号。宋敦侧耳而听，叫唤第二句，便认得声音，是刘顺泉。那刘顺泉双名有才，积祖驾一只大船，揽载客货，往各省交卸。趁得好些水脚银两，一个十全的家业，团团都做在船上。就是这只船本，也值几百金，浑身是香楠木打造的。江南一水之地，多有这行生理。那刘有才是宋敦最契之友，听得是他声音，连忙趋出坐启。彼此不须作揖，拱手相见，分坐看茶，自不必说。宋敦道：“顺泉今日如何得暇？”刘有才道：“特来与玉峰借件东西。”宋敦笑道：“宝舟缺什么东西，到与寒家相借？”刘有才道：“别的东西不来干渎。只这件，是宅上有馀的，故此敢来启口。”宋敦道：“果是寒家所有，决不相吝。”刘有才不慌不忙，说出这件东西来。正是：

背后并非擎诏，当前不是围胸。鹅黄细布密针缝，净手将来供奉。　还愿曾装冥钞，祈神并衬威容。名山古刹几相从，染下炉香浮动。

原来宋敦夫妻二口，因难于得子，各处烧香祈嗣，做成黄布袱、黄布袋，装裹佛马楮钱之类。烧过香后，悬挂于家中佛堂之内，甚是志诚。刘有才长于宋敦五年，四十六岁了，阿妈徐氏亦无子息。闻得徽州有盐商求嗣，新建陈州娘娘庙于苏州阊门之外，香火甚盛，祈祷不绝。刘有才恰好有个方便，要驾船往枫桥下客，意欲进一炷香，却不曾做得布袱布袋，特特与宋家告借。

其时说出缘故，宋敦沉思不语。刘有才道：“玉峰莫非有吝借之心么，若污坏时，一个就赔两个。”宋敦道：“岂有此理！只是一件，既然娘娘庙灵显，小子亦欲附舟一往。只不知几时去？”刘有才道：“即刻便行。”宋敦道：“布袱布袋，拙荆另有一副，共是两副，尽可分用。”刘有才道：“如此甚好。”宋敦入内，与浑家说知，欲往郡城烧香之事。卢氏也欢喜。宋敦于佛堂挂壁上取下两副布袱布袋，留下一副自用，将一副借与刘有才。刘有才道：“小子先往舟中伺候，玉峰可快来。船在北门大坂桥下，不嫌怠慢时，吃些见成素饭，不消带米。”宋敦应允。当下忙忙的办下些香烛纸马阡张定段，打叠包裹，穿了一件新联就的洁白湖绸道袍，赶出北门下船。趁着顺风，不勾半日，七十里之程，等闲到了。舟泊枫桥，当晚无话。有诗为证：

月落乌啼霜满天，江枫渔火对愁眠。
姑苏城外寒山寺，夜半钟声到客船。

次日起个黑早，在船中洗盥罢，吃了些素食，净了口手，一对儿黄布袱驮了冥财，黄布袋安插纸马文疏，挂于项上，步到陈州娘娘庙前，刚刚天晓。庙门虽开，殿门还关着。二人在两廊游绕，观看了一遍，果然造得齐整。正在赞叹，呀的一声，殿门开了，就有庙祝出来迎接进殿。其时香客未到，烛架尚虚，庙祝放下琉璃灯来，取火点烛，讨文疏替他通陈祷告。二人焚香礼拜已毕，各将几十文钱，酬谢了庙祝，化纸出门。刘有才再要邀宋敦到船，宋敦不肯。当下刘有才将布袱布袋交还宋敦，各各称谢而别。刘有才自往枫桥接客去了。

宋敦看天色尚早，要往娄门趁船回家。刚欲移步，听得墙下呻吟之声。近前看时，却是矮矮一个芦席棚，搭在庙垣之侧。中间卧着个有病的老和尚，恹恹欲死，呼之不应，问之不答。宋敦心中不忍，停眸而看。傍边一人走来说道：“客人，你只管看他则甚？要便做个好事了去。”宋敦道：“如何做个好事？”那人道：“此僧是陕西来的，七十八岁了，他说一生不曾开荤，每日只诵《金刚经》。三年前在此募化建庵，没有施主。搭这个芦席棚儿住下，诵经不辍。这里有个素饭店，每日只上午一餐，过午就不用了。也有人可怜他，施他些钱米，他就把来还了店上的饭钱，不留一文。近日得了这病，有半个月不用饭食了。两日前还开口说得话，我们问他：'如此受苦，何不早去罢？'他说：'因缘未到，还等两日。'今早连话也说不出了，早晚待死。客人若可怜他时，买一口薄薄棺材，焚化了他，便是做好事。他说'因缘未到'，或者这因缘，就在客人身上。"宋敦想道："我今日为求嗣而来，做一件好事回去，也得神天知道。"便问道："此处有棺材店么？"那人道："出巷陈三郎家就是。宋敦道："烦足下同往一看。"

那人引路到陈家来。陈三郎正在店中支分镢匠锯木。那人道："三郎，我引个主顾作成你。"三郎道："客人若要看寿板，小店有真正婺源加料双拼的在里面；若要见成的，就店中但凭拣择。"宋敦道："要见成的。"陈三郎指着一副道："这是头号，足价三两。"宋敦未及还价，那人道："这个客官是买来舍与那芦席棚内老和尚做好事的，你也有一半功德，莫要讨虚价。"陈三郎道："既是做好事的，我也不敢要多，照本钱一两六钱罢，分毫少不得了。"宋敦道："这价钱也是公道了。"想起汗巾角上带得一块银子，约有五六钱重，烧香剩下，不上一百铜钱，总凑与他，还不勾一半。"我有处了，刘顺泉的船在枫桥不远。"便对陈三郎道："价钱依了你，只是还要到一个朋友处借办，少顷便来。"陈三郎到罢了，说道："任从客便。"那人咈然不乐道："客人既发了个好心，却又做脱身之计。你身边没有银子，来看则甚？……"

说犹未了，只见街上人纷纷而过，多有说这老和尚，可怜半月前还听得他念经之声，今早呜呼了。正是：

三寸气在千般用，一旦无常万事休。

那人道："客人不听得说么？那老和尚已死了，他在地府睁眼等你断送哩！"宋敦口虽不语，心下覆想道："我既是看定了这具棺木，倘或往枫桥去，刘顺泉不在船上，终不然呆坐等他回来？况且常言得'价一不择主'，倘别有个主顾，添些价钱，这副棺木不去了？我就失信于此僧了。罢罢！"便取出银子，刚刚一块，讨等来一称，叫声惭愧。原来是块元宝，看时像少，称时便多，到有七钱多重，先教陈三郎收了。将身上穿的那一件新联就的洁白湖绌道袍脱下，道："这一件衣服，价在一两之外，倘嫌不值，权时相抵，待小子取赎。若用得时，便乞收算。"陈三郎道："小店大胆了，莫怪计较。"将银子衣服收过了。宋敦又在髻上拔下一根银簪，约有二钱之重，交与那人道："这枝簪，相烦换些铜钱，以为殡殓杂用。"当下店中看的人都道："难得这位好事的客官，他担当了大事去。其馀小事，我们地方上也该凑出些钱钞相助。”众人都凑钱去了。

宋敦又复身到芦席边，看那老僧，果然化去。不觉双眼垂泪，分明如亲戚一般，心下好生酸楚，正不知什么缘故。不忍再看，含泪而行。到娄门时，航船已开，乃自唤一只小船，当日回家。浑家见丈夫黑夜回来，身上不穿道袍，面又带忧惨之色，只道与人争竞，忙忙的来问。宋敦摇首道："话长哩！"一径走到佛堂中，将两副布袱布袋挂起，在佛前磕了个头。进房坐下，讨茶吃了，方才开谈，将老和尚之事备细说知。浑家道："正该如此。"也不嗔怪。宋敦见浑家贤慧，到也回愁作喜。

是夜夫妻二口睡到五更，宋敦梦见那老和尚登门拜谢道："檀越命合无子，寿数亦止于此矣。因檀越心田慈善，上帝命延寿半纪。老僧与檀越又有一段因缘，愿投宅上为儿，以报盖棺之德。"卢氏也梦见一个金身罗汉走进房里，梦中叫喊起来，连丈夫也惊醒了。各言其梦，似信似疑，嗟叹不已。正是：

种瓜还得瓜，种豆还得豆。

劝人行好心，自作还自受。

从此卢氏怀孕，十月满足，生下一个孩儿。因梦见金身罗汉，小名金郎，官名就叫宋金。夫妻欢喜，自不必说。此时刘有才也生一女，小名宜春。各各长成，有人撺掇两家对亲。刘有才到也心中情愿。宋敦却嫌他船户出身，不是名门旧族。口虽不语，心中有不允之意。

那宋金方年六岁，宋敦一病不起，呜呼哀哉了。自古道："家中百事兴，全靠主人命。"十个妇人，敌不得一个男子。自从宋敦故后，卢氏掌家，连遭荒歉，又里中欺他孤寡，科派户役。卢氏撑持不定，只得将田房渐次卖了，赁屋而居。初时，还是诈穷，以后坐吃山崩，不上十年，弄做真穷了。卢氏亦得病而亡。

断送了毕，宋金只剩得一双赤手，被房主赶逐出屋，无处投奔。且喜从幼学得一件本事，会写会算。偶然本处一个范举人选了浙江衢州府江山县知县，正要寻个写算的人。有人将宋金说了，范公就教人引来。见他年纪幼小，又生得齐整，心中甚喜。叩其所长，果然书通真草，算善归除。当日就留于书房之中，取一套新衣与他换过，同桌而食，好生优待。择了吉日，范知县与宋金下了官船，同往任所。正是：

冬冬画鼓催征棹，习习和风荡锦帆。

却说宋金虽然贫贱，终是旧家子弟出身。今日做范公门馆，岂肯卑污苟贱，与童仆辈和光同尘，受其戏侮？那些管家们欺他年幼，见他做作，愈有不然之意。自昆山起程，都是水路，到杭州便起旱了。众人撺掇家主道："宋金小厮家，在此写算服事老爷，还该小心谦逊，他全不知礼。老爷优待他忒过分了，与他同坐同食。舟中还可混帐，到陆路中火歇宿，老爷也要存个体面。小人们商议，不如教他写一纸靠身文书，方才妥帖。到衙门时，他也不敢放肆为非。”范举人是棉花做的耳朵，就依了众人言语，唤宋金到舱，要他写靠身文书。宋金如何肯写？逼勒了多时，范公发怒，喝教剥去衣服，喝出船去。众苍头拖拖拽拽，剥的干干净净，一领单布衫，赶在岸上。气得宋金半晌开口不得。

只见轿马纷纷伺候范知县起陆，宋金噙着双泪，只得回避开去。身边并无财物，受饿不过，少不得学那两个古人：

伍伯吹箫于吴门，韩王寄食于漂母。

日间街坊乞食，夜间古庙栖身。还有一件，宋金终是旧家子弟出身，任你十分落泊，还存三分骨气。不肯随那叫街丐户一流，奴言婢膝，没廉没耻。讨得来便吃了，讨不来忍饿，有一顿没一顿。过了几时，渐渐面黄肌瘦，全无昔日丰神。正是：

好花遭雨红俱褪，芳草经霜绿尽凋。

时值暮秋天气，金风催冷，忽降下一场大雨。宋金食缺衣单，在北新关关王庙中担饥受冻，出头不得。这雨自辰牌直下至午牌方止。宋金将腰带收紧，挪步出庙门来。未及数步，劈面遇着一人。宋金睁眼一看，正是父亲宋敦的最契之友，叫做刘有才，号顺泉的。宋金无面目“见江东父老”，不敢相认，只得垂眼低头而走。那刘有才早已看见，从背后一手挽住，叫道：“你不是宋小官么？为何如此模样？”宋金两泪交流，叉手告道：“小侄衣衫不齐，不敢为礼了，承老叔垂问。”如此如此，这般这般，将范知县无礼之事，告诉了一遍。刘翁道：“‘恻隐之心，人皆有之。’你肯在我船上相帮，管教你饱暖过日。”宋金便下跪道：“若得老叔收留，便是重生父母。”

当下刘翁引着宋金到于河下。刘翁先上船，对刘妪说知其事。刘妪道：“此乃两得其便，有何不美。”刘翁就在船头上招宋小官上船，于自身上脱下旧布道袍，教他穿了。引他到后艄，见了妈妈徐氏，女儿宜春在傍，也相见了。宋金走出船头，刘翁道：“把饭与宋小官吃。”刘妪道：“饭便有，只是冷的。”宜春道：“有热茶在锅内。”宜春便将瓦罐子舀了一罐滚热的茶。刘妪便在厨柜内取了些腌菜，和那冷饭，付与宋金道：“宋小官，船上买卖，比不得家里，胡乱用些罢！”宋金接得在手。又见细雨纷纷而下，刘翁叫女儿：“后艄有旧毡笠，取下来与宋小官戴。”宜春取旧毡笠看时，一边已自绽开。宜春手快，就盘髻上拔下针线将绽处缝了，丢在船篷之上，叫道：“拿毡笠去戴。”宋金戴了破毡笠，吃了茶淘冷饭。刘翁教他收拾船上家火，扫抹船只，自往岸上接客，至晚方回，一夜无话。

次日，刘翁起身，见宋金在船头上闲坐，心中暗想：“初来之人，莫惯了他。”便吆喝道：“个儿郎吃我家饭，穿我家衣，闲时搓些绳，打些索，也有用处，如何空坐？”宋金连忙答应道：“但凭驱使，不敢有违。”刘翁便取一束麻皮，付与宋金，教他打索子。正是：

在他矮檐下，怎敢不低头。

宋金自此朝夕小心，辛勤做活，并不偷懒。兼之写算精通，凡客货在船，都是他记帐，出入分毫不爽。别船上交易，也多有央他去拿算盘，登帐簿。客人无不敬而爱之，都夸道好个宋小官，少年伶俐。刘翁刘妪见他小心得用，另眼相待，好衣好食的管顾他。在客人面前，认为表侄。宋金亦自以为得所，心安体适，貌日丰腴。凡船户中无不欣羡。

光阴似箭，不觉二年有馀。刘翁一日暗想：“自家年纪渐老，止有一女，要求个贤婿以靠终身，似宋小官一般，到也十全之美。但不知妈妈心下如何？”是夜与妈妈饮酒半醺，女儿宜春在傍。刘翁指着女儿对妈妈道：“宜春年纪长成，未有终身之托，奈何？”刘妪道：“这是你我靠老的一桩大事，你如何不上紧？”刘翁道：“我也日常在念，只是难得个十分如意的。像我船上宋小官恁般本事人才，千中选一，也就不能勾了。”刘妪道：“何不就许了宋小官？”刘翁假意道：“妈妈说那里话！他无家无倚，靠着我船上吃饭。手无分文，怎好把女儿许他？”刘枢道：“宋小官是宦家之后，况系故人之子。当初他老子存时，也曾有人议过亲来，你如何忘了？今日虽然落薄，看他一表人材，又会写，又会算，招得这般女婿，须不辱了门面。我两口儿老来也得所靠。”刘翁道：“妈妈，你主意已定否？”刘妪道：“有什么不定？”刘翁道：“如此甚好。”

原来刘有才平昔是个怕婆的，久已看上了宋金，只愁妈妈不肯。今见妈妈慨然，十分欢喜。当下便唤宋金，对着妈妈面许了他这头亲事。宋金初时也谦逊不当，见刘翁夫妇一团美意，不要他费一分钱钞，只索顺从。刘翁往阴阳生家选择周堂吉日，回覆了妈妈，将船驾回昆山。先与宋小官上头，做一套细绢衣服与他穿了，浑身新衣、新帽、新鞋、新袜，妆扮得宋金一发标致。

虽无子建才八斗，胜似潘安貌十分。

刘妪也替女儿备办些衣饰之类。吉日已到，请下两家亲戚，大设喜筵，将宋金赘入船上为婿。次日，诸亲作贺，一连吃了三日喜酒。宋金成亲之后，夫妻恩爱，自不必说。从此船上生理，日兴一日。

光阴似箭，不觉过了一年零两个月。宜春怀孕日满，产下一女。夫妻爱惜如金，轮流怀抱。期岁方过，此女害了痘疮，医药不效，十二朝身死。宋金痛念爱女，哭泣过哀，七情所伤，遂得了个痨瘵之疾。朝凉暮热，饮食渐减，看看骨露肉消，行迟走慢。刘翁、刘妪初时还指望他病好，替他迎医问卜。延至一年之外，病势有加无减。三分人，七分鬼，写也写不动，算也算不动。到做了眼中之钉，巴不得他死了干净，却又不死。

两个老人家懊悔不迭，互相抱怨起来：“当初只指望半子靠老，如今看这货色，不死不活，分明一条烂死蛇缠在身上，摆脱不下。把个花枝般女儿，误了终身，怎生是了？为今之计，如何生个计较，送开了那冤家，等女儿另招个佳婿，方才称心。”两口儿商量了多时，定下个计策，连女儿都瞒过了。只说有客货在于江西，移船往载。行至池州五溪地方，到一个荒僻的所在，但见孤山寂寂，远水滔滔，野岸荒崖，绝无人迹。是日小小逆风，刘公故意把舵使歪，船便向沙岸上阁住，却教宋金下水推舟。宋金手迟脚慢，刘公就骂道：“痨病鬼！没气力使船时，岸上野柴也砍些来烧烧，省得钱买。”宋金自觉惶愧，取了砟刀，挣扎到岸上砍柴去了。刘公乘其未回，把舵用力撑动，拨转船头，挂起满风帆，顺流而下。

不愁骨肉遭颠沛，且喜冤家离眼睛。

且说宋金上岸打柴，行到茂林深处，树木虽多，那有气力去砍伐？只得拾些儿残柴，割些败棘，抽取枯藤，束做两大捆，却又没有气力背负得去。心生一计，再取一条枯藤，将两捆野柴穿做一捆，露出长长的藤头，用手挽之而行，如牧童牵牛之势。行了一时，想起忘了砟刀在地，又复自转去，取了砟刀，也插入柴捆之内，缓缓的拖下岸来。到于泊舟之处，已不见了船。但见江烟沙岛，一望无际。宋金沿江而上，且行且看，并无踪影。看看红日西沉，情知为丈人所弃。上天无路，入地无门，不觉痛切于心，放声大哭。哭得气咽喉干，闷绝于地，半晌方苏。忽见岸上一老僧，正不知从何而来，将拄杖卓地，问道：“檀越伴侣何在？此非驻足之地也！”宋金忙起身作礼，口称姓名：“被丈人刘翁脱赚，如今孤苦无归，求老师父提挈，救取微命。”老僧道：“贫僧茅庵不远，且同往暂住一宵，来日再做道理。”宋金感谢不已，随着老僧而行。

约莫里许，果见茅庵一所。老僧敲石取火，煮些粥汤，把与宋金吃了，方才问道：“令岳与檀越有何仇隙？愿问其详。”宋金将入赘船上，及得病之由，备细告诉了一遍。老僧道：“老檀越怀恨令岳乎？”宋金道：“当初求乞之时，蒙彼收养婚配。今日病危见弃，乃小生命薄所致，岂敢怀恨他人？”老僧道：“听子所言，真忠厚之士也。尊恙乃七情所伤，非药饵可治。惟清心调摄可以愈之。平日间曾奉佛法诵经否？”宋金道：“不曾。”老僧于袖中取出一卷相赠，道：“此乃《金刚般若经》，我佛心印。贫僧今教授擅越，若日诵一遍，可以息诸妄念，却病延年，有无穷利益。”宋金原是陈州娘娘庙前老和尚转世来的，前生专诵此经。今日口传心受，一遍便能熟诵，此乃是前因不断。

宋金和老僧打坐，闭眼诵经，将次天明，不觉睡去。及至醒来，身坐荒草坡间，并不见老僧及茅庵在那里。《金刚经》却在怀中，开卷能诵。宋金心下好生诧异，遂取池水净口，将经朗诵一遍。觉万虑消释，病体顿然健旺。方知圣僧显化相救，亦是夙因所致也。宋金向空叩头，感激龙天保佑。然虽如此，此身如大海浮萍，没有着落，信步行去，早觉腹中饥馁。望见前山林木之内，隐隐似有人家，不免再温旧稿，向前乞食。只因这一番，有分教：宋小官凶中化吉，难过福来。正是：

路逢尽处还开径，水到穷时再发源。

宋金走到前山一看，并无人烟，但见枪刀戈戟，遍插林间。宋金心疑不决，放胆前去。见一所败落土地庙，庙中有大箱八只，封锁甚固。上用松茅遮盖。宋金暗想："此必大盗所藏，布置枪刀，乃惑人之计。来历虽则不明，取之无碍。"心生一计，乃折取松枝插地，记其路径，一步步走出林来，直至江岸。

也是宋金时亨运泰，恰好有一只大船，因逆浪冲坏了舵，停泊于岸下修舵。宋金假作慌张之状，向船上人说道："我陕西钱金也。随吾叔父走湖广为商，道经于此，为强贼所劫。叔父被杀，我只说是跟随的小郎，久病乞哀，暂容残喘。贼乃遣伙内一人，与我同住土地庙中，看守货物。他又往别处行劫去了。天幸同伙之人，昨夜被毒蛇咬死，我得脱身在此。幸方便载我去。"舟人闻言，不甚信。宋金又道："见有八巨箱在庙内，皆我家财物。庙去此不远，多央几位上岸，抬归舟中。愿以一箱为谢，必须速往，万一贼徒回转，不惟无及于事，且有祸患。"

众人都是千里求财的，闻说有八箱货物，一个个欣然愿往。当时聚起十六筹后生，准备八副绳索杠棒，随宋金往土地庙来。果见巨箱八只，其箱甚重。每二人抬一箱，恰好八杠。宋金将林子内枪刀收起藏于深草之内，八个箱子都下了船，舵已修好了。舟人问宋金道："老客今欲何往？"宋金道："我且往南京省亲。"舟人道："我的船正要往瓜州，却喜又是顺便。"当下开船，约行五十馀里，方歇。众人奉承陕西客有钱，到凑出银子，买酒买肉，与他压惊称贺。次日西风大起，挂起帆来，不几日，到了瓜州停泊。那瓜州到南京只隔十来里江面。宋金另唤了一只渡船，将箱笼只拣重的抬下七个，把一个箱子送与舟中众人以践其言。众人自去开箱分用，不在话下。

宋金渡到龙江关口，寻了店主人家住下，唤铁匠对了匙钥，打开箱看时，其中充牣，都是金玉珍宝之类。原来这伙强盗积之有年，不是取之一家，获之一时的。宋金先把一箱所蓄，鬻之于市，已得数千金。恐主人生疑，迁寓于城内，买家奴伏侍，身穿罗绮，食用膏粱。馀六箱，只拣精华之物留下，其他都变卖，不下数万金。就于南京仪凤门内买下一所大宅，改造厅堂园亭，制办日用家火，极其华整。门前开张典铺，又置买田庄数处，家僮数十房，出色管事者十人，又蓄美童四人，随身答应。满京城都称他为钱员外，出乘舆马，入拥金资。自古道："居移气，养移体。"宋金今日财发身发，肌肤充悦，容采光泽，绝无向来枯瘠之容，寒酸之气。正是：

人逢运至精神爽，月到秋来光彩新。

话分两头。且说刘有才那日哄了女婿上岸，拨转船头，顺风而下，瞬息之间，已行百里。老夫妇两口暗暗欢喜。宜春女儿犹然不知，只道丈夫还在船上，煎好了汤药，叫他吃时，连呼不应。还道睡着在船头，自要去唤他。却被母亲劈手夺过药瓯，向江中一泼，骂道："痨病鬼在那里？你还要想他！"宜春道："真个在那里？"母亲道："你爹见他病害得不好，恐沾染他人，方才哄他上岸打柴，径自转船来了。"宜春一把扯住母亲，哭天哭地叫道："还我宋郎来！"刘公听得艄内啼哭，走来劝道："我儿，听我一言，妇道家嫁人不着，一世之苦。那害痨的死在早晚，左右要拆散的，不是你因缘了。到不如早些开交干净，免致担误你青春。待做爹的另拣个好郎君，完你终身，休想他罢！"宜春道："爹做的是什么事！都是不仁不义，伤天理的勾当。宋郎这头亲事，原是二亲主张；既做了夫妻，同生同死，岂可翻悔？就是他病势必死，亦当待其善终，何忍弃之于无人之地？宋郎今日为奴而死，奴决不独生！爹若可怜见孩儿，快转船上水，寻取宋郎回来，免被傍人讥谤。"刘公道："那害痨的不见了船，定然转往别处村坊乞食去了，寻之何益？况且下水顺风，相去已百里之遥，一动不如一静，劝你息了心罢！"宜春见父亲不允，放声大哭，走出船舷，就要跳水。喜得刘妈手快，一把拖住。宜春以死自誓，哀哭不已。

两个老人家不道女儿执性如此，无可奈何，准准的看守了一夜。次早只得依顺他，开船上水。风水俱逆，弄了一日，不勾一半之路。这一夜啼啼哭哭，又不得安稳。第三日申牌时分，方到得先前阁船之处。宜春亲自上岸寻取丈夫，只见沙滩上乱柴二捆，砟刀一把，认得是船上的刀，眼见得这捆柴，是宋郎驮来的。物在人亡，愈加疼痛，不肯心死，定要往前寻觅。父亲只索跟随同去。走了多时，但见树黑山深，杳无人迹。刘公劝他回船，又啼哭了一夜。第四日黑早，再教父亲一同上岸寻觅，都是旷野之地，更无影响。只得哭下船来，想道："如此荒郊，教丈夫何处乞食？况久病之人，行走不动，他把柴刀抛弃沙崖，一定是赴水自尽了。"哭了一场，望着江心又跳，早被刘公拦住。宜春道："爹妈养得奴的身，养不得奴的心。孩儿左右是要死的，不如放奴早死，以见宋郎之面。"

两个老人家见女儿十分痛苦，甚不过意，叫道："我儿，是你爹妈不是了，一时失于计较，干出这事。差之在前，懊悔也没用了。你可怜我年老之人，止生得你一人。你若死时，我两口儿性命也都难保。愿我儿恕了爹妈之罪，宽心度日，待做爹的写一招子，于沿江市镇各处粘贴。倘若宋郎不死，见我招帖，定可相逢。若过了三个月无信，凭你做好事，追荐丈夫。做爹的替你用钱，并不吝惜。”宜春方才收泪谢道：“若得如此，孩儿死也瞑目。”刘公即时写个寻婿的招帖，粘于沿江市镇墙壁触眼之处。

过了三个月，绝无音耗。宜春道：“我丈夫果然死了。”即忙制备头梳麻衣，穿着一身重孝，设了灵位祭奠，请九个和尚，做了三昼夜功德。自将簪珥布施，为亡夫祈福。刘翁、刘妪爱女之心无所不至，并不敢一些违拗，闹了数日方休。兀自朝哭五更，夜哭黄昏。邻船闻之，无不感叹。有一班相熟的客人，闻知此事，无不可惜宋小官，可怜刘小娘者。宜春整整的哭了半年六个月方才住声。刘翁对阿妈道：“女儿这几日不哭，心下渐渐冷了，好劝他嫁人。终不然我两个老人家守着个孤孀女儿，缓急何靠？”刘妪道：“阿老见得是。只怕女儿不肯，须是缓缓的偎他。”

又过了月馀，其时十二月二十四日，刘翁回船到昆山过年，在亲戚家吃醉了酒，乘其酒兴来劝女儿道：“新春将近，除了孝罢！”宜春道：“丈夫是终身之孝，怎样除得？”刘翁睁着眼道：“什么终身之孝！做爹的许你带时便带，不许你带时，就不容你带。”刘妪见老儿口重，便来收科道：“再等女儿带过了残岁，除夜做碗羹饭起了灵，除孝罢！”宜春见爹妈话不投机，便啼哭起来道：“你两口儿合计害了我丈夫，又不容我带孝，无非要我改嫁他人。我岂肯失节以负宋郎？宁可带孝而死，决不除孝而生。”刘翁又待发作，被婆子骂了几句，劈颈的推向船舱睡了。宜春依先又哭了一夜。

到月尽三十日，除夜，宜春祭奠了丈夫，哭了一会。婆子劝住了。三口儿同吃夜饭。爹妈见女儿荤酒不闻，心中不乐。便道：“我儿！你孝是不肯除了，略吃点荤腥，何妨得？少年人不要弄弱了元气。”宜春道：“未死之人，苟延残喘，连这碗素饭也是多吃的，还吃甚荤菜？”刘妪道：“既不用荤，吃杯素酒儿，也好解闷。”宜春道：“一滴何曾到九泉。想着死者，我何忍下咽。”说罢，又哀哀的哭将起来，连素饭也不吃就去睡了。刘翁夫妇料道女儿志不可夺，从此再不强他。后人有诗赞宜春之节。诗曰：

闺中节烈古今传，船女何曾阅简编？

誓死不移金石志，《柏舟》端不愧前贤。

话分两头。再说宋金住在南京一年零八个月，把家业挣得十全了，却教管家看守门墙，自己带了三千两银子，领了四个家人，两个美童，顾了一只航船，径至昆山来访刘翁、刘妪。邻舍人家说道：“三日前往仪真去了。”宋金将银两贩了布匹，转至仪真，下个有名的主家，上货了毕。

次日，去河口寻着了刘家船只，遥见浑家在船艄，麻衣素妆，知其守节未嫁，伤感不已。回到下处，向主人王公说道："河下有一舟妇，带孝而甚美。我已访得是昆山刘顺泉之船，此妇即其女也。吾丧偶已将二年，欲求此女为继室。"遂于袖中取出白金十两，奉与王公道："此薄意权为酒资，烦老翁执伐。成事之日，更当厚谢。若问财礼，虽千金吾亦不吝。"王公接银欢喜，径往船上邀刘翁到一酒馆，盛设相款，推刘翁于上坐。刘翁大惊道："老汉操舟之人，何劳如此厚待？必有缘故。"王公道："且吃三杯，方敢启齿。"刘翁心中愈疑道："若不说明，必不敢坐。"王公道："小店有个陕西钱员外，万贯家财。丧偶将二载，慕令爱小娘子美貌，欲求为继室，愿出聘礼千金。特央小子作伐，望勿见拒。"刘翁道："舟女得配富室，岂非至愿。但吾儿守节甚坚，言及再婚，便欲寻死。此事不敢奉命，盛意亦不敢领。"便欲起身。王公一手扯住道："此设亦出钱员外之意，托小子做个主人。既已费了，不可虚之，事虽不谐，无害也。"刘翁只得坐了。饮酒中间，王公又说起："员外相求，出于至诚，望老翁回舟，从容商议。"刘翁被女儿几遍投水唬坏了，只是摇头，略不统口。酒散各别。

王公回家，将刘翁之语，述与员外。宋金方知浑家守志之坚，乃对王公说道："姻事不成也罢了，我要雇他的船载货往上江出脱，难道也不允？"王公道："天下船载天下客。不消说，自然从命。"王公即时与刘翁说了雇船之事，刘翁果然依允。宋金乃分付家童，先把铺陈行李发下船来，货且留岸上，明日发也未迟。宋金锦衣貂帽，两个美童，各穿绿绒直身，手执熏炉如意跟随。刘翁夫妇认做陕西钱员外，不复相识。到底夫妇之间，与他人不同。宜春在艄尾窥视，虽不敢便信是丈夫，暗暗的惊怪道："有七八分厮像。"只见那钱员外才上得船，便向船艄说道："我腹中饥了，要饭吃。若是冷的，把些热茶淘来罢。"宜春已自心疑。那钱员外又吆喝童仆道："个儿郎吃我家饭，穿我家衣，闲时搓些绳，打些索，也有用处，不可空坐！"这几句分明是宋小官初上船时刘翁分付的话。宜春听得，愈加疑心。

少顷，刘翁亲自捧茶奉钱员外。员外道："你船艄上有一破毡笠，借我用之。"刘翁愚蠢，全不省事，径与女儿讨那破毡笠。宜春取毡笠付与父亲，口中微吟四句：

毡笠虽然破，经奴手自缝。
因思戴笠者，无复旧时容。

钱员外听艄后吟诗，嘿嘿会意，接笠在手，亦吟四句：

仙凡已换骨，故乡人不识。
虽则锦衣还，难忘旧毡笠。

是夜宜春对翁妪道："舱中钱员外，疑即宋郎也。不然何以知吾船有破毡笠？且面庞相肖，语言可疑，可细叩之。"刘翁大笑道："痴女子！那宋家痨病鬼，此时骨肉俱消矣。就使当年未死，亦不过乞食他乡，安能致此富盛乎？”刘妪道：“你当初怪爹娘劝你除孝改嫁，动不动跳水求死。今见客人富贵，便要认他是丈夫。倘你认他不认，岂不可羞？”宜春满面羞惭，不敢开口。刘翁便招阿妈到背处道：“阿妈你休如此说。姻缘之事，莫非天数。前日王店主请我到酒馆中饮酒，说陕西钱员外，愿出千金聘礼，求我女儿为继室。我因女儿执性，不曾统口。今日难得女儿自家心活，何不将机就机，把他许配钱员外，落得你我下半世受用。”刘妪道：“阿老见得是。那钱员外来雇我家船只，或者其中有意，阿老明日可往探之。”刘翁道：“我自有道理。”

次早，钱员外起身，梳洗已毕，手持破毡笠于船头上翻覆把玩。刘翁启口而问道：“员外，看这破毡笠则甚？”员外道：“我爱那缝补处，这行针线，必出自妙手。”刘翁道：“此乃小女所缝，有何妙处？前日王店主传员外之命，曾有一言，未知真否？”钱员外故意问道：“所传何言？”刘翁道：“他说员外丧了孺人，已将二载，未曾继娶，欲得小女为婚。”员外道：“老翁愿也不愿？”刘翁道：“老汉求之不得。但恨小女守节甚坚，誓不再嫁，所以不敢轻诺。”员外道：“令婿为何而死？”刘翁道：“小婿不幸得了个痨瘵之疾，其年因上岸打柴未还，老汉不知，错开了船。以后曾出招帖寻访了三个月，并无动静，多是投江而死了。”员外道：“令婿不死，他遇了个异人，病都好了，反获大财致富。老翁若要会令婿时，可请令爱出来。”

此时宜春侧耳而听，一闻此言，便哭将起来，骂道：“薄幸钱郎！我为你带了二年重孝，受了千辛万苦，今日还不说实话，待怎么？”宋金也堕泪道：“我妻，快来相见！”夫妻二人抱头大哭。刘翁道：“阿妈，眼见得不是什么钱员外了，我与你须索去谢罪。”刘翁、刘妪走进舱来，施礼不迭。宋金道：“丈人丈母，不须恭敬。只是小婿他日有病痛时，莫再脱赚！”两个老人家羞惭满面。宜春便除了孝服，将灵位抛向水中。金宋便唤跟随的童仆来与主母磕头。

翁妪杀鸡置酒，管待女婿，又当接风，又是庆贺筵席。安席已毕，刘翁叙起女儿自来不吃荤酒之意，宋金惨然下泪，亲自与浑家把盏，劝他开荤。随对翁妪道：“据你们设心脱赚，欲绝吾命，恩断义绝，不该相认了。今日勉强吃你这杯酒，都看你女儿之面。”宜春道：“不因这番脱赚，你何由发迹？况爹妈日前也有好处，今后但记恩，莫记怨。”宋金道：“谨依贤妻尊命。我已立家于南京，田园富足。你老人家可弃了驾舟之业，随我到彼，同享安乐，岂不美哉！”翁妪再三称谢，是夜无话。次日，王店主闻知此事，登船拜贺，又吃了一日酒。

宋金留家童三人于王店主家发布取帐，自己开船先往南京大宅子。住了三日，同浑家到昆山故乡扫墓，追荐亡亲。宗族亲党各有厚赠。此时范知县已罢官在家，闻知宋小官发迹还乡，恐怕街坊撞见没趣，躲向乡里，有月馀不敢入城。宋金完了故乡之事，重回南京，阖家欢喜，安享富贵，不在话下。

再说宜春见宋金每早必进佛堂中拜佛诵经，问其缘故。宋金将老僧所传《金刚经》却病延年之事，说了一遍。宜春亦起信心，要丈夫教会了，夫妻同诵，到老不衰。后享寿各九十馀，无疾而终。子孙为南京世富之家，亦有发科第者。后人评云：

刘老儿为善不终，宋小官因祸得福。
《金刚经》消除灾难，破毡笠团圆骨肉。

第二十三卷 乐小舍拚生觅偶

怒气雄声出海门，舟人云是子胥魂。
天排雪浪晴雷吼，地拥银山万马奔。
上应天轮分晦朔，下临宇宙定朝昏。
吴征越战今何在？一曲渔歌过晚村。

这首诗，单题着杭州钱塘江潮，原来非同小可。刻时定信，并无差错。自古至今，莫能考其出没之由。从来说道天下有四绝，却是：雷州换鼓，广德埋藏，登州海市，钱塘江潮。

这三绝，一年止则一遍。惟有钱塘江潮，一日两番。自古唤做罗刹江，为因风涛险恶，巨浪滔天，常番了船，以此名之。南北两山，多生虎豹，名为虎林。后因虎字犯了唐高祖之祖父御讳，改名武林。又因江潮险迅，怒涛汹涌，冲害居民，因取名宁海军。后至唐末五代之间，去那径山过来，临安邑人钱宽生得一子。生时红光满室，里人见者，将谓火发，皆往救之。却是他家产下一男，两足下有青色毛，长寸馀，父母以为怪物，欲杀之。有外母不肯，乃留之，因此小名婆留。看看长大成人，身长七尺有馀，美容貌，有智勇，讳镠字巨美，幼年专作私商无赖。因官司缉捕甚紧，乃投径山法济禅师躲难。法济夜闻寺中伽蓝云："今夜钱武肃王在此，毋令惊动！"法济知他是异人，不敢相留，乃作书荐镠往苏州投太守安绶。绶乃用镠为帐下都部署，每夜在府中马院宿歇。

时遇炎天酷热，太守夜起独步后园，至马院边，只见钱镠睡在那里。太守方坐间，只见那正厅背后，有一眼枯井，井中走出两个小鬼来，戏弄钱镠。

却见一个金甲神人，把那小鬼一喝都走了，口称道："此乃武肃王在此，不得无礼!"太守听罢，大惊，急回府中，心大异之，以此好生看待钱镠。后因黄巢作乱，钱镠破贼有功，僖宗拜为节度使。后遇董昌作乱，钱镠收讨平定，昭宗封为吴越国王。因杭州建都，治得国中宁静。只是地方狭窄，更兼长江汹涌，心常不悦。

忽一日，有司进到金色鲤鱼一尾，约长三尺有馀，两目炯炯有光，将来作御膳。钱王见此鱼壮健，不忍杀之，令畜之池中。夜梦一老人来见，峨冠博带，口称："小圣夜来孺子不肖，乘酒醉，变作金色鲤鱼，游于江岸，被人获之，进与大王作御膳，谢大王不杀之恩。今者小圣，特来哀告大王，愿王怜悯，差人送往江中，必当重报。"钱王应允，龙君乃退。钱王飒然惊觉得了一梦。次早升殿，唤左右打起那鱼，差人放之江中。当夜，又梦龙君谢曰："感大王再生之恩，将何以报？小圣龙宫海藏，应有奇珍异宝，夜光珠，盈尺璧，任从大王所欲，即当奉献。"钱王乃言："珍宝珠璧，非吾好也。惟我国僻处海隅，地方无千里，况兼长江广阔，波涛汹涌，日夕相冲，使国人常有风波之患。汝能借地一方，以广吾国，是所愿也。"龙王曰："此事甚易，然借则借，当在何日见还?"钱王曰："五百劫后，仍复还之。"龙王曰："大王来日，可铸铁柱十二只，各长一丈二尺。请大王自登舟，小圣使虾鱼聚于水面之上，大王但见处，可即下铁柱一只，其水渐渐自退，沙涨为平地。王可叠石为塘，其地即广也。"龙君退去，钱王惊觉。

次日，令有司铸造铁柱十二只，亲自登舟，于江中看之。果见有鱼虾成聚一十二处，乃令人以铁柱沉下去，江水自退。王乃登岸，但见无移时，沙石涨为平地，自富阳山前直至海门舟山为止。钱王大喜，乃使石匠于山中凿石为板，以黄罗木贯穿其中，排列成塘。因凿石迟慢，乃下令："如有军民人等，以新旧石板，将船装来，一船换米一船。"各处即将船载石板来换米。因此砌了江岸，石板有馀。后方始称为钱塘江。

至大宋高宗南渡，建都钱塘，改名临安府，称为行在。方始人烟辏集，风俗淳美。似此每遇年年八月十八，乃潮生日，倾城士庶，皆往江塘之上，玩潮快乐。亦有本土善识水性之人，手执十幅旗幡，出没水中，谓之弄潮，果是好看。至有不识水性深浅者，学弄潮，多有被泼了去，坏了性命。临安府尹得知，累次出榜禁谕，不能革其风俗。有东坡学士看潮一绝为证：

吴儿生长押涛渊，冒险轻生不自怜。

东海若知明主意，应教破浪变桑田。

话说南宋临安府有一个旧家，姓乐名美善，原是贤福坊安平巷内出身，祖上七辈衣冠。近因家道消乏，移在钱塘门外居住，开个杂色货铺子。人都重他的家世，称他为乐大爷。妈妈安氏，单生一子，名和。生得眉目清秀，伶俐乖巧。幼年寄在永清巷母舅安三老家抚养，附在间壁喜将仕馆中上学。喜将仕家有个女儿，小名顺娘，少乐和一岁。两个同学读书，学中取笑道："你两个姓名'喜乐和顺'，合是天缘一对。"两个小儿女，知觉渐开，听这话也自欢喜，遂私下约为夫妇。这也是一时戏谑，谁知做了后来配合的谶语。正是：

姻缘本是前生定，曾向蟠桃会里来。

乐和到十二岁时，顺娘十一岁。那时乐和回家，顺娘深闺女工，各不相见。乐和虽则童年，心中伶俐，常想顺娘情意，不能割舍。

又过了三年，时值清明将近，安三老接外甥同去上坟，就便游西湖。原来临安有这个风俗，但凡湖船，任从客便，或三朋四友，或带子携妻，不择男女，各自去占个座头，饮酒观山，随意取乐。安三老领着外甥上船，占了个座头。方才坐定，只见船头上又一家女眷入来。看时不是别人，正是间壁喜将仕家母女二人和一个丫头，一个奶娘。三老认得，慌忙作揖，又教外甥来相见了。此时顺娘年十四岁，一发长成得好了。乐和有三年不见，今日水面相逢，如见珍宝。虽然分桌而坐，四目不时观看，相爱之意，彼此尽知。只恨众人属目，不能叙情。船到湖心亭，安三老和一班男客都到亭子上闲步，乐和推腹痛留在舱中，挨身与喜大娘攀话，稍稍得与顺娘相近。捉空以目送情，彼此意会。少顷众客下船，又分开了。傍晚，各自分散。安三老送外甥回家。乐和一心忆着顺娘，题诗一首：

嫩蕊娇香郁未开，不因蜂蝶自生猜。
他年若作扁舟侣，日日西湖一醉回。

乐和将此诗题于桃花笺上，摺为方胜，藏于怀袖。私自进城，到永清巷喜家门首，伺候顺娘，无路可通。如此数次。闻说潮王庙有灵，乃私买香烛果品，在潮王面前祈祷，愿与喜顺娘今生得成鸳侣。拜罢，炉前化纸，偶然方胜从袖中坠地，一阵风卷出纸钱的火来烧了。急去抢时，止剩得一个"侣"字。乐和拾起看了，想道："侣乃双口之意，此亦吉兆。"心下甚喜。

忽见碑亭内坐一老者，衣冠古朴，容貌清奇，手中执一团扇，上写"姻缘前定"四个字。乐和上前作揖，动问："老翁尊姓？"答道："老汉姓石。"又问道："老翁能算姻缘之事乎？"老者道："颇能推算。"乐和道："小子乐和，烦老翁一推，赤绳系于何处？"老者笑道："小舍人年未弱冠，如何便想这事？"乐和道："昔汉武帝为小儿时，圣母抱于膝上，问'欲得阿娇为妻否？'帝答言：'若得阿娇，当以金屋贮之。'年无长幼，其情一也。"老者遂问了年月日时，在五指上一轮道："小舍人佳眷，是熟人，不是生人。"乐和见说得合机，便道："不瞒老翁，小子心上正有一熟人，未知缘法何如？"老者引至一口八角井边，教乐和看井内有缘无缘便知。乐和手把井栏张望，但

见井内水势甚大，巨涛汹涌，如万顷相似，其明如镜。内立一个美女，可十六七岁，紫罗衫，杏黄裙，绰约可爱。仔细认之，正是顺娘，心下又惊又喜。却被老者望背后一推，刚刚的跌在那女子身上，大叫一声，猛然惊觉，乃是一梦，双手兀自抱定亭柱。正是：

黄粱犹未熟，一梦到华胥。

乐和醒将转来，看亭内石碑，其神姓石名瑰，唐时捐财筑塘捍水，死后封为潮王。乐和暗想："原来梦中所见石老翁，即潮王也。此段姻缘，十有九就。"回家对母亲说，要央媒与喜顺娘议亲。那安妈妈是妇道家，不知高低，便向乐公撺掇其事。乐公道："姻亲一节，须要门当户对。我家虽曾有七辈衣冠，见今衰微，经纪营活。喜将仕名门富室，他的女儿，怕没有人求允，肯与我家对亲？若央媒往说，反取其笑。"乐和见父亲不允，又教母亲央求母舅去说合。安三老所言，与乐公一般。乐和大失所望，背地里叹了一夜的气，明早将纸裱一牌位，上写"亲妻喜顺娘生位"七个字，每日三餐，必对而食之。夜间安放枕边，低唤三声，然后就寝。每遇清明三月三，重阳九月九，端午龙舟，八月玩潮，这几个胜会，无不刷鬓修容，华衣美服，在人丛中挨挤。只恐顺娘出行，侥幸一遇。同般生意人家有女儿的，见乐小舍人年长，都来议亲。爹娘儿遍要应承，到是乐和立意不肯，立个誓愿，直待喜家顺娘嫁出之后，方才放心，再图婚配。

事有凑巧，这里乐和立誓不娶，那边顺娘却也红鸾不照，天喜未临，高不成，低不就，也不曾许得人家。光阴似箭，倏忽又过了三年。乐和年一十八岁，顺娘一十七岁了。男未有室，女未有家。

男才女貌正相和，未卜姻缘事若何？
且喜室家俱未定，只须灵鹊肯填河。

话分两头。却说是时，南北通和。其年有金国使臣高景山来中国修聘。那高景山善会文章，朝命宣一个翰林范学士接伴。当八月中秋过了，又到十八潮生日，就城外江边浙江亭子上，搭彩铺毡，大排筵宴，款待使臣观潮。陪宴官非止一员。都统司领着水军，乘战舰，于水面往来，施放五色烟火炮。豪家贵戚，沿江搭缚彩幕，绵亘三十馀里，照江如铺锦相似。市井弄水者，共有数百人，蹈浪争雄，出没游戏。有蹈滚木、水傀儡，诸般伎艺。但见：

迎潮鼓浪，拍岸移舟。惊湍忽自海门来，怒吼遥连天际出。何异地生银汉，分明天震春雷。遥观似匹练飞空，远听如千军驰噪。吴儿勇健，平分白浪弄洪波；渔父轻便，出没江心夸好手。果然是万顷碧波随地滚，千寻雪浪接云奔。

北朝使臣高景山见了，毛发皆耸，嗟叹不已，果然奇观。范学士道："相公见此，何不赐一佳作？"即令取过文房四宝来。高景山谦让再三，做

《念奴娇》词：

云涛千里，泛今古绝致，东南风物。碧海云横初一线，忽尔雷轰苍壁。万马奔天，群鹅扑地，汹涌飞烟雪。吴人勇悍，便竞踏浪雄杰。　　想旗帜纷纭，吴音楚管，与胡笳俱发。人物江山如许丽，岂信妖氛难灭。况是行宫，星缠五福，光焰窥毫发。惊看无语，凭栏姑待明月。

高景山题毕，满座皆赞奇才，只有范学士道："相公词做得甚好，只可惜'万马奔天，群鹅扑地'，将潮比得来轻了，这潮可比玉龙之势。"学士遂做《水调歌头》，道是：

登临眺东渚，始觉太虚宽；海天相接，潮生万里一毫端。滔滔怒生雄势，宛胜玉龙戏水，尽出没波间。雪浪番云脚，波卷水晶寒。　　扫方涛，卷圆峤，大洋番。天垂银汉，壮观江北与江南。借问子胥何在？博望乘槎仙去，知是几时还？上界银河窄，流泻到人间！

范学士题罢，高景山见了，大喜道："奇哉佳作！难比万马争驰，真是玉龙戏水。"

不题各官尽欢饮酒。且说临安大小户人家，闻得是日朝廷款待北使，陈设百戏，倾城士女都来观看。乐和打听得喜家一门也去看潮，侵早，便妆扮齐整，来到钱塘江口，踅来踅去，找寻喜顺娘不着。结末来到一个去处，唤做"天开图画"，又叫做"团围头"。因那里团团围转，四面都看见潮头，故名"团围头"。——后人讹传，谓之"团鱼头"。——这个所在，潮势阔大，多有子弟立脚不牢，被潮头涌下水去，又有豁湿了身上衣服的，都在下浦桥边搅挤教乾。有人做下《临江仙》一只，单嘲那看潮的：

自古钱塘难比。看潮人成群作队，不待中秋，相随相趁，尽往江边游戏。沙滩畔，远望潮头，不觉侵天浪起。　　头巾如洗，斗把衣裳去挤。下浦桥边，一似奈何池畔，裸体披头似鬼。入城里，烘好衣裳，犹问几时起水。

乐和到"团围头"寻了一转，不见顺娘，复身又寻转来。那时人山人海，围拥着席棚彩幕。乐和身材即溜，在人丛里捱挤进去，一步一看。行走多时，看见一个妇人，走进一个席棚里面去了。乐和认得这妇人，是喜家的奶娘。紧步随后，果然喜将仕一家男女，都成团聚块的坐下饮酒玩赏。乐和不敢十分逼近，又不舍得十分窎远。紧紧的贴着席棚而立，觑定顺娘目不转睛，恨不得走近前去，双手搂抱，说句话儿。那小娘子抬头观看，远远的也认得是乐小舍人，见他趋前退后，神情不定，心上也觉可怜。只是父母相随，寸步不离，无由相会一面。正是：

两人衷腹事，尽在不言中。

却说乐和与喜顺娘正在相视凄惶之际，忽听得说潮来了。道犹未绝，耳边如山崩地拆之声，潮头有数丈之高，一涌而至。有诗为证：

银山万叠耸嵬嵬，蹴地排空势若飞。

信是子胥灵未泯，至今犹自奋神威。

那潮头比往年更大，直打到岸上高处，掀翻锦幕，冲倒席棚。众人发声喊，都退后走。顺娘出神在小舍人身上，一时着忙不知高低，反向前几步，脚儿把滑不住，溜的滚入波浪之中。

可怜绣阁金闺女，翻做随波逐浪人。

乐和乖觉，约莫潮来，便移身立于高阜去处，心中不舍得顺娘，看定席棚，高叫："避水！"忽见顺娘跌在江里去了。这惊非小，说时迟，那时快，就顺娘跌下去这一刻，乐和的眼光紧随着小娘子下水，脚步自然留不往，扑通的向水一跳，也随波而滚。他那里会水，只是为情所使，不顾性命。这里喜将仕夫妇见女儿坠水，慌急了，乱呼："救人救人！救得吾女，自有重赏。"那顺娘穿着紫罗衫杏黄裙，最好记认。有那一班弄潮的子弟们，踏着潮头，如履平地，贪着利物，应声而往。翻波搅浪，来捞救那紫罗衫杏黄裙的女子。

却说乐和跳下水去，直至水底，全不觉波涛之苦，心下如梦中相似。行到潮王庙中，见灯烛辉煌，香烟缭绕。乐和下拜，求潮王救取顺娘，度脱水厄。潮王开言道："喜顺吾已收留在此，今交付你去。"说罢，小鬼从神帐后，将顺娘送出。乐和拜谢了潮王，领顺娘出了庙门。彼此十分欢喜，一句话也说不出，四只手儿紧紧对面相抱，觉身子或沉或浮，溶出水面。那一班弄潮的看见紫罗衫杏黄裙在浪中现出，慌忙去抢。及至托出水面，不是单却是双。四五个人，扛头扛脚，抬上岸来，对喜将仕道："且喜连女婿都救起来了。"喜公、喜母、丫鬟、奶娘都来看时，此时八月天气，衣服都单薄。两个脸对脸，胸对胸，交股叠肩，且是偎抱得紧，分拆不开，叫唤不醒，体尚微暖，不生不死的模样。父母慌又慌，苦又苦，正不知什么意故。喜家眷属哭做一堆。众人争先来看，都道从古来无此奇事。

却说乐美善正在家中，有人报他儿子在"团鱼头"看潮，被潮头打在江里去了，慌得一步一跌，直跑到"团围头"来。又听得人说打捞得一男一女，那女的是喜将仕家小姐。乐公分开人众，捱入看时，认得是儿子乐和，叫了几声："亲儿！"放声大哭道："儿呵！你生前不得吹箫侣，谁知你死后方成连理枝！"喜将仕问其缘故，乐公将三年前儿子执意求亲，及誓不先娶之言，叙了一遍。喜公、喜母到抱怨起来道："你乐门七辈衣冠，也是旧族。况且两个幼年，曾同窗读书。有此说话，何不早说？如今大家叫唤，若唤得醒时，情愿把小女配与令郎。"两家一边唤女，一边唤儿，约莫叫唤了半个时辰，渐渐眼开气续，四只胳膊，兀自不放。乐公道："我儿快苏醒，将仕公已许下，把顺娘配你为妻了。……"说犹未毕，只见乐和睁开双眼道："岳翁休要言而无信!"跳起身来，便向喜公、喜母作揖称谢。喜小姐随后苏醒。两口儿精神如故，清水也不吐一口。喜杀了喜将仕，乐杀了乐大爷。两家都将干衣服换了，雇个小轿抬回家里。

次日，到是喜将仕央媒来乐家议亲，愿赘乐和为婿，媒人就是安三老。乐家无不应允。择了吉日，喜家送些金帛之类，笙箫鼓乐，迎娶乐和到家成亲。夫妻恩爱，自不必说。满月后，乐和同顺娘备了三牲祭礼，到潮王庙去赛谢，喜将仕见乐和聪明，延名师在家，教他读书，后来连科及第。至今临安说婚姻配合故事，还传"喜乐和顺"四字。有诗为证：

少负情痴长更狂，却将情字感潮王。
钟情若到真深处，生死风波总不妨。

第二十四卷 玉堂春落难逢夫

公子初年柳陌游，玉堂一见便绸缪。
黄金数万皆消费，红粉双眸枉泪流。
财货拐，仆驹休，犯法洪同狱内囚。
按临骢马冤愆脱，百岁姻缘到白头。

话说正德年间，南京金陵城有一人，姓王名琼，别号思竹，中乙丑科进士，累官至礼部尚书。因刘瑾擅权，劾了一本。圣旨发回原籍。不敢稽留，收拾轿马和家眷起身。王爷暗想有几两俸银，都借在他人名下，一时取讨不及。况长子南京中书，次子时当大比，踌躇半晌，乃呼公子三官前来。那三官双名景隆，字顺卿，年方一十七岁。生得眉目清新，丰姿俊雅。读书一目十行，举笔即便成文，元是个风流才子。王爷爱惜胜如心头之气，掌上之珍。当下王爷唤至分付道："我留你在此读书，叫王定讨帐，银子完日，作速回家，免得父母牵挂。我把这里帐目，都留与你。"叫王定过来："我留你与三叔在此读书讨帐，不许你引诱他胡行乱为。吾若知道，罪责非小。"王定叩头说："小人不敢。"次日收拾起程。

王定与公子送别，转到北京，另寻寓所安下。公子谨依父命，在寓读书，王定讨帐。不觉三月有馀，三万银帐，都收完了。公子把底帐扣算，分厘不欠。分付王定，选日起身。公子说："王定，我们事体俱已完了，我与你到大街上各巷口，闲耍片时，来日起身。"王定遂即锁了房门，分付主人家用心看着牲口。房主说："放心，小人知道。"二人离了寓所，至大街观看皇都景致。但见：

人烟凑集，车马喧阗。人烟凑集，合四山五岳之音；车马喧阗，尽六部九卿之辈。做买做卖，总四方土产奇珍；闲荡闲游，靠万岁太平洪福。处处胡同铺锦绣，家家杯斝醉笙歌。

公子喜之不尽。忽然又见五七个宦家子弟，各拿琵琶弦子，欢乐饮酒。公子道："王定，好热闹去处。"王定说："三叔，这等热闹，你还没到那热闹去处哩！"二人前至东华门，公子睁眼观看，好锦绣景致。只见门彩金凤，柱盘金龙。王定道："三叔，好么？"公子说："真个好所在！"又走前面去，问王定："这是那里？"王定说："这是紫金城。"公子往里一视，只见城内瑞气腾腾，红光灼灼。看了一会，果然富贵无过于帝王，叹息不已。

离了东华门往前，又走多时，到一个所在，见门前站着几个女子，衣服整齐。公子便问："王定，此是何处？"王定道："此是酒店。"乃与王定进到酒楼上。公子坐下，看那楼上有五七席饮酒的，内中一席有两个女子，坐着同饮。公子看那女子，人物清楚，比门前站的，更胜几分。公子正看中间，酒保将酒来，公子便问："此女是那里来的？"酒保说："这是一秤金家丫头翠香、翠红。"三官道："生得清气。"酒保说："这等就说标致？他家里还有一个粉头，排行三姐，号玉堂春，有十二分颜色。鸨儿索价太高，还未梳栊。"公子听说留心。叫王定还了酒钱，下楼去，说："王定，我与你春院胡同走走。"王定道："三叔不可去，老爷知道怎了！"公子说："不妨，看一看就回。"乃走至本司院门首。果然是：

花街柳巷，绣阁朱楼。家家品竹弹丝，处处调脂弄粉。黄金买笑，无非公子王孙；红袖邀欢，都是妖姿丽色。正疑香雾弥天蔼，忽听歌声别院娇。总然道学也迷魂，任是真僧须破戒。

公子看得眼花撩乱，心内踌躇，不知那是一秤金的门。正思中间，有个卖瓜子的小伙叫做金哥走来，公子便问："那是一秤金的门？"金哥说："大叔莫不是要耍？我引你去。"王定便道："我家相公不嫖，莫错认了。"公子说："但求一见。"

那金哥就报与老鸨知道。老鸨慌忙出来迎接，请进待茶。王定见老鸨留茶，心下慌张，说："三叔可回去罢！"老鸨听说，问道："这位何人？"公子说："是小价。"鸨子道："大哥，你也进来吃茶去，怎么这等小器？"公子道："休要听他。"跟着老鸨往里就走。王定道："三叔不要进去。俺老爷知道，可不干我事。"在后边自言自语。公子那里听他，竟到了里面坐下。

老鸨叫丫头看茶。茶罢，老鸨便问："客官贵姓？"公子道："学生姓王，家父是礼部正堂。"老鸨听说拜道："不知贵公子，失瞻休罪。"公子道："不碍，休要计较。久闻令爱玉堂春大名，特来相访。"老鸨道："昨有一位客官，要梳弄小女，送一百两财礼，不曾许他。"公子道："一百两财礼小哉！学生不敢夸大话，除了当今皇上，往下也数家父。就是家祖，也做过侍郎。"老鸨听说，心中暗喜，便叫翠红请三姐出来见尊客。翠红去不多时，回话道："三姐身子不健，辞了罢。"老鸨起身带笑说："小女从幼养娇了，直待老婢自去唤他。"王定在傍喉急，又说："他不出来就罢了，莫又去唤。"老鸨不听其言，走进房中，叫："三姐，我的儿，你时运到了！今有王尚书的公子，特慕你而来。"玉堂春低头不语。慌得那鸨儿便叫："我儿，王公子好个标致人物，年纪不上十六七岁，囊中广有金银。你若打得上这个主儿，不但名声好听，也勾你一世受用。"玉姐听说，即时打扮，来见公子。临行，老鸨又说："我儿，用心奉承，不要怠慢他。"玉姐道："我知道了。"

公子看玉堂春果然生得好：

> 鬓挽乌云，眉弯新月。肌凝瑞雪，脸衬朝霞。袖中玉笋尖尖，裙下金莲窄窄。雅淡梳妆偏有韵，不施脂粉自多姿。便数尽满院名姝，总输他十分春色。

玉姐偷看公子，眉清目秀，面白唇红，身段风流，衣裳清楚，心中也自暗喜。当下玉姐拜了公子。老鸨就说："此非贵客坐处，请到书房小叙。"公子相让，进入书房。果然收拾得精致，明窗净几，古画古炉。公子却无心细看，一心只对着玉姐。

鸨儿帮衬，教女儿捱着公子肩下坐了，分付丫鬟摆酒。王定听见摆酒，一发着忙，连声催促三叔回去。老鸨丢个眼色与丫头："请这大哥到房里吃酒。"翠香、翠红道："姐夫请进房里，我和你吃钟喜酒。"王定本不肯去，被翠红二人，拖拖拽拽扯进去坐了。甜言美语，劝了几杯酒。初时还是勉强，以后吃得热闹，连王定也忘怀了，索性放落了心，且偷快乐。

正饮酒中间，听得传语公子叫王定。王定忙到书房，只见杯盘罗列，本司自有答应乐人，奏动乐器。公子开怀乐饮。王定走近身边，公子附耳低言："你到下处取二百两银子，四匹尺头，再带散碎银二十两，到这里来。"王定道："三叔要这许多银子何用？"公子道："不要你闲管。"王定没奈何，只得来到下处，开了皮箱，取出五十两元宝四个，并尺头碎银，再到本司院，说："三叔有了。"公子看也不看，都教送与鸨儿，说："银两尺头，权为令爱初会之礼；这二十两碎银，把做赏人杂用。"王定只道公子要讨那三姐回去，用许多银子；听说只当初会之礼，吓得舌头吐出三寸。却说鸨儿一见了许多东西，就叫丫头转过一张空桌。王定将银子尺头，放在桌上。鸨儿假意谦让了一回，叫玉姐："我儿，拜谢了公子。"又说："今日是王公子，明日就是王姐夫了。"叫丫头收了礼物进去。"小女房中还备得有小酌，请公子开怀畅饮。"公子与玉姐肉手相搀，同至香房，只见围屏小桌，果品珍羞，俱已摆设完备。公子上坐，鸨儿自弹弦子，玉堂春清唱侑酒。弄得三官骨松筋痒，神荡魂迷。王定见天色晚了，不见三官动身，连催了几次。丫头受鸨儿之命，不与他传。王定又不得进房，等了一个黄昏，翠红要留他宿歇，王定不肯，自回下处去了。公子直饮到二鼓方散。玉堂春殷勤伏侍公子上床，解衣就寝，真个男贪女爱，倒凤颠鸾，彻夜交情，不在话下。

天明，鸨儿叫厨下摆酒煮汤，自进香房，追红讨喜，叫一声："王姐夫，可喜可喜。"丫头小厮都来磕头。公子分付王定每人赏银一两，翠香、翠红各赏衣服一套，折钗银三两。王定早晨本要来接公子回寓，见他撒漫使钱，有不然之色。公子暗想："在这奴才手里讨针线，好不爽利。索性将皮箱搬到院里，自家便当。鸨儿见皮箱来了，愈加奉承。真个朝朝寒食，夜夜元宵，不觉住了一个多月。老鸨要生心科派，设一大席酒，搬戏演乐，专请三官玉姐二人赴席。鸨子举杯敬公子说："王姐夫，我女儿与你成了夫妇，地久天长，凡家中事务，望乞扶持。"那三官心里只怕鸨子心里不自在，看那银子犹如粪土，凭老鸨说谎，欠下许多债负，都替他还。又打若干首饰酒器，做若干衣服，又许他改造房子，又造百花楼一座，与玉堂春做卧房。随其科派，件件许了。正是：

酒不醉人人自醉，色不迷人人自迷。

急得家人王定手足无措，三回五次，催他回去。三官初时含糊答应，以后逼急了，反将王定痛骂。王定没奈何，只得到求玉姐劝他。玉姐素知虔婆利害，也来苦劝公子道："'人无千日好，花有几日红！'你一日无钱，他番了脸来，就不认得你。"三官此时手内还有钱钞，那里信他这话。王定暗想："心爱的人还不听他，我劝他则甚?"又想："老爷若知此事，如何了得！不如回家报与老爷知道，凭他怎么裁处，与我无干。"王定乃对三官说："我在北京无用，先回去罢。"三官正厌王定多管，巴不得他开身，说："王定，你去时，我与你十两盘费。你到家中禀老爷，只说帐未完，三叔先使我来问安。"玉姐也送五两，鸨子也送五两。王定拜别三官而去。正是：

各人自扫门前雪，莫管他家瓦上霜。

且说三官被酒色迷住，不想回家。光阴似箭，不觉一年。亡八淫妇，终日科派。莫说上头，做生，讨粉头，买丫鬟，连亡八的寿圹都打得到。三官手内财空。亡八一见无钱，凡事疏淡，不照常答应奉承。又住了半月，一家大小作闹起来。老鸨对玉姐说："'有钱便是本司院，无钱便是养济院。'王公子没钱了，还留在此做甚！那曾见本司院举了节妇，你却呆守那穷鬼做甚?”玉姐听说，只当耳边之风。

一日三官下楼往外去了，丫头来报与鸨子。鸨子叫玉堂春下来：“我问你，几时打发王三起身?”玉姐见话不投机，复身向楼上便走。鸨子随即跟上楼来，说：“奴才，不理我么?”玉姐说：“你们这等没天理，王公子三万两银子，俱送在我家。若不是他时，我家东也欠债，西也欠债，焉有今日这等足用?”鸨子怒发，一头撞去，高叫：“三儿打娘哩。”亡八听见，不分是非，便拿了皮鞭，赶上楼来，将玉姐撑跌在楼上，举鞭乱打。打得髻偏发乱，血泪交流。

且说三官在午门外，与朋友相叙，忽然面热肉颤，心下怀疑，即辞归，径走上百花楼。看见玉姐如此模样，心如刀割，慌忙抚摩，问其缘故。玉姐睁开双眼，看见三官，强把精神挣着说：“俺的家务事，与你无干。”三官说：“冤家，你为我受打，还说无干？明日辞去，免得累你受苦!”玉姐说：“哥哥，当初劝你回去，你却不依我。如今孤身在此，盘缠又无，三千馀里，怎生去得？我如何放得心？你若不能还乡，流落在外，又不如忍气且住几日。”三官听说，闷倒在地。玉姐近前抱住公子，说：“哥哥，你今后休要下楼去，看那亡八淫妇怎么样行来?”三官说：“欲待回家，难见父母兄嫂；待不去，又受不得亡八冷言热语。我又舍不得你；待住，那亡八淫妇只管打你。”玉姐说：“哥哥，打不打你休管他，我与你是从小的儿女夫妻，你岂可一旦别了我。”看看天色又晚，房中往常时丫头秉灯上来，今日火也不与了。玉姐见三官痛伤，用手扯到床上睡了。一递一声长吁短气。三官与玉姐说：“不如我去罢！再接有钱的客官，省你受气。”玉姐说：“哥哥，那亡八淫妇，任他打我，你好歹休要起身。哥哥在时，奴命在，你真个要去，我只一死。”二人直哭到天明，起来，无人与他碗水。玉姐叫丫头：“拿钟茶来与你姐夫吃。”鸨子听见，高声大骂：“大胆奴才，少打。叫小三自家来取。”那丫头小厮都不敢来。玉姐无奈，只得自己下楼，到厨下，盛碗饭，泪滴滴自拿上楼去，说：“哥哥，你吃饭来。”公子才要吃，又听得下边骂，待不吃，玉姐又劝。公子方才吃得一口，那淫妇在楼下说：“小三，大胆奴才，那有‘巧媳妇做出无米粥’?”三官分明听得他话，只索隐忍。正是：

囊中有物精神旺，手内无钱面目惭。

却说亡八恼恨玉姐，待要打他，倘或打伤了，难教他挣钱；待不打他，他又恋着王小三。十分逼的小三极了，他是个酒色迷了的人，一时他寻个自尽，倘或尚书老爷差人来接，那时把泥做也不干。左思右算，无计可施。鸨子说：“我自有妙法，叫他离咱门去。明日是你妹子生日，如此如此，唤做‘倒房计’。”亡八说：“到也好。”

鸨子叫丫头楼上问：“姐夫吃了饭还没有?”鸨子上楼来说：“休怪！俺

家务事，与姐夫不相干。”又照常摆上了酒。吃酒中间，老鸨忙陪笑道：“三姐，明日是你姑娘生日。你可禀王姐夫，封上人情，送去与他。”玉姐当晚封下礼物。第二日清晨，老鸨说：“王姐夫早起来，趁凉可送人情到姑娘家去。”大小都离司院，将半里，老鸨故意吃一惊，说：“王姐夫，我忘了锁门，你回去把门锁上。”公子不知鸨子用计，回来锁门不题。且说亡八从那小巷转过来，叫：“三姐，头上吊了簪子。”哄的玉姐回头，那亡八把头口打了两鞭，顺小巷流水出城去了。

三官回院，锁了房门，忙往外赶看，不见玉姐，遇着一伙人。公子躬身便问：“列位曾见一起男女，往那里去了？”那伙人不是好人，却是短路的。见三官衣服齐整，心生一计，说：“才往芦苇西边去了。”三官说：“多谢列位。”公子往芦苇里就走。这人哄的三官往芦苇里去了，即忙走在前面等着。三官至近，跳起来喝一声，却去扯住三官，齐下手剥去衣服帽子，拿绳子捆在地上。三官手足难挣，昏昏沉沉，捱到天明，还只想了玉堂春，说：“姐姐，你不知在何处去，那知我在此受苦。”

不说公子有难，且说亡八淫妇拐着玉姐，一日走了一百二十里地，野店安下。玉姐明知中了亡八之计，路上牵挂三官，泪不停滴。

再说三官在芦苇里，口口声声叫救命。许多乡老近前看见，把公子解了绳子，就问：“你是那里人？”三官害羞，不说是公子，也不说嫖玉堂春，浑身上下又无衣服，眼中吊泪说：“列位大叔，小人是河南人，来此小买卖。不幸遇着歹人，将一身衣服尽剥去了，盘费一文也无。”众人见公子年少，舍了几件衣服与他，又与了他一顶帽子。三官谢了众人，拾起破衣穿了，拿破帽子戴了。又不见玉姐，又没了一个钱，还进北京来。顺着房檐，低着头，从早至黑，水也没得口。三官饿的眼黄，到天晚寻宿，又没人家下他。有人说：“想你这个模样子，谁家下你？你如今可到总铺门口去，有觅人打梆子，早晚勤谨，可以度日。”三官径至总铺门首，只见一个地方来雇人打更。三官向前叫：“大叔，我打头更。”地方便问：“你姓甚么？”公子说：“我是王小三。”地方说：“你打二更罢！失了更，短了筹，不与你钱，还要打哩！”三官是个自在惯了的人，贪睡了，晚间把更失了。地方骂：“小三，你这狗骨头，也没造化吃这自在饭，快着走。”三官自思无路，乃到孤老院里去存身。正是：

一般院子里，苦乐不相同。

却说那亡八鸨子，说：“咱来了一个月，想那王三必回家去了。咱们回去罢。”收拾行李，回到本司院。只有玉姐每日思想公子，寝食俱废。鸨子上楼来，苦苦劝说：“我的儿，那王三已是往家去了，你还想他怎么？北京城内多少王孙公子，你只是想着王三不接客。你可知道我的性子，自讨分晓，我再不说你了。”说罢自去了。玉姐泪如雨滴，想王顺卿手内无半文钱，不知怎生去了？“你要去时，也通个信息，免使我苏三常常挂牵。不知何日再得与你相见？”

不说玉姐想公子。且说公子在北京院讨饭度日。北京大街上有个高手王银匠，曾在王尚书处打过酒器。公子在虔婆家打首饰物件，都用着他。一日往孤老院过，忽然看见公子，唬了一跳，上前扯住，叫：“三叔！你怎么这等模样？”三官从头说了一遍。王银匠说：“自古狠心亡八！三叔，你今到寒家，清茶淡饭，暂住几日，等你老爷使人来接你。”三官听说大喜，跟随至王匠家中。王匠敬他是尚书公子，尽礼管待，也住了半月有馀。他媳妇子见短，不见尚书家来接，只道丈夫说谎，乘着丈夫上街，便发说话：“自家一窝子男女，那有闲饭养他人！好意留吃几日，各人要自达时务，终不然在此养老送终。”三官受气不过，低着头，顺着房檐往外出来，信步而行。走至关王庙，猛省关圣最灵，何不诉他？乃进庙，跪于神前，诉以亡八鸨儿负心之事。拜祷良久，起来闲看两廊画的三国功劳。

却说庙门外街上，有一个小伙儿叫云：“本京瓜子，一分一桶。高邮鸭蛋，半分一个。”此人是谁？是卖瓜子的金哥。金哥说道：“原来是年景消疏，买卖不济。当时本司院有王三叔在时，一时照顾二百钱瓜子，转的来，我父母吃不了。自从三叔回家去了，如今谁买这物？二三日不曾发市，怎么过？我到庙里歇歇再走。”

金哥进庙里来，把盘子放在供桌上，跪下磕头。三官却认得是金哥，无颜见他，双手掩面坐于门限侧边。金哥磕了头，起来，也来门限上坐下。三官只道金哥出庙去了，放下手来，却被金哥认出，说：“三叔，你怎么在这里？”三官含羞带泪，将前事道了一遍。金哥说：“三叔休哭，我请你吃些饭。”三官说：“我得了饭。”金哥又问：“你这两日，没见你三婶来？”三官说：“久不相见了！金哥，我烦你到本司院密密与三婶说，我如今这等穷，看他怎么说？回来复我。”金哥应允，端起盘，往外就走。三官又说：“你到那里看风色。他若想我，你便题我在这里如此；若无真心疼我，你便休话，也来回我。他这人家有钱的另一样待，无钱的另一样待。”金哥说：“我知道。”辞了三官，往院里来，在于楼外边立着。

说那玉姐手托香腮，将汗巾拭泪，声声只叫：“王顺卿，我的哥哥！你不知在那里去了？”金哥说：“呀，真个想三叔哩！”咳嗽一声，玉姐听见，问：“外边是谁？”金哥上楼来，说：“是我。我来买瓜子与你老人家磕哩。”玉姐眼中掉泪，说：“金哥，纵有羊羔美酒，吃不下，那有心绪磕瓜仁。”金哥说：“三婶，你这两日怎么淡了？”玉姐不理。金哥又问：“你想三叔，还想谁？你对我说，我与你接去。”玉姐说；“我自三叔去后，朝朝思想，那里又有谁来？我曾记得一辈古人。”金哥说：“是谁？”玉姐说：“昔有个亚仙女，郑元和为他黄金使尽，去打《莲花落》。后来收心勤读诗书，一举成名。那亚仙风月场中显大名。我常怀亚仙之心，怎得三叔他像郑元和方好。”

金哥听说，口中不语，心内自思：“王三到也与郑元和相像了，虽不打《莲花落》，也在孤老院讨饭吃。”金哥乃低低把三婶叫了一声，说：“三叔如今在庙中安歇，叫我密密的报与你，济他些盘费，好上南京。”玉姐唬了一惊：“金哥休要哄我。”金哥说：“三婶，你不信，跟我到庙中看看去。”玉姐说：“这里到庙中有多少远？”金哥说：“这里到庙中有三里地。”玉姐说：“怎么敢去？”又问：“三叔还有甚话？”金哥说：“只是少银子钱使用，并没甚话。”玉姐说：“你去对三叔说：‘十五日在庙里等我。’”金哥去庙里回覆三官，就送三官到王匠家中：“倘若他家不留你，就到我家里去。”幸得王匠回家，又留住了公子不题。

却说老鸨又问：“三姐，你这两日不吃饭，还是想着王三哩！你想他，他不想你，我儿好痴！我与你寻个比王三强的，你也新鲜些。”玉姐说：“娘，我心里一件事不得停当。”鸨子说：“你有甚么事？”玉姐说：“我当初要王三的银子，黑夜与他说话，指着城隍爷爷说誓。如今等我还了愿，就接别人。”老鸨问：“几时去还愿？”玉姐道：“十五日去罢。”老鸨甚喜。预先备下香烛纸马。

等到十五日，天未明，就叫丫头起来：“你与姐姐烧下水洗脸。”玉姐也怀心，起来梳洗，收拾私房银两，并钗钏首饰之类，叫丫头拿着纸马，径往城隍庙里去。进的庙来，天还未明，不见三官在那里。那晓得三官却躲在东廊下相等，先已看见玉姐，咳嗽一声。玉姐就知，叫丫头烧了纸马：“你先去，我两边看看十帝阎君。”玉姐叫丫头转身，径来东廊下寻三官。三官见了玉姐，羞面通红。玉姐叫声：“哥哥王顺卿，怎么这等模样？”两下抱头而哭。玉姐将所带有二百两银子东西，付与三官，叫他置办衣帽买骡子，再到院里来：“你只说是从南京才到，休负奴言。”二人含泪各别。

玉姐回至家中，鸨子见了，欣喜不胜，说：“我儿还了愿了？”玉姐说：“我还了旧愿，发下新愿。”鸨子说：“我儿，你发下甚么新愿？”玉姐说：“我要再接王三，把咱一家子死的灭门绝户，天火烧了。”鸨子说：“我儿这愿，忒发得重了些。”从此欢天喜地不题。

且说三官回到王匠家，将二百两东西，递与王匠。王匠大喜，随即到了市上，买了一身袖帛衣服，粉底皂靴，绒袜，瓦楞帽子，青丝绦，真川扇，皮箱骡马，办得齐整。把砖头瓦片，用布包裹，假充银两，放在皮箱里面，收拾打扮停当。雇了两个小厮，跟随就要起身。王匠说：“三叔，略停片时，小子置一杯酒饯行。”公子说：“不劳如此，多蒙厚爱，异日须来报恩。”三官遂上马而去。

妆成圈套入胡同，鸨子焉能不强从。

亏杀玉堂垂念永，固知红粉亦英雄。

却说公子辞了王匠夫妇，径至春院门首。只见几个小乐工，都在门首说话。忽然看见三官气象一新，唬了一跳，飞风报与老鸨。老鸨听说，半晌不言：“这等事怎么处！向日三姐说：他是宦家公子，金银无数，我却不信，逐他出门去了。今日到带有金银，好不惶恐人也！”左思右想，老着脸走出来见了三官，说：“姐夫从何而至？”一手扯住马头。公子下马唱了半个喏，就要行，说：“我伙计都在船中等我。”老鸨陪笑道：“姐夫好狠心也。就是寺破僧丑，也看佛面。纵然要去，你也看看玉堂春。”公子道：“向日那几两银子值甚的？学生岂肯放在心上！我今皮箱内，见有五万银子，还有几船货物，伙计也有数十人，有王定看守在那里。”鸨子一发不肯放手了。公子恐怕掣脱了，将机就机，进到院门坐下。鸨儿分付厨下忙摆酒席接风。三官茶罢，就要走。故意搧出两锭银子来，都是五两头细丝。三官检起，袖而藏之。鸨子又说：“我到了姑娘家酒也不曾吃，就问你。说你往东去了，寻不见你，寻了一个多月，俺才回家。”公子乘机便说：“亏你好心，我那时也寻不见你。王定来接我，我就回家去了。我心上也欠挂着玉姐，所以急急而来。”老鸨忙叫丫头去报玉堂春。

丫头一路笑上楼来。玉姐已知公子到了，故意说：“奴才笑甚么？”丫头说：“王姐夫又来了。”玉姐故意唬了一跳，说：“你不要哄我！”不肯下楼。老鸨慌忙自来，玉姐故意回脸往里睡。鸨子说：“我的亲儿！王姐夫来了，你不知道么？”玉姐也不语，连问了四五声，只不答应。这一时待要骂，又用着他，扯一把椅子拿过来，一直坐下，长吁了一声气。玉姐见他这模样，故意回过头起来，双膝跪在楼上，说：“妈妈！今日饶我这顿打。”老鸨忙扯起来说：“我儿！你还不知道王姐夫又来了。拿有五万两花银，船上又有货物并伙计数十人，比前加倍。你可去见他，好心奉承。”玉姐道：“发下新愿了，我不去接他。”鸨子道：“我儿！发愿只当取笑。”一手挽玉姐下楼来，半路就叫：“王姐夫，三姐来了。”

三官见了玉姐，冷冷的作了一揖，全不温存。老鸨便叫丫头摆桌，取酒斟上一钟，深深万福，递与王姐夫：“权当老身不是。可念三姐之情，休走别家，教人笑话。”三官微微冷笑，叫声：“妈妈，还是我的不是。”老鸨殷勤劝酒，公子吃了几杯，叫声多扰，抽身就走。翠红一把扯住，叫：“玉姐，与俺姐夫陪个笑脸。”老鸨说：“王姐夫，你忒做绝了。丫头把门顶了，休放你姐夫出去。”叫丫头把那行李抬在百花楼去，就在楼下重设酒席，笙琴细乐，又来奉承。吃了半更，老鸨说：“我先去了，让你夫妻二人叙话。”三官玉姐正中其意，携手登楼。

如同久旱逢甘雨，好似他乡遇故知。

二人一晚叙话，正是“欢娱嫌夜短，寂寞恨更长”。不觉鼓打四更，公子爬将起来说：“姐姐，我走罢。”玉姐说：“哥哥，我本欲留你多住几日，只是留君千日，终须一别。今番作急回家，再休惹闲花野草。见了二亲，用意攻书。倘或成名，也争得这一口气。”玉姐难舍王公子，公子留恋玉堂春。玉姐说：“哥哥，你到家，只怕娶了家小不念我。”三官说：“我怕你在北京另接一人，我再来也无益了。”玉姐说：“你指着圣贤爷说了誓愿。”两人双膝跪下。公子说：“我若南京再娶家小，五黄六月害病死了我。”玉姐说：“苏三再若接别人，铁锁长枷永不出世。”就将镜子拆开，各执一半，日后为记。玉姐说：“你败了三万两银子，空手而回，我将金银首饰器皿，都与你拿去罢。”三官说：“亡八淫妇知道时，你怎打发他？”玉姐说：“你莫管我，我自有主意。”玉姐收拾完备，轻轻的开了楼门，送公子出去了。

天明鸨儿起来，叫丫头烧下洗脸水，承下净口茶：“看你姐夫醒了时，送上楼去，问他要吃甚么，我好做去。若是还睡，休惊醒他。”丫头走上楼去，见摆设的器皿都没了，梳妆匣也出空了，撇在一边。揭开帐子，床上空了半边。跑下楼，叫：“妈妈罢了！”鸨子说：“奴才！慌甚么？惊着你姐夫。”丫头说：“还有甚么姐夫？不知那里去了。俺姐姐回脸往里睡着。”老鸨听说，大惊，看小厮骡脚都去了。连忙走上楼来，喜得皮箱还在。打开看时，都是个砖头瓦片。鸨儿便骂：“奴才！王三那里去了？我就打死你！为何金银器皿他都偷去了？”玉姐说：“我发过新愿了，今番不是我接他来的。”鸨子说：“你两个昨晚说了一夜话，一定晓得他去处。”亡八就去取皮鞭，玉姐拿个首帕，将头扎了。口里说：“待我寻王三还你。”忙下楼来，往外就走。鸨子乐工，恐怕走了，随后赶来。

玉姐行至大街上，高声叫屈：“图财杀命！”只见地方都来了。鸨子说：“奴才，他到把我金银首饰尽情拐去，你还放刁！”亡八说：“由他，咱到家里算帐。”

玉姐说：“不要说嘴，咱往那里去？那是我家？我同你到刑部堂上讲讲，恁家里是公侯宰相，朝郎驸马，你那里的金银器皿！万物要平个理。一个行院人家，至轻至贱，那有甚么大头面，戴往那里去坐席？王尚书公子在我家，费了三万银子，谁不知道他去了就开手。你昨日见他有了银子，又去哄到家里，图谋了他行李。不知将他下落在何处？列位做个证见。”说得鸨子无言可答。亡八说：“你叫王三拐去我的东西，你反来图赖我。”玉姐舍命，就骂：“亡八淫妇，你图财杀人，还要说嘴？见今皮箱都打开在你家里，银子都拿过了。那王三官不是你谋杀了是那个？”鸨子说：“他那里存甚么银子？都是砖头瓦片哄人。”玉姐说：“你亲口说带有五万银子，如何今日又说没有？”两下厮闹。

众人晓得三官败过三万银子是真，谋命的事未必，都将好言劝解。玉姐说：“列位，你既劝我不要到官，也得我骂他几句，出这口气。”众人说：“凭你骂罢。”玉姐骂道：

你这亡八是喂不饱的狗，鸨子是填不满的坑。不肯思量做生理，只是排局骗别人。奉承尽是天罗网，说话皆是陷人坑。只图你家长兴旺，那管他人贫不贫。八百好钱买了我，与你挣了多少银。我父叫做周彦亨，大同城里有名人。买良为贱该甚罪？兴贩人口问充军。哄诱良家子弟犹自可，图财杀命罪非轻！你一家万分无天理，我且说你两三分。

众人说：“玉姐，骂得勾了。”鸨子说：“让你骂许多时，如今该回去了。”玉姐说：“要我回去，须立个文书执照与我。”众人说：“文书如何写？”玉姐说：“要写‘不合买良为娼，及图财杀命’等话。”亡八那里肯写。玉姐又叫起屈来。众人说：“买良为娼，也是门户常事，那人命事不的实，却难招认。我们只主张写个赎身文书与你罢。”亡八还不肯。众人说：“你莫说别项，只王公子三万银子也勾买三百个粉头了。玉姐左右心不向你了，舍了他罢！”众人都到酒店里面，讨了一张绵纸，一人念，一人写，只要亡八鸨子押花。玉姐道：“若写得不公道，我就扯碎了。”众人道：“还你停当。”写道：

立文书本司乐户苏淮，同妻一秤金，向将钱八百文，讨大同府人周彦亨女玉堂春在家，本望接客靠老，奈女不愿为娼。……

写到“不愿为娼”，玉姐说：“这句就是了。须要写收过王公子财礼银三万两。”亡八道：“三儿！你也拿些公道出来。这一年多费用去了，难道也算？”众人道：“只写二万罢。”又写道：

……有南京公子王顺卿，与女相爱，淮得过银二万两，凭众议作赎身财礼。今后听凭玉堂春嫁人，并与本户无干。立此为照。

后写“正德年月日，立文书乐户苏淮同妻一秤金”，见人有十馀人。众人先押了花。苏淮只得也押了，一秤金也画个十字。玉姐收讫，又说：“列位老爹！我还有一件事，要先讲个明。”众人曰：“又是甚事？”玉姐曰：“那百花楼，原是王公子盖的，拨与我住。丫头原是公子买的，要叫两个来伏侍我。以后米面柴薪菜蔬等项，须是一一供给，不许措勒短少，直待我嫁人方止。”众人说：“这事都依着你。”玉姐辞谢先回。亡八又请众人吃过酒饭方散。正是：

周郎妙计高天下，赔了夫人又折兵。

话说公子在路，夜住晓行，不数日，来到金陵自家门首下马。王定看见，唬了一惊。上前把马扯住，进的里面。三官坐下，王定一家拜见了。三官就问："我老爷安么?"王定说："安。""大叔、二叔、姑爹、姑娘何如?"王定说："俱安。"又问："你听得老爷说我家来，他要怎么处?"王定不言，长吁一口气，只看看天。三官就知其意："你不言语，想是老爷要打死我?"王定说："三叔！老爷誓不留你，今番不要见老爷了。私去看看老奶奶和姐姐兄嫂讨些盘费，他方去安身罢。"公子又问："老爷这二年，与何人相厚?央他来与我说个人情。"王定说："无人敢说。只除是姑娘姑爹，意思间稍题题，也不敢直说。"三官道："王定，你去请姑爹来，我与他讲这件事。"

王定即时去请刘斋长、何上舍到来。叙礼毕，何、刘二位说："三舅，你在此，等俺两个与咱爷讲过，使人来叫你。若不依时，捎信与你，作速逃命。"二人说罢，竟往潭府来见了王尚书。坐下，茶罢，王爷问何上舍："田庄好么?"上舍答道："好。"王爷又问刘斋长："学业何如?"答说："不敢，连日有事，不得读书。"王爷笑道："'读书过万卷，下笔如有神。'秀才将何为本?'家无读书子，官从何处来?'今后须宜勤学，不可将光阴错过。"刘斋长唯唯谢教。

何上舍问："客位前这墙几时筑的?一向不见。"王爷笑曰："我年大了，无多田产，日后恐怕大的二的争竞，预先分为两分。"二人笑说："三分家事，如何只做两分?三官回来，叫他那里住?"王爷闻说，心中大恼："老夫平生两个小儿，那里又有第三个?"二人齐声叫："爷，你如何不疼三官王景隆?当初还是爷不是，托他在北京讨帐，无有一个去接寻。休说三官十六七岁，北京是花柳之所，就是久惯江湖，也迷了心。"二人双膝跪下，吊下泪来。王爷说："没下梢的狗畜生，不知死在那里了，再休题起了。"

正说间，二位姑娘也到。众人都知三官到家，只哄着王爷一人。王爷说："今日不请都来，想必有甚事情?"即叫家奴摆酒。何静庵欠身打一躬曰："你闺女昨晚作一梦，梦三官王景隆身上蓝缕，叫他姐姐救他性命。三更鼓做了这个梦，半夜捶床捣枕哭到天明，埋怨着我不接三官，今日特来问问三舅的信音。"刘心斋亦说："自三舅在京，我夫妇日夜不安，今我与姨夫凑些盘费，明日起身去接他回来。"王爷含泪道："贤婿，家中还有两个儿子，无他又待怎生?"何、刘二人往外就走。王爷向前扯住，问："贤婿何故起身?"二人说："爷撒手，你家亲生子还是如此，何况我女婿也?"大小儿女放声大哭，两个哥哥一齐下跪，女婿也跪在地上，奶奶在后边吊下泪来。引得王爷心动，亦哭起来。

王定跑出来说："三叔，如今老爷在那里哭你，你好过去见老爷，不要待等恼了。"王定推着公子进前厅跪下，说："爹爹！不孝儿王景隆今日回了。"那王爷两手擦了泪眼，说："那无耻畜生，不知死的往那里去了。北京城街上最多游食光棍，偶与畜生面庞厮像，假充畜生来家，哄骗我财物。可叫小厮拿送三法司问罪。”那公子往外就走。二位姐姐赶至二门首拦住说：“短命的，你待往那里去？”三官说：“二位姐姐，开放条路与我逃命罢！”二位姐姐不肯撒手，推至前来双膝跪下，两个姐姐手指说：“短命的！娘为你痛得肝肠碎，一家大小为你哭得眼花，那个不牵挂！”众人哭在伤情处，王爷一声喝住众人不要哭，说：“我依着二位姐夫，收了这畜生，可叫我怎么处他？”众人说：“消消气再处。”王爷摇头。

奶奶说：“凭我打罢。”王爷说：“可打多少？”众人说：“任爷爷打多少？”王爷道：“须依我说，不可阻我，要打一百。”大姐二姐跪下说：“爹爹严命，不敢阻当，容你儿待替罢！”大哥二哥每人替上二十，大姐二姐每人亦替二十。王爷说：“打他二十。”大姐二姐说：“叫他姐夫也替他二十。只看他这等黄瘦，一棍打在那里？等他膔满肉肥，那时打他不迟。”王爷笑道：“我儿，你也说得是。想这畜生，天理已绝，良心已丧，打他何益？我问你：‘家无生活计，不怕斗量金。’我如今又不做官了，无处挣钱，作何生意以为糊口之计？要做买卖，我又无本钱与你。二位姐夫问：“他那银子还有多少？”何、刘便问三舅：“银子还有多少？”

王定抬过皮箱打开，尽是金银首饰器皿等物。王爷大怒，骂：“狗畜生！你在那里偷的这东西？快写首状，休要玷辱了门庭。”三官高叫：“爹爹息怒，听不肖儿一言。”遂将初遇玉堂春，后来被鸨儿如何哄骗尽了，如何亏了王银匠收留，又亏了金哥报信，“玉堂春私将银两赠我回乡。这些首饰器皿，皆玉堂春所赠。”备细述了一遍。王爷听说骂道：“无耻狗畜生！自家三万银子都花了，却要娼妇的东西，可不羞杀了人。”三官说：“儿不曾强要他的，是他情愿与我的。”王爷说：“这也罢了。看你姐夫面上，与你一个庄子，你自去耕地布种。”公子不言。王爷怒道：“王景隆，你不言怎么说？”公子说：“这事不是孩儿做的。”王爷说：“这事不是你做的，你还去嫖院罢！”三官说：“儿要读书。”王爷笑曰：“你已放荡了，心猿意马，读甚么书？”公子说：“孩儿此回笃志用心读书。”王爷说：“既知读书好，缘何这等胡为？”何静庵立起身来说：“三舅受了艰难苦楚，这下来改过迁善，料想要用心读书。”王爷说：“就依你众人说，送他到书房里去，叫两个小厮去伏侍他。”即时就叫小厮送三官往书院里去。两个姐夫又来说：“三舅久别，望老爷留住他，与小婿共饮则可。”王爷说：“贤婿，你如此乃非教子之方，休要纵他。”二人道：“老爷言之最善。”于是翁婿大家痛饮，尽醉方归。这一出父子相会，分明是：

月被云遮重露彩，花遭霜打又逢春。

却说公子进了书院，清清独坐，只见满架诗书，笔山砚海。叹道：“书呵！相别日久，且是生涩。欲待不看，焉得一举成名，却不辜负了玉姐言语？欲待读书，心猿放荡，意马难收。”公子寻思一会，拿着书来读了一会。心下只是想着玉堂春。忽然鼻闻甚气，耳闻甚声，乃问书童道：“你闻这书里甚么气？听听甚么响？”书童说：“三叔，俱没有。”公子道：“没有？呀，原来鼻闻乃是脂粉气，耳听即是筝板声。”公子一时思想起来：“玉姐当初嘱付我，是甚么话来？叫我用心读书。我如今未曾读书，心意还丢他不下，坐不安，寝不宁，茶不思，饭不想，梳洗无心，神思恍忽。”公子自思：“可怎么处他？”走出门来，只见大门上挂着一联对子：“‘十年受尽窗前苦，一举成名天下闻。’这是我公公作下的对联。他中举会试，官至侍郎。后来咱爹爹在此读书，官到尚书。我今在此读书，亦要攀龙附凤，以继前人之志。”又见二门上有一联对子：“不受苦中苦，难为人上人。”公子急回书房，看见《风月机关》《洞房春意》，公子自思：“乃是此二书乱了我的心。”将一火而焚之。破镜、分钗俱将收了。心中回转，发志勤学。

一日书房无火，书童往外取火。王爷正坐，叫书童。书童近前跪下。王爷便问：“三叔这一会用功不曾？”书童说：“禀老爷得知，我三叔先时通不读书，胡思乱想，体瘦如柴；这半年整日读书，晚下读至三更方才睡，五更就起，直至饭后，方才梳洗。口虽吃饭，眼不离书。”王爷道：“奴才！你好说谎，我亲自去看他。”书童叫：“三叔，老爷来了。”公子从从容容迎接父亲，王爷暗喜。观他行步安详，可以见他学问。王爷正面坐下，公子拜见。王爷曰：“我限的书你看了不曾？我出的题你做了多少？”公子说：“爹爹严命，限儿的书都看了，题目都做完了，但有馀力旁观子史。”王爷说：“拿文字来我看。”公子取出文字。王爷看他所作文课，一篇强如一篇，心中甚喜，叫：“景隆，去应个儒士科举罢！”公子说：“儿读了几日书，敢望中举？”王爷说：“一遭中了虽多，两遭中了甚广。出去观观场，下科好中。”王爷就写书与提学察院，许公子科举。

竟到八月初九日，进过头场，写出文字与父亲看。王爷喜道：“这七篇，中有何难？”到二场三场俱完，王爷又看他后场，喜道：“不在散举，决是魁解。”

话分两头。却说玉姐自上了百花楼，从不下梯。是日闷倦，叫丫头：“拿棋子过来，我与你下盘棋。”丫头说：“我不会下。”玉姐说：“你会打双陆么？”丫头说：“也不会。”玉姐将棋盘双陆一皆撇在楼板上。丫头见玉姐眼中吊泪，即忙掇过饭来，说：“姐姐，自从昨晚没用饭，你吃个点心。”玉姐拿过分为两半，右手拿一块吃，左手拿一块与公子。丫头欲接又不敢接。玉姐猛然睁眼见不是公子，将那一块点心掉在楼板上。丫头又忙掇过一碗汤来，说：“饭干燥，吃些汤罢。”玉姐刚呷得一口，泪如涌泉，放下了。问：

"外边是甚么响?"丫头说:"今日中秋佳节,人人玩月,处处笙歌,俺家翠香、翠红姐都有客哩。"玉姐听说,口虽不言,心中自思:"哥哥今已去了一年了。"叫丫头拿过镜子来照了一照,猛然唬了一跳:"如何瘦的我这模样?"把那镜丢在床上,长吁短叹,走至楼门前,叫丫头:"拿椅子过来,我在这里坐一坐。"坐了多时,只见明月高升,谯楼敲转。玉姐叫丫头:"你可收拾香烛过来。今日八月十五日,乃是你姐夫进三场日子,我烧一炷香保佑他。"玉姐下楼来,当天井跪下,说:"天地神明,今日八月十五日,我哥王景隆进了三场,愿他早占鳌头,名扬四海。"祝罢,深深拜了四拜。有诗为证:

对月烧香祷告天,何时得泄腹中冤。

王郎有日登金榜,不枉今生结好缘。

却说西楼上有个客人,乃山西平阳府洪同县人,拿有整万银子,来北京贩马。这人姓沈名洪,因闻玉堂春大名,特来相访。老鸨见他有钱,把翠香打扮当作玉姐。相交数日,沈洪方知不是,苦求一见。

是夜丫头下楼取火,与玉姐烧香。小翠红忍不住多嘴,就说了:"沈姐夫,你每日间想玉姐,今夜下楼,在天井内烧香,我和你悄悄地张他。"沈洪将三钱银子买嘱了丫头,悄然跟到楼下,月明中,看得仔细。等他拜罢,趋出唱喏。玉姐大惊,问:"是甚么人?"答道:"在下是山西沈洪,有数万本钱,在此贩马。久慕玉姐大名,未得面睹,今日得见,如拨云雾见青天。望玉姐不弃,同到西楼一会。"玉姐怒道:"我与你素不相识,今当夤夜,何故自夸财势,妄生事端?"沈洪又哀告道:"王三官也只是个人,我也是个人。他有钱,我亦有钱,那些儿强似我?"说罢,就上前要搂抱玉姐。被玉姐照脸啐一口,急急上楼关了门,骂丫头:"好大胆,如何放这野狗进来?"沈洪没意思自去了。玉姐思想起来,分明是小翠香、小翠红这两个奴才报他。又骂:"小淫妇,小贱人,你接着得意孤老也好了,怎该来啰唣我?"骂了一顿,放声悲哭:"但得我哥哥在时,那个奴才敢调戏我!"又气又苦,越想越毒。正是:

可人去后无日见,俗子来时不待招。

却说三官在南京乡试终场,闲坐无事,每日只想玉姐。南京一般也有本司院,公子再不去走。到了二十九开榜之日,公子想到三更以后,方才睡着。外边报喜的说:"王景隆中了第四名。"三官梦中闻信,起来梳洗,扬鞭上马,前拥后簇,去赴鹿鸣宴。父母兄嫂、姐夫姐姐,喜做一团,连日做庆贺筵席。公子谢了主考,辞了提学,坟前祭扫了,起了文书。"禀父母得知,儿要早些赴京,到僻静去处安下,看书数月,好入会试。"父母明知公子本意牵挂玉堂春,中了举,只得依从,叫大哥二哥来:"景隆赴京会试,昨日祭扫,有多少人情?"大哥说:"不过三百馀两。"王爷道:"那只勾他人情的,分外再与他一二百两拿去。”二哥说：“禀上爹爹，用不得许多银子。”王爷说：“你那知道，我那同年门生，在京颇多，往返交接，非钱不行。等他手中宽裕，读书也有兴。”叫景隆收拾行装，有知心同年，约上两三位。分付家人到张先生家看了良辰。公子恨不的一时就到北京。邀了几个朋友，雇了一只船，即时拜了父母，辞别兄嫂。两个姐夫，邀亲朋至十里长亭，酌酒作别。公子上的船来，手舞足蹈，莫知所之。众人不解其意，他心里只想着玉姐玉堂春。不则一日到了济宁府，舍舟起旱，不在话下。

再说沈洪自从中秋夜见了玉姐，到如今朝思暮想，废寝忘餐，叫声：“二位贤姐，只为这冤家害的我一丝两气，七颠八倒。望二位可怜我孤身在外，举眼无亲，替我劝化玉姐，叫他相会一面，虽死在九泉之下，也不敢忘了二位活命之恩。”说罢，双膝跪下。翠香、翠红说：“沈姐夫，你且起来，我们也不敢和他说这话。你不见中秋夜骂的我们不耐烦。等俺妈妈来，你央浼他。”沈洪说：“二位贤姐，替我请出妈妈来。”翠香姐说：“你跪着我，再磕一百二十个大响头。”沈洪慌忙跪下磕头。翠香即时就去，将沈洪说的言语述与老鸨。

老鸨到西楼见了沈洪，问：“沈姐夫唤老身何事？”沈洪说：“别无他事，只为不得玉堂春到手。你若帮衬我成就了此事，休说金银，便是杀身难保。”老鸨听说，口内不言，心中自思：“我如今若许了他，倘三儿不肯，教我如何？若不许他，怎哄出他的银子？”沈洪见老鸨踌躇不语，便看翠红。翠红丢了一个眼色，走下楼来。沈洪即跟他下去。翠红说：“常言‘姐爱俏，鸨爱钞’，你多拿些银子出来打动他，不愁他不用心。他是使大钱的人，若少了，他不放在眼里。”沈洪说：“要多少？”翠香说：“不要少了！就把一千两与他，方才成得此事。”也是沈洪命运该败，浑如鬼迷一般，即依着翠香，就拿一千两银子来，叫：“妈妈，财礼在此。”老鸨说：“这银子，老身权收下。你却不要性急，待老身慢慢的偎他。”沈洪拜谢说：“小子悬悬而望。”正是：

请下烟花诸葛亮，欲图风月玉堂春。

且说十三省乡试榜都到午门外张挂，王银匠邀金哥说：“王三官不知中了不曾？”两个跑在午门外南直隶榜下，看解元是《书经》，往下第四个乃王景隆。王匠说：“金哥好了！三叔已中在第四名。”金哥道：“你看看的确，怕你识不得字。”王匠说：“你说话好欺人，我读书读到《孟子》，难道这三个字也认不得？随你叫谁看。”金哥听说大喜。

二人买了一本乡试录，走到本司院里去报玉堂春说：“三叔中了。”玉姐叫丫头将试录拿上楼来，展开看了，上刊“第四名王景隆”，注明“应天府儒士，《礼记》”。玉姐步出楼门，叫丫头忙排香案，拜谢天地。起来先把王匠谢了，转身又谢金哥。

唬得亡八鸨子魂不在体，商议说："王三中了举，不久到京，白白地要了玉堂春去，可不人财两失？三儿向他孤老，决没甚好言语，搬斗是非，教他报往日之仇。此事如何了？"鸨子说："不若先下手为强。"亡八说："怎么样下手？"老鸨说："咱已收了沈官人一千两银子，如今再要了他一千，贱些价钱卖与他罢。"亡八道："三儿不肯如何？"鸨子说："明日杀猪宰羊，买一桌纸钱。假说东岳庙看会，烧了纸，说了誓，合家从良，再不在烟花巷里。小三若闻知从良一节，必然也要往岳庙烧香。叫沈官人先安排轿子，径抬往山西去。公子那时就来，不见他的情人，心下就冷了。"亡八说："此计大妙。"即时暗暗地与沈洪商议，又要了他一千银子。

次早，丫头报与玉姐："俺家杀猪宰羊，上岳庙哩。"玉姐问："为何？"丫头道："听得妈妈说：'为王姐夫中了，恐怕他到京来报仇，今日发愿，合家从良。'"玉姐说："是真是假？"丫头说："当真哩！昨日沈姐夫都辞去了。如今再不接客了。"玉姐说："既如此，你对妈妈说，我也要去烧香。"老鸨说："三姐，你要去，快梳洗，我唤轿儿抬你。"玉姐梳妆打扮，同老鸨出的门来。正见四个人，抬着一顶空轿。老鸨便问："此轿是雇的？"这人说："正是。"老鸨说："这里到岳庙要多少雇价？"那人说："抬去抬来，要一钱银子。"老鸨说："只是五分。"那人说："这个事小，请老人家上轿。"老鸨说："不是我坐，是我女儿要坐。"玉姐上轿，那二人抬着，不往东岳庙去，径往西门去了。

走有数里，到了上高转折去处，玉姐回头，看见沈洪在后骑着个骡子。玉姐大叫一声："吆！想是亡八鸨子盗卖我了？"玉姐大骂："你这些贼狗奴，抬我往那里去？"沈洪说："往那里去？我为你去了二千两银子，买你往山西家去。"玉姐在轿中号啕大哭，骂声不绝。那轿夫抬了飞也似走。行了一日，天色已晚。沈洪寻了一座店房，排合卺美酒，指望洞房欢乐。谁知玉姐题着便骂，触着便打。沈洪见店中人多，恐怕出丑，想道："瓮中之鳖，不怕他走了，权耐几日，到我家中，何愁不从。"于是反将好话奉承，并不去犯他。玉姐终日啼哭，自不必说。

却说公子一到北京，将行李上店，自己带两个家人，就往王银匠家，探问玉堂春消息。王匠请公子坐下："有见成酒，且吃三杯接风，慢慢告诉。"王匠就拿酒来斟上。三官不好推辞，连饮了三杯，又问："玉姐敢不知我来？"王匠叫："三叔开怀，再饮三杯。"三官说："勾了，不吃了。"王匠说："三叔久别，多饮几杯，不要太谦。"公子又饮了几杯，问："这几日曾见玉姐不曾？"王匠又叫："三叔且莫问此事，再吃三杯。"公子心疑，站起说："有甚或长或短，说个明白，休闷死我也。"王匠只是劝酒。

却说金哥在门首经过，知道公子在内，进来磕头叫喜。三官问金哥：“你三婶近日何如?”金哥年幼多嘴，说：“卖了。”三官急问说：“卖了谁?”王匠瞅了金哥一眼，金哥缩了口。公子坚执盘问，二人瞒不过，说：“三婶卖了。”公子问：“几时卖了?”王匠说：“有一个月了。”公子听说，一头撞在尘埃。二人忙扶起来。公子问金哥：“卖在那里去了?”金哥说：“卖与山西客人沈洪去了。”三官说：“你那三婶就怎么肯去?”金哥叙出：“鸨儿假意从良，杀猪宰羊上岳庙，哄三婶同去烧香。私与沈洪约定，雇下轿子抬去，不知下落。”公子说：“亡八盗卖我玉堂春，我与他算帐。”那时叫金哥跟着，带领家人，径到本司院里。进的院门，亡八眼快，跑去躲了。公子问众丫头：“你家玉姐何在?”无人敢应。公子发怒，房中寻见老鸨，一把揪住，叫家人乱打，金哥劝住。公子就走在百花楼上，看见锦帐罗帏，越加怒恼，把箱笼尽行打碎，气得痴呆了，问：“丫头，你姐姐嫁那家去？可老实说，饶你打。”丫头说：“去烧香，不知道就偷卖了他。”公子满眼落泪，说：“冤家，不知是正妻，是偏妾?”丫头说：“他家里自有老婆。”公子听说，心中大怒，恨骂：“亡八淫妇，不仁不义!”丫头说：“他今日嫁别人去了，还疼他怎的?”公子满眼流泪。

正说间，忽报朋友来访。金哥劝：“三叔休恼，三婶一时不在了，你纵然哭他，他也不知道。今有许多相公在店中相访，闻公子在院中，都要来。”公子听说，恐怕朋友笑话，即便起身回店。公子心中气闷，无心应举。意欲束装回家。朋友闻知，都来劝说：“顺卿兄，功名是大事，表子是末节，那里有为表子而不去求功名之理?”公子说：“列位不知，我奋志勤学，皆为玉堂春的言语激我。冤家为我受了千辛万苦，我怎肯轻舍?”众人叫：“顺卿兄，你倘联捷，幸在彼地，见之何难？你若回家，忧虑成病，父母悬心，朋友笑耻，你有何益?”三官自思言之最当，倘或侥幸，得到山西，平生愿足矣。数言劝醒公子。

会试日期已到，公子进了三场，果中金榜二甲第八名，刑部观政。三个月，选了真定府理刑官，即遣轿马迎请父母兄嫂。父母不来，回书说：“教他做官勤慎公廉。念你年长未娶，已聘刘都堂之女，不日送至任所成亲。”公子一心只想玉堂春，全不以聘娶为喜。正是：

已将路柳为连理，翻把家鸡作野鸳。

且说沈洪之妻皮氏，也有几分颜色，虽然三十馀岁，比二八少年，也还风骚。平昔间嫌老公粗蠢，不会风流，又出外日多，在家日少。皮氏色性太重，打熬不过。间壁有个监生，姓赵名昂，自幼惯走花柳场中，为人风月。近日丧偶。虽然是纳粟相公，家道已在消乏一边。一日，皮氏在后园看花，偶然撞见赵昂，彼此有心，都看上了。赵昂访知巷口做歇家的王婆，在沈家走动识熟，且是利口，善于做媒说合，乃将白银二十两，贿赂王婆，央他通脚。皮氏平昔间不良的口气，已有在王婆肚里。况且今日你贪我爱，一说一上，幽期密约，一墙之隔，梯上梯下，做就了一点不明不白的事。赵昂一者贪皮氏之色，二者要骗他钱财。枕席之间，竭力奉承。皮氏心爱赵昂，但是开口，无有不从，恨不得连家当都津贴了他。不上一年，倾囊倒箧，骗得一空。初时只推事故，暂时挪借，借去后，分毫不还。皮氏只愁老公回来盘问时，无言回答。一夜与赵昂商议，欲要跟赵昂逃走他方。赵昂道："我又不是赤脚汉，如何走得？便走了，也不免吃官司。只除暗地谋杀了沈洪，做个长久夫妻，岂不尽美？"皮氏点头不语。

却说赵昂有心打听沈洪的消息，晓得他讨了院妓玉堂春一路回来，即忙报与皮氏知道，故意将言语触恼皮氏。皮氏怨恨不绝于声，问："如今怎么样对付他说好？"赵昂道："一进门时，你便数他不是，与他寻闹，叫他领着娼根另住，那时凭你安排了。我央王婆赎得些砒霜在此，觑便放在食器内，把与他两个吃。等他双死也罢，单死也罢！"皮氏说："他好吃的是辣面。"赵昂说："辣面内正好下药。"两人圈套已定，只等沈洪入来。

不一日，沈洪到了故乡，叫仆人和玉姐暂停门外，自己先进门，与皮氏相见，满脸陪笑说："大姐休怪，我如今做了一件事。"皮氏说："你莫不是娶了个小老婆？"沈洪说："是了。"皮氏大怒，说："为妻的整年月在家守活孤孀，你却花柳快活，又带这泼淫妇回来，全无夫妻之情。你若要留这淫妇时，你自在西厅一带住下，不许来缠我。我也没福受这淫妇的拜，不要他来。"昂然说罢，啼哭起来，拍台拍凳，口里"千亡八，万淫妇"骂不绝声。沈洪劝解不得，想道："且暂时依他言语在西厅住几日，落得受用。等他气消了时，却领玉堂春与他磕头。"沈洪只道浑家是吃醋，谁知他有了私情，又且房计空虚了，正怕老公进房，借此机会，打发他另居。正是：

你向东时我向西，各人有意自家知。

不在话下。

却说玉堂春曾与王公子设誓，今番怎肯失节于沈洪，腹中一路打稿："我若到这厌物家中，将情节哭诉他大娘子，求他做主，以全节操。慢慢的寄信与三官，教他将二千两银子来赎我去，却不好。"及到沈洪家里，闻知大娘不许相见，打发老公和他往西厅另住，不遂其计，心中又惊又苦。沈洪安排床帐在厢房，安顿了苏三。自己却去窝伴皮氏，陪吃夜饭。被皮氏三回五次催赶。沈洪说："我去西厅时，只怕大娘着恼。"皮氏说："你在此，我反恼；离了我眼睛，我便不恼。"沈洪唱个淡喏，谢声："得罪。"出了房门，径望西厅而来。原来玉姐乘着沈洪不在，检出他铺盖撇在厅中，自己关上房门自睡了。任沈洪打门，那里肯开。却好皮氏叫小段名到西厅看老公睡也不曾。沈洪平日原与小段名有情，那时扯在铺上，草草合欢，也当春风一度。事毕，小段名自去了。沈洪身子困倦，一觉睡去直至天明。

却说皮氏这一夜等赵昂不来，小段名回后，老公又睡了。番来覆去，一夜不曾合眼。天明早起，赶下一轴面，煮熟分作两碗，皮氏悄悄把砒霜撒在面内，却将辣汁浇上，叫小段名送去西厅："与你爹爹吃。"小段名送至西厅，叫道："爹爹，大娘欠你，送辣面与你吃。"沈洪见得两碗，就叫："我儿，送一碗与你二娘吃。"小段名便去敲门。玉姐在床上问："做甚么？"小段名说："请二娘起来吃面。"玉姐道："我不要吃。"沈洪说："想是你二娘还要睡，莫去闹他。"沈洪把两碗都吃了，须臾而尽。小段名收碗去了。

沈洪一时肚疼，叫道："不好了，死也死也！"玉姐还只认假意，看着声音渐变，开门出来看时，只见沈洪九窍流血而死。正不知甚么缘故。慌慌的高叫："救人！"只听得脚步响，皮氏早到。不等玉姐开言，就变过脸，故意问道："好好的一个人，怎么就死了？想必你这小淫妇弄死了他，要去嫁人。"玉姐说："那丫头送面来，叫我吃，我不要吃，并不曾开门。谁知他吃了，便肚疼死了。必是面里有些缘故。"皮氏说："放屁！面里若有缘故，必是你这小淫妇做下的。不然，你如何先晓得这面是吃不得的，不肯吃？你说并不曾开门，如何却在门外？这谋死情由，不是你，是谁？"说罢，假哭起"养家的天"来。家中僮仆养娘都乱做一堆。皮氏就将三尺白布摆头，扯了玉姐往知县处叫喊。

正直王知县升堂，唤进问其缘故。皮氏说："小妇人皮氏，丈夫叫沈洪，在北京为商，用千金娶这娼妇，叫做玉堂春为妾。这娼妇嫌丈夫丑陋，因吃辣面，暗将毒药放入，丈夫吃了，登时身死。望爷爷断他偿命。"王知县听罢，问："玉堂春，你怎么说？"玉姐说："爷爷，小妇人原籍北直隶大同府人氏。只因年岁荒旱，父亲把我卖在本司院苏家。卖了三年后，沈洪看见，娶我回家。皮氏嫉妒，暗将毒药藏在面中，毒死丈夫性命。反倚刁泼，展赖小妇人。"知县听玉姐说了一会，叫："皮氏，想你见那男子弃旧迎新，你怀恨在心，药死亲夫，此情理或有之。"皮氏说："爷爷，我与丈夫从幼的夫妻，怎忍做这绝情的事！这苏氏原是不良之妇，别有个心上之人，分明是他药死，要图改嫁。望青天爷爷明镜。"知县乃叫苏氏："你过来。我想你原系娼门，你爱那风流标致的人，想是你见丈夫丑陋，不趁你意，故此把毒药药死是实。"叫皂隶："把苏氏与我夹起来！"玉姐说："爷爷！小妇人虽在烟花巷里，跟了沈洪又不曾难为半分，怎下这般毒手？小妇人果有恶意，何不在半路谋害？既到了他家，他怎容得小妇人做手脚？这皮氏昨夜就赶出丈夫，不许他进房。今早的面，出于皮氏之手，小妇人并无干涉。"王知县见他二人各说有理，叫皂隶暂把他二人寄监："我差人访实再审。"二人进了南牢不题。

却说皮氏差人密密传与赵昂，叫他快来打点。赵昂拿着沈家银子，与刑房吏一百两，书手八十两，掌案的先生五十两，门子五十两，两班皂隶六十两，禁子每人二十两，上下打点停当。封了一千两银子，放在坛内，当酒送与王知县。知县受了。

次日清晨升堂，叫皂隶把皮氏一起提出来。不多时到了，当堂跪下。知县说："我夜来一梦，梦见沈洪说：'我是苏氏药死，与那皮氏无干。'"玉堂春正待分辨，知县大怒，说："人是苦虫，不打不招。"叫皂隶："与我拶起着实打！问他招也不招？他若不招，就活活敲死。"玉姐熬刑不过，说："愿招。"知县说："放下刑具。"皂隶递笔与玉姐画供。知县说："皮氏召保在外，玉堂春收监。"皂隶将玉姐手肘脚镣，带进南牢。禁子牢头都得了赵上舍银子，将玉姐百般凌辱。只等上司详允之后，就递病状，结果他性命。正是：

安排缚虎擒龙计，断送愁鸾泣凤人。

且喜有个刑房吏，姓刘名志仁，为人正直无私。素知皮氏与赵昂有奸，都是王婆说合。数日前撞见王婆在生药铺内赎砒霜，说要药老鼠。刘志仁就有些疑心。今日做出人命来，赵监生使着沈家不疼的银子来衙门打点，把苏氏买成死罪，天理何在？踌躇一会："我下监去看看。"那禁子正在那里逼玉姐要灯油钱。志仁喝退众人，将温言宽慰玉姐，问其冤情。玉姐垂泪拜诉来历。志仁见四傍无人，遂将赵监生与皮氏私情及王婆赎药始末，细说一遍。分付："你且耐心守困，待后有机会，我指点你去叫冤。日逐饭食，我自供你。"玉姐再三拜谢。禁子见刘志仁做主，也不敢则声。此话阁过不题。

却说公子自到真定府为官，举利除害，吏畏民悦。只是想念玉堂春，无刻不然。一日正在烦恼，家人来报，老奶奶家中送新奶奶来了。公子听说，接进家小。见了新人，口中不言，心内自思："容貌到也齐整，怎及得玉堂春风趣？"当时摆了合欢宴，吃下合卺杯。毕姻之际，猛然想起多娇："当初指望白头相守，谁知你嫁了沈洪，这官诰却被别人承受了。"虽然陪伴了刘氏夫人，心里还想着玉姐，因此不快。当夜中了伤寒。又想当初与玉姐别时，发下誓愿，各不嫁娶。心下疑惑，合眼就见玉姐在傍。刘夫人遣人到处祈禳，府县官都来问安，请名医切脉调治，一月之外，才得痊可。

公子在任年馀，官声大著，行取到京。吏部考选天下官员。公子在部点名已毕，回到下处，焚香祷告天地，只愿山西为官，好访问玉堂春消息。须臾马上人来报："王爷点了山西巡按。"公子听说，两手加额："趁我平生之愿矣。"次日领了敕印辞朝，连夜起马，往山西省城上任讫。即时发牌，先出巡平阳府。公子到平阳府，坐了察院，观看文卷。见苏氏玉堂春问了重刑，心内惊慌："其中必有跷蹊。"随叫书吏过来："选一个能干事的，跟着我私行采访。你众人在内，不可走漏消息。”

公子时下换了素巾青衣，随跟书吏，暗暗出了察院。雇了两个骡子，往洪同县路上来。这赶脚的小伙，在路上闲问：“二位客官往洪同县有甚贵干？”公子说：“我来洪同县要娶个妾，不知谁会说媒？”小伙说：“你又说娶小，俺县里一个财主，因娶了个小，害了性命。”公子问：“怎的害了性命？”小伙说：“这财主叫沈洪，妇人叫做玉堂春。他是京里娶来的。他那大老婆皮氏与那邻家赵昂私通，怕那汉子回来知道，一服毒药把沈洪药死了。这皮氏与赵昂反把玉堂春送到本县，将银买嘱官府衙门，将玉堂春屈打成招，问了死罪，送在监里。若不是亏了一个外郎，几时便死了。”公子又问：“那玉堂春如今在监死了？”小伙说：“不曾。”公子说：“我要娶个小，你说可投着谁做媒？”小伙说：“我送你往王婆家去罢，他极会说媒。”公子说：“你怎知道他会说媒？”小伙说：“赵昂与皮氏都是他做牵头。”公子说：“如今下他家里罢。”小伙竟引到王婆家里，叫声：“干娘，我送个客官在你家来。这客官要娶个小，你可与他说媒。”王婆说：“累你，我转了钱来谢你。”小伙自去了。

公子夜间与王婆攀话。见他能言快语，是个积年的马泊六了。到天明，又到赵监生前后门看了一遍：与沈洪家紧壁相通，可知做事方便。回来吃了早饭，还了王婆店钱，说：“我不曾带得财礼，到省下回来，再作商议。”公子出的门来，雇了骡子，星夜回到省城，到晚进了察院，不题。

次早，星火发牌，按临洪同县。各官参见过，分付就要审录。王知县回县，叫刑房吏书，即将文卷审册，连夜开写停当，明日送审不题。却说刘志仁与玉姐写了一张冤状，暗藏在身。

到次日清晨，王知县坐在监门首，把应解犯人点将出来。玉姐披枷带锁，眼泪纷纷。随解子到了察院门首，伺候开门。巡捕官回风已毕，解审牌出。公子先唤苏氏一起。玉姐口称冤枉，探怀中诉状呈上。公子抬头见玉姐这般模样，心中凄惨，叫听事官接上状来。公子看了一遍，问说：“你从小嫁沈洪，可还接了几年客？”玉姐说：“爷爷！我从小接着一个公子，他是南京礼部尚书三舍人。”公子怕他说出丑处，喝声：“住了！我今只问你谋杀人命事，不消多讲。”玉姐说：“爷爷！若杀人的事，只问皮氏便知。”公子叫皮氏问了一遍。玉姐又说了一遍。公子分付刘推官道：“闻知你公正廉能，不肯玩法徇私。我来到任，尚未出巡，先到洪同县访得这皮氏药死亲夫，累苏氏受屈。你与我把这事情用心问断。”说罢，公子退堂。

刘推官回衙，升堂，就叫：“苏氏，你谋杀亲夫，是何意故？”玉姐说：“冤屈！分明是皮氏串通王婆，和赵监生合计毒死男子。县官要钱，逼勒成招。今日小妇拚死诉冤，望青天爷爷做主。”刘爷叫皂隶把皮氏采上来，问：

“你与赵昂奸情可真么？”皮氏抵赖没有。刘爷即时拿赵昂和王婆到来面对。用了一番刑法，都不肯招。刘爷又叫小段名：“你送面与家主吃，必然知情。”喝教夹起。小段名说：“爷爷，我说罢！那日的面，是俺娘亲手盛起，叫小妇人送与爹爹吃。小妇人送到西厅，爹叫新娘同吃。新娘关着门，不肯起身，回道：‘不要吃。’俺爹自家吃了，即时口鼻流血死了。”刘爷又问赵昂奸情，小段名也说了。赵昂说：“这是苏氏买来的硬证。”

刘爷沉吟了一会，把皮氏这一起分头送监，叫一书吏过来：“这起泼皮奴才，苦不肯招。我如今要用一计，用一个大柜，放在丹墀内，凿几个孔儿。你执纸笔暗藏在内，不要走漏消息。我再提来问他，不招，即把他们锁在柜左柜右，看他有甚么说话，你与我用心写来。”刘爷分付已毕，书吏即办一大柜，放在丹墀，藏身于内。刘爷又叫皂隶，把皮氏一起提来再审。又问：“招也不招？”赵昂、皮氏、王婆三人齐声哀告，说：“就打死小的那呈招？”刘爷大怒，分付：“你众人各自去吃饭来，把这起奴才着实拷问。把他放在丹墀里，连小段名四人锁于四处，不许他交头接耳。”皂隶把这四人锁在柜的四角。众人尽散。

却说皮氏抬起头来，四顾无人，便骂：“小段名！小奴才！你如何乱讲？今日再乱讲时，到家中活敲杀你。”小段名说：“不是夹得疼，我也不说。”王婆便叫：“皮大姐，我也受这刑杖不过，等刘爷出来，说了罢。”赵昂说：“好娘，我那些亏着你！倘捱出官司去，我百般孝顺你，即把你做亲母。”王婆说：“我再不听你哄我。叫我圆成了，认我做亲娘；许我两石麦，还欠八升；许我一石米，都下了糠秕；段衣两套，止与我一条蓝布裙；许我好房子，不曾得住。你干的事，没天理，教我只管与你熬刑受苦。”皮氏说：“老娘，这遭出去，不敢忘你恩。捱过今日不招，便没事了。”柜里书吏把他说的话尽记了，写在纸上。

刘爷升堂，先叫打开柜子。书吏跪将出来，众人都唬软了。刘爷看了书吏所录口词，再要拷问，三人都不打自招。赵昂从头依直写得明白。各各画供已完，递至公案。刘爷看了一遍，问苏氏：“你可从幼为娼，还是良家出身？”苏氏将“苏淮买良为贱，先遇王尚书公子，挥金三万；后被老鸨一秤金赶逐，将奴赚卖与沈洪为妾，一路未曾同睡，”备细说了。刘推官情知王公子就是本院。提笔定罪：

> 皮氏凌迟处死，赵昂斩罪非轻。王婆赎药是通情，杖责段名示警。王县贪酷罢职，追赃不恕衙门。苏淮买良为贱合充军，一秤金三月立枷罪定。

刘爷做完申文，把皮氏一起俱已收监。次日亲捧招详，送解察院。公子依拟。留刘推官后堂待茶，问：“苏氏如何发放？”刘推官答言：“发还原籍，择夫另嫁。”公子屏去从人，与刘推官吐胆倾心，备述少年设誓之意：“今日烦贤府密地差人送至北京王银匠处暂居，足感足感！”刘推官领命奉行，自不必说。

却说公子行下关文，到北京本司院提到苏淮、一秤金依律问罪。苏淮已先故了。一秤金认得是公子，还叫：“王姐夫。”被公子喝教重打六十，取一百斤大枷枷号。不勾半月，呜呼哀哉！正是：

万两黄金难买命，一朝红粉已成灰。

再说公子一年任满，复命还京。见朝已过，便到王匠处问信。王匠说有金哥伏侍，在顶银胡同居住。公子即往顶银胡同，见了玉姐，二人放声大哭。公子已知玉姐守节之美，玉姐已知王御史就是公子，彼此称谢。公子说：“我父母娶了个刘氏夫人，甚是贤德，他也知道你的事情，决不妒忌。”当夜同饮同宿，浓如胶漆。次日，王匠、金哥都来磕头贺喜。公子谢二人昔日之恩，分付：本司院苏淮家当原是玉堂春置办的，今苏淮夫妇已绝，将遗下家财，拨与王匠、金哥二人管业，以报其德。上了个省亲本，辞朝和玉堂春起马共回南京。

到了自家门首，把门人急报老爷说：“小老爷到了。”老爷听说甚喜。公子进到厅上，排了香案，拜谢天地，拜了父母兄嫂。两位姐夫姐姐都相见了。又引玉堂春见礼已毕。玉姐进房，见了刘氏说：“奶奶坐上，受我一拜。”刘氏说：“姐姐怎说这话？你在先，奴在后。”玉姐说：“姐姐是名门宦家之子，奴是烟花，出身微贱。”公子喜不自胜。当日正了妻妾之分，姊妹相称，一家和气。公子又叫：“王定你当先在北京三番四复规谏我，乃是正理。我今与老爷说将你做老管家。”以百金赏之。

后来王景隆官至都御史，妻妾俱有子，至今子孙繁盛。有诗叹云：

郑氏元和已著名，三官嫖院是新闻。
风流子弟知多少，夫贵妻荣有几人？

第二十五卷
桂员外途穷忏悔

交游谁似古人情？春梦秋云未可凭。
沟壑不援徒泛爱，寒暄有问但虚名。
陈雷义重逾胶漆，管鲍贫交托死生。

此道今人弃如土，岁寒惟有竹松盟。

话说元朝天顺年间，江南苏州府吴趋坊，有一长者，姓施名济，字近仁。其父施鉴，字公明，为人谨厚志诚，治家勤俭，不肯妄费一钱。生施济时年已五十馀矣。鉴晚岁得子，爱惜如金。年八岁，送与里中支学究先生馆中读书。先生见他聪秀，与己子支德年齿相仿，遂令同桌而坐。那时馆中学生虽多，长幼不一，偏他两个聪明好学，文艺日进。后支学究得病而亡，施济禀知父亲，邀支德馆谷于家，彼此切磋，甚相契爱。未几同游庠序，齐赴科场。支家得第为官，施家屡试不捷。乃散财结客，周贫恤寡，欲以豪侠成名于世。父亲施鉴是个本分财主，惜粪如金的，见儿子挥金不吝，未免心疼。惟恐他将家财散尽，去后萧索，乃密将黄白之物，埋藏于地窖中，如此数处，不使人知。待等天年，才授与儿子。从来财主家往往有此。正是：

常将有日思无日，莫待无时思有时。

那施公平昔若是常患头疼腹痛，三好两歉的，到老来也自判个死日；就是平昔间没病，临老来伏床半月或十日，儿子朝夕在面前奉侍汤药，那地窖中的话儿却也说了。只为他年已九十有馀，兀自精神健旺，饮啖兼人，步履如飞。不匡一夕五更睡去，就不醒了。虽唤做吉祥而逝，却不曾有片言遗嘱。常言说得好：

三寸气在千般用，一日无常万事休。

那施济是有志学好的人，少不得殡殓祭葬，务从其厚。

其时施济年逾四十，尚未生子。三年孝满，妻严氏劝令置妾。施济不从，发心持诵《白衣观音经》，并刊本布施，许愿："生子之日，舍三百金修盖殿宇。"期年之后，严氏得孕，果生一男。三朝剃头，夫妻说起还愿之事，遂取名施还。到弥月做了汤饼会。施济对浑家说，收拾了三百两银子，来到虎丘山水月观音殿上烧香礼拜。正欲唤主僧嘱托修殿之事，忽闻下面有人哭泣之声，仔细听之，其声甚惨。

施济下殿走到千人石上观看，只见一人坐在剑池边，望着池水，呜咽不止。上前看时，认得其人姓桂名富五，幼年间一条街上居住，曾同在支先生馆中读书。不一年，桂家父母移居胥口，以便耕种，桂生就出学去了。后来也曾相会几次，有十馀年不相闻了，何期今日得遇？施公吃了一惊，唤起相见，问其缘故。桂生只是堕泪，口不能言。

施公心怀不忍，一手挽住，拉到观音殿上来问道："桂兄有何伤痛？倘然见教，小弟或可分忧。"桂富五初时不肯说，被再三盘诘，只得吐实道："某祖遗有屋一所，田百亩，自耕自食，尽可糊口。不幸惑于人言，谓农夫利薄，商贩利厚。将薄产抵借李平章府中本银三百两，贩纱缎往燕京。岂料运蹇时乖，连走几遍，本利俱耗。宦家索债，如狼似虎，利上盘利，将田房家私尽数估计。一妻二子，亦为其所有。尚然未足，要逼某扳害亲戚赔补。某情极，夜间逃出，思量无路，欲投涧水中自尽，是以悲泣耳。”施公恻然道：“吾兄勿忧。吾适带修殿银三百两在此，且移以相赠，使君夫妻父子团圆何如?”桂生惊道：“足下莫非戏言乎?”施公大笑道：“君非有求于我，何戏之有？我与君交虽不深，然幼年曾有同窗之雅。每见吴下风俗恶薄，见朋友患难，虚言抚慰，曾无一毫实惠之加；甚则面是背非，幸灾乐祸，此吾平时所深恨者。况君今日之祸，波及妻子。吾向苦无子，今生子仅弥月，祈佛保佑，愿其长成。君有子而弃之他人，玷辱门风，吾何忍见之！吾之此言，实出肺腑。”遂开箧取银三百两，双手递与桂生。桂生还不敢便接，说道：“足下既念旧情，肯相周济，愿留借券。倘有好日，定当报补。”施公道：“吾怜君而相赠，岂望报乎？君可速归，恐尊嫂悬悬而望也。”桂生喜出望外，做梦也不想到此。接银在手，不觉屈膝下拜。施济慌忙扶起。桂生垂泪道：“某一家骨肉皆足下所再造，虽重生父母不及此恩。三日后，定当踵门叩谢。”又向观音大士前磕头说誓道：“某受施君活命之恩，今生倘不得补答，来生亦作犬马相报。”欢欢喜喜的下山去了。后人有诗赞施君之德：

谊高矜厄且怜贫，三百朱提贱似尘。
试问当今有力者，同窗谁念幼时人？

施公对主僧说道：“带来修殿的银子，别有急用挪去，来日奉补。”主僧道：“迟一日不妨事。”施济回家，将此事述与严氏知道，严氏亦不以为怪。次日另凑银三百两，差人送去水月观音殿完了愿心。

到第三日，桂生领了十二岁的长儿桂高，亲自到门拜谢。施济见了他父子一处，愈加欢喜，殷勤接待，酒食留款。从容问其偿债之事。桂生答道：“自蒙恩人所赐，已足本钱。奈渠将利盘算，田产尽数收去，止落得一家骨肉完聚耳。”说罢，泪如雨下。施济道：“君家至亲数口，今后如何活计?”桂生道：“身居口食，一无所赖。家世衣冠，羞在故乡出丑，只得往他方外郡，佣工趁食。”施公道：“‘为人须为彻。’胥门外吾有桑枣园一所，茆屋数间，园边有田十亩。勤于树艺，尽可度日。倘足下不嫌淡泊，就此暂过几时何如?”桂生道：“若得如此，免作他乡饿鬼。只是前施未报，又叨恩赐，深有未安。某有二子，长年十二，次年十一，但凭所爱，留一个服侍恩人，少尽犬马之意，譬如服役于豪宦也。”施公道：“吾既与君为友，君之子即吾之子，岂有此理!”当唤小厮取皇历看个吉日，教他入宅，一面差人分付看园的老仆，教他打扫房屋洁净，至期交割与桂家管业。桂生命儿子拜谢了恩人，桂高朝上磕头。施公要还礼，却被桂生扶住，只得受了。桂生连唱了七八个喏，千恩万谢，同儿子相别而去。到移居之日，施家又送些糕米钱帛之类。分明是：

从空伸出拿云手，提起天罗地网人。

过了数日，桂生备了四个盒子，无非是时新果品，肥鸡巨鲫，教浑家孙大嫂乘轿亲到施家称谢。严氏备饭留款。那孙大嫂能言快语，谗谄面谀。严氏初相会便说得着，与他如姊妹一般。更有一件奇事，连施家未周岁的小官人，一见了孙大嫂也自欢喜，就赖在身上要他抱。大嫂道："不瞒姆姆说，奴家见有身孕，抱不得小官人。"原来有这个俗忌：大凡怀胎的抱了孩子家，那孩子就坏了脾胃，要出青粪，谓之"受记"，直到产后方痊。严氏道："不知婶婶且喜，几个月了？"大嫂道："五个足月了。"严氏把十指一轮道："去年十二月内受胎的，今年九月间该产。婶婶有过了两位令郎了，若今番生下女儿，奴与姆姆结个儿女亲家。"大嫂道："多承姆姆不弃，只怕扳高不来。"当日说话，直到晚方别。大嫂回家，将严氏所言，述了一遍。丈夫听了，各各欢喜，只愿生下女儿，结得此姻，一生有靠。

光阴似箭，不觉九月初旬，孙大嫂果然产下一女。施家又遣人送柴米，严氏又差女使去问安。其时只当亲眷往来，情好甚密，这话阁过不题。

却说桑枣园中有银杏一棵，大数十围，相传有"福德五圣之神"栖止其上。园丁每年腊月初一日，于树下烧纸钱奠酒。桂生晓得有这旧规，也是他命运合当发迹。其年正当烧纸，忽见有白老鼠一个，绕树走了一遍，径钻在树底下去，不见了。桂生看时，只见树根浮起处有个盏大的窍穴，那白老鼠兀自在穴边张望。桂生说与浑家，莫非这老鼠是神道现灵？孙大嫂道："鸟瘦毛长，人贫就智短了。常听人说金蛇是金，白鼠是银，却没有神道变鼠的话。或者树下窖得有钱财，皇天可怜，见我夫妻贫苦，故教白鼠出现，也不见得。你明日可往胥门童瞎子家起一当家宅课，看财爻发动也不？"

桂生平日惯听老婆舌的，明日起早，真个到童瞎子铺中起课，断得有十分财采。夫妻商议停当，买猪头祭献藏神。二更人静，两口儿两把锄头，照树根下窍穴开将下去。约有三尺深，发起小方砖一块，砖下磁坛三个，坛口铺着米，都烂了。拨开米下边，都是白物。原来银子埋在土中，得了米便不走。夫妻二人叫声"惭愧"，四只手将银子搬尽，不动那磁坛，依旧盖砖掩土。二人回到房中，看那东西，约一千五百金。

桂生算计要将三百两还施氏所赠之数，馀下的将来营运。孙大嫂道："却使不得！"桂生问道："为何？"孙大嫂道："施氏知我赤贫来此，倘问这三百金从何而得？反生疑心。若知是银杏树下掘得的，原是他园中之物，祖上所遗，凭他说三千四千，你那里分辨？和盘托出，还只嫌少，不惟不见我们好心，反成不美。"桂生道："若依贤妻所见如何？"孙大嫂道："这十亩田，几株桑枣，了不得你我终身之事。幸天赐藏金，何不于他乡私下置些产业，慢慢地脱身去，自做个财主。那时报他之德，彼此见好。"桂生道：

"'有智妇人，胜如男子。'你说的是。我青远房亲族在会稽地方，向因家贫久不来往。今携千金而去，料不慢我。我在彼处置办良田美产，每岁往收花利，盘放几年，怕不做个大大财主。"商量已定。

到来春，推说浙中访亲，私自置下田产，托人收放，每年去算帐一次。回时旧衣旧裳，不露出有钱的本相。如此五年，桂生在绍兴府会稽县已做个大家事，住房都买下了，只瞒得施家不知。

忽一日两家儿女同时出痘，施济请医看了自家儿子，就教去看桂家女儿，此时只当亲媳妇一般。大幸痘都好了。里中有个李老儿，号梅轩者，素在施家来往。遂邀亲邻醵钱与施公把盏贺喜，桂生亦与席。施济又题起亲事，李梅轩自请为媒，众人都玉成其美。桂生心下也情愿，回家与浑家孙大嫂商量。大嫂道："自古说'慈不掌兵，义不掌财'。施生虽是好人，却是为仁不富，家事也渐渐消乏不如前了。我的人家都做在会稽地面，到彼攀个高门，这些田产也有个依靠。"桂生道："贤妻说得是，只是他一团美意，将何推托？"大嫂道："你只推门衰祚薄，攀陪不起就是。倘若他定要做亲，只说儿女年幼，等他长大行聘未迟。"古人说得好："人心不足蛇吞象。"当初贫困之日，低门扳高，求之不得；如今掘藏发迹了，反嫌好道歉起来。

只因上岸身安稳，忘却从前落水时。

施济是个正直之人，只道他真个谦逊，并不疑有他故。

荏苒光阴，又过了三年。施济忽遘一疾，医治不痊，呜呼哀哉了，殡殓之事不必细说。桂富五的浑家撺掇丈夫，乘此机会早为脱身之计。乃具只鸡斗酒，夫妇齐往施家吊奠。桂生拜奠过了先回，孙大嫂留身向严氏道："拙夫向蒙恩人救拔，朝夕感念，犬马之报尚未少申。今恩人身故，愚夫妇何敢久占府上之田庐？宁可转徙他方，别图生计。今日就来告别。"严氏道："婶婶何出此言！先夫虽则去世，奴家亦可做主。孤苦中正要婶婶时常伴话，何忍舍我而去？"大嫂道："奴家也舍不得姆姆。但非亲非故，白占寡妇田房，被人议论。日后郎君长大，少不得要吐还的。不如早达时务，善始善终，全了恩人生前一段美意。"严氏苦留不住，各各流泪而别。桂生挈家搬往会稽居住，恍似开笼放鸟，一去不回。

再说施家，自从施济存日，好施乐善，囊中已空虚了。又经这番丧中之费，不免欠下些债负。那严氏又是贤德有馀才干不足的，守着数岁的孤儿撑持不定，把田产逐渐弃了。不勾五六年，资财罄尽，不能度日，童仆俱已逃散。

常言"吉人天相，绝处逢生"。恰好遇一个人从任所回来，那人姓支名德，从小与施济同窗读书，一举成名，剔历外任，官至四川路参政。此时元顺帝至正年间，小人用事，朝政日紊。支德不愿为官，致政而归。闻施济故后，家日贫落，心甚不忍，特地登门吊唁。孤子施还出迎，年甫垂髫，进退有礼。支翁问："曾聘妇否?"施还答言："先人薄业已罄，老母甘旨尚缺，何暇及此!"支翁潸然泪下道："令先公忧人之忧，乐人之乐，此天地间有数好人。天理若不泯，子孙必然昌盛。某忝在窗谊，因久宦远方，不能分忧共患，乃令先公之罪人也。某有爱女一十三岁，与贤侄年颇相宜，欲遣媒妁与令堂夫人议姻，万望先为道达，是必勿拒!"施还拜谢，口称"不敢"。

次日支翁差家人持金钱币帛之礼，同媒人往聘施氏子为养婿。严氏感其美意，只得依允。施还择日过门，拜岳父岳母，就留在馆中读书，延明师以教之。又念亲母严氏在家薪水不给，担柴送米，每十日令其子归省一次。严氏母子感恩非浅。后人评论世俗倚富欺贫，已定下婚姻犹有图赖者，况以宦家之爱女下赘贫友之孤儿，支翁真盛德之人也！这才是：

钱财如粪土，仁义值千金。

说那支翁虽然屡任，立意做清官的，所以宦囊甚薄，又添了女婿一家供给，力量甚是勉强。偶有人来说及桂富五在桑枣园搬去会稽县，造化发财，良田美宅，何止万贯，如今改名桂迁，外人都称为桂员外。支翁是晓得前因的，听得此言，遂向女婿说知："当初桂富五受你家恩惠不一而足，别的不算，只替他偿债一主，就是三百两。如今他发迹之日不来看顾你，一定不知你家落薄如此。贤婿若往会稽投奔他，必然厚赠，此乃分内之财，谅他家也巴不得你去的，可与亲母计议。"施还回家，对母亲说了。严氏道："若桂家果然发迹，必不负我。但当初你尚年幼，不知中间许多情节，他的浑家孙大娘与我有姊妹情分。我与你同去，倘男子汉出外去了，我就好到他内里说话。"施还回覆了，支翁以盘费相赠，又作书与桂迁，自叙同窗之谊，嘱他看顾施氏母子二人。

当下买舟，径往绍兴会稽县来。问："桂迁员外家居何处?"有人指引道："在西门城内大街上，第一带高楼房就是。"施还就西门外下个饭店。次日严氏留止店中，施还写个通家晚辈的名刺，带了支公的书信，进城到桂迁家来。门景甚是整齐，但见：

门楼高耸，屋宇轩昂。花木点缀庭中，桌椅摆列堂上。一条甬道花砖砌，三尺高阶琢石成。苍头出入，无非是管屋管田；小户登门，不过是还租还债。桑枣园中掘藏客，会稽县里起家人。

施小官人见桂家门庭赫奕，心中私喜，这番投人投得着了。守门的问了来历，收了书帖，引到仪门之外，一座照厅内坐下。厅内匾额题"知稼堂"三字，乃名人杨铁崖之笔。名帖传进许久，不见动静。伺候约有两个时辰，只听得仪门开响，履声阁阁，从中堂而出。施还料道必是主人，乃重整衣冠，鹄立于槛外，良久不见出来。施还引领于仪门内窥觑，只见桂迁峨冠华服，立于中庭，从者十馀人环侍左右。桂迁东指西画，处分家事，童仆去了一辈又来一辈，也有领差的，也有回话的，说一个不了。约莫又有一个时辰，童仆方散。管门的禀复有客候见，员外问道："在那里？"答言："在照厅。"桂迁不说请进，一步步踱出仪门，径到照厅来。施还鞠躬出迎。作揖过了，桂迁把眼一瞅，故意问道："足下何人？"施还道："小子长洲施还，号近仁的就是先父。因与老叔昔年有通家之好，久疏问候，特来奉谒。请老叔上坐，小侄有一拜。"桂迁也不叙寒温，连声道："不消不消。"看坐唤茶已毕，就分付小童留饭。施还却又暗暗欢喜。施还开口道："家母候老婶母万福，见在旅舍，先遣小子通知。"论起昔日受知深处，就该说"既然老夫人在此，请到舍中与拙荆相会。"桂迁口中唯唯，全不招架。

少停，童子报午饭已备。桂生就教摆在照厅内。只一张桌子，却是上下两桌嗄饭。施还谦让不肯上坐，把椅拖在傍边，桂迁也不来安正。桂迁问道："舍人青年几何？"施还答道："昔老叔去苏之时，不肖年方八岁。承垂吊赐奠，家母至今感激，今奉别又已六年。不肖门户贫落，老叔福祉日臻，盛衰悬绝，使人欣羡不已。"桂迁但首肯，不答一词。酒至三巡，施还道："不肖量窄，况家母见在旅舍悬望，不敢多饮。"桂迁又不招架，道："既然少饮，快取饭来！"吃饭已毕，并不题起昔日交情，亦不问及家常之事。施还忍不住了，只得微露其意，道："不肖幼时侍坐于先君之侧，常听得先君说：生平窗友只有老叔亲密，比时就说老叔后来决然大发的。家母亦常称老婶母贤德，有仁有义。幸而先年老叔在敝园暂居之时，寒家并不曾怠慢，不然今日亦无颜至此。"桂迁低眉摇手，嘿然不答。施还又道："昔日虎丘水月观音殿与先君相会之事，想老叔也还记得？"桂迁恐怕又说，慌忙道："足下来意，我已悉知。不必多言，恐他人闻之，为吾之羞也。"说罢，先立起身来，施还只得告辞道："暂别台颜，来日再来奉候。"桂迁送至门外，举手而退。正是：

别人求我三春雨，我去求人六月霜。

话分两头。却说严氏在旅店中悬悬而待，道："桂家必然遣人迎我。"怪其来迟，倚闾而望。只见小舍人怏怏回来，备述相见时的态度言语。严氏不觉双泪交流，骂道："桂富五，你不记得跳剑池的时节么？"正要数一数二的叫骂出来，小舍人急忙劝住道："今日求人之际，且莫说尽情话。他既知我母子的来意，必然有个处法。当初曾在观音面前设誓'犬马相报'，料不食言。待孩儿明日再往，看他如何？"严氏叹口气，只得含忍过了一夜。

次日，施还起早便往桂家门首候见。谁知桂迁自见了施小官人之后，却也腹中打稿，要厚赠他母子回去。其奈孙大嫂立意阻挡，道："'接人要一世，怪人只一次。'揽了这野火上门，他吃了甜头，只管思想，惜草留根，到是个月月红了。就是他当初有些好处到我，他是一概行善，若干人沾了他的恩惠，不独我们一家。千人吃药，靠着一人还钱，我们当恁般晦气？若是有天理时，似恁地做好人的千年发迹，万年财主，不到这个地位了！如今的世界还是硬心肠的得便宜，贴人不富，连自家都穷了。”桂迁道：“贤妻说得是。只是他母子来一场，又有同窗支老先生的书，如何打发他动身？”孙大嫂道：“支家的书不知是真是假。当初在姑苏时不见有甚么支乡宦扶持了我，如今却来通书！他既然怜贫恤寡，何不损己财？这样书一万封也休作准。你去分付门上，如今这穷鬼来时不要招接他。等得兴尽心灰，多少赍发些盘费着他回去。‘头醋不酸，二醋不辣。’没什么想头，下次再不来缠了。”只一套话说得桂迁“恶心孔再透一个窟窿，黑肚肠重打三重跄踧”。施还在门上候了多时，守门的推三阻四不肯与他传达。再催促他时，佯佯的走开去了。那小官人且羞且怒，揎衣露臂，面赤高声，发作道：“我施某也不是无因至此的。‘行得春风，指望夏雨。’当初我们做财主时节，也有人求我来，却不曾恁般怠慢人！……”

骂犹未绝，只见一位郎君衣冠齐整，自外而入，问骂者何人。施还不认得那位郎君，整衣向前道：“姑苏施某。……”言未毕，那郎君慌忙作揖道：“原来是故人，别来已久，各不相识矣。昨家君备述足下来意，正在措置，足下遽发大怒，何性急如此？今亦不难，当即与家君说知，来日便有设处。”施还方知那郎君就是桂家长子桂高。见他说话入耳，自悔失言，方欲再诉衷曲，那郎君不别，竟自进门去了。施还见其无礼，忿气愈加，又指望他来日设处，只得含泪而归，详细述于母亲严氏。严氏复劝道：“我母子数百里投人，分宜谦下，常将和气为先，勿骋锐气致触其怒。”

到次早，严氏又叮嘱道：“此去须要谦和，也不可过有所求，只还得原借三百金回家，也好过日。”施还领了母亲教训，再到桂家，鞠躬屏气，立于门首。只见童仆出入自如，昨日守门的已不见了。

小舍人站了半日，只得扯着一个年长的仆者问道：“小生姑苏施还，求见员外两日了，烦通报一声！”那仆者道：“员外宿酒未醒，此时正睡梦哩。”施还道：“不敢求见员外，只求大官人一见足矣。小生今日不是自来的，是大官人昨日面约来的。”仆者道：“大官人今早五鼓驾船往东庄催租去了。”施还道：“二官人也罢。”仆者道：“二官人在学堂攻书，不管闲事的。”那仆者一头说，一头就有人唤他说话，忙忙的奔去了。施还此时怒气填胸，一点无明火按纳不住。又想小人之言不可计较，家主未必如此，只得又忍气而待。

须臾之间，只见仪门大开，桂迁在庭前乘马而出。施还迎住马头鞠躬致敬，迁慢不为礼，以鞭指道：“你远来相投，我又不曾担阁你半月十日，如何便使性气恶言辱骂？本欲从厚，今不能矣。”回顾仆者：“将拜匣内大银二锭，打发施生去罢。”又道：“这二锭银子也念你先人之面，似你少年狂妄，休想分文赍发。如今有了盘缠，可速回去！”施还再要开口，桂迁马上扬鞭如飞去了。正是：

蝮蛇口中草，蝎子尾后针。
两般犹未毒，最毒负心人。

那两锭银子只有二十两重，论起少年性子不稀罕，就撇在地下去了。一来主人已去，二来只有来的使费，没有去的盘缠。没奈何，含着两眼珠泪，回店对娘说了。母子二人，看了这两锭银子，放声大哭。店家王婆见哭得悲切，问其缘故，严氏从头至尾泣诉了一遍。王婆道：“老安人且省愁烦，老身与孙大娘相熟，时常进去的。那大娘最和气会接待人，他们男子汉辜恩负义，妇道家怎晓得？既然老安人与大娘如此情厚，待老身去与老安人传信，说老安人在小店中，他必然相请。”严氏收泪而谢。

又次日，王婆当一节好事，进桂家去报与孙大嫂知。孙大嫂道：“王婆休听他话。当先我员外生意不济时，果然曾借过他些小东西，本利都清还了。他自不会作家，把个大家事费尽了，却来这里打秋风。我员外好意款待他一席饭，送他二十两银子，是念他日前相处之情，别个也不能勾如此。他倒说我欠下他债负未还。王婆，如今我也莫说有欠无欠，只问他把借契出来看，有一百还一百，有一千还一千。”王婆道：“大娘说得是。”王婆即忙转身，孙大嫂又唤转来，叫养娘封一两银子，又取帕子一方，道：“这些微之物，你与我送施家姆姆，表我的私敬。教他下次切不可再来，恐怕怠慢了，伤了情分。”王婆听了这话，到疑心严老安人不是，回家去说：“孙大嫂千好万好，教老身寄礼物与老安人。”又道：“若有旧欠未清，教老安人将借契送去，照契本利不缺分毫。”严氏说当初原没有契书。那王婆看这三百两银子，山高海阔，怎么肯信。母子二人凄惶了一夜，天明算了店钱，起身回姑苏而来。正是：

人无喜事精神减，运到穷时落寞多。

严氏为桂家呕气，又路上往来受了劳碌，归家一病三月。施还寻医问卜，诸般不效，亡之命矣夫！衣衾棺椁，一事不办，只得将祖房绝卖与本县牛公子管业。那牛公子的父亲牛万户久在李平章门下用事，说事过钱，起家百万。公子倚势欺人，无所不至。他门下又有个用事的叫做郭刁儿，专一替他察访孤儿寡妇便宜田产，半价收买。施还年幼，岳丈支公虽则乡绅，是个厚德长者，自己家事不屑照管，怎管得女婿之事。施小舍人急于求售，落其圈套，房产值数千金，郭刁儿于中议估，只值四百金。以百金压契，馀俟出房后方交。施还想营葬迁居，其费甚多，百金不能济事，再三请益，只许加四十金。还勉支葬事，丘垄已成，所馀无几。寻房子不来，牛公子雪片差人催促出屋。

支翁看不过意，亲往谒牛公子，要与女婿说个方便。连去数次，并不接见。支翁道："等他回拜时讲。"牛公子却蹈袭个孔子拜阳货之法，瞷亡而往。支翁回家，连忙又去，仍回不在家了。支翁大怒，与女婿说道："那些市井之辈，不通情理，莫去求他！贤婿且就甥馆权住几时，待寻得房子时，从容议迁便了。"

施还从岳父之言，要将家私什物权移到支家。先拆卸祖父卧房装摺，往支处修理。于乃祖房内天花板上得一小匣，重重封固。还开看之，别无他物，只有帐簿一本，内开：某处埋银若干，某处若干，如此数处。末写"九十翁公明亲笔"。还喜甚，纳诸袖中，分付众人且莫拆动。即诣支翁家商议。支翁看了帐簿道："既如此，不必迁居了。"乃随婿到彼，先发卧房槛下左柱磉边，簿上载内藏银二千两，果然不谬。遂将银一百四十两与牛公子赎房。

公子执定前言，勒措不许。支翁遍求公子亲戚往说方便，公子索要加倍，度施家没有银子。谁知藏镪充然，一天平兑足二百八十两。公子没理得讲，只得收了银子，推说文契偶寻不出，再过一日送还。哄得施还转背，即将悔产事讼于本府。幸本府陈太守正直无私，素知牛公子之为人，又得支乡宦替女婿分诉明白。断令回赎原价一百四十两，外加契面银一十四两，其馀一百二十六两追出助修学宫，文契追还施小官人，郭刁儿坐教唆问杖。牛公子羞变成怒，写家书一封，差家人往京师，捏造施家三世恶单，教父亲讨李平章关节，托嘱地方上司官，访拿施还出气。谁知人谋虽巧，天理难容，正是：

下水拖人他未溺，逆风点火自先烧。

那时元顺帝失政，红巾"贼"起，大肆劫掠。朝廷命枢密使咬咬征讨。李平章私受红巾"贼"贿赂，主张招安。事发，坐同逆系狱。穷治党与，牛万户系首名，该全家抄斩，顷刻有诏书下来。家人得了这个凶信，连夜奔回说了。牛公子惊慌，收拾细软家私，带妻携女，往海上避难。遇"叛寇"方国珍游兵，夺其妻妾金帛，公子刀下亡身，此乃作恶之报也。

却说施还自发了藏镪，赎产安居，照帐簿以次发掘，不爽分毫，得财巨万。只有内开桑枣园银杏树下埋藏一千五百两，只剩得三个空坛。只道神物化去，付之度外，亦不疑桂生之事。自此遍赎田产，又得支翁代为经理，重为富室，直待服阕成亲，不在话下。

再说桂员外在会稽为财主，因田多役重，官府生事侵渔，甚以为苦。近邻有尤生号尤滑稽，惯走京师，包揽事干，出入贵人门下。员外一日与他商及此事。尤生道："何不入粟买官，一则冠盖荣身，二则官户免役，两得其便。"员外道："不知所费几何？仗老兄斡旋则个！"尤生道："此事吾所熟为，吴中许万户、卫千兵都是我替他干的，见今腰金衣紫，食禄千石。兄若要做时，敢不效劳，多不过三千，少则二千足矣。"桂生惑于其言，随将白金五十两付与尤生安家，又收拾三千馀金，择日同尤生赴京。一路上尤生将甜言美语哄诱桂生，桂生深信，与之结为兄弟。一到京师，将三千金唾手付之，恣其所用。

只要乌纱上顶，那顾白镪空囊。

约过了半年，尤生来称贺道："恭喜吾兄，旦夕为贵人矣！但时宰贪甚，凡百费十倍昔年。三千不勾，必得五千金方可成事。"桂迁已费了三千金，只恐前功尽弃，遂托尤生在势要家借银二千两，留下一半，以一千付尤生使用。又过了两三个月，忽有隶卒四人传命："新任亲军指使老爷请员外讲话。"桂迁疑是堂官之流，问："指使老爷何姓?"隶卒道："到彼便知，今不可说。"桂迁急整衣冠，从四人到一大衙门。那老爷乌纱袍带，端坐公堂之上。二人跟定桂迁，二人先入报。少顷闻堂上传呼唤进。桂迁生平未入公门，心头突突地跳。军校指引到于堂檐之下，喝教跪拜。那官员全不答礼，从容说道："前日所付之物，我已便宜借用，侥幸得官。相还有日，决不相负。但新任缺钱使用，知汝囊中尚有一千，可速借我，一并送还。"说罢，即命先前四卒："押到下处取银回话。如或不从，仍押来受罪，决不轻贷。"桂迁被隶卒逼勒，只得将银交付去讫，敢怒而不敢言。明日，债主因桂生功名不就，执了文契取索原银。桂迁没奈何，特地差人回家变产，得二千馀，加利偿还。

桂迁受了这场屈气，没告诉处，羞回故里。又见尤滑稽乘马张盖，前呼后拥，眼红心热，忍耐不过，狠一声："不是他，就是我！"往铁匠店里打下一把三尖利刀，藏于怀中，等尤生明日五鼓入朝，刺杀他了，便偿命也出了这口闷气。事不关心，关心者乱。打点做这节非常的事，夜里就睡不着了。看见月光射窗，只道天明，慌忙起身，听得禁中鼓才三下，复身回来，坐以待旦。又捱了一个更次，心中按纳不住，持刀飞奔尤滑稽家来。其门尚闭，旁有一窦，自己立脚不住，不觉两手据地，钻入窦中。堂上灯烛辉煌，一老翁据案而坐，认得是施济模样，自觉羞惭。又被施公看见，不及躲避，欲与拱揖，手又伏地不能起。只得爬向膝前，摇尾而言："向承看顾，感激不忘。前日令郎远来，因一时手头不便，不能从厚，非负心也，将来必当补报。"只见施君大喝道："畜生讨死吃，只管吠做甚么！"桂见施君不听其语，心中甚闷。忽见施还自内出来，乃衔衣献笑，谢昔怠慢之罪。施还骂道："畜生作怪了。"一脚踢开。

桂不敢分辨，俯首而行，不觉到厨房下，见施母严老安人坐于椅上，分派肉羹。桂闻肉香，乃左右跳跃良久，蹲足叩首，诉道："向郎君性急，不能久待，以致老安人慢去，幸勿记怀！有馀肉幸见赐一块。"只见严老母唤侍婢："打这畜生开去。"养娘取灶内火叉在手，桂大惊，奔至后园。看见其妻孙大嫂与二子桂高、桂乔，及少女琼枝，都聚一处。细认之，都是犬形，回顾自己，亦化为犬。乃大骇，不觉垂泪，问其妻："何至于此？"妻答道："你不记得水月观音殿上所言乎？'今生若不能补答，来生誓作犬马相报。'冥中最重誓语，今负了施君之恩，受此果报，复何说也。"桂抱怨道："当初桑枣园中掘得藏镪，我原要还施家债负，都听了你那不贤之妇，瞒昧入己。及至他母子远来相投，我又欲厚赠其行，你又一力阻挡。今日之苦，都是你作成我的。"其妻也骂道："'男子不听妇人言。'我是妇人之见，谁教你句句依我？"二子上前劝解道："既往不咎，徒伤和气耳。腹中馁甚，觅食要紧。"

于是夫妻父子相牵，同至后园，绕鱼池而走。见有人粪，明知龌龊，因饿极，姑嗅之，气息亦不恶。见妻与二儿攒聚先啖，不觉垂涎，试将舌舐，味觉甘美，但恨其少。忽有童儿来池边出恭，遂守其傍。儿去，所遗是干粪，以口咬之，误堕于池中，意甚可惜，忽闻庖人传主人之命，于诸犬中选肥壮者烹食。缚其长儿去，长儿哀叫甚惨。猛然惊醒，流汗浃背，乃是一梦，身子却在寓所，天已大明了。桂迁想起梦中之事，痴呆了半晌："昔日我负施家，今日尤生负我，一般之理。只知责人，不知自责，天以此梦儆醒我也。"叹了一口气，弃刀于河内，急急束装而归，要与妻子商议，寻施氏母子报恩。

只因一梦多奇异，唤醒忘恩负义人。

桂员外自得了这个异梦，心绪如狂。从京师赶回家来，只见门庭冷落，寂无一人。步入中堂，见左边停有二柩，前设供桌，桌上有两个牌位，明写长男桂高，次男桂乔。心中大惊，莫非眼花么？双手拭眼，定睛观看，叫声："苦也苦也！"早惊动了宅里，奔出三四个丫鬟养娘出来，见了家主便道："来得好，大娘病重，正望着哩！"急得桂迁魂不附体，一步一跌进房，直到浑家床前。两个媳妇和女儿都守在床边，啼啼哭哭，见了员外不暇施礼，叫公的叫爹的乱做一堆，都道："快来看视。"桂迁才叫得一声："大娘！"只见浑家在枕上忽然倒插双眼，直视其夫道："父亲如何今日方回？"桂迁知谵语，急叫："大娘苏醒，我在此。"女儿媳妇都来叫唤，那病者睁目垂泪说："父亲，我是你大儿子桂高，被万俟总管家打死，好苦呵！"桂迁惊问其故，又呜呜咽咽的哭道："往事休题了。冥王以我家负施氏之恩，父亲曾有犬马之誓，我兄弟两个同母亲于明日往施家投于犬胎。一产三犬，二雄者我兄弟二人，其雌犬背有肉瘤者，即母亲也。父亲因阳寿未终，当在明年八月中亦托生施家做犬，以践前誓。惟妹子与施还缘分合为夫妇，独免此难耳。"

桂见言与梦合，毛骨悚然，方欲再问，气已绝了。举家哀恸，一面差人治办后事。桂员外细叩女儿，二儿致死及母病缘由。女儿答道："自爹赴京后，二哥出外嫖赌，日费不赀，私下将田庄陆续写与万俟总管府中，止收半价。一月前，病痨瘵身死。大哥不知卖田之情，往东庄取租。遇万俟府中家人，与他争竞，被他毒打一顿，登时呕血，抬回数日亦死。母亲向闻爹在京中为人诓骗，终日忧郁，又见两位哥哥相继而亡，痛伤难尽，望爹不归，郁成寒热之症。三日前疽发于背，遂昏迷不省人事。遍请医人看治，俱说难救。天幸爹回，送了母亲之终。”桂迁闻言，痛如刀割。延请僧众作九昼夜功德拔罪救苦。家人连日疲倦，遗失火烛，厅屋楼房烧做一片白地，三口棺材尽为灰烬，不曾剩一块板头。桂迁与二媳一女仅以身免，叫天号地，唤祖呼宗，哭得眼红喉哑，昏绝数次。正是：

从前作过事，没兴一齐来。

常言道：“瘦骆驼强似象。”桂员外今日虽然颠沛，还有些馀房剩产，变卖得金银若干。念二媳少年难守，送回母家，听其改嫁。童婢或送或卖，止带一房男女自随，两个养娘服事女儿。唤了船只直至姑苏，欲与施子续其姻好，兼有所赠。想施子如此赤贫，决然未娶，但不知漂流何所？且到彼旧居，一问便知。船到吴趋坊河下，桂迁先上岸，到施家门首一看，只见焕然一新，比往日更自齐整。心中有疑，这房子不知卖与何宅？收拾得恁般华美！问邻舍家：“旧时施小舍人今在何处？”邻居道：“大宅里不是？”又问道：“他这几年家事如何？”邻舍将施母已故，及卖房发藏始末述了一遍。“如今且喜娶得支参政家小姐，才德兼全，甚会治家。夫妻好不和顺，家道日隆，比老官儿在日更不同了。”桂迁听说，又喜又惊，又羞又悔。欲待把女儿与他，他已有妻了；欲待不与，又难以赎罪。欲待进吊，又恐怕他不理；若不进吊，又求见无辞。踌躇再四，乃作寓于阊门，寻相识李梅轩托其通信，愿将女送施为侧室。梅轩道：“此事未可造次，当引足下相见了小舍人，然后徐议之。”

明日，李翁同桂迁造于施门。李先入，述桂生家难，并达悔过求见之情。施还不允，李翁再三相劝。施还念李翁是父辈之交，被央不过，勉强接见。桂生羞惭满面，流汗沾衣，俯首请罪。施还问：“到此何事？”李翁代答道：“一来拜奠令先堂，二来求释罪于门下。”施还冷笑道：“谢固不必，奠亦不劳！”李翁道：“古人云‘礼至不争’，桂老儿好意拜奠，休得固辞。”施还不得已，命苍头开了祠堂，桂迁陈设祭礼。下拜方毕，忽然有三只黑犬，从宅内出来，环绕桂迁，衔衣号叫，若有所言。其一犬背上果有肉瘤隐起，乃孙大嫂转生，馀二犬乃其子也。桂迁思忆前梦，及浑家病中之言，轮回果报，确然不爽，哭倒在地。施还不知变犬之事，但见其哀痛，以为懊悔前非，不觉感动，乃彻奠留款，词气稍和。桂迁见施子旧憾释然，遂以往日曾与小女约婚为言。施还即变色入内，不复出来。桂迁返寓所与女儿谈三犬之异，父女悲恸。

早知今日都成犬，却悔当初不做人！

次日，桂迁拉李翁再往，施还托病不出。一连去候四次，终不相见。桂迁计穷，只得请李翁到寓，将京中所梦，及浑家病中之言，始末备述。就唤女儿出来相见了，指道："此女自出痘时便与施氏有约，如今悔之无及！然冥数已定，吾岂敢违？况我妻男并丧，无家可奔。倘得收吾女为婢妾，吾身杂童仆，终身力作，以免犬报，吾愿毕矣！"说罢，涕泪交下。

李翁怜悯其情，述于施还，劝之甚力。施还道："我昔贫困时仗岳父周旋，毕姻后又赖吾妻综理家政，吾安能负之更娶他人乎？且吾母怀恨身亡，此吾之仇家也。若与为姻眷，九泉之下何以慰吾母？此事断不可题起！"李翁道："令岳翁诗礼世家，令阃必闲内则，以情告之，想无难色。况此女贤孝，昨闻祠堂三犬之异，彻夜悲啼，思以身赎母罪。取过门来，又是令阃一帮手，令先堂泉下闻之，必然欢喜。古人不念旧恶，绝人不欲已甚，郎君试与令岳翁商之！"施还方欲再却，忽支参政自内而出，道："贤婿不必固辞，吾已备细闻之矣。此美事，吾女亦已乐从，即烦李翁作伐可也。……"言未毕，支氏已收拾金珠币帛之类，教丫鬟养娘送出以为聘资。李翁传命说合，择日过门。当初桂生欺负施家，不肯应承亲事，谁知如今不为妻反为妾，虽是女孩儿命薄，也是桂生欺心的现报。分明是：

周郎妙计高天下，赔了夫人又折兵。

那桂女性格温柔，能得支氏的欢喜，一妻一妾甚说得着。桂迁罄囊所有，造佛堂三间，朝夕佞佛持斋，养三犬于佛堂之内。桂女又每夜烧香为母兄忏悔。如此年馀，忽梦母兄来辞："幸仗佛力，已脱离罪业矣。"早起桂老来报，夜来三犬，一时俱死。桂女脱簪珥买地葬之，至今阊门城外有三犬冢。桂老逾年竟无恙，乃持斋悔罪之力。

却说施还亏妻妾主持家事，专意读书，乡榜高中。桂老相伴至京，适值尤滑稽为亲军指挥使，受赇枉法，被言官所劾，拿送法司究问。途遇桂迁，悲惭伏地，自陈昔年欺诳之罪。其妻子跟随于后，向桂老叩头求助。桂迁慈心忽动，身边带有数金，悉以相赠。尤生叩谢道："今生无及，待来生为犬马相报。"桂老叹息而去。后闻尤生受刑不过，竟死于狱中。桂迁益信善恶果报，分毫不爽，坚心办道。是年，施还及第为官，妻妾随任，各生二子。桂迁养老于施家。至今施支二姓，子孙蕃衍，为东吴名族。有诗为证：

桂迁悔过身无恙，施济行仁嗣果昌。
奉劝世人行好事，皇天不佑负心郎！

第二十六卷
唐解元一笑姻缘

三通鼓角四更鸡，日色高升月色低。
时序秋冬又春夏，舟车南北复东西。
镜中次第人颜老，世上参差事不齐。
若向其间寻稳便，一壶浊酒一餐蓄。

这八句诗乃吴中一个才子所作。那才子姓唐名寅，字伯虎，聪明盖地，学问包天，书画音乐，无有不通；词赋诗文，一挥便就。为人放浪不羁，有轻世傲物之志。生于苏郡，家住吴郡。做秀才时，曾效连珠体，做《花月吟》十馀首，句句中有花有月。如"长空影动花迎月，深院人归月伴花"；"云破月窥花好处，夜深花睡月明中"等句，为人称颂。本府太守曹凤见之，深爱其才。值宗师科考，曹公以才名特荐。那宗师姓方名志，鄞县人，最不喜古文辞。闻唐寅恃才豪放，不修小节，正要坐名黜治。却得曹公一力保救，虽然免祸，却不放他科举。直至临场，曹公再三苦求，附一名于遗才之末。是科遂中了解元。

伯虎会试至京，文名益著，公卿皆折节下交，以识面为荣。有程詹事典试，颇开私径卖题，恐人议论，欲访一才名素著者为榜首，压服众心，得唐寅甚喜，许以会元。伯虎性素坦率，酒中便向人夸说："今年我定做会元了。"众人已闻程詹事有私，又忌伯虎之才，哄传主司不公。言官风闻动本。圣旨不许程詹事阅卷，与唐寅俱下诏狱，问革。

伯虎还乡，绝意功名，益放浪诗酒，人都称为唐解元。得唐解元诗文字画，片纸尺幅，如获重宝。其中惟画，尤其得意。平日心中喜怒哀乐，都寓之于丹青。每一画出，争以重价购之。有《言志诗》一绝为证：

不炼金丹不坐禅，不为商贾不耕田。
闲来写幅丹青卖，不使人间作业钱。

却说苏州六门：葑、盘、胥、阊、娄、齐。那六门中只有阊门最盛，乃舟车辐辏之所。真个是：

翠袖三千楼上下，黄金百万水东西。
五更市贩何曾绝，四远方言总不齐。

唐解元一日坐在阊门游船之上，就有许多斯文中人，慕名来拜，出扇求其字画。解元画了几笔水墨，写了几首绝句。那闻风而至者，其来愈多。解元不耐烦，命童子且把大杯斟酒来。解元倚窗独酌。忽见有画舫从旁摇过，舫中珠翠夺目。内有一青衣小鬟，眉目秀艳，体态绰约，舒头船外，注视解元，掩口而笑。须臾船过，解元神荡魂摇，问舟子："可认得去的那只船么?"舟人答言："此船乃无锡华学士府眷也。"解元欲尾其后，急呼小艇不至，心中如有所失。

正要教童子去觅船，只见城中一只船儿，摇将出来。他也不管那船有载没载，把手相招，乱呼乱喊。那船渐渐至近，舱中一人，走出船头，叫声："伯虎，你要到何处去？这般要紧!"解元打一看时，不是别人，却是好友王雅宜。便道："急要答拜一个远来朋友，故此要紧。兄的船往那里去?"雅宜道："弟同两个舍亲到茅山去进香，数日方回。"解元道："我也要到茅山进香，正没有人同去，如今只得要趁便了。"雅宜道："兄若要去，快些回家收拾，弟泊船在此相候。"解元道："就去罢了，又回家做什么!"雅宜道："香烛之类，也要备的。"解元道："到那里去买罢!"遂打发童子回去。也不别这些求诗画的朋友，径跳过船来，与舱中朋友叙了礼，连呼："快些开船。"

舟子知是唐解元，不敢怠慢，即忙撑篙摇橹。行不多时，望见这只画舫就在前面。解元分付船上，随着大船而行。众人不知其故，只得依他。次日到了无锡，见画舫摇进城里。解元道："到了这里，若不取惠山泉，也就俗了。"叫船家移舟去惠山取了水，原到此处停泊，明日早行。"我们到城里略走一走，就来下船。"舟子答应自去。

解元同雅宜三四人登岸，进了城，到那热闹的所在，撇了众人，独自一个去寻那画舫，却又不认得路径，东行西走，并不见些踪影。走了一回，穿出一条大街上来，忽听得呼喝之声。解元立住脚看时，只见十来个仆人前引一乘暖轿，自东而来，女从如云。自古道："有缘千里能相会。"那女从之中，阊门所见青衣小鬟，正在其内。解元心中欢喜，远远相随，直到一座大门楼下，女使出迎，一拥而入。询之傍人，说是华学士府，适才轿中乃夫人也。解元得了实信，问路出城。

恰好船上取了水才到。少顷，王雅宜等也来了，问："解元那里去了？教我们寻得不耐烦!"解元道："不知怎的，一挤就挤散了。又不认得路径，问了半日，方能到此。"并不题起此事。至夜半，忽于梦中狂呼，如魇魅之状。众人皆惊，唤醒问之。解元道："适梦中见一金甲神人，持金杵击我，责我进香不虔。我叩头哀乞，愿斋戒一月，只身至山谢罪。天明，汝等开船自去，吾且暂回，不得相陪矣。"雅宜等信以为真。

至天明，恰好有一只小船来到，说是苏州去的。解元别了众人，跳上小船。行不多时，推说遗忘了东西，还要转去。袖中摸几文钱，赏了舟子，奋然登岸。到一饭店，办下旧衣破帽，将衣巾换讫，如穷汉之状。走至华府典铺内，以典钱为由，与主管相见。卑词下气，问主管道："小子姓康名宣，吴县人氏，颇善书，处一个小馆为生。近因拙妻亡故，又失了馆，孤身无活，欲投一大家充书办之役，未知府上用得否？倘收用时，不敢忘恩！"因于袖中取出细楷数行，与主管观看。主管看那字，写得甚是端楷可爱，答道："待我晚间进府禀过老爷，明日你来讨回话。"是晚，主管果然将字样禀知学士。学士看了，夸道："写得好，不似俗人之笔，明日可唤来见我。"

次早，解元便到典中，主管引进解元拜见了学士。学士见其仪表不俗，问过了姓名住居，又问："曾读书么?"解元道："曾考过几遍童生，不得进学，经书还都记得。"学士问是何经。解元虽习《尚书》，其实五经俱通的，晓得学士习《周易》，就答应道："《易经》。"学士大喜道："我书房中写帖的不缺，可送公子处作伴读。"问他要多少身价。解元道："身价不敢领，只要求些衣服穿。待后老爷中意时，赏一房好媳妇足矣。"学士更喜。就叫主管于典中寻几件随身衣服与他换了，改名华安。送至书馆，见了公子。

公子教华安抄写文字。文字中有字句不妥的，华安私加改窜。公子见他改得好，大惊道："你原来通文理，几时放下书本的?"华安道："从来不曾旷学，但为贫所迫耳。"公子大喜，将自己日课教他改削。华安笔不停挥，真有点铁成金手段。有时题义疑难，华安就与公子讲解。若公子做不出时，华安就通篇代笔。

先生见公子学问骤进，向主人夸奖。学士讨近作看了，摇头道："此非孺子所及，若非抄写，必是倩人。"呼公子诘问其由。公子不敢隐瞒，说道："曾经华安改窜。"学士大惊，唤华安到来出题面试。华安不假思索，援笔立就，手捧所作呈上。学士见其手腕如玉，但左手有枝指。阅其文，词意兼美，字复精工，愈加欢喜。道："你时艺如此，想古作亦可观也!"乃留内书房掌书记。一应往来书札，授之以意，辄令代笔，烦简曲当，学士从未曾增减一字。宠信日深，赏赐比众人加厚。

华安时买酒食与书房诸童子共享，无不欢喜。因而潜访前所见青衣小鬟，其名秋香，乃夫人贴身伏侍，顷刻不离者。计无所出，乃因春暮，赋《黄莺儿》以自叹：

风雨送春归，杜鹃愁，花乱飞，青苔满院朱门闭。孤灯半垂，孤衾半敧，萧萧孤影汪汪泪。忆归期，相思未了，春梦绕天涯。

学士一日偶到华安房中，见壁间之词，知安所题，甚加称奖。但以为壮年鳏处，不无感伤，初不意其有所属意也。适典中主管病故，学士令华安暂摄其事。

月馀，出纳谨慎，毫忽无私。学士欲遂用为主管，嫌其孤身无室，难以重托。乃与夫人商议，呼媒婆欲为娶妇。华安将银三两，送与媒婆，央他禀知夫人说："华安蒙老爷夫人提拔，复为置室，恩同天地。但恐外面小家之女，不习里面规矩。倘得于侍儿中择一人见配，此华安之愿也！"媒婆依言告知夫人。夫人对学士说了。学士道："如此诚为两便。但华安初来时，不领身价，原指望一房好媳妇。今日又做了府中得力之人，倘然所配未中其意，难保其无他志也。不若唤他到中堂，将许多丫鬟听其自择。"夫人点头道是。

当晚夫人坐于中堂，灯烛辉煌，将丫鬟二十馀人各盛饰装扮，排列两边，恰似一班仙女，簇拥着王母娘娘在瑶池之上。夫人传命唤华安。华安进了中堂，拜见了夫人。夫人道："老爷说你小心得用，欲赏你一房妻小，这几个粗婢中，任你自择。"叫老姆姆携烛下去照他一照。华安就烛光之下，看了一回，虽然尽有标致的，那青衣小鬟不在其内。华安立于傍边，嘿然无语。夫人叫："老姆姆，你去问华安：'那一个中你的意？就配与你。'"华安只不开言。

夫人心中不乐，叫："华安，你好大眼孔，难道我这些丫头就没个中你意的？"华安道："复夫人，华安蒙夫人赐配，又许华安自择，这是旷古隆恩，粉身难报。只是夫人随身侍婢还来不齐，既蒙恩典，愿得尽观。"夫人笑道："你敢是疑我有吝啬之意？也罢！房中那四个一发唤出来与他看看，满他的心愿。"原来那四个是有执事的，叫做：春媚，夏清，秋香，冬瑞。春媚，掌首饰脂粉。夏清，掌香炉茶灶。秋香，掌四时衣服。冬瑞，掌酒果食品。

管家老姆姆传夫人之命，将四个唤出来。那四个不及更衣，随身妆束，——秋香依旧青衣。老姆姆引出中堂，站立夫人背后。室中蜡炬，光明如昼。华安早已看见了，昔日丰姿，宛然在目。还不曾开口，那老姆姆知趣，先来问道："可看中了谁？"华安心中明晓得是秋香，不敢说破，只将手指道："若得穿青这一位小娘子，足遂生平。"夫人回顾秋香，微微而笑。叫华安且出去。

华安回典铺中，一喜一惧。喜者机会甚好，惧者未曾上手，惟恐不成。偶见月明如昼，独步徘徊，吟诗一首：

徙倚无聊夜卧迟，绿扬风静鸟栖枝。
难将心事和人说，说与青天明月知。

次日，夫人向学士说了。另收拾一所洁净房室，其床帐家伙，无物不备。又合家童仆奉承他是新主管，担东送西，摆得一室之中，锦片相似。择了吉日，学士和夫人主婚。华安与秋香中堂双拜，鼓乐引至新房，合卺成婚，男欢女悦，自不必说。

夜半，秋香向华安道："与君颇面善，何处曾相会来？"华安道："小娘子自去思想。"又过了几日，秋香忽问华安道："向日阊门游船中看见的可就是你？"华安笑道："是也。"秋香道："若然，君非下贱之辈，何故屈身于此？"华安道："吾为小娘子傍舟一笑，不能忘情，所以从权相就。"秋香道："妾昔见诸少年拥君，出素扇纷求书画，君一概不理，倚窗酌酒，旁若无人。妾知君非凡品，故一笑耳。"

华安道："女子家能于流俗中识名士，诚红拂、绿绮之流也！"秋香道："此后于南门街上，似又会一次。"华安笑道："好利害眼睛！果然果然。"秋香道："你既非下流，实是甚么样人？可将真姓名告我。"华安道："我乃苏州唐解元也。与你三生有缘，得谐所愿。今夜既然说破，不可久留。欲与你图谐老之策，你肯随我去否？"秋香道："解元为贱妾之故，不惜辱千金之躯，妾岂敢不惟命是从！"华安次日将典中帐目细细开了一本簿子，又将房中衣服首饰及床帐器皿另开一帐，又将各人所赠之物亦开一帐，纤毫不取，共是三宗帐目，锁在一个护书箧内，其钥匙即挂在锁上。又于壁间题诗一首：

拟向华阳洞里游，行踪端为可人留。
愿随红拂同高蹈，敢向朱家惜下流。
好事已成谁索笑？屈身今去尚含羞。
主人若问真名姓，只在"康宣"两字头。

是夜雇了一只小船，泊于河下。黄昏人静，将房门封锁，同秋香下船，连夜往苏州去了。

天晓，家人见华安房门封锁，奔告学士。学士教打开看时，床帐什物一毫不动，护书内帐目开载明白。学士沉想，莫测其故。抬头一看，忽见壁上有诗八句，读了一遍，想："此人原名不是康宣。又不知甚么意故，来府中住许多时？若是不良之人，财上又分毫不苟。又不知那秋香如何就肯随他逃走？如今两口儿又不知逃在那里？我弃此一婢，亦有何难，只要明白了这桩事迹。"便叫家童唤捕人来，出信赏钱，各处缉获康宣、秋香，杳无影响。过了年馀，学士也放过一边了。

忽一日学士到苏州拜客。从阊门经过，家童看见书坊中有一秀才坐而观书，其貌酷似华安，左手亦有枝指，报与学士知道。学士不信，分付此童再去看个详细，并访其人名姓。家童复身到书坊中，那秀才又和着一个同辈说话，刚下阶头。家童乖巧，悄悄随之，那两个转湾向潼子门下船去了，仆从相随共有四五人。背后察其形相，分明与华安无二，只是不敢唐突。家童回转书坊，问店主适来在此看书的是什么人？店主道："是唐伯虎解元相公，今日是文衡山相公舟中请酒去了。"家童道："方才同去的那一位可就是文相公么？"店主道："那是祝枝山，也都是一般名士。"家童一一记了，回覆了华学士。学士大惊，想道："久闻唐伯虎放达不羁，难道华安就是他？明日专往拜谒，便知是否。"

次日写了名帖，特到吴趋坊拜唐解元。解元慌忙出迎，分宾而坐。学士再三审视，果肖华安。及捧茶，又见手白如玉，左有枝指。意欲问之，难于开口。茶罢，解元请学士书房中小坐。学士有疑未决，亦不肯轻别，遂同至书房。见其摆设齐整，啧啧叹羡。少停酒至，宾主对酌多时。学士开言道："贵县有个康宣，其人读书不遇，甚通文理。先生识其人否？"解元唯唯。学士又道："此人去岁曾佣书于舍下，改名华安。先在小儿馆中伴读，后在学生书房管书柬，后又在小典中为主管。因他无室，教他于贱婢中自择。他择得秋香成亲，数日后夫妇俱逃，房中日用之物一无所取，竟不知其何故？学生曾差人到贵处察访，并无其人。先生可略知风声么？"解元又唯唯。学士见他不明不白，只是胡答应，忍耐不住，只得又说道："此人形容颇肖先生模样，左手亦有枝指，不知何故？"解元又唯唯。

少顷，解元暂起身入内。学士翻看桌上书籍，见书内有纸一幅，题诗八句，读之，即壁上之诗也。解元出来，学士执诗问道："这八句诗乃华安所作，此字亦华安之笔。如何有在尊处？必有缘故。愿先生一言，以决学生之疑。"解元道："容少停奉告。"学士心中愈闷道："先生见教过了，学生还坐，不然即告辞矣。"

解元道："禀复不难，求老先生再用几杯薄酒。"学士又吃了数杯，解元巨觥奉劝。学士已半酣，道："酒已过分，不能领矣。学生惓惓请教，止欲剖胸中之疑，并无他念。"解元道："请用一箸粗饭。"饭后献茶，看看天晚，童子点烛到来。学士愈疑，只得起身告辞。解元道："请老先生暂挪贵步，当决所疑。"命童子秉烛前引，解元陪学士随后共人后堂。堂中灯烛辉煌。里面传呼："新娘来！"只见两个丫鬟，伏侍一位小娘子，轻移莲步而出，珠珞重遮，不露娇面。学士惶悚退避，解元一把扯住衣袖道："此小妾也。通家长者，合当拜见，不必避嫌。"丫鬟铺毡，小娘子向上便拜。学士还礼不迭。解元将学士抱住，不要他还礼。拜了四拜，学士只还得两个揖，甚不过意。拜罢，解元携小娘子近学士之旁，带笑问道："老先生请认一认，方才说学生颇似华安，不识此女亦似秋香否？"学士熟视大笑，慌忙作揖，连称得罪。解元道："还该是学生告罪。"二人再至书房。解元命重整杯盘，洗盏更酌。酒中学士复叩其详。解元将阊门舟中相遇始末细说一遍，各各抚掌大笑。学士道："今日即不敢以记室相待，少不得行子婿之礼。"解元道："若要甥舅相行，恐又费丈人妆奁耳。"二人复大笑。是夜，尽欢而别。

学士回到舟中，将袖中诗句置于桌上，反复玩味。"首联道'拟向华阳洞里游，'是说有茅山进香之行了。"行踪端为可人留'，分明为中途遇了秋香，担阁住了。第二联：'愿随红拂同高蹈，敢向朱家惜下流。'他屈身投靠，便有相挈而逃之意。第三联：'好事已成谁索笑？屈身今去尚含羞。'这两句，明白。末联：'主人若问真名姓，只在康宣两字头。''康'字与'唐'字头一般。'宣'字与'寅'字头无二，是影着'唐寅'二字，我自不能推详耳。他此举虽似情痴，然封还衣饰，一无所取，乃礼义之人，不枉名士风流也。"

学士回家，将这段新闻向夫人说了。夫人亦骇然。于是厚具装奁，约值千金，差当家老姆姆押送唐解元家。从此两家遂为亲戚，往来不绝。至今吴中把此事传作风流话柄。有唐解元《焚香默坐歌》，自述一生心事，最做得好。歌曰：

焚香嘿坐自省己，口里喃喃想心里。
心中有甚害人谋？口中有甚欺心语？
为人能把口应心，孝弟忠信从此始。
其馀小德或出入，焉能磨涅吾行止。
头插花枝手把杯，听罢歌童看舞女。
食色性也古人言，今人乃以为之耻。
及至心中与口中，多少欺人没天理。
阴为不善阳掩之，则何益矣徒劳耳。
请坐且听吾语汝：凡人有生必有死。
死见阎君面不惭，才是堂堂好男子。

第二十七卷 假神仙大闹华光庙

欲学为仙说与贤，长生不老是虚传。
少贪色欲身康健，心不瞒人便是仙。

话说故宋时杭州普济桥有个宝山院，乃嘉泰中所建，又名华光庙，以奉五显之神。那五显？

一显，聪昭圣孚仁福善王。
二显，明昭圣孚义福顺王。
三显，正昭圣孚智福应王。
四显，直昭圣孚爱福惠王。

五显，德昭圣孚信福庆王。

此五显，乃是五行之佐，最有灵应。或言五显即五通，此谬言也。绍兴初年，丞相郑清之重修，添造楼房精舍，极其华整。遭元时兵火，道侣流散，房垣倒塌，左右居民，亦皆凋落。至正初年，道士募缘修理，香火重兴，不在话下。

单说本郡秀才魏宇，所居于庙相近，同表兄服道勤读书于庙旁之小楼。魏生年方一十七岁，丰姿俊雅，性复温柔，言语恂恂，宛如处子。每赴文会，同辈辄调戏之，呼为魏娘子。魏生羞脸发赤。自此不会宾客，只在楼上温习学业。惟服生朝夕相见。

一日，服生因母病回家侍疾，魏生独居楼中读书。约至二鼓，忽闻有人叩门。生疑表兄之来也，开而视之。见一先生，黄袍蓝袖，丝拂纶巾，丰仪美髯，香风袭袭，有出世凌云之表。背后跟着个小道童，也生得清秀，捧着个朱红盒子。先生自说：“吾乃纯阳吕洞宾，遨游四海，偶尔经过此地。空中闻子书声清亮，殷勤嗜学，必取科甲，且有神仙之分。吾与汝宿世有缘，合当度汝。知汝独居，特特奉访。”魏生听说，又惊又喜，连忙下拜，请纯阳南面坐定，自己侧坐相陪。洞宾呼道童，拿过盒子，摆在桌上，都是鲜异果品，和那山珍海味，馨香扑鼻。所用紫金杯、白玉壶，其壶不满三寸，出酒不竭，其酒色如琥珀，味若醍醐。洞宾道：“此仙肴仙酒，惟吾仙家受用。以子有缘，故得同享。”魏生此时，恍恍惚惚，如已在十洲三岛之中矣。饮酒中间，洞宾道：“今夜与子奇遇，不可无诗。”魏生欲观仙笔，即将文房四宝列于几上。洞宾不假思索，走笔赋诗四首：

黄鹤楼前灵气生，蟠桃会上啜玄英。
剑横紫海秋光动，每夕乘云上玉京。〔其一〕

嵯峨栋宇接云烟，身在蓬壶境里眠。
一觉不知天地老，醒来又见几桑田。〔其二〕

一粒金丹羽化奇，就中玄妙少人知。
夜来忽听钧天乐，知是仙人跨鹤时。〔其三〕

剑气横空海月浮，遨游顷刻遍神洲。
蟠桃历尽三千度，不计人间九百秋。〔其四〕

字势飞舞，魏生赞不绝口。洞宾问道：“子聪明过人，可随意作一诗，以观子仙缘之迟速也。”魏生亦赋二绝：

十二峰前琼树齐，此生何似蹑天梯。

消磨寰宇尘氛净，漫着霞裳礼玉枢。〔其一〕

天空月空两悠悠，绝胜飞吟亭上游。

夜静玉箫天宇碧，直随鹤驭到瀛洲。〔其二〕

洞宾览毕，目视魏生微笑道："子有瀛洲之志，真仙种也。昔西汉大将军霍去病，祷于神君之庙，神君现形，愿为夫妇。去病大怒而去。后病笃，复遣人哀恳神君求救。神君曰：'霍将军体弱，吾欲以太阴精气补之。"霍将军不悟，认为淫欲，遂尔见绝。今日之病，不可救矣。'去病遂死。仙家度人之法，不拘一定，岂是凡人所知，惟有缘者信之不疑耳。吾更赠子一诗。"诗云：

相逢此夕在琼楼，酬酢灯前且自留。

玉液斟来晶影动，珠玑赋就峡云收。

漫将夙世人间了，且借仙缘天上修。

从此岳阳消息近，白云天际自悠悠。

魏生读诗会意，亦答一绝句：

仙境清虚绝欲尘，凡心那杂道心真。

后庭无树栽琼玉，空羡隋炀堤上人。

二人唱和之后，意益绸缪。洞宾命童子且去："今夜吾当宿此。"又向魏生道："子能与吾相聚十昼夜，当令子神完气足，日记万言。"魏生信以为然。酒酣，洞宾先寝。魏生和衣睡于洞宾之侧。洞宾道："凡人肌肉相凑，则神气自能往来。若和衣各睡，吾不能有益于子也。"乃抱魏生于怀，为之解衣，并枕而卧。洞宾软款抚摩，渐至狎浪。魏生欲窃其仙气，隐忍不辞。至鸡鸣时，洞宾与魏生说："仙机不可漏泄。乘此未明，与子暂别，夜当再会。"推窗一跃，已不知所在。魏生大惊，决为真仙。取夜来金玉之器看之，皆真物也，制度精巧可爱。枕席之间，馀香不散。魏生凝思不已。至夜，洞宾又来与生同寝。一连宿了十馀夜，情好愈密，彼此俱不忍舍。

一夕，洞宾与魏生饮酒，说道："我们的私事，昨日何仙姑赴会回来知道了，大发恼怒，要奏上玉帝，你我都受罪责。我再三求告，方才息怒。他见我说你十分标致，要来看你。夜间相会时，你陪个小心，求服他，我自也在里面撺掇。倘得欢喜起来，从了也不见得。若得打做一家，这事永不露出来，得他太阴真气，亦能少助。"魏生听说，心中大喜。到日间，疾忙置办些美酒精馔果品，等候到晚。

且喜这几日，服道勤不来，只魏生一个在楼上。魏生见更深人静了，焚起一炉好香，摆下酒果，又穿些华丽衣服，妆扮整齐，等待二仙。只见洞宾领着何仙姑径来楼上。看这仙姑，颜色柔媚，光艳射人，神采夺目。魏生一

见，神魂飘荡，心意飞扬。那时身不由已，双膝跪下在仙姑面前。何仙姑看见魏生果然标致，心里真实欢喜，到假意做个恼怒的模样，说道："你两个做得好事！扰乱清规，不守仙范，那里是出家读书人的道理！"虽然如此，嗔中有喜。魏生叩头讨饶，洞宾也陪着小心，求服仙姑。仙姑说道："你二人既然知罪，且饶这一次。"说了，便要起身。魏生再三苦留，说道："尘俗粗肴，聊表寸意。"洞宾又恳恳撺掇，说："略饮数杯见意，不必固辞。若去了，便伤了仙家和气。"仙姑被留不过，只得勉意坐了，轮番把盏。洞宾又与仙姑说："魏生高才能诗，今夕之乐，不可无咏。"仙姑说："既然如此，请师兄起句。"洞宾也不推辞：

每日蓬壶恋玉卮，暂同仙伴乐须斯。〔洞宾〕
一宵清兴因知已，几朵金莲映碧池。〔仙姑〕
物外幸逢环珮暖，人间亦许凤皇仪。〔魏生〕
殷勤莫为桃源误，此夕须调琴瑟丝。〔洞宾〕

仙姑览诗，大怒道："你二人如何戏弄我？"魏生慌忙磕头谢罪。洞宾劝道："天上人间，其情则一。洛妃解珮，神女行云，此皆吾仙家故事也。世上佳人才子，犹为难遇。况魏生原有仙缘，神仙聚会，彼此一家，何必分体别形，效尘俗硁硁之态乎？"说罢，仙姑低头不语，弄其裙带。洞宾道："和议已成，魏宇可拜谢仙姑俯就之恩也。"魏生连忙下拜。仙姑笑扶而起，入席再酌，尽欢而罢。是夜，三人共寝。魏生先近仙姑，次后洞宾举事。阳变阴，欢娱一夜。仙姑道："我三人此会，真是奇缘，可于枕上联诗一律。"仙姑首唱：

满目辉光满目烟，无情却被有情牵。〔仙姑〕
春来杨柳风前舞，雨后桃花浪里颠。〔魏生〕
须信仙缘应不爽，漫将好事了当年。〔仙姑〕
香销梦绕三千界，黄鹤栖迟一夜眠。〔洞宾〕

鸡鸣时，二仙起身欲别。魏生不舍，再三留恋，恳求今夜重会。仙姑含着羞说道："你若谨慎，不向人言，我当源源而至。"自此以后，无夕不来。或时二仙同来，或时一仙自来。虽表兄服生同寓书楼，一壁之隔，窗中来去，全不露迹。

如此半载有馀。魏生渐渐黄瘦，肌肤销铄，饮食日减。夜间偏觉健旺，无奈日里倦怠，只想就枕。服生见其如此模样，叩其染病之故，魏生坚不肯吐，服生只得对他父亲说知。魏公到楼上看了儿子，大惊，乃取镜子教儿自家照看。魏生自睹尪羸之状，亦觉骇然。魏公劝儿回家调理，儿子那里肯回。乃请医切脉，用药调理。是夜，二仙又来。魏生述容颜黄瘦，父亲要搬回之语。洞宾道："凡人成仙，脱胎换骨，定然先将俗肌消尽，然后重换仙体。

此非肉眼所知也。”魏生由此不疑，连药也不肯吃。

再过数日，看看一丝两气。魏公着了忙，自携铺盖，往楼上守着儿子同宿。到夜半，儿子向着床里说鬼话。魏公叫唤不醒，连隔房服道勤都起身来看。只见魏生口里说：“二位师父怕怎的？不要去！”伸出手来，一把扯住，却扯了父亲。魏公双眼流泪，叫：“我儿！你病势十死一生，兀自不肯实说！那二位师父是何人？想是邪魅。”魏生道：“是两个仙人来度我的，不是邪魅。”魏公见儿沉重，不管他肯不肯，顾了一乘小轿抬回家去将息。儿子道：“仙人与我紫金杯、白玉壶，在书柜里，与我检好。”开柜看时，那是紫金白玉？都是黄泥白泥捻就的。魏公道：“我儿，眼见得不是仙人是邪魅了！”魏生恰才心慌，只得将庙中初遇纯阳，后遇仙姑始末叙了一遍。魏公大惊。一面教妈妈收拾净房，伏侍儿子养病，一面出门访问个祛妖的法师。

走不多步，恰好一个法师，手中拿着法环摇将过来，朝着打个问讯。魏公连忙答礼，问道：“师父何来？”这法师说道：“弟子是湖广武当山张三丰老爷的徒弟，姓裴，法名守正，传得五雷法，普救人世。因见府上有妖气，故特动问。”

魏公听得说话有些来历，慌忙请法师到里面客位里坐。茶毕，就把儿子的事，备细说与裴法师知道。裴道说：“令郎今在何处？”魏公就邀裴法师进到房里看魏生。裴道一见魏生，就与魏公说：“令郎却被两个雌雄妖精迷了。若再迟旬日不治，这命休了。”魏公听说，慌忙下拜，说道：“万望师父慈悲，垂救犬子则个。永不敢忘！”裴法师说：“我今晚就与你拿这精怪。”魏公说：“如此甚好。或是要甚东西，吾师说来，小人好去治办。”裴守正说：“要一副熟三牲和酒果、五雷纸马、香烛、朱砂黄纸之类。”分付毕，又道：“暂且别去，晚上过来。”魏公送裴道出门，嘱道：“晚上准望光降。”裴法师道：“不必说。”照旧又来街上，摇着法环而去。魏公慌忙买办合用物件，都齐备了，只等裴法师来捉鬼。

到晚，裴法师来了。魏公接着法师，说：“东西俱已完备，不知要摆在那里？”裴道说：“就摆在令郎房里。”抬两张桌子进去，摆下三牲福物，烧起香来。裴道戴上法冠，穿领法衣，仗着剑，步起罡来，念动咒诀，把朱砂书起符来。正要烧这符去，只见这符都是水湿的，烧不着。裴法师骂道：“畜生，不得无礼！”把剑望空中斫将去。这口剑被妖精接着，拿去悬空钉在屋中间，动也动不得。裴道心里慌张，把平生的法术都使出来，一些也不灵。魏公看着裴道说：“师父头上戴的道冠儿那里去了？”裴道说：“我不曾除下，如何便没了？又是作怪！”连忙使人去寻，只见门外有个尿桶，这道冠儿浮在尿桶面上。捞得起来时，烂臭，如何戴得在头上！裴道说：“这精怪妖气太盛，我的法术敌他不过。你自别作计较。”魏公见说，心里虽是烦恼，免不得把福物收了，请裴道来堂前散福，吃了酒饭。夜又深了，就留裴道在家安歇，彼此俱不欢喜。裴道也闷闷的，自去侧房里脱了衣服睡。才要合眼，只见三四个黄衣力士，扛四五十斤一块石板，压在裴道身上。口里说："谢贼道的好法!"裴道压得动身不得，气也透不转，慌了，只得叫道："有鬼，救人，救人!"原来魏公家里人正收拾未了，还不曾睡。听得裴道叫响，魏公与家人拿着灯火，走进房来。看裴道时，见裴道被块青石板压在身上，动不得。两三个人慌忙扛去这块石板，救起裴道来，将姜汤灌了一回，东方已明，裴道也醒了。裴道梳洗已毕，又吃些早粥，辞了魏公自去，不在话下。魏公见这模样，夫妻两个，泪不曾干，也没奈何。

次日，表兄服道勤来看魏生。魏公与服生备说夜来裴道着鬼之事："怎生是好?"服生说道："本庙华光菩萨最灵感，原在庙里被精了。我们备些福物，做道疏文烧了，神道正必胜邪，或可救得。"服生与同会李林等说了。这些会友，个个爱惜魏生，争出分子，备办福物、香烛纸马、酒果，摆列在神道面前，与魏公拜献，就把疏文宣读：

> 惟神正气摄乎山川，善恶不爽；威灵布于寰宇，祸福无私。今魏宇者，读书本庙，祸被物精。男女不分，夤夜欢娱于一席；阴阳无间，晨昏耽乐于两情。苟且相交，不顾逾墙之戒；无媒而合，自同钻穴之污。先假纯阳，比顽不已；后托何氏，淫乐无休。致使魏生形神摇乱，全会无清爽之期；心志飞扬，已失永长之道。或月怪，或花妖，殛之以灭其迹；或山精，或水魅，祛之使屏其形。阳伸阴屈，物泰民安，万众皆钦，惟神是祷！李林等拜疏。

疏文念毕，烧化了纸，就在庙里散福。众人因论吕洞宾、何仙姑之事。李林道："忠清巷新建一座纯阳庵，我们明早同去拈香，通陈此事。倘然吕仙有灵，必然震怒。"众人齐声道好。次日，同会十人，不约而齐，都到纯阳祖师面前，拈香拜祷。转来回覆了魏公。

从此夜为始，魏生渐觉清爽，但元神不能骤复。魏公心下已有三分欢喜。过了数日，自备三牲祭礼，往华光庙，一则赛愿，二则保福。众友闻知，都来陪他拜神。礼毕，化纸，只见魏公双眸紧闭，大踏步向供桌上坐了，端然不动。叫道："魏则优，你儿子的性命，亏我救了。我乃五显灵官是也!"众人知华光菩萨附体，都来参拜，叩问："魏宇所患何等妖精？神力如何救拔？病体几时方能全妥?"魏公口里又说道："这二妖，乃是多年的龟精，一雌一雄，惯迷惑少年男女。吾神访得真了，先差部下去拿他。二妖神通广大，反为所败。吾神亲往收捕，他兀自假冒吕洞宾、何仙姑名色，抗拒不服。大战百合，不分胜败。恰好洞宾、仙姑亦知此情，奏闻玉帝，命神将天兵下界。真仙既到，伪者自不能敌。二妖逃走，去乌江孟子河里去躲。吾神将火轮去烧得出来，又与交战。被洞宾先生飞剑斩了雄的龟精，雌的直驱在北海水阴中受苦，永不赦出。吾神与洞宾、仙姑奏复上帝，上帝要并治汝子迷惑之罪。吾神奏道：‘他是年幼书生，一时被惑，父母朋友，俱悔过求忏。况此生后有功名，可以恕之。’上帝方准免罚。你看我的袍袖，都战裂了。那雄龟精的腹壳，被吾神劈来，埋于后园碧桃树下。你若要儿子速愈，可取此壳煎膏，用酒服之，便愈也。”说罢，魏公跌倒在地下。

众人扶起，唤醒，问他时，魏公并不晓得菩萨附体一事。众人向魏公说这备细。魏公惊异，就神帐中看神道袍袖，果然裂开。往后园碧桃树下，掘起浮土，见一龟板，约有三尺之长，犹带血肉。魏公取归，煎膏入酒，与魏生吃。一日三服。比及膏完，病已全愈。于是父子往华光庙祭赛，与神道换袍。又往纯阳庵烧香。

后魏宇果中科甲。有诗为证：

真妄由来本自心，神仙岂肯蹈邪淫。
人心不被邪淫惑，眼底蓬莱便可寻。

第二十八卷
白娘子永镇雷峰塔

山外青山楼外楼，西湖歌舞几时休？
暖风薰得游人醉，直把杭州作汴州。

话说西湖景致，山水鲜明。晋朝咸和年间，山水大发，汹涌流入西门。忽然水内有牛一头见，深身金色。后水退，其牛随行至北山，不知去向，哄动杭州市上之人，皆以为显化。所以建立一寺，名曰金牛寺。西门，即今之涌金门，立一座庙，号金华将军。当时有一番僧，法名浑寿罗，到此武林郡云游，玩其山景，道：“灵鹫山前小峰一座，忽然不见，原来飞到此处。”当时人皆不信。僧言：“我记得灵鹫山前峰岭，唤做灵鹫岭。这山洞里有个白猿，看我呼出为验。”果然呼出白猿来。山前有一亭，今唤做冷泉亭。又有一座孤山，生在西湖中。先曾有林和靖先生在此山隐居，使人搬挑泥石，砌成一条走路，东接断桥，西接栖霞岭，因此唤作孤山路。又唐时有刺史白乐天，筑一条路，南至翠屏山，北至栖霞岭，唤做白公堤，不时被山水冲倒，不只一番，用官钱修理。后宋时，苏东坡来做太守，因见有这两条路，被水冲坏，就买木石，起人夫，筑得坚固。六桥上朱红栏杆，堤上栽种桃柳，到春景融和，端的十分好景，堪描入画。后人因此只唤做苏公堤。又孤山路畔，起造两条石桥，分开水势，东边唤做断桥，西边唤做西宁桥。真乃：

隐隐山藏三百寺，依稀云锁二高峰。

说话的，只说西湖美景，仙人古迹。俺今日且说一个俊俏后生，只因游玩西湖，遇着两个妇人，直惹得几处州城，闹动了花街柳巷。有分教：才人把笔，编成一本风流话本。单说那子弟，姓甚名谁？遇着甚般样的妇人？惹出甚般样事？有诗为证：

清明时节雨纷纷，路上行人欲断魂。
借问酒家何处有，牧童遥指杏花村。

话说宋高宗南渡，绍兴年间，杭州临安府过军桥黑珠巷内，有一个宦家，姓李名仁。见做南廊阁子库募事官，又与邵太尉管钱粮。家中妻子，有一个兄弟许宣，排行小乙。他爹曾开生药店。自幼父母双亡，却在表叔李将仕家生药铺做主管，年方二十二岁。那生药店开在官巷口。忽一日，许宣在铺内做买卖，只见一个和尚来到门首，打个问讯道："贫僧是保叔塔寺内僧，前日已送馒头并卷子在宅上。今清明节近，追修祖宗，望小乙官到寺烧香，勿误！"许宣道："小子准来。"和尚相别去了。许宣至晚归姐夫家去。原来许宣无有老小，只在姐姐家住。当晚与姐姐说："今日保叔塔和尚来请烧箢子，明日要荐祖宗，走一遭了来。"

次日早起，买了纸马、蜡烛、经幡、钱垛一应等项，吃了饭，换了新鞋袜衣服，把箢子钱马，使条袱子包了，径到官巷口李将仕家来。李将仕见了，问许宣何处去。许宣道："我今日要去保叔塔烧箢子，追荐祖宗，乞叔叔容暇一日。"李将仕道："你去便回。"

许宣离了铺中，入寿安坊、花市街，过井亭桥，往清河街后钱塘门，行石函桥，过放生碑，径到保叔塔寺。寻见送馒头的和尚，忏悔过疏头，烧了箢子，到佛殿上看众僧念经。吃斋罢，别了和尚，离寺迤逦闲走，过西宁桥、孤山路、四圣观，来看林和靖坟，到六一泉闲走。不期云生西北，雾锁东南，落下微微细雨，渐大起来。正是清明时节，少不得天公应时，催花雨下，那阵雨下得绵绵不绝。许宣见脚下湿，脱下了新鞋袜，走出四圣观来寻船，不见一只。正没摆布处，只见一个老儿，摇着一只船过来。许宣暗喜，认时正是张阿公。叫道："张阿公，搭我则个！"老儿听得叫，认时，原来是许小乙。将船摇近岸来，道："小乙官，着了雨，不知要何处上岸？"许宣道："涌金门上岸。"这老儿扶许宣下船，离了岸，摇近丰乐楼来。

摇不上十数丈水面，只见岸上有人叫道："公公，搭船则个！"许宣看时，是一个妇人，头戴孝头髻，乌云畔插着些素钗梳，穿一领白绢衫儿，下穿一条细麻布裙。这妇人肩下一个丫鬟，身上穿着青衣服，头上一双角髻，戴两条大红头须，插着两件首饰，手中捧着一个包儿要搭船。那老张对小乙官道："'因风吹火，用力不多'，一发搭了他去。"许宣道："你便叫他下来。"老儿见说，将船傍了岸边。那妇人同丫鬟下船，见了许宣，起一点朱唇，露两行碎玉，深深道一个万福。许宣慌忙起身答礼。

那娘子和丫鬟舱中坐定了。娘子把秋波频转，瞧着许宣。许宣平生是个老实之人，见了此等如花似玉的美妇人，傍边又是个俊俏美女样的丫鬟，也不免动念。那妇人道："不敢动问官人，高姓尊讳?"许宣答道："在下姓许名宣，排行第一。"妇人道："宅上何处?"许宣道："寒舍住在过军桥黑珠儿巷，生药铺内做买卖。"那娘子问了一回，许宣寻思道："我也问他一问。"起身道："不敢拜问娘子高姓，潭府何处?"那妇人答道："奴家是白三班白殿直之妹，嫁了张官人，不幸亡过了，见葬在这雷岭。为因清明节近，今日带了丫鬟，往坟上祭扫了方回，不想值雨。若不是搭得官人便船，实是狼狈。"又闲讲了一回，迤逦船摇近岸。只见那妇人道："奴家一时心忙，不曾带得盘缠在身边，万望官人处借些船钱还了，并不有负。"许宣道："娘子自便，不妨，些须船钱不必计较。"还罢船钱，那雨越不住，许宣挽了上岸。那妇人道："奴家只在箭桥双茶坊巷口。若不弃时，可到寒舍拜茶，纳还船钱。"许宣道："小事何消挂怀。天色晚了，改日拜望。"说罢，妇人共丫鬟自去。

许宣入涌金门，从人家屋檐下到三桥街，见一个生药铺，正是李将仕兄弟的店。许宣走到铺前，正见小将仕在门前。小将仕道："小乙哥晚了，那里去?"许宣道："便是去保叔塔烧箆子，着了雨，望借一把伞则个!"将仕见说，叫道："老陈把伞来，与小乙官去。"不多时，老陈将一把雨伞撑开道："小乙官，这伞是清湖八字桥老实舒家做的。八十四骨，紫竹柄的好伞，不曾有一些儿破，将去休坏了！仔细，仔细!"许宣道："不必分付。"接了伞，谢了将仕，出羊坝头来。

到后市街巷口，只听得有人叫道："小乙官人。"许宣回头看时，只见沈公井巷口小茶坊檐下，立着一个妇人，认得正是搭船的白娘子。许宣道："娘子如何在此?"白娘子道："便是雨不得住，鞋儿都踏湿了，教青青回家，取伞和脚下。又见晚下来，望官人搭几步则个!"许宣和白娘子合伞到坝头道："娘子到那里去?"白娘子道："过桥投箭桥去。"许宣道："小娘子，小人自往过军桥去，路又近了。不若娘子把伞将去，明日小人自来取。"白娘子道："却是不当，感谢官人厚意!"许宣沿人家屋檐下冒雨回来，只见姐夫家当直王安，拿着钉靴雨伞来接不着，却好归来。到家内吃了饭。当夜思量那妇人，翻来覆去睡不着。梦中共日间见的一般，情意相浓，不想金鸡叫一声，却是南柯一梦。正是：

心猿意马驰千里，浪蝶狂蜂闹五更。

到得天明，起来梳洗罢，吃了饭，到铺中，心忙意乱，做些买卖也没心想。到午时后，思量道："不说一谎，如何得这伞来还人？"当时许宣见老将仕坐在柜上，向将仕说道："姐夫叫许宣归早些，要送人情，请暇半日。"将仕道："去了，明日早些来！"许宣唱个喏，径来箭桥双茶坊巷口，寻问白娘子家里。问了半日，没一个认得。

正踌躇间，只见白娘子家丫鬟青青，从东边走来。许宣道："姐姐，你家何处住？讨伞则个。"青青道："官人随我来。"许宣跟定青青，走不多路，道："只这里便是。"许宣看时，见一所楼房，门前两扇大门，中间四扇看街槅子眼，当中挂顶细密朱红帘子，四下排着十二把黑漆交椅，挂四幅名人山水古画。对门乃是秀王府墙。那丫头转入帘子内道："官人请入里面坐。"许宣随步入到里面，那青青低低悄悄叫道："娘子，许小乙官人在此。"白娘子里面应道："请官人进里面拜茶。"许宣心下迟疑。青青三回五次，催许宣进去。许宣转到里面，只见：四扇暗槅子窗，揭起青布幕，一个坐起。桌上放一盆虎须菖蒲，两边也挂四幅美人，中间挂一幅神像，桌上放一个古铜香炉花瓶。那小娘子向前深深的道一个万福，道："夜来多蒙小乙官人应付周全，识荆之初，甚是感激不浅。"许宣道："些微何足挂齿！"白娘子道："少坐拜茶。"茶罢，又道："片时薄酒三杯，表意而已。"许宣方欲推辞，青青已自把菜蔬果品流水排将出来。许宣道："感谢娘子置酒，不当厚扰。"饮至数杯，许宣起身道："今日天色将晚，路远，小子告回。"娘子道："官人的伞，舍亲昨夜转借去了，再饮几杯，着人取来。"许宣道："日晚，小子要回。"娘子道："再饮一杯。"许宣道："饮馔好了，多感，多感！"白娘子道："既是官人要回，这伞相烦明日来取则个。"许宣只得相辞了回家。

至次日，又来店中做些买卖。又推个事故，却来白娘子家取伞。娘子见来，又备三杯相款。许宣道："娘子还了小子的伞罢，不必多扰。"那娘子道："既安排了，略饮一杯。"许宣只得坐下。那白娘子筛一杯酒，递与许宣，启樱桃口，露榴子牙，娇滴滴声音，带着满面春风，告道："小官人在上，真人面前说不得假话。奴家亡了丈夫，想必和官人有宿世姻缘，一见便蒙错爱。正是你有心，我有意。烦小乙官人寻一个媒证，与你共成百年姻眷，不枉天生一对，却不是好？"许宣听那妇人说罢，自己寻思："真个好一段姻缘。若取得这个浑家，也不枉了。我自十分肯了，只是一件不谐：思量我日间在李将仕家做主管，夜间在姐夫家安歇，虽有些少东西，只好办身上衣服，如何得钱来娶老小？"自沉吟不答。只见白娘子道："官人何故不回言语？"许宣道："多感过爱，实不相瞒，只为身边窘迫，不敢从命！"娘子道："这个容易！我囊中自有馀财，不必挂念。"便叫青青道："你去取一锭白银下来。”只见青青手扶栏杆，脚踏胡梯，取下一个包儿来，递与白娘子。娘子道：“小乙官人，这东西将去使用，少欠时再来取。”亲手递与许宣。许宣接得包儿，打开看时，却是五十两雪花银子。藏于袖中，起身告回，青青把伞来还了许宣。许宣接得相别，一径回家，把银子藏了。当夜无话。

明日起来，离家到官巷口，把伞还了李将仕。许宣将些碎银子买了一只肥好烧鹅、鲜鱼精肉、嫩鸡果品之类提回家来，又买了一樽酒，分付养娘丫鬟安排整下。那日却好姐夫李募事在家。饮馔俱已完备，来请姐夫和姐姐吃酒。李募事却见许宣请他，到吃了一惊，道：“今日做甚么子坏钞？日常不曾见酒盏儿面，今朝作怪！”三人依次坐定饮酒。酒至数杯，李募事道：“尊舅，没事教你坏钞做甚么？”许宣道：“多谢姐夫，切莫笑话，轻微何足挂齿。感谢姐夫姐姐管雇多时。一客不烦二主人，许宣如今年纪长成，恐虑后无人养育，不是了处。今有一头亲事在此说起，望姐夫姐姐与许宣主张，结果了一生终身，也好。”姐夫姐姐听得说罢，肚内暗自寻思道：“许宣日常一毛不拔，今日坏得些钱钞，便要我替他讨老小？”夫妻二人，你我相看，只不回话。吃酒了，许宣自做买卖。

过了三两日，许宣寻思道：“姐姐如何不说起？”忽一日，见姐姐问道：“曾向姐夫商量也不曾？”姐姐道：“不曾。”许宣道：“如何不曾商量？”姐姐道：“这个事不比别样的事，仓卒不得。又见姐夫这几日面色心焦，我怕他烦恼，不敢问他。”许宣道：“姐姐你如何不上紧？这个有甚难处，你只怕我教姐夫出钱，故此不理。”许宣便起身到卧房中开箱，取出白娘子的银来，把与姐姐道：“不必推故，只要姐夫做主。”姐姐道：“吾弟多时在叔叔家中做主管，积攒得这些私房，可知道要娶老婆。你且去，我安在此。”

却说李募事归来，姐姐道：“丈夫，可知小舅要娶老婆，原来自攒得些私房，如今教我倒换些零碎使用。我们只得与他完就这亲事则个。”李募事听得，说道：“原来如此，得他积得些私房也好。拿来我看。”做妻的连忙将出银子递与丈夫。李募事接在手中，翻来覆去，看了上面凿的字号，大叫一声：“苦！不好了，全家是死！”那妻吃了一惊，问道：“丈夫有甚么利害之事？”李募事道：“数日前邵太尉库内封记锁押俱不动，又无地穴得入，平空不见了五十锭大银。见今着落临安府提捉贼人，十分紧急，没有头路得获，累害了多少人。出榜缉捕，写着字号锭数，‘有人捉获贼人银子者，赏银五十两；知而不首，及窝藏贼人者，除正犯外，全家发边远充军。’这银子与榜上字号不差，正是邵太尉库内银子。即今捉捕十分紧急，正是‘火到身边，顾不得亲眷，自可去拨’。明日事露，实难分说。不管他偷的借的，宁可苦他，不要累我。只得将银子出首，免了一家之害。”老婆见说了，合口不得，目睁口呆。当时拿了这锭银子，径到临安府出首。

那大尹闻知这话，一夜不睡。次日，火速差缉捕使臣何立。何立带了伙伴，并一班眼明手快的公人，径到官巷口，李家生药店，提捉正贼许宣。到得柜边，发声喊，把许宣一条绳子绑缚了，一声锣，一声鼓，解上临安府来。正值韩大尹升厅，押过许宣当厅跪下，喝声：“打！”许宣道：“告相公不必用刑，不知许宣有何罪？”大尹焦躁道：“真赃正贼，有何理说，还说无罪？邵太尉府中不动封锁，不见了一号大银五十锭。见有李募事出首，一定这四十九锭也在你处。想不动封皮，不见了银子，你也是个妖人！不要押，……”喝教：“拿些秽血来！”许宣方知是这事，大叫道：“不是妖人，待我分说！”大尹道：“且住，你且说这银子从何而来？”许宣将借伞讨伞的上项事，一一细说一遍。大尹道：“白娘子是甚么样人？见住何处？”许宣道：“凭他说是白三班白殿直的亲妹子，如今见住箭桥边，双茶坊巷口，秀王墙对黑楼子高坡儿内住。”那大尹随即便叫缉捕使臣何立，押领许宣，去双茶坊巷口捉拿本妇前来。

何立等领了钧旨，一阵做公的径到双茶坊巷口秀王府墙对黑楼子前看时：门前四扇看阶，中间两扇大门，门外避藉陛，坡前却是垃圾，一条竹子横夹着。何立等见了这个模佯，到都呆了。当时就叫捉了邻人，上首是做花的丘大，下首是做皮匠的孙公。那孙公摆忙的吃他一惊，小肠气发，跌倒在地。众邻舍都走来道：“这里不曾有甚么白娘子。这屋在五六年前有一个毛巡检，合家时病死了。青天白日，常有鬼出来买东西，无人敢在里头住。几日前，有个疯子立在门前唱喏。”

何立教众人解下横门竹竿，里面冷清清地，起一阵风，卷出一道腥气来。众人都吃了一惊，倒退几步。许宣看了，则声不得，一似呆的。做公的数中，有一个能胆大，排行第二，姓王，专好酒吃，都叫他做好酒王二。王二道：“都跟我来！”发声喊一齐哄将入去，看时板壁、坐起、桌凳都有。来到胡梯边，教王二前行，众人跟着，一齐上楼。楼上灰尘三寸厚。众人到房门前，推开房门一望，床上挂着一张帐子，箱笼都有。只见一个如花似玉穿着白的美貌娘子，坐在床上。众人看了，不敢向前。众人道：“不知娘子是神是鬼？我等奉临安大尹钧旨，唤你去与许宣执证公事。”那娘子端然不动。好酒王二道：“众人都不敢向前，怎的是了？你可将一坛酒来，与我吃了，做我不着，捉他去见大尹。”众人连忙叫两三个下去提一坛酒来与王二吃。王二开了坛口，将一坛酒吃尽了，道：“做我不着！”将那空坛望着帐子内打将去。不打万事皆休，才然打去，只听得一声响，却是青天里打一个霹雳，众人都惊倒了！起来看时，床上不见了那娘子，只见明晃晃一堆银子。众人向前看了道：“好了。”计数四十九锭。众人道：“我们将银子去见大尹也罢。”扛了银子，都到临安府。

何立将前事禀覆了大尹。大尹道："定是妖怪了。也罢，邻人无罪回家。"差人送五十锭银子与邵太尉处，开个缘由，一一禀覆过了。许宣照"不应得为而为之事"，理重者决杖免刺，配牢城营做工，满日疏放。牢城营乃苏州府管下。李募事因出首许宣，心上不安，将邵太尉给赏的五十两银子尽数付与小舅作为盘费。李将仕与书二封，一封与押司范院长，一封与吉利桥下开客店的王主人。

许宣痛哭一场，拜别姐夫姐姐，带上行枷，两个防送人押着，离了杭州，到东新桥，下了航船。不一日，来到苏州。先把书去见了范院长并王主人。王主人与他官府上下使了钱，打发两个公人去苏州府，下了公文，交割了犯人，讨了回文，防送人自回。范院长、王主人保领许宣不入牢中，就在王主人门前楼上歇了。许宣心中愁闷，壁上题诗一首：

独上高楼望故乡，愁看斜日照纱窗。
平生自是真诚士，谁料相逢妖媚娘。
白白不知归甚处？青青岂识在何方？
抛离骨肉来苏地，思想家中寸断肠！

有话即长，无话即短，不觉光阴似箭，日月如梭，又在王主人家住了半年之上。忽遇九月下旬，那王主人正在门首闲立，看街上人来人往。只见远远一乘轿子，傍边一个丫鬟跟着，道："借问一声，此间不是王主人家么？"王主人连忙起身道："此间便是。你寻谁人？"丫鬟道："我寻临安府来的许小乙官人。"主人道："你等一等，我便叫他出来。"这乘轿子便歇在门前。王主人便入去，叫道："小乙哥，有人寻你。"许宣听得，急走出来，同主人到门前看时，正是青青跟着，轿子里坐着白娘子。许宣见了，连声叫道："死冤家！自被你盗了官库银子，带累我吃了多少苦，有屈无伸。如今到此地位，又赶来做甚么？可羞死人！"那白娘子道："小乙官人不要怪我，今番特来与你分辩这件事。我且到主人家里面与你说。"

白娘子叫青青取了包裹下轿。许宣道："你是鬼怪，不许入来！"挡住了门不放他。那白娘子与主人深深道了个万福，道："奴家不相瞒，主人在上，我怎的是鬼怪？衣裳有缝，对日有影。不幸先夫去世，教我如此被人欺负！做下的事，是先夫日前所为，非干我事。如今怕你怨畅我，特地来分说明白了，我去也甘心。"主人道："且教娘子入来坐了说。"那娘子道："我和你到里面对主人家的妈妈说。"门前看的人，自都散了。

许宣入到里面，对主人家并妈妈道："我为他偷了官银子事，如此如此，因此教我吃场官司。如今又赶到此，有何理说？"白娘子道："先夫留下银子，我好意把你，我也不知怎的来的？"许宣道："如何做公的捉你之时，门前都是垃圾，就帐子里一响不见了你？"白娘子道："我听得人说你为这银子捉了去，我怕你说出我来，捉我到官，妆幌子羞人不好看。我无奈何，只得走去华藏寺前姨娘家躲了。使人担垃圾堆在门前，把银子安在床上，央邻舍与我说谎。”许宣道：“你却走了去，教我吃官事！”白娘子道：“我将银子安在床上，只指望要好，那里晓得有许多事情？我见你配在这里，我便带了些盘缠，搭船到这里寻你。如今分说都明白了，我去也。敢是我和你前生没有夫妻之分！”那王主人道：“娘子许多路来到这里，难道就去？且在此间住几日，却理会。”青青道：“既是主人家再三劝解，娘子且住两日，当初也曾许嫁小乙官人。”白娘子随口便道：“羞杀人，终不成奴家没人要？只为分别是非而来。”王主人道：“既然当初许嫁小乙哥，却又回去？且留娘子在此。”打发了轿子，不在话下。

过了数日，白娘子先自奉承好了主人的妈妈。那妈妈劝主人与许宣说合，选定十一月十一日成亲，共百年谐老。光阴一瞬，早到吉日良时。白娘子取出银两，央王主人办备喜筵，二人拜堂结亲。酒席散后，共入纱厨。白娘子放出迷人声态，颠鸾倒凤，百媚千娇，喜得许宣如遇神仙，只恨相见之晚。正好欢娱，不觉金鸡三唱，东方渐白。正是：

欢娱嫌夜短，寂寞恨更长。

自此日为始，夫妻二人如鱼似水，终日在王主人家快乐昏迷缠定。

日往月来，又早半年光景。时临春气融和，花开如锦，车马往来，街坊热闹。许宣问主人家道：“今日如何人人出去闲游，如此喧嚷？”主人道：“今日是二月半，男子妇人，都去看卧佛，你也好去承天寺里闲走一遭。”许宣见说，道：“我和妻子说一声，也去看一看。”许宣上楼来，和白娘子说：“今日二月半，男子妇人都去看卧佛，我也看一看就来。有人寻说话，回说不在家，不可出来见人。”白娘子道：“有甚好看？只在家中却不好？看他做甚么？”许宣道：“我去闲耍一遭就回，不妨。”

许宣离了店内，有几个相识，同走到寺里看卧佛。绕廊下各处殿上观看了一遭，方出寺来。见一个先生，穿着道袍，头戴逍遥巾，腰系黄丝绦，脚着熟麻鞋，坐在寺前卖药，散施符水。许宣立定了看。那先生道：“贫道是终南山道士，到处云游，散施符水，救人病患灾厄，有事的向前来。”那先生在人丛中看见许宣头上一道黑气，必有妖怪缠他，叫道：“你近来有一妖怪缠你，其害非轻！我与你二道灵符，救你性命。一道符，三更烧，一道符放在自头发内。”许宣接了符，纳头便拜，肚内道：“我也八九分疑惑那妇人是妖怪，真个是实。”谢了先生，径回店中。

至晚，白娘子与青青睡着了，许宣起来道：“料有三更了！”将一道符放在自头发内，正欲将一道符烧化。只见白娘子叹一口气道：“小乙哥和我许多时夫妻，尚兀自不把我亲热，却信别人言语，半夜三更，烧符来压镇我！

你且把符来烧看！”就夺过符来，一时烧化，全无动静。白娘子道：“却如何？说我是妖怪！”许宣道：“不干我事，卧佛寺前一云游先生，知你是妖怪。”白娘子道：“明日同你去看他一看，如何模样的先生。”

次日，白娘子清早起来，梳妆罢，戴了钗环，穿上素净衣服，分付青青看管楼上。夫妻二人，来到卧佛寺前。只见一簇人，团团围着那先生，在那里散符水。只见白娘子睁一双妖眼，到先生面前，喝一声：“你好无礼！出家人枉在我丈夫面前说我是一个妖怪，书符来捉我！”那先生回言：“我行的是五雷天心正法，凡有妖怪，吃了我的符，他即变出真形来。”那白娘子道：“众人在此，你且书符来我吃看！”那先生书一道符，递与白娘子。白娘子接过符来，便吞下去。众人都看，没些动静。众人道：“这等一个妇人，如何说是妖怪？”众人把那先生齐骂。那先生骂得口睁眼呆，半晌无言，惶恐满面。白娘子道：“众位官人在此，他捉我不得。我自小学得个戏术，且把先生试来与众人看。”只见白娘子口内喃喃的，不知念些甚么，把那先生却似有人擒的一般，缩做一堆，悬空而起。众人看了齐吃一惊，许宣呆了。娘子道：“若不是众位面上，把这先生吊他一年。”白娘子喷口气，只见那先生依然放下，只恨爹娘少生两翼，飞也似走了。众人都散了，夫妻依旧回来，不在话下。日逐盘缠，都是白娘子将出来用度。正是：夫唱妇随，朝欢暮乐。

不觉光阴似箭，又是四月初八日，释迦佛生辰。只见街市上人抬着柏亭浴佛，家家布施。许宣对王主人道：“此间与杭州一般。”只见邻舍边一个小的，叫做铁头，道：“小乙官人，今日承天寺里做佛会，你去看一看。”许宣转身到里面，对白娘子说了。白娘子道：“甚么好看，休去！”许宣道：“去走一遭，散闷则个。”娘子道：“你要去，身上衣服旧了不好看，我打扮你去。”叫青青取新鲜时样衣服来。许宣着得不长不短，一似像体裁的：戴一顶黑漆头巾，脑后一双白玉环；穿一领青罗道袍，脚着一双皂靴，手中拿一把细巧百摺描金美人珊瑚坠上样春罗扇，打扮得上下齐整。那娘子分付一声，如莺声巧啭道：“丈夫早早回来，切勿教奴记挂！”许宣叫了铁头相伴，径到承天寺来看佛会。人人喝采，好个官人。

只听得有人说道：“昨夜周将仕典当库内，不见了四五千贯金珠细软物件。见今开单告官，挨查没捉人处。”许宣听得，不解其意，自同铁头在寺。其日烧香官人子弟男女人等往往来来，十分热闹。许宣道：“娘子教我早回，去罢。”转身人丛中，不见了铁头，独自个走出寺门来。只见五六个人似公人打扮，腰里挂着牌儿。数中一个看了许宣，对众人道：“此人身上穿的，手中拿的，好似那话儿。”数中一个认得许宣的道：“小乙官，扇子借我一看。”许宣不知是计，将扇递与公人。那公人道：“你们看这扇子扇坠，与单上开的一般！”众人喝声：“拿了！”就把许宣一索子绑了，好似：

数只皂雕追紫燕，一群饿虎啖羊羔。

许宣道："众人休要错了，我是无罪之人。"众公人道："是不是，且去府前周将仕家分解！他店中失去五千贯金珠细软、白玉绦环，细巧百摺扇，珊瑚坠子，你还说无罪？真赃正贼，有何分说！实是大胆汉子，把我们公人作等闲看成。见今头上、身上、脚上，都是他家物件，公然出外，全无忌惮！"许宣方才呆了，半晌不则声。许宣道："原来如此。不妨，不妨，自有人偷得。"众人道："你自去苏州府厅上分说。"

次日大尹升厅，押过许宣见了。大尹审问："盗了周将仕库内金珠宝物在于何处？从实供来，免受刑法拷打。"许宣道："禀上相公做主，小人穿的衣服物件皆是妻子白娘子的，不知从何而来，望相公明镜详辨则个！"大尹喝道："你妻子今在何处？"许宣道："见在吉利桥下王主人楼上。"大尹即差缉捕使臣袁子明押了许宣火速捉来。

差人袁子明来到王主人店中，主人吃了一惊，连忙问道："做甚么？"许宣道："白娘子在楼上么？"主人道："你同铁头早去承天寺里，去不多时，白娘子对我说道：'丈夫去寺中闲耍，教我同青青照管楼上。此时不见回来，我与青青去寺前寻他去也，望乞主人替我照管。'出门去了，到晚不见回来。我只道与你去望亲戚，到今日不见回来。"众公人要王主人寻白娘子，前前后后，遍寻不见。袁子明将主人捉了，见大尹回话。大尹道："白娘子在何处？"王主人细细禀覆了，道："白娘子是妖怪。"大尹一一问了，道："且把许宣监了！"王主人使用了些钱，保出在外，伺候归结。

且说周将仕正在对门茶坊内闲坐，只见家人报道："金珠等物都有了，在库阁头空箱子内。"周将仕听了，慌忙回家看时，果然有了，只不见了头巾、绦环、扇子并扇坠。周将仕道："明是屈了许宣，平白地害了一个人，不好。"暗地里到与该房说了，把许宣只问个小罪名。

却说邵太尉使李募事到苏州干事，来王主人家歇。主人家把许宣来到这里，又吃官事，一一从头说了一遍。李募事寻思道："看自家面上亲眷，如何看做落？"只得与他央人情，上下使钱。一日，大尹把许宣一一供招明白，都做在白娘子身上，只做"不合不出首妖怪等事"，杖一百，配三百六十里，押发镇江府牢城营做工。李募事道："镇江去便不妨，我有一个结拜的叔叔，姓李名克用，在针子桥下开生药店。我写一封书，你可去投托他。"许宣只得问姐夫借了些盘缠，拜谢了王主人并姐夫，就买酒饭与两个公人吃，收拾行李起程。王主人并姐夫送了一程，各自回去了。

且说许宣在路，饥餐渴饮，夜住晓行，不则一日，来到镇江。先寻李克用家，来到针子桥生药铺内。只见主管正在门前卖生药，老将仕从里面走出来。两个公人同许宣慌忙唱个喏道："小人是杭州李募事家中人，有书在此。”主管接了，递与老将仕。老将仕拆开看了道：“你便是许宣？”许宣道：“小人便是。”李克用教三人吃了饭，分付当直的，同到府中，下了公文，使用了钱，保领回家。防送人讨了回文，自归苏州去了。

许宣与当直一同到家中，拜谢了克用，参见了老安人。克用见李募事书，说道：“许宣原是生药店中主管。”因此留他在店中做买卖，夜间教他去五条巷卖豆腐的王公楼上歇。克用见许宣药店中十分精细，心中欢喜。原来药铺中有两个主管，一个张主管，一个赵主管。赵主管一生老实本分，张主管一生克剥奸诈，倚着自老了，欺侮后辈。见又添了许宣，心中不悦，恐怕退了他，反生奸计，要嫉妒他。

忽一日，李克用来店中闲看，问：“新来的做买卖如何？”张主管听了心中道：“中我机谋了！”应道：“好便好了，只有一件，……”克用道：“有甚么一件？”老张道：“他大主买卖肯做，小主儿就打发去了，因此人说他不好。我几次劝他，不肯依我。”老员外说：“这个容易，我自分付他便了，不怕他不依。”赵主管在傍听得此言，私对张主管说道：“我们都要和气。许宣新来，我和你照管他才是。有不是宁可当面讲，如何背后去说他？他得知了，只道我们嫉妒。”老张道：“你们后生家，晓得甚么！”天已晚了，各回下处。

赵主管来许宣下处道：“张主管在员外面前嫉妒你，你如今要愈加用心，大主小主儿买卖，一般样做。”许宣道：“多承指教，我和你去闲酌一杯。”二人同到店中，左右坐下。酒保将要饭果碟摆下，二人吃了几杯。赵主管说：“老员外最性直，受不得触。你便依随他生性，耐心做买卖。”许宣道：“多谢老兄厚爱，谢之不尽。”又饮了两杯，天色晚了。赵主管道：“晚了路黑难行，改日再会。”许宣还了酒钱，各自散了。

许宣觉道有杯酒醉了，恐怕冲撞了人，从屋檐下回去。正走之间，只见一家楼上推开窗，将熨斗播灰下来，都倾在许宣头上。立住脚，便骂道：“谁家泼男女，不生眼睛，好没道理！”只见一个妇人，慌忙走下来道：“官人休要骂，是奴家不是，一时失误了，休怪！”许宣半醉，抬头一看，两眼相观，正是白娘子。许宣怒从心上起，恶向胆边生，无明火焰腾腾高起三千丈，掩纳不住，便骂道：“你这贼贱妖精，连累得我好苦！吃了两场官事！”恨小非君子，无毒不丈夫。正是：

踏破铁鞋无觅处，得来全不费工夫。

许宣道：“你如今又到这里，却不是妖怪？”赶将入去，把白娘子一把拿住道：“你要官休私休！”白娘子陪着笑面道：“丈夫，‘一夜夫妻百日恩’，和你说来事长。你听我说：当初这衣服，都是我先夫留下的。我与你恩爱深重，教你穿在身上，恩将仇报，反成吴越？”许宣道：“那日我回来寻你，如何不见了？主人都说你同青青来寺前看我，因何又在此间？”白娘子道：“我到寺前，听得说你被捉了去，教青青打听不着，只道你脱身走了。怕来捉我，教青青连忙讨了一只船，到建康府娘舅家去，昨日才到这里。我也道连累你两场官事，也有何面目见你！你怪我也无用了。情意相投，做了夫妻，如今好端端难道走开了？我与你情似泰山，恩同东海，誓同生死，可看日常夫妻之面，取我到下处，和你百年偕老，却不是好！”许宣被白娘子一骗，回嗔作喜，沉吟了半晌，被色迷了心胆，留连之意，不回下处，就在白娘子楼上歇了。

次日，来上河五条巷王公楼家，对王公说：“我的妻子同丫鬟从苏州来到这里。”一一说了，道：“我如今搬回来一处过活。”王公道：“此乃好事，如何用说。”当日把白娘子同青青搬来王公楼上。次日，点茶请邻舍。第三日，邻舍又与许宣接风。酒筵散了，邻舍各自回去，不在话下。第四日，许宣早起梳洗已罢，对白娘子说：“我去拜谢东西邻舍，去做买卖去也。你同青青只在楼上照管，切勿出门！”分付已了，自到店中做买卖，早去晚回。不觉光阴迅速，日月如梭，又过一月。

忽一日，许宣与白娘子商量，去见主人李员外妈妈家眷。白娘子道：“你在他家做主管，去参见了他，也好日常走动。”到次日，雇了轿子，径进里面请白娘子上了轿，叫王公挑了盒儿，丫鬟青青跟随，一齐来到李员外家。下了轿子，进到里面，请员外出来。李克用连忙来见，白娘子深深道个万福，拜了两拜，妈妈也拜了两拜，内眷都参见了。原来李克用年纪虽然高大，却专一好色，见了白娘子有倾国之姿，正是：

三魂不附体，七魄在他身。

那员外目不转睛，看白娘子。当时安排酒饭管待。妈妈对员外道：“好个伶俐的娘子！十分容貌，温柔和气，本分老成。”员外道：“便是杭州娘子生得俊俏。”饮酒罢了，白娘子相谢自回。李克用心中思想：“如何得这妇人共宿一宵？”眉头一簇，计上心来，道：“六月十三是我寿诞之日，不要慌，教这妇人着我一个道儿。”

不觉乌飞兔走，才过端午，又是六月初间。那员外道：“妈妈，十三日是我寿诞，可做一个筵席，请亲眷朋友闲耍一日，也是一生的快乐。”当日亲眷邻友主管人等，都下了请帖。次日，家家户户都送烛面手帕物件来。十三日都来赴筵，吃了一日。次日是女眷们来贺寿，也有廿来个。且说白娘子也来，十分打扮，上着青织金衫儿，下穿大红纱裙，戴一头百巧珠翠金银首饰。带了青青，都到里面拜了生日，参见了老安人。东阁下排着筵席。原来李克用是吃虱子留后腿的人，因见白娘子容貌，设此一计，大排筵席。各各传杯弄盏，酒至半酣，却起身脱衣净手。李员外原来预先分付腹心养娘道：“若是白娘子登东，他要进去，你可另引他到后面僻净房内去。”李员外设计已定，先自躲在后面。正是：

不劳钻穴逾墙事，稳做偷香窃玉人。

只见白娘子真个要去净手，养娘便引他到后面一间僻净房内去。养娘自回。那员外心中淫乱，捉身不住，不敢便走进去，却在门缝里张。不张万事皆休，则一张，那员外大吃一惊，回身便走，来到后边，往后倒了。

不知一命如何，先觉四肢不举！

那员外眼中不见如花似玉体态，只见房中蟠着一条吊桶来粗大白蛇，两眼一似灯盏，放出金光来。惊得半死，回身便走，一绊一跤。众养娘扶起看时，面青口白。主管慌忙用安魂定魄丹服了，方才醒来。老安人与众人都来看了，道："你为何大惊小怪做甚么？"李员外不说其事，说道："我今日起得早了，连日又辛苦了些，头风病发，晕倒了。"扶去房里睡了。众亲眷再入席饮了几杯，酒筵散罢，众人作谢回家。

白娘子回到家中思想，恐怕明日李员外在铺中对许宣说出本相来，便生一条计，一头脱衣服，一头叹气。许宣道："今日出去吃酒，因何回来叹气？"白娘子道："丈夫，说不得！李员外原来假做生日，其心不善。因见我起身登东，他躲在里面，欲要奸骗我，扯裙扯裤，来调戏我。欲待叫起来，众人都在那里，怕妆幌子。被我一推倒地，他怕羞没意思，假说晕倒了。这惶恐那里出气！"许宣道："既不曾奸骗你，他是我主人家，出于无奈，只得忍了。这遭休去便了。"白娘子道："你不与我做主，还要做人？"许宣道："先前多承姐夫写书，教我投奔他家。亏他不阻，收留在家做主管，如今教我怎的好？"白娘子道："男子汉！我被他这般欺负，你还去他家做主管？"许宣道："你教我何处去安身？做何生理？"白娘子道："做人家主管，也是下贱之事，不如自开一个生药铺。"许宣道："亏你说，只是那讨本钱？"白娘子道："你放心，这个容易。我明日把些银子，你先去赁了间房子却又说话。"

且说"今是古，古是今"，各处有这般出热的。间壁有一个人，姓蒋名和，一生出热好事。次日，许宣问白娘子讨了些银子，教蒋和去镇江渡口马头上，赁了一间房子，买下一付生药厨柜，陆续收买生药。十月前后，俱已完备，选日开张药店，不去做主管。那李员外也自知惶恐，不去叫他。

许宣自开店来，不匡买卖一日兴一日，普得厚利。正在门前卖生药，只见一个和尚将着一个募缘簿子道："小僧是金山寺和尚，如今七月初七日是英烈龙王生日，伏望官人到寺烧香，布施些香钱。"许宣道："不必写名。我有一块好降香，舍与你拿去烧罢。"即便开柜取出递与和尚。和尚接了道："是日望官人来烧香！"打一个问讯去了。白娘子看见道："你这杀才，把这一块好香与那贼秃去换酒肉吃！"许宣道："我一片诚心舍与他，花费了也是他的罪过。”

不觉又是七月初七日，许宣正开得店，只见街上闹热，人来人往。帮闲的蒋和道：“小乙官前日布施了香，今日何不去寺内闲走一遭？”许宣道：“我收拾了，略待略待。和你同去。”蒋和道：“小人当得相伴。”许宣连忙收拾了，进去对白娘子道：“我去金山寺烧香，你可照管家里则个。”白娘子道：“‘无事不登三宝殿’，去做甚么？”许宣道：“一者不曾认得金山寺，要去看一看；二者前日布施了，要去烧香。”白娘子道：“你既要去，我也挡你不得，只要依我三件事。”许宣道：“那三件？”白娘子道：“一件，不要去方丈内去；二件，不要与和尚说话；三件，去了就回，来得迟，我便来寻你也。”许宣道：“这个何妨，都依得。”当时换了新鲜衣服鞋袜，袖了香盒，同蒋和径到江边，搭了船，投金山寺来。先到龙王堂烧了香，绕寺闲走了一遍，同众人信步来到方丈门前。许宣猛省道：“妻子分付我休要进方丈内去。”立住了脚，不进去。蒋和道：“不妨事，他自在家中，回去只说不曾去便了。”说罢，走入去，看了一回，便出来。

且说方丈当中座上，坐着一个有德行的和尚，眉清目秀，圆顶方袍，看了模样，的是真僧。一见许宣走过，便叫侍者：“快叫那后生进来。”侍者看了一回，人千人万，乱滚滚的，又不记得他，回说：“不知他走那边去了？”和尚见说，持了禅杖，自出方丈来，前后寻不见。复身出寺来看，只见众人都在那里等风浪静了落船。那风浪越大了，道：“去不得。”正看之间，只见江心里一只船飞也似来得快。

许宣对蒋和道：“这般大风浪过不得渡，那只船如何到来得快？”正说之间，船已将近。看时，一个穿白的妇人，一个穿青的女子来到岸边。仔细一认，正是白娘子和青青两个。许宣这一惊非小。白娘子来到岸边，叫道：“你如何不归？快来上船！”许宣却欲上船，只听得有人在背后喝道：“业畜在此做甚么？”许宣回头看时，人说道：“法海禅师来了！”禅师道：“业畜，敢再来无礼，残害生灵！老僧为你特来。”白娘子见了和尚，摇开船，和青青把船一翻，两个都翻下水底去了。许宣回身看着和尚便拜：“告尊师，救弟子一条草命！”禅师道：“你如何遇着这妇人？”许宣把前项事情从头说了一遍。禅师听罢，道：“这妇人正是妖怪，汝可速回杭州去，如再来缠汝，可到湖南净慈寺里来寻我。有诗四句：

本是妖精变妇人，西湖岸上卖娇声。
汝因不识遭他计，有难湖南见老僧。”

许宣拜谢了法海禅师，同蒋和下了渡船，过了江，上岸归家。白娘子同青青都不见了，方才信是妖精。到晚来，教蒋和相伴过夜，心中昏闷，一夜不睡。次日早起，叫蒋和看着家里，却来到针子桥李克用家，把前项事情告诉了一遍。李克用道："我生日之时，他登东，我撞将去，不期见了这妖怪，惊得我死去，我又不敢与你说这话。既然如此，你且搬来我这里住着，别作道理。"许宣作谢了李员外，依旧搬到他家。不觉住过两月有馀。

忽一日，立在门前，只见地方总甲分付排门人等，俱要香花灯烛，迎接朝廷恩赦。原来是宋高宗策立孝宗，降赦通行天下，只除人命大事，其馀小事，尽行赦放回家。许宣遇赦，欢喜不胜，吟诗一首。诗云：

感谢吾皇降赦文，网开三面许更新。
死时不作他邦鬼，生日还为旧土人。
不幸逢妖愁更甚，何期遇宥罪除根。
归家满把香焚起，拜谢乾坤再造恩。

许宣吟诗已毕，央李员外衙门上下打点使用了钱，见了大尹，给引还乡。拜谢东邻西舍，李员外妈妈合家大小，二位主管，俱拜别了。央帮闲的蒋和买了些土物带回杭州。

来到家中，见了姐夫姐姐，拜了四拜。李募事见了许宣，焦躁道："你好生欺负人！我两遭写书教你投托人，你在李员外家娶了老小，不直得寄封书来教我知道，直恁的无仁无义！"许宣说："我不曾娶妻小。"姐夫道："见今两日前，有一个妇人带着一个丫鬟，道是你的妻子。说你七月初七日去金山寺烧香，不见回来。那里不寻到。直到如今，打听得你回杭州，同丫鬟先到这里等你两日了。"教人叫出那妇人和丫鬟见了许宣。许宣看见，果是白娘子、青青。许宣见了，目睁口呆，吃了一惊，不在姐夫姐姐面前说这话本，只得任他埋怨了一场。

李募事教许宣共白娘子去一间房内去安身。许宣见晚了，怕这白娘子，心中慌了，不敢向前，朝着白娘子跪在地下道："不知你是何神何鬼，可饶我的性命！"白娘子道："小乙哥，是何道理？我和你许多时夫妻，又不曾亏负你，如何说这等没力气的话。"许宣道："自从和你相识之后，带累我吃了两场官司。我到镇江府，你又来寻我。前日金山寺烧香，归得迟了，你和青青又直赶来。见了禅师，便跳下江里去了。我只道你死了，不想你又先到此。望乞可怜见，饶我则个！"白娘子圆睁怪眼道："小乙官，我也只是为好，谁想到成怨本！我与你平生夫妇，共枕同衾，许多恩爱，如今却信别人闲言语，教我夫妻不睦。我如今实对你说，若听我言语，喜喜欢欢，万事皆休；若生外心，教你满城皆为血水，人人手攀洪浪，脚踏浑波，皆死于非命。"惊得许宣战战兢兢，半晌无言可答，不敢走近前去。青青劝道："官人，娘子爱你杭州人生得好，又喜你恩情深重。听我说，与娘子和睦了，休要疑虑。"许宣吃两个缠不过，叫道："却是苦耶！"只见姐姐在天井里乘凉，听得叫苦，连忙来到房前，只道他两个儿厮闹，拖了许宣出来。白娘子关上房门自睡。

许宣把前因后事，一一对姐姐告诉了一遍。却好姐夫乘凉归房。姐姐道："他两口儿厮闹了，如今不知睡了也未，你且去张一张了来。"李募事走到房前看时，里头黑了，半亮不亮。将舌头舔破纸窗，不张万事皆休，一张时，见一条吊桶来大的蟒蛇，睡在床上，伸头在天窗内乘凉，鳞甲内放出白光来，照得房内如同白日。吃了一惊，回身便走。来到房中，不说其事，道："睡了，不见则声。"许宣躲在姐姐房中，不敢出头，姐夫也不问他。过了一夜。

次日，李募事叫许宣出去，到僻静处问道："你妻子从何娶来？实实的对我说，不要瞒我！自昨夜亲眼看见他是一条大白蛇，我怕你姐姐害怕，不说出来。"许宣把从头事，一一对姐夫说了一遍。李募事道："既是这等，白马庙前，一个呼蛇戴先生，如法捉得蛇，我同你去接他。"二人取路来到白马庙前，只见戴先生正立在门口。二人道："先生拜揖。"先生道："有何见谕？"许宣道："家中有一条大蟒蛇，相烦一捉则个！"先生道："宅上何处？"许宣道："过军将桥黑珠儿巷内李募事家便是。"取出一两银子道："先生收了银子，待捉得蛇另又相谢。"先生收了道："二位先回，小子便来。"李募事与许宣自回。

那先生装了一瓶雄黄药水，一直来到黑珠儿巷内，问李募事家。人指道："前面那楼子内便是。"先生来到门前，揭起帘子，咳嗽一声，并无一个人出来。敲了半晌门，只见一个小娘子出来问道："寻谁家？"先生道："此是李募事家么？"小娘子道："便是。"先生道："说宅上有一条大蛇，却才二位官人来请小子捉蛇。"小娘子道："我家那有大蛇？你差了。"先生道："官人先与我一两银子，说捉了蛇后，有重谢。"白娘子道："没有，休信他们哄你。"先生道："如何作耍？"白娘子三回五次发落不去，焦躁起来，道："你真个会捉蛇？只怕你捉他不得！"戴先生道："我祖宗七八代呼蛇捉蛇，量道一条蛇有何难捉！"娘子道："你说捉得，只怕你见了要走！"先生道："不走，不走！如走，罚一锭白银。"娘子道："随我来。"到天井内，那娘子转个弯，走进去了。那先生手中提着瓶儿，立在空地上，不多时，只见刮起一阵冷风，风过处，只见一条吊桶来大的蟒蛇。连射将来，正是：

人无害虎心，虎有伤人意。

且说那戴先生吃了一惊，望后便倒，雄黄罐儿也打破了。那条大蛇张开血红大口，露出雪白齿，来咬先生。先生慌忙爬起来，只恨爹娘少生两脚，一口气跑过桥来，正撞着李募事与许宣。许宣道："如何？"那先生道："好教二位得知，……"把前项事，从头说了一遍，取出那一两银子付还李募事道："若不生这双脚，连性命都没了。二位自去照顾别人。"急急的去了。

许宣道："姐夫，如今怎么处？"李募事道："眼见实是妖怪了。如今赤山埠前张成家欠我一千贯钱，你去那里静处，讨一间房儿住下。那怪物不见了你，自然去了。”许宣无计可奈，只得应承。同姐夫到家时，静悄悄的没些动静。李募事写了书贴，和票子做一封，教许宣往赤山埠去。只见白娘子叫许宣到房中道：“你好大胆，又叫甚么捉蛇的来！你若和我好意，佛眼相看；若不好时，带累一城百姓受苦，都死于非命！”许宣听得，心寒胆战，不敢则声。将了票子，闷闷不已。来到赤山埠前，寻着了张成。随即袖中取票时，不见了，只叫得苦。慌忙转步，一路寻回来时，那里见。

正闷之间，来到净慈寺前，忽地里想起那金山寺长老法海禅师曾分付来：“倘若那妖怪再来杭州缠你，可来净慈寺内来寻我。”如今不寻，更待何时？急入寺中，问监寺道：“动问和尚，法海禅师曾来上刹也未？”那和尚道：“不曾到来。”许宣听得说不在，越闷，折身便回来长桥堍下，自言自语道：“‘时衰鬼弄人’，我要性命何用？”看着一湖清水，却待要跳！正是：

阎王判你三更到，定不容人到四更。

许宣正欲跳水，只听得背后有人叫道：“男子汉何故轻生？死了一万口，只当五千双，有事何不问我！”许宣回头看时，正是法海禅师，背驮衣钵，手提禅杖，原来真个才到。也是不该命尽，再迟一碗饭时，性命也休了。许宣见了禅师，纳头便拜，道：“救弟子一命则个！”禅师道：“这业畜在何处？”许宣把上项事一一诉了。道：“如今又直到这里，求尊师救度一命。”禅师于袖中取出一个钵盂，递与许宣道：“你若到家，不可教妇人得知，悄悄的将此物劈头一罩，切勿手轻，紧紧的按住，不可心慌。你便回去。”

且说许宣拜谢了禅师回家。只见白娘子正坐在那里，口内喃喃的骂道：“不知甚人挑拨我丈夫和我做冤家，打听出来，和他理会！”正是有心等了没心的，许宣张得他眼慢，背后悄悄的，望白娘子头上一罩，用尽平生气力纳住。不见了女子之形，随着钵盂慢慢的按下，不敢手松，紧紧的按住。只听得钵盂内道：“和你数载夫妻，好没一些儿人情！略放一放！”

许宣正没了结处，报道：“有一个和尚，说道要收妖怪。”许宣听得，连忙教李募事请禅师进来。来到里面，许宣道：“救弟子则个！”不知禅师口里念的甚么。念毕，轻轻的揭起钵盂，只见白娘子缩做七八寸长，如傀儡人像，双眸紧闭，做一堆儿，伏在地下。禅师喝道：“是何业畜妖怪，怎敢缠人？可说备细！”白娘子答道：“禅师，我是一条大蟒蛇。因为风雨大作，来到西湖上安身，同青青一处。不想遇着许宣，春心荡漾，按纳不住，一时冒犯天条，却不曾杀生害命。望禅师慈悲则个！”禅师又问：“青青是何怪？”白娘子道：“青青是西湖内第三桥下潭内千年成气的青鱼。一时遇着，拖他为伴。他不曾得一日欢娱，并望禅师怜悯！”禅师道：“念你千年修炼，免你一死，可现本相！”白娘子不肯。禅师勃然大怒，口中念念有词，大喝道：“揭谛何在？快与我擒青鱼怪来，和白蛇现形，听吾发落！”须臾庭前起一阵狂风。风过处，只闻得豁剌一声响，半空中坠下一个青鱼，有一丈多长，向地拨剌的连跳几跳，缩做尺馀长一个小青鱼。看那白娘子时，也复了原形，变了三尺长一条白蛇，兀自昂头看着许宣。禅师将二物置于钵盂之内，扯下褊衫一幅，封了钵盂口。拿到雷峰寺前，将钵盂放在地下，令人搬砖运石，砌成一塔。后来许宣化缘，砌成了七层宝塔。千年万载，白蛇和青鱼不能出世。

且说禅师押镇了，留偈四句：

西湖水干，江潮不起，
雷峰塔倒，白蛇出世。

法海禅师言偈毕，又题诗八句以劝后人：

奉劝世人休爱色，爱色之人被色迷。
心正自然邪不扰，身端怎有恶来欺？
但看许宣因爱色，带累官司惹是非。
不是老僧来救护，白蛇吞了不留些。

法海禅师吟罢，各人自散。惟有许宣情愿出家，礼拜禅师为师，就雷峰塔披剃为僧。修行数年，一夕坐化去了。众僧买龛烧化，造一座骨塔，千年不朽。临去世时，亦有诗四句，留以警世，诗曰：

祖师度我出红尘，铁树开花始见春。
化化轮回重化化，生生转变再生生。
欲知有色还无色，须识无形却有形。
色即是空空即色，空空色色要分明。

第二十九卷
宿香亭张浩遇莺莺

闲向书斋阅古今，生非草木岂无情。
佳人才子多奇遇，难比张生遇李莺。

话说西洛有一才子，姓张名浩，字巨源，自儿曹时清秀异众。既长，才摛蜀锦，貌莹寒冰，容止可观，言词简当。承祖父之遗业，家藏镪数万，以财豪称于乡里。贵族中有慕其门第者，欲结婚姻，虽媒妁日至，浩正色拒之。人渭浩曰：“君今冠矣。男子二十而冠，何不求名家令德女子配君？其理安在？”浩曰：“大凡百岁姻缘，必要十分美满。某虽非才子，实慕佳人。不遇出世娇姿，宁可终身鳏处。且俟功名到手之日，此愿或可遂耳。”缘此至弱冠之年，犹未纳室。浩性喜厚自奉养，所居连檐重阁，洞户相通，华丽雄壮，与王侯之家相等。浩犹以为隘窄，又于所居之北，创置一园。中有：

风亭月榭，杏坞桃溪。云搂上倚晴空，水阁下临清泚。横塘曲岸，露偃月虹桥；朱槛雕栏，叠生云怪石。烂熳奇花艳蕊，深沉竹洞花房。飞异域佳禽，植上林珍果。绿荷密锁寻芳路，翠柳低笼斗草场。

浩暇日，多与亲朋宴息其间。西都风俗，每至春时，园圃无大小，皆修莳花木，洒扫亭轩，纵游人玩赏，以此递相夸逞，士庶为常。浩闾巷有名儒廖山甫者，学行俱高，可为师范，与浩情爱至密。浩喜园馆新成，花木茂盛。一日，邀山甫闲步其中。行至宿香亭共坐。时当仲春，桃李正芳，牡丹花放，嫩白妖红，环绕亭砌。浩谓山甫曰："淑景明媚，非诗酒莫称韶光。今日幸无俗事，先饮数杯，然后各赋一诗，咏目前景物。虽园圃消疏，不足以当君之盛作，若得一诗，可以永为壮观。"山甫曰："愿听指挥。"浩喜，即呼小童，具饮器笔砚于前。

酒三行，方欲索题，忽遥见亭下花间，有流莺惊飞而起。山甫曰："莺语堪听，何故惊飞?"浩曰："此无他，料必有游人偷折花耳。邀先生一往观之。"遂下宿香亭，径入花阴，蹑足潜身，寻踪而去。过太湖石畔，芍药栏边，见一垂鬟女子，年方十五，携一小青衣，倚栏而立。但见：

新月笼眉，春桃拂脸。意态幽花未艳，肌肤嫩玉生光。莲步一折，着弓弓扣绣鞋儿；螺髻双垂，插短短紫金钗子。似向东君夸艳态，倚栏笑对牡丹丛。

浩一见之，神魂飘荡，不能自持。又恐女子惊避，引山甫退立花阴下。端详久之，真出世色也。告山甫曰："尘世无此佳人，想必上方花月之妖!"山甫曰："花月之妖，岂敢昼见?天下不乏美妇人，但无缘者自不遇耳。"浩曰："浩阅人多矣，未常见此殊丽。使浩得配之，足快平生。兄有何计，使我早遂佳期，则成我之恩，与生我等矣!"山甫曰："以君之门第才学，欲结婚姻，易如反掌，何须如此劳神?"浩曰："君言未当。若不遇其人，宁可终身不娶。今既遇之，即顷刻亦难捱也。媒妁通问，必须岁月，将无已在枯鱼之肆乎!"山甫曰："但患不谐，苟得谐，何患晚也?请询其踪迹，然后图之。"

浩此时情不自禁，遂整巾正衣，向前而揖。女子敛袂答礼。浩启女子曰："贵族谁家?何因至此?"女子笑曰："妾乃君家东邻也。今日长幼赴亲族家会，惟妾不行。闻君家牡丹盛开，故与青衣潜启隙户至此。"浩闻此语，乃知李氏之女莺莺也，与浩童稚时曾共扶栏之戏。再告女子曰："敝园荒芜，不足寓目，幸有小馆，欲备肴酒，尽主人接邻里之欢，如何?"女曰："妾之此来，本欲见君。若欲开樽，决不敢领。愿无及乱，略诉此情。”浩拱手鞠躬而言曰：“愿闻所谕！”女曰：“妾自幼年慕君清德，缘家有严亲，礼法所拘，无因与君聚会。今君犹未娶，妾亦垂髫，若不以丑陋见疏，为通媒妁，使妾异日奉箕帚之末。立祭祀之列，奉侍翁姑，和睦亲族，成两姓之好，无七出之玷，此妾之素心也。不知君心还肯从否？”

浩闻此言，喜出望外，告女曰：“若得与丽人谐老，平生之乐事足矣！但未知缘分何如耳？”女曰：“两心既坚，缘分自定。君果见许，愿求一物为定，使妾藏之异时，表今日相见之情。”浩仓卒中无物表意，遂取系腰紫罗绣带，谓女曰：“取此以待定议。”女亦取拥项香罗，谓浩曰：“请君作诗一篇，亲笔题于罗上，庶几他时可以取信。”浩心转喜，呼童取笔砚，指栏中未开牡丹为题，赋诗一绝于香罗之上。诗曰：

沉香亭畔露凝枝，敛艳含娇未放时。
自是名花待名手，风流学士独题诗。

女见诗大喜，取香罗在手，谓浩曰：“君诗句清妙，中有深意，真才子也。此事切宜缄口，勿使人知。无忘今日之言，必遂他时之乐。父母恐回，妾且归去。”道罢，莲步却转，与青衣缓缓而去。

浩时酒兴方浓，春心淫荡，不能自遏，自言：“下坡不赶，次后难逢。争忍弃人归去？杂花影下，细草如茵，略效鸳鸯，死亦无恨！”遂奋步赶上，双手抱持。女子顾恋恩情，不忍移步绝裾而去。正欲启口致辞，含羞告免，忽自后有人言曰：“相见已非正礼，此事决然不可！若能用我一言，可以永谐百岁。”浩舍女回视，乃山甫也。女子已去。山甫曰：“但凡读书，盖欲知礼别嫌。今君诵孔圣之书，何故习小人之态？若使女子去迟，父母先回，必询究其所往，则女祸延及于君。岂可恋一时之乐，损终身之德？请君三思，恐成后悔！”浩不得已，怏怏复回宿香亭上，与山甫尽醉散去。

自此之后，浩但当歌不语，对酒无欢，月下长吁，花前偷泪。俄而绿暗红稀，春光将暮。浩一日独步闲斋，反覆思念。一段离愁，方恨无人可诉。忽有老尼惠寂自外而来，乃浩家香火院之尼也。浩礼毕，问曰：“吾师何来？”寂曰：“专来传达一信。”浩问：“何人致意于我？”寂移坐促席谓浩曰：“君东邻李家女子莺莺，再三申意。”浩大惊，告寂曰：“宁有是事？吾师勿言！”寂曰：“此事何必自隐？听寂拜闻：李氏为寂门徒二十馀年，其家长幼相信。今日因往李氏诵经，知其女莺莺染病，寂遂劝令勤服汤药。莺屏去侍妾，私告寂曰：‘此病岂药所能愈耶？’寂再三询其仔细，莺遂说及园中与君相见之事。又出罗巾上诗，向寂言：‘此即君所作也。’令我致意于君，幸勿相忘，以图后会。盖莺与寂所言也，君何用隐讳耶？”浩曰：“事实有之，非敢自隐，但虑传扬遐迩，取笑里闾。今日吾师既知，使浩如何而可？”

寂曰："早来既知此事，遂与莺父母说及莺亲事。答云：'女儿尚幼，未能干家。'观其意在二三年后，方始议亲。更看君缘分如何？"言罢，起身谓浩曰："小庵事冗，不及款话。如日后欲寄音信，但请垂谕。"遂相别去。自此香闺密意，书幌幽怀，皆托寂私传。

光阴迅速，倏忽之间，已经一载。节过清明，桃李飘零，牡丹半折。浩倚栏凝视，睹物思人，情绪转添。久之，自思去岁此时，相逢花畔，今岁花又重开，玉人难见。沉吟半晌，不若折花数枝，托惠寂寄莺莺同赏。遂召寂至，告曰："今折得花数枝，烦吾师持往李氏，但云吾师所献。若见莺莺，作浩起居：去岁花开时，相见于西栏畔；今花又开，人犹间阻。相忆之心，言不可尽。愿似叶如花，年年长得相见。"寂曰："此事易为，君可少待。"遂持花去。

逾时复来，浩迎问："如何？"寂于袖中取彩笺小柬，告浩曰："莺莺寄君，切勿外启！"寂乃辞去。浩启封视之，曰：

> 妾莺莺拜启：相别经年，无日不怀思忆。前令乳母以亲事白于父母，坚意不可。事须后图，不可仓卒。愿君无忘妾，妾必不负君！姻若不成，誓不他适。其他心事，询寂可知。昨夜宴花前，众皆欢笑，独妾悲伤。偶成小词，略诉心事，君读之，可以见妾之意。读毕毁之，切勿外泄！

词曰：

> 红疏绿密时喧，还是困人天。相思极处，凝睛月下，洒泪花前。　　誓约已知俱有愿，奈目前两处悬悬。鸾凰未偶，清宵最苦，月甚先圆？

浩览毕，敛眉长叹，曰："好事多磨，信非虚也！"展放案上，反复把玩，不忍释手，感刻寸心，泪下如雨。又恐家人见疑，询其所因，遂伏案掩面，偷声潜泣。

良久，举首起视，见日影下窗，暝色已至。浩思适来书中言"心事讯寂可知"，今抱愁独坐，不若询访惠寂，究其仔细，庶几少解情怀。遂徐步出门，路过李氏之家，时夜色已阑，门户皆闭。浩至此，想象莺莺，心怀爱慕，步不能移。指李氏之门曰："非插翅步云，安能入此？"方徘徊未进，忽见旁有隙户半开，左右寂无一人。浩大喜曰："天赐此便，成我佳期！远托惠寂，不如潜入其中，探问莺莺消息。"浩为情爱所重，不顾礼法，蹑足而入。既到中堂，匿身回廊之下，左右顾盼，见：

> 闲庭悄悄，深院沉沉。静中闻风响丁当，暗里见流萤聚散。更筹渐急，窗中风弄残灯；夜色已阑，阶下月移花影。香闺想在屏山后，远似巫阳千万重。

浩至此，茫然不知所往。独立久之，心中顿省。自思设若败露，为之奈何？不惟身受苦楚，抑且玷辱祖宗，此事当款曲图之。不期隙户已闭，返转回廊，方欲寻路复归，忽闻室中有低低而唱者。浩思深院净夜，何人独歌？遂隐住侧身，静听所唱之词，乃《行香子》词：

雨后风微，绿暗红稀。燕巢成蝶绕残枝。杨花点点，永日迟迟。动离怀，牵别恨，鹧鸪啼。　　辜负佳期，虚度芳时，为甚褪尽罗衣？宿香亭下，红芍栏西。当时情，今日恨，有谁知！

但觉如雏莺啭翠柳阴中，彩凤鸣碧梧枝上。想是清夜无人，调韵转美。浩审词察意，若非莺莺，谁知宿香亭之约？但得一见其面，死亦无悔。方欲以指击窗，询问仔细，忽有人叱浩曰："良士非媒不聘，女子无故不婚。今女按板于窗中，小子逾墙到厅下，皆非善行，玷辱人伦。执诣有司，永作淫奔之戒。"浩大惊退步，失脚堕于砌下。久之方醒，开目视之，乃伏案昼寝于书窗之下，时日将晡矣。

浩曰："异哉梦也！何显然如是？莫非有相见之期，故先垂吉兆告我？"方心绪扰扰未定，惠寂复来。浩讯其意。寂曰："适来只奉小柬而去，有一事偶忘告君。莺莺传语，他家所居房后，乃君家之东墙也，高无数尺。其家初夏二十日，亲族中有婚姻事，是夕举家皆往，莺托病不行。令君至期，于墙下相待，欲逾墙与君相见，君切记之。"惠寂且去，浩欣喜之心，言不能尽。

屈指数日，已至所约之期。浩遂张帷幄，具饮馔，器用玩好之物，皆列于宿香亭中。日既晚，悉逐僮仆出外，惟留一小鬟。反闭园门，倚梯近墙，屏立以待。未久，夕阳消柳外，暝色暗花间，斗柄指南，夜传初鼓。浩曰："惠寂之言岂非谑我乎？……"语犹未绝，粉面新妆，半出短墙之上。浩举目仰视，乃莺莺也。急升梯扶臂而下，携手偕行，至宿香亭上。明烛并坐，细视莺莺，欣喜转盛，告莺曰："不谓丽人果肯来此！"莺曰："妾之此身，异时欲作闺门之事，今日宁肯诳语！"浩曰："肯饮少酒，共庆今宵佳会可乎？"莺曰："难禁酒力，恐来朝获罪于父母。"浩曰："酒既不饮，略歇如何？"莺笑倚浩怀，娇羞不语。浩遂与解带脱衣，入鸳帏共寝。但见：

宝炬摇红，麝裀吐翠。金缕绣屏深掩，绀纱斗帐低垂。并连鸳枕，如双双比目同波；共展香衾，似对对春蚕作茧。向人尤殢春情争，一搦纤腰怯未禁。

须臾，香汗流酥，相偎微喘，虽楚王梦神女，刘阮入桃源，相得之欢，皆不能比。少顷，莺告浩曰："夜色已阑，妾且归去。"浩亦不敢相留，遂各整衣而起。浩告莺曰："后会未期，切宜保爱！"鸳曰："去岁偶然相遇，犹作新诗相赠。今夕得侍枕席，何故无一言见惠？岂非猥贱之躯，不足当君佳句？"

浩笑谢莺曰：“岂有此理！谨赋一绝：

华胥佳梦徒闻说，解佩江皋浪得声。

一夕东轩多少事，韩生虚负窃香名。”

莺得诗，谓浩曰：“妾之此身，今已为君所有，幸终始成之。”遂携手下亭，转柳穿花，至墙下，浩扶策莺升梯而去。

自此之后，虽音耗时通，而会遇无便。经数日，忽惠寂来告曰：“莺莺致意：其父守官河朔，来日挈家登程，愿君莫忘旧好。候回日，当议秦晋之礼。”惠寂辞去。浩神悲意惨，度日如年，抱恨怀愁，俄经二载。

一日，浩季父召浩语曰：“吾闻不孝以无嗣为大，今汝将及当立之年，犹未纳室，虽未至绝嗣，而内政亦不可缺。此中有孙氏者，累世仕宦，家业富盛，其女年已及笄，幼奉家训，习知妇道。我欲与汝主婚，结亲孙氏。今若失之，后无令族。”浩素畏季父赋性刚暴，不敢抗拒。又不敢明言李氏之事，遂通媒妁，与孙氏议姻。择日将成，而莺莺之父任满方归。浩不能忘旧情，乃遣惠寂密告莺曰：“浩非负心，实被季父所逼，复与孙氏结亲。负心违愿，痛彻心髓！”莺谓寂曰：“我知其叔父所为，我必能自成其事。”寂曰：“善为之！”遂去。

莺启父母曰：“儿有过恶，玷辱家门，愿先启一言，然后请死。”父母惊骇，询问：“我儿何自苦如此？”莺曰：“妾自幼岁慕西邻张浩才名，曾以此身私许偕老。曾令乳母白父母，欲与浩议姻，当日尊严不蒙允许。今闻浩与孙氏结婚，弃妾此身，将归何地？然女行已失，不可复嫁他人，此愿若违，含笑自绝。”父母惊谓莺曰：“我止有一女，所恨未能选择佳婿。若早知，可以商议。今浩既已结婚，为之奈何？”莺曰：“父母许以儿归浩，则妾自能措置。”父曰：“但愿亲成，一切不问。”莺曰：“果如是，容妾诉于官府。”遂取纸作状，更服旧妆，径至河南府讼庭之下。

龙图阁待制陈公方据案治事，见一女子执状向前。公停笔问曰：“何事？”莺莺敛身跪告曰：“妾诚诳妄，上渎高明，有状上呈。”公令左右取状展视，云：

告状妾李氏：切闻语云：“女非媒不嫁。”此虽至论，亦有未然。何也？昔文君心喜司马，贾午志慕韩寿，此二女皆有私奔之名，而不受无媒之谤。盖所归得人，青史标其令德，注在篇章。使后人继其所为，免委身于庸俗。妾于前岁慕西邻张浩才名，已私许之偕老。言约已定，誓不变更。今张浩忽背前约，使妾呼天叩地，无所告投！切闻律设大法，礼顺人情。若非判府龙图明断，孤寡终身何恃！为此冒耻渎尊，幸望台慈，特赐予决！谨状。

陈公读毕，谓莺莺曰：“汝言私约已定，有何为据？”莺取怀中香罗并花笺上二诗，皆浩笔也。陈公命追浩至公庭，责浩与李氏既已约婚，安可再孙氏？浩仓卒但以叔父所逼为辞，实非本心。再讯莺曰：“尔意如何？”莺曰：“张浩才名，实为佳婿。使妾得之，当克勤妇道。实龙图主盟之大德。”陈公曰：“天生才子佳人，不当使之孤另。我今曲与汝等成之。”遂于状尾判云：

花下相逢，已有终身之约；中道而止，竟乖偕老之心。在人情既出至诚，论律文亦有所禁。宜从先约，可断后婚。

判毕，谓浩曰：“吾今判合与李氏为婚。”二人大喜，拜谢相公恩德，遂成夫妇，偕老百年。后生二子，俱擢高科。话名《宿香亭张浩遇莺莺》。

当年崔氏赖张生，今日张生仗李莺。
同是风流千古话，西厢不及宿香亭。

第三十卷
金明池吴清逢爱爱

朱文灯下逢刘倩，师厚燕山遇故人。
隔断死生终不泯，人间最切是深情。

话说大唐中和年间，博陵有个才子，姓崔名护，生得风流俊雅，才貌无双。偶遇春榜动，选场开，收拾琴剑书籍，前往长安应举。时当暮春，崔生暂离旅舍，往城南郊外游赏，但觉口燥咽干，唇焦鼻热。一来走得急，那时候也有些热了。

这崔生只为口渴，又无溪涧取水。只见一个去处：

灼灼桃红似火，依依绿柳如烟。竹篱，茅舍，黄土壁，白板扉，哰哰犬吠桃源中，两两黄鹂鸣翠柳。

崔生去叩门，觅一口水。立了半日，不见一人出来。正无计结，忽听得门内笑声，崔生鹰觑鹘望，去门缝里一瞧：原来那笑的，却是一个女孩儿，约有十六岁。那女儿出来开门，崔生见了，口一发燥，咽一发干，唇一发焦，鼻一发热。连忙叉手向前道：“小娘子拜揖。”那女儿回个娇娇滴滴的万福道：“官人宠顾茅舍，有何见谕？”崔生道：“卑人博陵崔护，别无甚事，只因走远气喘，敢求勺水解渴则个。”女子听罢，并无言语。疾忙进去，用纤纤玉手，捧着磁瓯，盛半瓯茶，递与崔生。崔生接过，呷入口，透心也似凉，好爽利！只得谢了自回。想着功名，自去赴选。谁想时运未到，金榜无名，离了长安，匆匆回乡去了。

倏忽一年，又遇开科，崔生又起身赴试。追忆故人，且把试事权时落后，急往城南。一路上东观西望，只怕错认了女儿住处。顷刻到门前，依旧桃红柳绿，犬吠莺啼。崔生至门，见寂寞无人，心中疑惑。还去门缝里瞧时，不闻人声。徘徊半晌，去白板扉上题四句诗：

去年今日此门中，人面桃花相映红。

人面不知何处去？桃花依旧笑春风。

题罢，自回。

明日放心不下，又去探看，忽见门儿呀地开了，走出一个人来。生得：

须眉皓白，鬓发稀疏。身披白布道袍，手执斑竹拄杖。堪为四皓商山客，做得磻溪执钓人。

那老儿对崔生道："君非崔护么？"崔生道："丈人拜揖，卑人是也，不知丈人何以见识？"那老儿道："君杀我女儿，怎生不识？"惊得崔护面色如土，道："卑人未尝到老丈宅中，何出此言？"老儿道："我女儿去岁独自在家，遇你来觅水。去后昏昏如醉，不离床席。昨日忽说道：'去年今日曾遇崔郎，今日想必来也。'走到门前，望了一日，不见。转身抬头，忽见白板扉上诗，长哭一声，瞥然倒地。老汉扶入房中，一夜不醒。早间忽然开眼道：'崔郎来了，爹爹好去迎接。'今君果至，岂非前定？且请进去一看。"谁想崔生入得门来，里面哭了一声。仔细看时，女儿死了。老儿道："郎君今番真个偿命！"崔生此时，又惊又痛，便走到床前，坐在女儿头边，轻轻放起女儿的头，伸直了自家腿，将女儿的头，放在腿上，亲着女儿的脸道："小娘子，崔护在此！"顷刻间那女儿三魂再至，七魄重生，须臾就走起来。老儿十分欢喜，就赔妆奁，招赘崔生为婿。后来崔生发迹为官，夫妻一世团圆，正是：

月缺再圆，镜离再合。

花落再开，人死再活。

为甚今日说这段话？这个便是死中得活。有一个多情的女儿，没兴遇着个子弟，不能成就，干折了性命，反作成别人洞房花烛。正是：

有缘千里能相会，无缘对面不相逢。

说这女儿遇着的子弟，却是宋朝东京开封府有一员外，姓吴名子虚。平生是个真实的人，止生得一个儿子，名唤吴清。正是爱子娇痴，独儿得惜。那吴员外爱惜儿子，一日也不肯放出门。那儿子却是风流博浪的人，专要结识朋友，觅柳寻花。忽一日，有两个朋友来望，却是金枝玉叶，凤子龙孙，是宗室赵八节使之子。兄弟二人，大的讳应之，小的讳茂之，都是使钱的勤儿。两个叫院子通报。吴小员外出来迎接，分宾而坐。献茶毕，问道："幸蒙恩降，不知有何使令？"二人道："即今清明时候，金明池上，士女喧阗，游人如蚁。欲同足下一游，尊意如何？"小员外大喜道："蒙二兄不弃寒贱，当得奉陪。”小员外便教童儿挑了酒樽食罍，备三匹马，与两个同去。迤逦早到金明池。陶谷学士有首诗道：

万座笙歌醉后醒，绕池罗幕翠烟生。
云藏宫殿九重碧，日照乾坤五色明。
波面画桥天上落，岸边游客鉴中行。
驾来将幸龙舟宴，花外风传万岁声。

三人绕池游玩，但见：

桃红似锦，柳绿如烟。花间粉蝶双双，枝上黄鹂两两。踏青士女纷纷至，赏玩游人队队来。

三人就空处，饮了一回酒。吴小员外道：“今日天气甚佳，只可惜少个侑酒的人儿。”二赵道：“酒已足矣，不如闲步消遣，观看士女游人，强似呆坐。”三人挽手同行。刚动脚不多步，忽闻得一阵香风，绝似麝兰香，又带些脂粉气。吴小员外迎这阵香风上去，忽见一簇妇女，如百花斗彩，万卉争妍。内中一位小娘子，刚刚十五六岁模样，身穿杏黄衫子。生得如何：

眼横秋水，眉拂春山，发似云堆，足如莲蕊。两颗樱桃分素口，一技杨柳斗纤腰。未领略遍体温香，早已睹十分丰韵。

吴小员外看见，不觉遍体苏麻，急欲捱身上前。却被赵家两兄弟拖回，道：“良家女子，不可调戏。恐耳目甚多，惹祸招非。”小员外虽然依允，却似勾去了魂灵一般。那小娘子随着众女娘自去了。

小员外与二赵相别自回，一夜不睡，道：“好个十相具足的小娘子，恨不曾访问他居止姓名。若访问得明白，央媒说合，或有三分侥幸。”次日，放心不下，换了一身整齐衣服，又约了二赵，在金明池上寻昨日小娘子踪迹。

分明昔日阳台路，不见当时行雨人。

吴小员外在游人中，往来寻趁，不见昨日这位小娘子，心中闷闷不悦。赵大哥道：“足下情怀少乐，想寻春之兴未遂。此间酒肆中，多有当垆少妇。愚弟兄陪足下一行，倘有看得上眼的，沽饮三杯，也当春风一度，如何？”小员外道：“这些老妓夙倡，残花败柳，学生平日都不在意。”赵二哥道：“街北第五家，小小一个酒肆，到也精雅。内中有个量酒的女儿，大有姿色，年纪也只好二八，只是不常出来。”小员外欣然道：“烦相引一看。”三人移步街北，果见一个小酒店，外边花竹扶疏，里面杯盘罗列。赵二哥指道：“此家就是。”

三人入得门来，悄无人声。不免唤一声：“有人么？有人么？”须臾之间，似有如无，觉得娇娇媚媚，妖妖娆娆，走一个十五六岁花朵般多情女儿出来。那三个子弟，见了女儿，齐齐的三头对地，六臂向身，唱个喏道：“小娘子拜揖。”那多情的女儿，见了三个子弟，一点春心动了，按捺不下，一双脚儿出来了，则是麻麻地进去不得。紧挨着三个子弟坐地，便教迎儿取酒来。那四个可知道喜！四口儿并来，没一百岁。方才举得一杯，忽听得驴儿蹄响，车儿轮响，却是女儿的父母上坟回来。三人败兴而返。

迤逦春色凋残，胜游难再，只是思忆之心，形于梦寐。转眼又是一年。三个子弟不约而同，再寻旧约。顷刻已到，但见门户萧然，当垆的人不知何在。三人少歇一歇问信，则见那旧日老儿和婆子走将出来。三人道："丈人拜揖，有酒打一角来。"便问："丈人，去年到此，见个小娘子量酒；今日如何不见？"那老儿听了，簌地两行泪下："覆官人，老汉姓卢名荣。官人见那量酒的就是老拙女儿，小名爱爱。去年今日合家去上坟，不知何处来三个轻薄厮儿，和他吃酒，见我回来散了，中间别事不知。老拙两个薄薄罪过他两句言语，不想女儿性重，顿然悒怏，不吃饮食，数日而死。这屋后小丘，便是女儿的坟。"说罢，又簌簌地泪下。三人噤口不敢再问，连忙还了酒钱，三个马儿连着，一路伤感不已。回头顾盼，泪下沾襟，怎生放心得下！正是：

夜深喧暂息，池台惟月明。
无因驻清景，日出事还生。

那三个正行之际，恍惚见一妇人，素罗罩首，红帕当胸，颤颤摇摇，半前半却。觑着三个，低声万福。那三个如醉如痴，罔知所措。道他是鬼，又衣裳有缝，地下有影；道是梦里，自家掐着又疼。只见那妇人道："官人认得奴家，即去岁金明池上人也。官人今日到奴家相望，爹妈诈言我死，虚堆个土坟，待瞒过官人们。奴家思想前生有缘，幸得相遇。如今搬在城里一个曲巷小楼，且是潇洒。倘不弃嫌，屈尊一顾。"三人下马齐行。瞬息之间，便到一个去处。入得门来，但见：

小楼连苑，斗帐藏春。低檐浅映红帘，曲阁遥开锦帐。半明半暗，人居掩映之中；万绿万红，春满风光之内。

上得楼儿，那女儿便叫："迎儿，安排酒来，与三个姐夫贺喜。"无移时，酒到痛饮。那女儿所事熟滑，唱一个娇滴滴的曲儿，舞一个妖媚媚的破儿，掐一个紧飕飕的筝儿，道一个甜甜嫩嫩的千岁儿。那弟兄两个饮散，相别去了。吴小员外回身转手，搭定女儿香肩，搂定女儿细腰，捏定女儿纤手，醉眼乜斜，只道楼儿便是床上，火急做了一班半点儿事。端的是：

春衫脱下，绣被铺开。酥胸露一朵雪梅，纤足启两弯新月。未开桃蕊，怎禁他浪蝶深偷；半折花心，忍不住狂蜂恣采。潸然粉汗，微喘相偎。

睡到天明，起来梳洗，吃些早饭，两口儿絮絮叨叨，不肯放手。吴小员外焚香设誓，啮臂为盟，那女儿方才掩着脸，笑了进去。

吴小员外自一路闷闷回家。见了爹妈，道："我儿，昨夜宿于何处？教我一夜不睡，乱梦颠倒。”小员外道：“告爹妈，儿为两个朋友是皇亲国戚，要我陪宿，不免依他。”爹妈见说是皇亲，又曾来望，便不疑他。谁想情之所钟，解释不得。有诗为证：

铲平荆棘盖楼台，楼上笙歌鼎沸开。
欢笑未终离别起，从前荆棘又生来。

那小员外与女儿两情厮投，好说得着。可知哩，笋芽儿般后生，遇着花朵儿女娘，又是芳春时候，正是：

佳人窈窕当春色，才子风流正少年。

小员外只为情牵意惹，不隔两日，少不得去伴女儿一宵。只一件，但见女儿时，自家觉得精神百倍，容貌胜常；才到家便颜色憔悴，形容枯槁。渐渐有如鬼质，看看不似人形。饮食不思，药饵不进。

父母见儿如此，父子情深，顾不得朋友之道，也顾不得皇亲国戚，便去请赵公子兄弟二人来，告道：“不知二兄日前带我豚儿何处非为？今已害得病深。若是医得好，一句也不敢言，万一有些不测，不免击鼓诉冤，那时也怪老汉不得。”那兄弟二人听罢，切切偶语：“我们虽是金枝玉叶，争奈法度极严。若子弟贤的，一般如凡人叙用；若有些争差的，罪责却也不小。万一被这老子告发时，毕竟于我不利。”疾忙回言：“丈人，贤嗣之疾，本不由我弟兄。”遂将金明池酒店上遇见花枝般多情女儿始末叙了一遍。老儿大惊，道：“如此说，我儿着鬼了！二位有何良计可以相救？”二人道：“有个皇甫真人，他有割妖符剑，除非请他来施设，退了这邪鬼，方保无恙。”老儿拜谢道：“全在二位身上。”二人回身就去。却是：

青龙共白虎同行，吉凶事全然未保。

两个上了路，远远到一山中，白云深处，见一茅庵：

黄茅盖屋，白石垒墙。阴阴松暝鹤飞回，小小池晴龟出曝。翠柳碧梧夹路，玄猿白鹤迎门。

顷刻间，庵里走出个道童来，道：“二位莫不是寻师父救人么？”二人道：“便是，相烦通报则个。”道童道：“若是别患，俺师父不去，只割情欲之妖。却为甚的？情能生人，亦能死人。生是道家之心，死是道家之忌。”二人道：“正要割情欲之妖，救人之死。”小童急去，请出皇甫真人。真人见道童已说过了，“吾可一去。”迤逦同到吴员外家。

才到门首，便道：“这家被妖气罩定，却有生气相临。”却好小员外出见，真人吃了一惊，道：“鬼气深了！九死一生，只有一路可救。”惊得老夫妻都来跪告真人：“俯垂法术，救俺一家性命！”真人道：“你依吾说，急往西方三百里外避之。若到所在，这鬼必然先到。倘若满了一百二十日，这鬼不去，员外拼着一命，不可救治矣！”员外应允。备素斋，请皇甫真人斋罢，相别自去。老员外速教收拾担仗，往西京河南府去避死。正是：

曾观前定录，生死不由人。

小员外请两个赵公子相伴同行。沿路去时，由你登山涉岭，过涧渡桥，闲中闹处，有伴无人，但小员外吃食，女儿在旁供菜；员外临睡，女儿在傍解衣；若员外登厕，女儿拿着衣服。处处莫避，在在难离。不觉在洛阳几日。

忽然一日屈指算时，却好一百二十日，如何是好？那两个赵公子和从人守着小员外，请到酒楼散闷，又愁又怕，都阁不住泪汪汪地，又怕小员外看见，急急拭了。小员外目睁口呆，罔知所措。正低了头倚着栏干，恰好皇甫真人骑个驴儿过来。赵公子看见了，慌忙下楼，当街拜下，扯住真人，求其救度。吴清从人都一齐跪下拜求。真人便就酒楼上结起法坛，焚香步罡，口中念念有词。行持了毕，把一口宝剑，递与小员外道："员外本当今日死。且将这剑去，到晚紧闭了门。黄昏之际，定来敲门。休问是谁，速把剑斩之。若是有幸，斩得那鬼，员外便活；若不幸误伤了人，员外只得纳死。总然一死，还有可脱之理。"分付罢，真人自骑驴去了。

小员外得了剑，巴到晚间，闭了门。渐次黄昏，只听得剥啄之声。员外不露声息，悄然开门，便把剑斫下，觉得随手倒地。员外又惊又喜，心窝里突突地跳，连叫："快点灯来！"众人点灯来照，连店主人都来看。不看犹可，看时众人都吃了一大惊：

分开八片顶阳骨，倾下半桶冰雪水。

店主人认得砍倒的尸首，却是店里奔走的小厮阿寿，十五岁了。因往街上登东，关在门外，故此敲门，恰好被剑砍坏了。当时店中嚷动地方来，见了人命事，便将小员外缚了，两个赵公子也被缚了。等待来朝，将一行人解到河南府。

大尹听得是杀人公事，看了辞状，即送狱司勘问。吴清将皇甫真人斩妖事，备细说了。狱司道："这是荒唐之言。见在杀死小厮，真正人命，如何抵释！"喝教手下用刑。却得跟随小员外的在衙门中使透了银子。狱卒禀道："吴清久病未痊，受刑不起。那两个宗室，止是干连小犯。"狱官借水推船，权把吴清收监，候病痊再审，二赵取保在外。一面着地方将棺木安放尸首，听候堂上吊验，斩妖剑作凶器驻库。

却说吴小员外是夜在狱中垂泪叹道："爹娘止生得我一人，从小寸步不离，何期今日死于他乡！早知左右是死，背井离乡，着甚么来！"又叹道："小娘子呵，只道生前相爱，谁知死后缠绵。恩变成仇，害得我骨肉分离，死无葬身之地。我好苦也！我好恨也！"嗟怨了半夜，不觉睡去。梦见那花枝般多情的女儿，妖妖娆娆，走近前来，深深道个万福道："小员外休得怅恨奴家。奴自身亡之后，感太元夫人空中经过，怜奴无罪早夭，授以太阴炼形之术，以此元形不损，且得游行世上。感员外隔年垂念，因而冒耻相从。亦是前缘宿分，合有一百二十日夫妻。今已完满，奴自当去。前夜特来奉别，不意员外起其恶意，将剑砍奴。今日受一夜牢狱之苦，以此相报。阿寿小厮，自在东门外古墓之中，只教官府覆验尸首，便得脱罪。奴又与上元夫人求得玉雪丹二粒，员外试服一粒，管取百病消除，元神复旧。又一粒员外谨藏之，他日成就员外一段佳姻，以报一百二十日夫妻之恩。”说罢，出药二粒，如鸡豆般，其色正红，分明是两粒火珠。那女儿将一粒纳于小员外袖内，一粒纳于口中，叫声：“奴去也！还乡之日，千万到奴家荒坟一顾，也表员外不忘故旧之情！”

小员外再欲叩问详细，忽闻钟声聒耳，惊醒将来。口中觉有异香，腹里一似火团展转，汗流如雨。巴到天明，汗止，身子顿觉健旺，摸摸袖内，一粒金丹尚在，宛如梦中所见。小员外隐下馀情，只将女鬼托梦说阿寿小厮见在，请覆验尸首，便知真假。狱司禀过大尹，开棺检视，原来是旧笤帚一把，并无他物。寻到东门外古墓，那阿寿小厮如醉梦相似，睡于破石椁之内。众人把姜汤灌醒，问他如何到此，那小厮一毫不知。狱司带那小厮并笤帚到大尹面前，教店主人来认，实是阿寿未死，方知女鬼的做作。大尹即将众人赶出。皇甫真人已知斩妖剑不灵，自去入山修道去了。二赵接得吴小员外，连称恭喜。酒店主人也来谢罪。

三人别了主人家，领着仆从，欢欢喜喜回开封府来。离城还有五十馀里，是个大镇，权歇马上店，打中火。只见间壁一个大户人家门首，贴一张招医榜文：

> 本宅有爱女患病垂危，人不能识。倘有四方明医，善能治疗者，奉谢青蚨十万，花红羊酒奉迎，决不虚示。

吴小员外看了榜文，问店小二道：“间壁何宅？患的是甚病，没人识得？”小二道：“此地名褚家庄。间壁住的，就是褚老员外，生得如花似玉一位小娘子，年方一十六岁。若干人来求他，老员外不肯轻许。一月之间，忽染一病，发狂颤语，不思饮食，许多太医下药，病只有增无减。好一主大财乡，没人有福承受得。可惜好个小娘子，世间难遇。如今看看欲死，老夫妻两口儿昼夜啼哭，只祈神拜佛，做好事保福，也不知费了若干钱钞了。”小员外听说，心中暗喜，道：“小二哥，烦你做个媒，我要娶这小娘子为妻。”小二道：“小娘子一生九死，官人便要讲亲，也待病痊。”小员外道：“我会医的是狂病。不愿受谢，只要许下成婚，手到病除。”小二道：“官人请坐，小人即时传语。”

须臾之间，只见小二同着褚公到店中来，与三人相见了。问道：“那一位先生善医？”二赵举手道：“这位吴小员外。”褚公道：“先生若医得小女病痊，帖上所言，毫厘不敢有负。”吴小员外道：“学生姓吴名清，本府城内大街居住。父母在堂，薄有家私，岂希罕万钱之赠。但学生年方二十，尚未婚配。久慕宅上小娘子容德俱全，倘蒙许谐秦晋，自当勉效卢扁。”二赵在傍，又帮衬许多好言，夸吴氏名门富室，又夸小员外做人忠厚。褚公爱女之心，无所不至，不由他不应承了。便道：“若果然医得小女好时，老汉赔薄薄妆奁，送至府上成婚。”吴清向二赵道：“就烦二兄为媒，不可退悔！”褚公道：“岂敢！”

当下褚公连三位都请到家中，设宴款待。吴清性急，就教老员外：“引进令爱房中，看病下药。”褚公先行，吴清随后。也是缘分当然，吴小员外进门时，那女儿就不狂了。吴小员外假要看脉，养娘将罗帏半揭，帏中但闻金钏索琅的一声，舒出削玉团冰的一只纤手来。正是：

未识半面花容，先见一双玉腕。

小员外将两手脉俱已看过，见神见鬼的道：“此病乃邪魅所侵，非学生不能治也。”遂取所存玉雪丹一粒，以新汲井花水，令其送下。那女子顿觉神清气爽，病体脱然，褚公感谢不尽。

是日，三人在褚家庄欢饮。至夜，褚公留宿于书斋之中。次日，又安排早饭相请。二赵道：“扰过就告辞了，只是吴小员外姻事，不可失信。”褚公道：“小女蒙活命之恩，岂敢背恩忘义，所谕敢不如命！”小员外就拜谢了岳丈。褚公备礼相送，为程仪之敬。三人一无所受，作别还家。

吴老员外见儿子病好回来，欢喜自不必说。二赵又将婚姻一事说了，老员外十分之美，少不得择日行聘。六礼既毕，褚公备千金嫁装，亲送女儿过门成亲。吴小员外在花烛之下，看了新妇，吃了一惊：好似初次在金明池上相逢这个穿杏黄衫的美女。过了三朝半月，夫妇厮熟了。吴小员外叩问妻子，去年清明前二日，果系探亲入城，身穿杏黄衫，曾到金明池上游玩。正是人有所愿，天必然之。那褚家女子小名，也唤做爱爱。

吴小员外一日对赵氏兄弟说知此事，二赵各各称奇：“此段姻缘乃卢女成就，不可忘其功也。”吴小员外即日到金明池北卢家店中，述其女儿之事，献上金帛，拜认卢荣老夫妇为岳父母，求得开坟一见，愿买棺改葬。卢公是市井小人，得员外认亲，无有不从。小员外央阴阳生择了吉日，先用三牲祭礼浇奠，然后启土开棺。那爱爱小娘子面色如生，香泽不散，乃知太阴炼形之术所致。吴小员外叹羡了一回。改葬已毕，请高僧广做法事七昼夜。其夜又梦爱爱来谢，自此踪影遂绝。后吴小员外与褚爱爱百年谐老。卢公夫妇亦赖小员外送终，此小员外之厚德也。有诗为证：

金明池畔逢双美，了却人间生死缘。

世上有情皆似此，分明火宅现金莲。

第三十一卷
赵春儿重旺曹家庄

东邻昨夜报吴姬，一曲琵琶荡客思。
不是妇人偏可近，从来世上少男儿。

这四句诗是夸奖妇人的。自古道："有志妇人，胜如男子。"且如妇人中，只有娼流最贱，其中出色的尽多。有一个梁夫人，能于尘埃中识拔韩世忠。世忠自卒伍起为大将，与金兀术四太子，相持于江上，梁夫人脱簪珥犒军，亲自执桴，擂鼓助阵，大败金人。后世忠封蕲王，退居西湖，与梁夫人谐老百年。又有一个李亚仙，他是长安名妓，有郑元和公子嫖他，吊了稍，在悲田院做乞儿，大雪中唱《莲花落》。亚仙闻唱，知是郑郎之声，收留在家，绣糯裹体，剔目劝读，一举成名，中了状元，亚仙直封至一品夫人。这两个是红粉班头，青楼出色：

若与寻常男子比，好将巾帼换衣冠。

如今说一个妓家故事，虽比不得李亚仙、梁夫人恁般大才，却也在千辛百苦中熬炼过来，助夫成家，有个小小结果，这也是千中选一。

话说扬州府城外，有个地名，叫曹家庄。庄上曹太公是个大户之家。院君已故，止生一位小官人，名曹可成。那小官人人材出众，百事伶俐。只有两件事非其所长，一者不会读书，二者不会作家。常言道："独子得惜。"因是个富家爱子，养骄了他；又且自小纳粟入监，出外都称相公，一发纵荡了。专一穿花街，串柳巷，吃风月酒，用脂粉钱。真个满面春风，挥金如土，人都唤他做"曹呆子"。太公知他浪费，禁约不住，只不把钱与他用。他就瞒了父亲，背地将田产各处抵借银子。那败子借债，有几般不便宜处：第一，折色短少，不能足数，遇狠心的，还要搭些货物；第二，利钱最重；第三，利上起利，过了一年十个月，只倒换一张文书，并不催取，谁知本重利多，便有铜斗家计，不够他盘算；第四，居中的人还要扣些谢礼，他把中人就自看做一半债主，狐假虎威，需索不休；第五，写借票时，只拣上好美产，要他写做抵头。既写之后，这产业就不许你卖与他人。及至准算与他，又要减你的价钱。准算过，便有几两赢馀，要他找绝，他又东扭西捏，朝三暮四，没有得爽利与你。有此五件不便宜处，所以往往破家。为尊长的只管拿住两头不放，却不知中间都替别人家发财去了。十分家当，实在没用得五分。这也是只顾生前，不顾死后。左右把与他败的，到不如自眼里看他结末了，也得明白。

明识儿孙是下流，故将锁钥用心收。
儿孙自有儿孙算，枉与儿孙作马牛。

闲话休叙。却说本地有个名妓，叫做赵春儿，是赵大妈的女儿。真个花娇月艳，玉润珠明，专接富商巨室，赚大主钱财。曹可成一见，就看上了，一住整月，在他家撒漫使钱。两个如胶似漆，一个愿讨，一个愿嫁，神前罚愿，灯下设盟。争奈父亲在堂，不敢娶他入门。那妓者见可成是慷慨之士，要他赎身。原来妓家有这个规矩：初次破瓜的，叫做梳栊孤老；若替他把身价还了，鸨儿由他自在接客，无拘无管，这叫做赎身孤老。但是赎身孤老要歇时，别的客只索让他，十夜五夜，不论宿钱。后来若要娶他进门，别不费财礼。又有这许多脾胃处。曹可成要与春儿赎身，大妈索要五百两，分文不肯少。可成各处设法，尚未到手。

忽一日，闻得父亲唤银匠在家倾成许多元宝，未见出笏。用心体访，晓得藏在卧房床背后复壁之内，用帐子掩着。可成觑个空，踅进房去，偷了几个出来。又怕父亲查检，照样做成贯铅的假元宝，一个换一个。大模大样的，与春儿赎了身，又置办衣饰之类。以后但是要用，就将假银换出真银，多多少少都放在春儿处，凭他使费，并不检查。真个来得易，去得易，日渐日深，换个行云流水，也不曾计个数目是几锭几两。春儿见他撒漫，只道家中有馀，亦不知此银来历。

忽一日，太公病笃，唤可成夫妇到床头叮嘱道：“我儿，你今三十馀岁，也不为年少了。‘败子回头便作家’！你如今莫去花柳游荡，收心守分。我家当之外，还有些本钱，又没第二个兄弟分受，尽够你夫妻受用。”遂指床背后说道：“你揭开帐子，有一层复壁，里面藏着元宝一百个，共五千两，这是我一生的精神。向因你务外，不对你说。如今交付你夫妻之手，置些产业，传与子孙，莫要又浪费了！”又对媳妇道：“娘子，你夫妻是一世之事，莫要冷眼相看，须将好言谏劝丈夫，同心合胆，共做人家。我九泉之下，也得瞑目。”说罢，须臾死了。

可成哭了一场，少不得安排殡葬之事。暗想复壁内，正不知还存得多少真银？当下搬将出来，铺满一地，看时，都是贯铅的假货，整整的数了九十九个，刚剩得一个真的。五千两花银，费过了四千九百五十两。可成良心顿萌。早知这东西始终还是我的，何须性急！如今大事在身，空手无措，反欠下许多债负，懊悔无及，对着假锭放声大哭。浑家劝道：“你平日务外，既往不咎。如今现放着许多银子，不理正事，只管哭做甚么？”可成将假锭偷换之事，对浑家叙了一遍。浑家平昔间为老公务外，谏劝不从，气得有病在身。

今日哀苦之中，又闻了这个消息，如何不恼！登时手足俱冷。扶回房中，上了床，不够数日，也死了。这真是：

从前做过事，没兴一齐来。

可成连遭二丧，痛苦无极，勉力支持。过了七七四十九日，各债主都来算帐，把曹家庄祖业田房，尽行盘算去了。因出房与人，上紧出殡。此时孤身无靠，权退在坟堂屋内安身。不在话下。

且说赵春儿久不见可成来家，心中思念。闻得家中有父丧，又浑家为假锭事气死了，恐怕七嘴八张，不敢去吊问，后来晓得他房产都费了，搬在坟堂屋里安身，甚是凄惨，寄信去诸他来，可成无颜相见，回了几次。连连来请，只得含羞而往。春儿一见，抱头大哭，道："妾之此身，乃君身也。幸妾尚有余货可以相济，有急何不告我！"乃治酒相款，是夜留宿。明早，取白金百两，赠与可成，嘱付他拿回家省吃省用："缺少时，再来对我说。"可成得了银子，顿忘苦楚，迷恋春儿，不肯起身，就将银子买酒买肉，请旧日一班闲汉同吃。春儿初次不好阻他，到第二次，就将好言苦劝，说："这班闲汉，有损无益。当初你一家人家，都是这班人坏了。如今再不可近他了，我劝你回去是好话。且待三年服满之后，还有事与你商议。"一连劝了几次。可成还是败落财主的性子，疑心春儿厌薄他，忿然而去。春儿放心不下，悄地教人打听他，虽然不去跳槽，依旧大吃大用。春儿暗想，他受苦不透，还不知稼穑艰难，且由他磨炼去。过了数日，可成盘缠竭了，有一顿，没一顿，却不伏气去告求春儿。春儿心上虽念他，也不去惹他上门了。约莫十分艰难，又教人送些柴米之类，小小周济他，只是不敷。

却说可成一般也有亲友，自己不能周济，看见赵春儿家担东送西，心上反不乐，到去撺掇可成道："你当初费过几千银子在赵家，连这春儿的身子都是你赎的。你今如此落莫，他却风花雪月受用。何不去告他一状，追还些身价也好。"可成道："当初之事，也是我自家情愿，相好在前。今日重新番脸，却被子弟们笑话。"又有嘴快的，将此话学与春儿听了，暗暗点头："可见曹生的心肠还好。"又想道："'人无千日好，花无百日红'。若再有人撺掇，怕不变卦？"踌躇了几遍，又教人去请可成到家，说道："我当初原许嫁你，难道是哄你不成？一来你服制未满，怕人议论；二来知你艰难，趁我在外寻些衣食之本。你切莫听人闲话，坏了夫妻之情！"可成道："外人虽不说好话，我却有主意，你莫疑我。"住了一二晚，又赠些东西去了。

光阴似箭，不觉三年服满。春儿备了三牲祭礼、香烛纸钱，到曹氏坟堂拜奠，又将钱三串，把与可成做起灵功德。可成欢喜。功德完满，可成到春儿处作谢，春儿留款。饮酒中间，可成问从良之事。春儿道："此事我非不愿，只怕你还想娶大娘！"可成道："我如今是什么日子，还说这话？"春儿

道："你目下虽如此说，怕日后挣得好时，又要寻良家正配，可不枉了我一片心机?"可成就对天说起誓来。春儿道："你既如此坚心，我也更无别话。只是坟堂屋里，不好成亲。"可成道："在坟边左近，有一所空房要卖，只要五十两银子。若买得他的，到也方便。"春儿就凑五十两银子，把与可成买房。又与些零碎银钱，教他收拾房室，置办些家火。择了吉日，至期，打叠细软，做几个箱笼装了，带着随身伏侍的丫鬟，叫做翠叶，唤个船只，蓦地到曹家。神不知，鬼不觉，完其亲事。

收将野雨闲云事，做就牵丝结发人。

毕姻之后，春儿与可成商议过活之事。春儿道："你生长富室，不会经营生理，还是赎几亩田地耕种，这是务实的事。"可成自夸其能，说道："我经了许多折挫，学得乖了，不到得被人哄了。"春儿凑出三百两银子，交与可成。可成是散漫惯了的人，银子到手，思量经营那一桩好，往城中东占西卜。有先前一班闲汉，遇见了，晓得他纳了春姐，手中有物，都来哄他：某事有利无利，某事利重利轻，某人五分钱，某人合子钱。不一时，都哄尽了。空手而回，却又去问春儿要银子用。气得春儿两泪交流，道："'常将有日思无日，莫待无时思有时。'你当初浪费，以有今日，如今是有限之物，费一分没一分了。"

初时硬了心肠，不管闲事。以后夫妻之情，看不过，只得又是一五一十担将出来，无过是买柴籴米之类。拿出来多遍了，觉得渐渐空虚，一遍少似一遍。可成先还有感激之意，一年半载，理之当然，只道他还有多少私房，不肯和盘托出，终日闹吵，逼他拿出来。春儿被逼不过，憋口气，将箱笼上钥匙一一交付丈夫，说道："这些东西，左右是你的，如今都交与你，省得牵挂！我今后自和翠叶纺绩度日，我也不要你养活，你也莫缠我。"

春儿自此日为始，就吃了长斋，朝暮纺绩自食。可成一时虽不过意，却喜又有许多东西。暗想道："且把来变买银两，今番赎取些恒业，为恢复家缘之计，也在浑家面上争口气。"虽然腹内踌蹰，却也说而不作。常言"食在口头，钱在手头"，费一分，没一分，坐吃山空。不上一年，又空言了。更无出没，瞒了老婆，私下把翠叶这丫头卖与人去。春儿又失了个纺绩的伴儿，又气又苦，从前至后，把可成诉说一场。可成自知理亏，懊悔不迭，禁不住眼中流泪。

又过几时，没饭吃了，对春儿道："我看你朝暮纺绩，到是一节好生意。你如今又没伴，我又没事做，何不将纺绩教会了，也是一只饭碗。"春儿又好笑又好恼，忍不住骂道："你堂堂一躯男子汉，不指望你养老婆，难道一身一口，再没个道路寻饭吃?"可成道："贤妻说得是。'鸟瘦毛长，人贫智短。'你教我那一条道路寻得饭吃的，我去做。"春儿道："你也曾读书识字，这里村前村后，少个训蒙先生，坟堂屋里又空着，何不聚集几个村童教学，得些学俸，好盘用。”可成道：“‘有智妇人，胜如男子。’贤妻说得是。”当下便与乡老商议，聚了十来个村童，教书写仿，甚不耐烦，出于无奈。过了些时，渐渐惯了，枯茶淡饭，绝不想分外受用。春儿又不时牵前扯后的诉说他，可成并不敢回答一字。追思往事，要便流泪。想当初偌大家私，没来由付之流水，不须题起；就是春儿带来这些东西，若会算计时，尽可过活，如今悔之无及。

如此十五年。忽一日，可成入城，撞见一人，豸补银带，乌纱皂靴，乘舆张盖而来，仆从甚盛。其人认得是曹可成，出轿施礼，可成躲避不迭。路次相见，各问寒暄。此人姓殷名盛，同府通州人。当初与可成同坐监，同拨历的，近选得浙江按察使经历，在家起身赴任，好不热闹。

可成别了殷盛，闷闷回家，对浑家说道：“我的家当已败尽了，还有一件败不尽的，是监生。今日看见通州殷盛选了三司首领官，往浙江赴任，好不兴头！我与他是同拨历的，我的选期已透了，怎得银子上京使用。”春儿道：“莫做这梦罢，见今饭也没得吃，还想做官！”过了几日，可成欣羡殷监生荣华，三不知又说起。春儿道：“选这官要多少使用？”可成道：“本多利多。如今的世界，中科甲的也只是财来财往，莫说监生官。使用多些，就有个好地方，多趁得些银子；再肯营干时，还有一两任官做。使用得少，把个不好的缺打发你，一年二载，就升你做王官，有官无职，监生的本钱还弄不出哩。”春儿道：“好缺要多少？”可成道：“好缺也费得千金。”春儿道：“百两尚且难措，何况千金？还是训蒙安稳。”可成含着双泪，只得又去坟堂屋里教书。正是：

渐无面目辞家祖，剩把凄凉对学生。

忽一日，春儿睡至半夜醒来，见可成披衣坐于床上，哭声不止。问其缘故，可成道：“适才梦见得了官职，在广东潮州府。我身坐府堂之上，众书吏参谒。我方吃茶，有一吏，瘦而长，黄须数茎，捧文书至公座。偶不小心触吾茶瓯，翻污衣袖，不觉惊醒。醒来乃是一梦。自思一贫如洗，此生无复冠带之望，上辱宗祖，下玷子孙，是以悲泣耳！”春儿道：“你生于富家，长在名门，难道没几个好亲眷？何不去借贷，为求官之资？倘得一命，偿之有日。”可成道：“我因自小务外，亲戚中都以我为不肖，摈弃不纳。今穷困如此，枉自开口，人谁托我？便肯借时，将何抵头？”春儿道：“你今日为求官借贷，比先前浪费不同，或者肯借也不见得。”可成道：“贤妻说得是。”次日真个到三亲四眷家去了一巡：也有闭门不纳的，也有回说不在的，就是相见时，说及借贷求官之事，也有冷笑不答的，也有推辞没有的，又有念他开口一场，少将钱米相助的。可成大失所望，回覆了春儿。

早知借贷难如此，悔却当初不作家。

可成思想无计，只是啼哭。春儿道："哭恁么？没了银子便哭，有了银子又会撒漫起来。"可成道："到此地位，做妻子的还信我不过，莫说他人！"哭了一场："不如死休！只可惜负了赵氏妻十五年相随之意。如今也顾不得了。"可成正在寻死，春儿上前解劝道："'物有一变，人有千变，若要不变，除非三尺盖面。'天无绝人之路，你如何把性命看得恁轻？"可成道："蝼蚁尚且贪生，岂有人不惜死？只是我今日生而无用，到不如死了干净，省得连累你终身。"

春儿道："且不要忙，你真个收心务实，我还有个计较。"可成连忙下跪道："我的娘，你有甚计较？早些救我性命！"春儿道："我当初未从良时，结拜过二九一十八个姊妹，一向不曾去拜望。如今为你这冤家，只得忍着羞去走一遍。一个姊妹出十两，十八个姊妹，也有一百八十两银子。"可成道："求贤妻就去。"春儿道："初次上门，须用礼物，就要备十八副礼。"可成道："莫说一十八副礼，就是一副礼也无措。"春儿道："若留得我一两件首饰在，今日也还好活动。"可成又啼哭起来。

春儿道："当初谁叫你快活透了，今日有许多眼泪！你且去理会起送文书，待文书有了，那京中使用，我自去与人讨面皮；若弄不来文书时，可不枉了？"可成道："我若起不得文书，誓不回家！"一时间说了大话，出门去了，暗想道："要备起送文书，府县公门也得些使用。"不好又与浑家缠帐，只得自去向那几个村童学生的家里告借。一钱五分的凑来，好不费力。若不是十五年折挫到于如今，这些须之物把与他做一封赏钱，也还不够，那个看在眼里。正是彼一时此一时。

可成凑了两许银子，到江都县干办文书。县里有个朱外郎，为人忠厚，与可成旧有相识。晓得他穷了，在众人面前，替他周旋其事，写个欠票，等待有了地方，加利寄还。可成欢欢喜喜，怀着文书回来，一路上叫天地，叫祖宗，只愿浑家出去告债，告得来便好。走进门时，只见浑家依旧坐在房里绩麻，光景甚是凄凉。口虽不语，心下慌张，想告债又告不来了，不觉眼泪汪汪。又不敢大惊小怪，怀着文书立于房门之外，低低的叫一声："贤妻。"春儿听见了，手中擘麻，口里问道："文书之事如何？"可成便脚揣进房门，在怀中取出文书，放于桌上道："托赖贤妻福荫，文书已有了。"春儿起身，将文书看了，肚里想道："这呆子也不呆了。"相着可成问道："你真个要做官？只怕为妻的叫奶奶不起。"可成道："说那里话！今日可成前程，全赖贤妻扶持挈带，但不识借贷之事如何？"春儿道："都已告过，只等你有个起身日子，大家送来。"

可成也不敢问借多借少，慌忙走去肆中择了个吉日，回覆了春儿。春儿道："你去邻家借把锄头来用用。"须臾锄头借到。春儿拿开了绩麻的篮儿，指这搭地说道："我嫁你时，就替你办一顶纱帽，埋于此下。"可成想道："纱帽埋在地下，却不朽了？莫要拗他，且锄着看。"怎地运起锄头，狠力儿下，只听得当的一声响，翻起一件东西。可成到惊了一跳，检起看，是个小小瓷坛，坛里面装着散碎银两和几件银酒器。春儿叫丈夫拿去城中倾兑，看是多少。可成倾了锞儿，兑准一百六十七两，拿回家来，双手捧与浑家，笑容可掬。春儿本知数目，有心试他，见分毫不曾苟且，心下甚喜。叫再取锄头来，将十五年常坐下绩麻去处，一个小矮凳儿搬开了，教可成再锄下去。锄出一大瓷坛，内中都是黄白之物，不下千金。原来春儿看见可成浪费，预先下着，悄地埋藏这许多东西，终日在上面坐着绩麻，一十五年并不露半字，真女中丈夫也！

可成见了许多东西，掉下泪来。春儿道："官人为甚悲伤?"可成道："想着贤妻一十五年，勤劳辛苦，布衣蔬食，谁知留下这一片心机。都因我曹可成不肖，以至连累受苦！今日贤妻当受我一拜!"说罢，就拜下去。春儿慌忙扶起道："今日苦尽甘来，博得好日，共享荣华。"可成道："盘缠尽有，我上京听选，留贤妻在家，形孤影只。不若同到京中，百事也有商量。"春儿道："我也放心不下，如此甚好。"当时打叠行李，讨了两房童仆，雇下船只，夫妻两口，同上北京。正是：

运去黄金失色，时来铁也生光。

可成到京，寻个店房，安顿了家小，吏部投了文书。有银子使用，就选了出来。初任是福建同安县二尹，就升了本省泉州府经历，都是老婆帮他做官，宦声大振。又且京中用钱谋为，公私两利，升了广东潮州府通判。适值朝觐之年，太守进京，同知推官俱缺，上司道他有才，批府印与他执掌，择日升堂管事。吏书参谒已毕，门子献茶。方才举手，有一外郎，捧文书到公座前，触翻茶瓯，淋漓满袖。可成正欲发怒，看那外郎瘦而长，有黄须数茎，猛然想起数年之前，曾有一梦。今日光景，宛然梦中所见。始知前程出处，皆由天定，非偶然也。那外郎惊慌，磕头谢罪。可成好言抚慰，全无怒意。合堂称其大量。

是日退堂，与奶奶述其应梦之事。春儿亦骇然，说道："据此梦，量官人功名止于此任。当初坟堂中教授村童，衣不蔽体，食不充口。今日三任为牧民官，位至六品大夫，太学生至此足矣。常言'知足不辱'，官人宜急流勇退，为山林娱老之计。"可成点头道是。坐了三日堂，就托病辞官。上司因本府掌印无人，不允所辞。勉强视事，分明又做了半年知府。新官上任，交印已毕，次日又出致仕文书。上司见其恳切求去，只得准了。百姓攀辕卧辙者数千人，可成一一抚慰。夫妻衣锦还乡。三任宦资约有数千金，赎取旧日田产房屋，重在曹家庄兴旺，为宦门巨室。这虽是曹可成改过之善，却都亏赵春儿赞助之力也。后人有诗赞云：

破家只为貌如花，又仗红颜再起家。
如此红颜千古少，劝君还是莫贪花！

第三十二卷
杜十娘怒沉百宝箱

扫荡残胡立帝畿，龙翔凤舞势崔嵬。
左环沧海天一带，右拥太行山万围。
戈戟九边雄绝塞，衣冠万国仰垂衣。
太平人乐华胥世，永永金瓯共日辉。

这首诗，单夸我朝燕京建都之盛。说起燕都的形势，北倚雄关，南压区夏，真乃金城天府，万年不拔之基。当先洪武爷扫荡胡尘，定鼎金陵，是为南京。到永乐爷从北平起兵靖难，迁于燕都，是为北京。只因这一迁，把个苦寒地面变作花锦世界。自永乐爷九传至于万历爷，此乃我朝第十一代的天子。这位天子，聪明神武，德福兼全，十岁登基，在位四十八年，削平了三处寇乱。那三处？日本关白平秀吉，西夏哱承恩，播州杨应龙。

平秀吉侵犯朝鲜，哱承恩、杨应龙是土官谋叛，先后削平。远夷莫不畏服，争来朝贡。真个是：

一人有庆民安乐，四海无虞国太平。

话中单表万历二十年间，日本国关白作乱，侵犯朝鲜。朝鲜国王上表告急，天朝发兵泛海往救。有户部官奏准：目今兵兴之际，粮饷未充，暂开纳粟入监之例。原来纳粟入监的，有几般便宜：好读书，好科举，好中，结末来又有个小小前程结果。以此宦家公子，富室子弟，到不愿做秀才，都去援例做太学生。自开了这例，两京太学生，各添至千人之外。内中有一人，姓李名甲，字干先，浙江绍兴府人氏。父亲李布政所生三儿，惟甲居长，自幼读书在庠，未得登科，援例入于北雍。因在京坐监，与同乡柳遇春监生同游教坊司院内，与一个名姬相遇。那名姬姓杜名媺，排行第十，院中都称为杜十娘，生得：

浑身雅艳，遍体娇香，两弯眉画远山青，一对眼明秋水润。脸如莲萼，分明卓氏文君；唇似樱桃，何减白家樊素。可怜一片无瑕玉，误落风尘花柳中。

那杜十娘自十三岁破瓜，今一十九岁，七年之内，不知历过了多少公子王孙。一个个情迷意荡，破家荡产而不惜。院中传出四句口号来，道是：

坐中若有杜十娘，斗筲之量饮千觞。

院中若识杜老媺，千家粉面都如鬼。

却说李公子，风流年少，未逢美色，自遇了杜十娘，喜出望外，把花柳情怀，一担儿挑在他身上。那公子俊俏庞儿，温存性儿，又是撒漫的手儿，帮衬的勤儿，与十娘一双两好，情投意合。十娘因见鸨儿贪财无义，久有从良之志，又见李公子忠厚志诚，甚有心向他。奈李公子惧怕老爷，不敢应承。虽则如此，两下情好愈密，朝欢暮乐，终日相守，如夫妇一般。海誓山盟，各无他志。真个：

恩深似海恩无底，义重如山义更高。

再说杜妈妈，女儿被李公子占住，别的富家巨室，闻名上门，求一见而不可得。初时李公子撒漫用钱，大差大使，妈妈胁肩谄笑，奉承不暇。日往月来，不觉一年有馀，李公子囊箧渐渐空虚，手不应心，妈妈也就怠慢了。老布政在家闻知儿子嫖院，几遍写字来唤他回去。他迷恋十娘颜色，终日延挨。后来闻知老爷在家发怒，越不敢回。古人云："以利相交者，利尽而疏。"那杜十娘与李公子真情相好，见他手头愈短，心头愈热。妈妈也几遍教女儿打发李甲出院，见女儿不统口，又几遍将言语触突李公子，要激怒他起身。公子性本温克，词气愈和。妈妈没奈何，日逐只将十娘叱骂道："我们行户人家，吃客穿客，前门送旧，后门迎新，门庭闹如火，钱帛堆成垛。自从那李甲在此，混帐一年有馀，莫说新客，连旧主顾都断了。分明接了个钟馗老，连小鬼也没得上门，弄得老娘一家人家，有气无烟，成什么模样！"

杜十娘被骂，耐性不住，便回答道："那李公子不是空手上门的，也曾费过大钱来。"妈妈道："彼一时，此一时，你只教他今日费些小钱儿，把与老娘办些柴米，养你两口也好。别人家养的女儿便是摇钱树，千生万活，偏我家晦气，养了个退财白虎！开了大门七件事，般般都在老身心上。到替你这小贱人白白养着穷汉，教我衣食从何处来？你对那穷汉说：有本事出几两银子与我，到得你跟了他去，我别讨个丫头过活却不好？"十娘道："妈妈，这话是真是假？"妈妈晓得李甲囊无一钱，衣衫都典尽了，料他没处设法，便应道："老娘从不说谎，当真哩。"十娘道："娘，你要他许多银子？"妈妈道："若是别人，千把银子也讨了。可怜那穷汉出不起，只要他三百两，我自去讨一个粉头代替。只一件，须是三日内交付与我，左手交银，右手交人。若三日没有银时，老身也不管三七二十一，公子不公子，一顿孤拐，打那光棍出去。那时莫怪老身！"十娘道："公子虽在客边乏钞，谅三百金还措办得来。只是三日忒近，限他十日便好。”妈妈想道：“这穷汉一双赤手，便限他一百日，他那里来银子？没有银子，便铁皮包脸，料也无颜上门。那时重整家风，媺儿也没得话讲。”答应道：“看你面，便宽到十日。第十日没有银子，不干老娘之事。”十娘道：“若十日内无银，料他也无颜再见了。只怕有了三百两银子，妈妈又翻悔起来。”妈妈道：“老身年五十一岁了，又奉十斋，怎敢说谎？不信时与你拍掌为定。若翻悔时，做猪做狗！”

从来海水斗难量，可笑虔婆意不良。

料定穷儒囊底竭，故将财礼难娇娘。

是夜，十娘与公子在枕边，议及终身之事。公子道：“我非无此心。但教坊落籍，其费甚多，非千金不可。我囊空如洗，如之奈何！”十娘道：“妾已与妈妈议定只要三百金，但须十日内措办。郎君游资虽罄，然都中岂无亲友，可以借贷。倘得如数，妾身遂为君之所有，省受虔婆之气。”公子道：“亲友中为我留恋行院，都不相顾。明日只做束装起身，各家告辞，就开口假贷路费，凑聚将来，或可满得此数。”起身梳洗，别了十娘出门。十娘道：“用心作速，专听佳音。”公子道：“不须分付。”

公子出了院门，来到三亲四友处，假说起身告别，众人到也欢喜。后来叙到路费欠缺，意欲借贷。常言道：“说着钱，便无缘。”亲友们就不招架。他们也见得是，道李公子是风流浪子，迷恋烟花，年许不归，父亲都为他气坏在家。他今日抖然要回，未知真假。倘或说骗盘缠到手，又去还脂粉钱，父亲知道，将好意翻成恶意，始终只是一怪，不如辞了干净。便回道：“目今正值空乏，不能相济，惭愧，惭愧！”人人如此，个个皆然，并没有个慷慨丈夫，肯统口许他一十二十两。李公子一连奔走了三日，分毫无获，又不敢回决十娘，权且含糊答应。到第四日又没想头，就羞回院中。平日间有了杜家，连下处也没有了，今日就无处投宿，只得往同乡柳监生寓所借歇。

柳遇春见公子愁容可掬，问其来历。公子将杜十娘愿嫁之情，备细说了。遇春摇首道：“未必，未必。那杜媺曲中第一名姬，要从良时，怕没有十斛明珠，千金聘礼。那鸨儿如何只要三百两？想鸨儿怪你无钱使用，白白占住他的女儿，设计打发你出门。那妇人与你相处已久，又碍却面皮，不好明言。明知你手内空虚，故意将三百两卖个人情，限你十日。若十日没有，你也不好上门。便上门时，他会说你笑你，落得一场亵渎，自然安身不牢，此乃烟花逐客之计。足下三思，休被其惑。据弟愚意，不如早早开交为上。”公子听说，半晌无言，心中疑惑不定。遇春又道：“足下莫要错了主意。你若真个还乡，不多几两盘费，还有人搭救。若是要三百两时，莫说十日，就是十个月也难。如今的世情，那肯顾缓急二字的！那烟花也算定你没处告债，故意设法难你。”公子道：“仁兄所见良是。”口里虽如此说，心中割舍不下，依旧又往外边东央西告，只是夜里不进院门了。

公子在柳监生寓中，一连住了三日，共是六日了。杜十娘连日不见公子进院，十分着紧，就教小厮四儿街上去寻。四儿寻到大街，恰好遇见公子。四儿叫道："李姐夫，娘在家里望你。"公子自觉无颜，回覆道："今日不得功夫，明日来罢。"四儿奉了十娘之命，一把扯住，死也不放，道："娘叫咱寻你，是必同去走一遭。"李公子心上也牵挂着婊子，没奈何，只得随四儿进院，见了十娘，嘿嘿无言。十娘问道："所谋之事如何？"公子眼中流下泪来。十娘道："莫非人情淡薄，不能足三百之数么？"公子含泪而言，道出二句：

不信上山擒虎易，果然开口告人难。

一连奔走六日，并无铢两，一双空手，羞见芳卿，故此这几日不敢进院。今日承命呼唤，忍耻而来。非某不用心，实是世情如此。"十娘道："此言休使虔婆知道。郎君今夜且住，妾别有商议。"十娘自备酒肴，与公子欢饮。睡至半夜，十娘对公子道："郎君果不能办一钱耶？妾终身之事，当如何也？"公子只是流涕，不能答一语。

渐渐五更天晓。十娘道："妾所卧絮褥内藏有碎银一百五十两，此妾私蓄，郎君可持去。三百金，妾任其半，郎君亦谋其半，庶易为力。限只四日，万勿迟误！"十娘起身将褥付公子，公子惊喜过望，唤童儿持褥而去。径到柳遇春寓中，又把夜来之情与遇春说了。将褥拆开看时，絮中都裹着零碎银子，取出兑时果是一百五十两。遇春大惊道："此妇真有心人也。既系真情，不可相负，吾当代为足下谋之。"公子道："倘得玉成，决不有负。"当下柳遇春留李公子在寓，自出头各处去借贷。两日之内，凑足一百五十两交付公子道："吾代为足下告债，非为足下，实怜杜十娘之情也。"

李甲拿了三百两银子，喜从天降，笑逐颜开，欣欣然来见十娘，刚是第九日，还不足十日。十娘问道："前日分毫难借，今日如何就有一百五十两？"公子将柳监生事情，又述了一遍。十娘以手加额道："使吾二人得遂其愿者，柳君之力也！"两个欢天喜地，又在院中过了一晚。

次日十娘早起，对李甲道："此银一交，便当随郎君去矣。舟车之类，合当预备。妾昨日于姊妹中借得白银二十两，郎君可收下为行资也。"公子正愁路费无出，但不敢开口，得银甚喜。说犹未了，鸨儿恰来敲门叫道："媺儿，今日是第十日了。"公子闻叫，启门相延道："承妈妈厚意，正欲相请。"便将银三百两放在桌上。鸨儿不料公子有银，嘿然变色，似有悔意。十娘道："儿在妈妈家中八年，所致金帛，不下数千金矣。今日从良美事，又妈妈亲口所订，三百金不欠分毫，又不曾过期。倘若妈妈失信不许，郎君持银去，儿即刻自尽。恐那时人财两失，悔之无及也。"鸨儿无词以对，腹内筹画了半响，只得取天平兑准了银子，说道："事已如此，料留你不住了。只是你要去时，即今就去。平时穿戴衣饰之类，毫厘休想！"说罢，将公子和十娘推出房门，讨锁来就落了锁。此时九月天气。十娘才下床，尚未梳洗，随身旧衣，就拜了妈妈两拜，李公子也作了一揖。一夫一妇，离了虔婆大门。

鲤鱼脱却金钩去，摆尾摇头再不来。

公子教十娘且住片时："我去唤个小轿抬你，权往柳荣卿寓所去，再作道理。"十娘道："院中诸姊妹平昔相厚，理宜话别。况前日又承他借贷路费，不可不一谢也。"乃同公子到各姊妹处谢别。姊妹中惟谢月朗、徐素素与杜家相近，尤与十娘亲厚，十娘先到谢月朗家。月朗见十娘秃髻旧衫，惊问其故。十娘备述来因，又引李甲相见。十娘指月朗道："前日路资，是此位姐姐所贷，郎君可致谢。"李甲连连作揖。月朗便教十娘梳洗，一面去请徐素素来家相会。十娘梳洗已毕，谢、徐二美人各出所有，翠钿金钏，瑶簪宝珥，锦袖花裙，鸾带绣履，把杜十娘装扮得焕然一新，备酒作庆贺筵席。月朗让卧房与李甲、杜媺二人过宿。次日，又大排筵席，遍请院中姊妹。凡十娘相厚者，无不毕集，都与他夫妇把盏称喜。吹弹歌舞，各逞其长，务要尽欢，直饮至夜分。十娘向众姊妹一一称谢。众姊妹道："十姊为风流领袖，今从郎君去，我等相见无日。何日长行，姊妹们尚当奉送。"月朗道："候有定期，小妹当来相报。但阿姊千里间关，同郎君远去，囊箧萧条，曾无约束，此乃吾等之事。当相与共谋之，勿令姊有穷途之虑也。"众姊妹各唯唯而散。

是晚，公子和十娘仍宿谢家。至五鼓，十娘对公子道："吾等此去，何处安身？郎君亦曾计议有定着否？"公子道："老父盛怒之下，若知娶妓而归，必然加以不堪，反致相累。展转寻思，尚未有万全之策。"十娘道："父子天性，岂能终绝？既然仓卒难犯，不若与郎君于苏杭胜地，权作浮居。郎君先回，求亲友于尊大人面前劝解和顺，然后携妾于归，彼此安妥。"公子道："此言甚当。"

次日，二人起身辞了谢月朗，暂往柳监生寓中，整顿行装。杜十娘见了柳遇春，倒身下拜，谢其周全之德："异日我夫妇必当重报。"遇春慌忙答礼道："十娘钟情所欢，不以贫窭易心，此乃女中豪杰。仆因风吹火，谅区区何足挂齿！"三人又饮了一日酒。

次早，择了出行吉日，雇倩轿马停当。十娘又遣童儿寄信，别谢月朗。临行之际，只见肩舆纷纷而至，乃谢月朗与徐素素拉众姊妹来送行。月朗道："十姊从郎君千里间关，囊中消索，吾等甚不能忘情。今合具薄赆，十姊可检收，或长途空乏，亦可少助。"说罢，命从人挈一描金文具至前，封锁甚固，正不知什么东西在里面。十娘也不开看，也不推辞，但殷勤作谢而已。须臾，舆马齐集，仆夫催促起身。柳监生三杯别酒，和众美人送出崇文门外，各各垂泪而别。正是：

他日重逢难预必，此时分手最堪怜。

再说李公子同杜十娘行至潞河，舍陆从舟。却好有瓜州差使船转回之便，讲定船钱，包了舱口。比及下船时，李公子囊中并无分文馀剩。你道杜十娘把二十两银子与公子，如何就没了？公子在院中嫖得衣衫蓝缕，银子到手，未免在解库中取赎几件穿着，又制办了铺盖，剩来只勾轿马之费。公子正当愁闷，十娘道："郎君勿忧，众姊妹合赠，必有所济。"乃取钥开箱。公子在傍自觉惭愧，也不敢窥觑箱中虚实。只见十娘在箱里取出一个红绢袋来，掷于桌上道："郎君可开看之。"公子提在手中，觉得沉重。启而观之，皆是白银，计数整五十两。十娘仍将箱子下锁，亦不言箱中更有何物。但对公子道："承众姊妹高情，不惟途路不乏，即他日浮寓吴越间，亦可稍佐吾夫妻山水之费矣。"公子且惊且喜道："若不遇恩卿，我李甲流落他乡，死无葬身之地矣。此情此德，白头不敢忘也！"自此每谈及往事，公子必感激流涕，十娘亦曲意抚慰。一路无话。

不一日，行至瓜州，大船停泊岸口，公子别雇了民船，安放行李。约明日侵晨，剪江而渡。其时仲冬中旬，月明如水，公子和十娘坐于舟首。公子道："自出都门，困守一舱之中，四顾有人，未得畅语。今日独据一舟，更无避忌。且已离塞北，初近江南，宜开怀畅饮，以舒向来抑郁之气。恩卿以为何如？"十娘道："妾久疏谈笑，亦有此心，郎君言及，足见同志耳。"公子乃携酒具于船首，与十娘铺毡并坐，传杯交盏。饮至半酣，公子执卮对十娘道："恩卿妙音，六院推首。某相遇之初，每闻绝调，辄不禁神魂之飞动。心事多违，彼此郁郁，鸾鸣凤奏，久矣不闻。今清江明月，深夜无人，肯为我一歌否？"十娘兴亦勃发，遂开喉顿嗓，取扇按拍，呜呜咽咽，歌出元人施君美《拜月亭》杂剧上"状元执盏与婵娟"一曲，名《小桃红》。真个：

声飞霄汉云皆驻，响入深泉鱼出游。

却说他舟有一少年，姓孙名富，字善赉，徽州新安人氏。家资巨万，积祖扬州种盐。年方二十，也是南雍中朋友。生性风流，惯向青楼买笑，红粉追欢，若嘲风弄月，到是个轻薄的头儿。事有偶然，其夜亦泊舟瓜州渡口，独酌无聊，忽听得歌声嘹亮，凤吟鸾吹，不足喻其美。起立船头，伫听半晌，方知声出邻舟。正欲相访，音响倏已寂然，乃遣仆者潜窥踪迹，访于舟人。但晓得是李相公雇的船，并不知歌者来历。孙富想道："此歌者必非良家，怎生得他一见？"展转寻思，通宵不寐。挨至五更，忽闻江风大作。及晓，彤云密布，狂雪飞舞。怎见得，有诗为证：

千山云树灭，万径人踪绝。

扁舟蓑笠翁，独钓寒江雪。

因这风雪阻渡，舟不得开。孙富命艄公移船，泊于李家舟之傍。孙富貂帽狐裘，推窗假作看雪。值十娘梳洗方毕，纤纤玉手揭起舟傍短帘，自泼盂中残水。粉容微露，却被孙富窥见了，果是国色天香。魂摇心荡，迎眸注目，等候再见一面，杳不可得。沉思久之，乃倚窗高吟高学士《梅花诗》二句，道：

雪满山中高士卧，月明林下美人来。

李甲听得邻舟吟诗，舒头出舱，看是何人。只因这一看，正中了孙富之计。孙富吟诗，正要引李公子出头，他好乘机攀话。当下慌忙举手，就问："老兄尊姓何讳？"李公子叙了姓名乡贯，少不得也问那孙富。孙富也叙过了。又叙了些太学中的闲话，渐渐亲熟。孙富便道："风雪阻舟，乃天遣与尊兄相会，实小弟之幸也。舟次无聊，欲同尊兄上岸，就酒肆中一酌，少领清诲，万望不拒。"公子道："萍水相逢，何当厚扰？"孙富道："说那里话！'四海之内，皆兄弟也'。"喝教艄公打跳，童儿张伞，迎接公子过船，就于船头作揖。然后让公子先行，自己随后，各各登跳上涯。

行不数步，就有个酒楼。二人上楼，拣一副洁净座头，靠窗而坐。酒保列上酒肴。孙富举杯相劝，二人赏雪饮酒。先说些斯文中套话。渐渐引入花柳之事。二人都是过来之人，志同道合，说得入港，一发成相知了。

孙富屏去左右，低低问道："昨夜尊舟清歌者，何人也？"李甲正要卖弄在行，遂实说道："此乃北京名姬杜十娘也。"孙富道："既系曲中姊妹，何以归兄？"公子遂将初遇杜十娘，如何相好，后来如何要嫁，如何借银讨他，始末根由，备细述了一遍。孙富道："兄携丽人而归，固是快事，但不知尊府中能相容否？"公子道："贱室不足虑，所虑者老父性严，尚费踌躇耳！"孙富将机就机，便问道："既是尊大人未必相容，兄所携丽人，何处安顿？亦曾通知丽人，共作计较否？"公子攒眉而答道："此事曾与小妾议之。"孙富欣然问道："尊宠必有妙策。"公子道："他意欲侨居苏杭，流连山水。使小弟先回，求亲友宛转于家君之前，俟家君回嗔作喜，然后图归。高明以为何如？"孙富沉吟半晌，故作愀然之色，道："小弟乍会之间，交浅言深，诚恐见怪。"公子道："正赖高明指教，何必谦逊？"孙富道："尊大人位居方面，必严帷薄之嫌，平时既怪兄游非礼之地，今日岂容兄娶不节之人？况且贤亲贵友，谁不迎合尊大人之意者？兄枉去求他，必然相拒。就有个不识时务的进言于尊大人之前，见尊大人意思不允，他就转口了。兄进不能和睦家庭，退无词以回覆尊宠。即使留连山水，亦非长久之计。万一资斧困竭，岂不进退两难！"

公子自知手中只有五十金，此时费去大半，说到资斧困竭，进退两难，不觉点头道是。孙富又道："小弟还有句心腹之谈，兄肯俯听否？"公子道：

"承兄过爱，更求尽言。"孙富道："疏不间亲，还是莫说罢。"公子道："但说何妨！"孙富道："自古道：'妇人水性无常。'况烟花之辈，少真多假。他既系六院名姝，相识定满天下；或者南边原有旧约，借兄之力，挈带而来，以为他适之地。"公子道："这个恐未必然。"孙富道："既不然，江南子弟，最工轻薄。兄留丽人独居，难保无逾墙钻穴之事。若挈之同归，愈增尊大人之怒。为兄之计，未有善策。况父子天伦，必不可绝。若为妾而触父，因妓而弃家，海内必以兄为浮浪不经之人。异日妻不以为夫，弟不以为兄，同袍不以为友，兄何以立于天地之间？兄今日不可不熟思也！"

公子闻言，茫然自失，移席问计："据高明之见，何以教我？"孙富道："仆有一计，于兄甚便。只恐兄溺枕席之爱，未必能行，使仆空费词说耳！"公子道："兄诚有良策，使弟再睹家园之乐，乃弟之恩人也。又何惮而不言耶？"孙富道："兄飘零岁馀，严亲怀怒，闺阁离心。设身以处兄之地，诚寝食不安之时也。然尊大人所以怒兄者，不过为迷花恋柳，挥金如土，异日必为弃家荡产之人，不堪承继家业耳！兄今日空手而归，正触其怒。兄倘能割衽席之爱，见机而作，仆愿以千金相赠。兄得千金，以报尊大人，只说在京授馆，并不曾浪费分毫，尊大人必然相信。从此家庭和睦，当无间言。须臾之间，转祸为福。兄请三思，仆非贪丽人之色，实为兄效忠于万一也！"

李甲原是没主意的人，本心惧怕老子，被孙富一席话，说透胸中之疑，起身作揖道："闻兄大教，顿开茅塞。但小妾千里相从，义难顿绝，容归与商之。得妾心肯，当奉复耳。"孙富道："说话之间，宜放婉曲。彼既忠心为兄，必不忍使兄父子分离，定然玉成兄还乡之事矣。"二人饮了一回酒，风停雪止，天色已晚。孙富教家僮算还了酒钱，与公子携手下船。正是：

逢人且说三分话，未可全抛一片心。

却说杜十娘在舟中，摆设酒果，欲与公子小酌，竟日未回，挑灯以待。公子下船，十娘起迎。见公子颜色匆匆，似有不乐之意，乃满斟热酒劝之。公子摇首不饮，一言不发，竟自床上睡了。十娘心中不悦，乃收拾杯盘，为公子解衣就枕，问道："今日有何见闻，而怀抱郁郁如此？"公子叹息而已，终不启口。问了三四次，公子已睡去了。十娘委决不下，坐于床头而不能寐。到夜半，公子醒来，又叹一口气。十娘道："郎君有何难言之事，频频叹息？"公子拥被而起，欲言不语者几次，扑簌簌掉下泪来。十娘抱持公子于怀间，软言抚慰道："妾与郎君情好，已及二载，千辛万苦，历尽艰难，得有今日。然相从数千里，未曾哀戚。今将渡江，方图百年欢笑，如何反起悲伤？必有其故。夫妇之间，死生相共，有事尽可商量，万勿讳也。"

公子再四被逼不过，只得含泪而言道："仆天涯穷困，蒙恩卿不弃，委曲相从，诚乃莫大之德也。但反覆思之，老父位居方面，拘于礼法，况素性方严，恐添嗔怒，必加黜逐。你我流荡，将何底止？夫妇之欢难保，父子之伦又绝。日间蒙新安孙友邀饮，为我筹及此事，寸心如割！”十娘大惊道：“郎君意将如何？”公子道：“仆事内之人，当局而迷。孙友为我画一计颇善，但恐恩卿不从耳！”十娘道：“孙友者何人？计如果善，何不可从？”公子道：“孙友名富，新安盐商，少年风流之士也。夜间闻子清歌，因而问及。仆告以来历，并谈及难归之故，渠意欲以千金聘汝。我得千金，可藉口以见吾父母；而恩卿亦得所天。但情不能舍，是以悲泣。”说罢，泪如雨下。

十娘放开两手，冷笑一声道：“为郎君画此计者，此人乃大英雄也！郎君千金之资既得恢复，而妾归他姓，又不致为行李之累，发乎情，止乎礼，诚两便之策也。那千金在那里？”公子收泪道：“未得恩卿之诺，金尚留彼处，未曾过手。”十娘道：“明早快快应承了他，不可挫过机会。但千金重事，须得兑足交付郎君之手，妾始过舟，勿为贾竖子所欺。”

时已四鼓，十娘即起身挑灯梳洗道：“今日之妆，乃迎新送旧，非比寻常。”于是脂粉香泽，用意修饰，花钿绣袄，极其华艳，香风拂拂，光采照人。装束方完，天色已晓。孙富差家童到船头候信。十娘微窥公子，欣欣似有喜色，乃催公子快去回话，及早兑足银子。公子亲到孙富船中，回覆依允。孙富道：“兑银易事，须得丽人妆台为信。”公子又回覆了十娘，十娘即指描金文具道：“可便抬去。”孙富喜甚。即将白银一千两，送到公子船中。十娘亲自检看，足色足数，分毫无爽，乃手把船舷，以手招孙富。孙富一见，魂不附体。十娘启朱唇，开皓齿道：“方才箱子可暂发来，内有李郎路引一纸，可检还之也。”孙富视十娘已为瓮中之鳖，即命家童送那描金文具，安放船头之上。

十娘取钥开锁，内皆抽替小箱。十娘叫公子抽第一层来看，只见翠羽明珰，瑶簪宝珥，充牣于中，约值数百金。十娘遽投之江中。李甲与孙富及两船之人，无不惊诧。又命公子再抽一箱，乃玉箫金管；又抽一箱，尽古玉紫金玩器，约值数千金。十娘尽投之于水，舟中岸上之人，观者如堵。齐声道：“可惜，可惜！正不知什么缘故。”最后又抽一箱，箱中复有一匣。开匣视之，夜明之珠，约有盈把。其他祖母绿、猫儿眼，诸般异宝，目所未睹，莫能定其价之多少。众人齐声喝采，喧声如雷。十娘又欲投之于江。李甲不觉大悔，抱持十娘恸哭，那孙富也来劝解。

十娘推开公子在一边，向孙富骂道：“我与李郎备尝艰苦，不是容易到此。汝以奸淫之意，巧为谗说，一旦破人姻缘，断人恩爱，乃我之仇人。我死而有知，必当诉之神明，尚妄想枕席之欢乎！”又对李甲道：“妾风尘数年，私有所积，本为终身之计。自遇郎君，山盟海誓，白首不渝。前出都之际，假托众姊妹相赠，箱中韫藏百宝，不下万金。将润色郎君之装，归见父母，或怜妾有心，收佐中馈，得终委托，生死无憾。谁知郎君相信不深，惑于浮议，中道见弃，负妾一片真心。今日当众目之前，开箱出视，使郎君知区区千金，未为难事。妾椟中有玉，恨郎眼内无珠。命之不辰，风尘困瘁，甫得脱离，又遭弃捐。今众人各有耳目，共作证明，妾不负郎君，郎君自负妾耳！”于是众人聚观者，无不流涕，都唾骂李公子负心薄幸。公子又羞又苦，且悔且泣，方欲向十娘谢罪，十娘抱持宝匣，向江心一跳。众人急呼捞救。但见云暗江心，波涛滚滚，杳无踪影。可惜一个如花似玉的名姬，一旦葬于江鱼之腹！

三魂渺渺归水府，七魄悠悠入冥途。

当时旁观之人，皆咬牙切齿，争欲拳殴李甲和那孙富。慌得李、孙二人手足无措，急叫开船，分途遁去。李甲在舟中，看了千金，转忆十娘，终日愧悔，郁成狂疾，终身不痊。孙富自那日受惊，得病卧床月馀，终日见杜十娘在傍诟骂，奄奄而逝。人以为江中之报也。

却说柳遇春在京坐监完满，束装回乡，停舟瓜步。偶临江净脸，失坠铜盆于水，觅渔人打捞。及至捞起，乃是个小匣儿，遇春启匣观看，内皆明珠异宝，无价之珍。遇春厚赏渔人，留于床头把玩。是夜梦见江中一女子，凌波而来，视之，乃杜十娘也。近前万福，诉以李郎薄幸之事。又道：“向承君家慷慨，以一百五十金相助。本意息肩之后，徐图报答，不意事无终始。然每怀盛情，悒悒未忘。早间曾以小匣托渔人奉致，聊表寸心，从此不复相见矣。”言讫，猛然惊醒，方知十娘已死，叹息累日。

后人评论此事，以为孙富谋夺美色，轻掷千金，固非良士；李甲不识杜十娘一片苦心，碌碌蠢才，无足道者。独谓十娘千古女侠，岂不能觅一佳侣，共跨秦楼之凤，乃错认李公子。明珠美玉，投于盲人，以致恩变为仇，万种恩情，化为流水，深可惜也！有诗叹云：

不会风流莫妄谈，单单情字费人参。
若将情字能参透，唤作风流也不惭。

第三十三卷
乔彦杰一妾破家

世事纷纷难诉陈，知机端不误终身。
若论破国亡家者，尽是贪花恋色人。

话说大宋仁宗皇帝明道元年，这浙江路宁海军，即今杭州是也。在城众安桥北首观音庵相近，有一个商人，姓乔名俊，字彦杰，祖贯钱塘人。自幼年丧父母，长而魁伟雄壮，好色贪淫。娶妻高氏，各年四十岁。夫妻不生得男子，止生一女，年一十八岁，小字玉秀，至亲三口儿。止有一仆人，唤作赛儿。这乔俊看来有三五万贯资本，专一在长安崇德收丝，往东京卖了，贩枣子胡桃杂货回家来卖，一年有半年不在家。门首交赛儿开张酒店，雇一个酒大工叫做洪三，在家造酒。其妻高氏，掌管日逐出进钱钞一应事务，不在话下。

明道二年春间，乔俊在东京卖丝已了，买了胡桃枣子等货，船到南京上新河泊，正要行船，因风阻了。一住三日，风大，开船不得。忽见邻船上有一美妇，生得肌肤似雪，髻挽乌云。乔俊一见，心甚爱之。乃访问艄工道："你船中是甚么客人？缘何有宅眷在内？"艄工答道："是建康府周巡检病故，今家小扶灵柩回山东去。这年小的妇人，乃是巡检的小娘子。官人问他做甚？"乔俊道："艄工，你与我问巡检夫人，若肯将此妾与人，我情愿多与他些财礼，讨此妇为妾。说得这事成了，我把五两银子谢你。"艄工遂乃下船舱里去说这亲事。言无数句，话不一席，有分教这乔俊娶这个妇人为妾，直使得：

一家人口因他丧，万贯家资指日休。

当下艄工下船舱问老夫人道："小人告夫人跟前，这个小娘子，肯嫁与人么？"老夫人道："你有甚好头脑说他？若有人要娶他，就应承罢，只要一千贯文财礼。"艄工便说："邻船上有一贩枣子客人，要娶一个二娘子，特命小人来与夫人说知。"夫人便应承了。艄工回覆乔俊说："夫人肯与你了，要一千贯文财礼哩！"乔俊听说大喜，即便开箱，取出一千贯文，便教艄工送过夫人船上去。夫人接了，说与艄工，教请乔俊过船来相见。乔俊换了衣服，径过船来拜见夫人。夫人问明白了乡贯姓氏，就叫侍妾近前分付道："相公已死，家中儿子利害。我今做主，将你嫁与这个官人为妾。即今便过乔官人船上去，宁海郡大马头去处，快活过了生世，你可小心伏侍，不可托大！"这妇人与乔俊拜辞了老夫人，夫人与他一个衣箱物件之类，却送过船去。乔俊取五两银子谢了艄工，心中十分欢喜，乃问妇人："你的名字叫做甚么？"妇人乃言："我叫作春香，年二十五岁。"当晚就舟中与春香同铺而睡。

次日天晴，风息浪平，大小船只一齐都开。乔俊也行了五六日，早到北新关，歇船上岸，叫一乘轿子抬了春香，自随着径入武林门里。来到自家门首，下了轿，打发轿子去了。乔俊引春香入家中来。自先走入里面去与高氏相见，说知此事，出来引春香人去参见。高氏见了春香，焦躁起来，说："丈夫，你既娶来了，我难以推故。你只依我两件事，我便容你。"乔俊道：

"你且说那两件事?"高氏启口说出，直教乔俊有家难奔，有国难投。正是：

妇人之语不宜听，割户分门坏五伦。

勿信妻言行大道，世间男子几多人!

当下高氏说与丈夫："你今已娶来家，我说也自枉然了。只是要你与他别住，不许放在家里!"乔俊听得说："这个容易，我自赁房屋一间与他另住。"高氏又说："自从今日为始，我再不与你做一处。家中钱本什物、首饰衣服，我自与女儿两个受用，不许你来讨。一应官司门户等事，你自教贱婢支持，莫再来缠我。你依得么?"乔俊沉吟了半晌，心里道："欲待不依，又难过日子。罢罢!"乃言："都依你。"高氏不语。次日早起去搬货物行李回家，就央人赁房一间，在铜钱局前，——今对贡院是也。——拣个吉日，乔俊带了周氏，点家火一应什物完备，搬将过去。住了三朝两日，归家走一次。

光阴似箭，日月如梭，不觉半年有馀。乔俊刮取人头帐目及私房银两，还勾做本钱。收丝已完，打点家中柴米之类，分付周氏："你可耐静，我出去多只两月便回。如有急事，可回去大娘家里说知。"道罢，径到家里说与高氏："我明日起身去后，多只两月便回。倘有事故，你可照管周氏，看夫妻之面!"女儿道："爹爹早回!"别了妻女，又来新住处打点明早起程。此时是九月间，出门搭船，登途去了。

一去两个月，周氏在家终日倚门而望，不见丈夫回来。看看又是冬景至了，其年大冷。忽一日晚彤云密布，纷纷扬扬，下一天大雪。高氏在家思忖，丈夫一去，因何至冬时节，只管不回?这周氏寒冷，赛儿又病重，起身不得；乃叫洪三将些柴米炭火钱物，送与周氏。周氏见雪下得大，闭门在家哭泣。听得敲门，只道是丈夫回来，慌忙开门，见了洪大工挑了东西进门。周氏乃问大工："大娘大姐一向好么?"大工答道："大娘见大官人不回，记挂你无盘缠，教我送柴米钱钞与你用。"周氏见说，回言："大工，你回家去，多多拜上大娘大姐!"大工别了，自回家去。

次日午牌时分，周氏门首又有人敲门。周氏道："这等大雪，又是何人敲门?"只因这人来，有分教周氏再不能与乔俊团圆。正是：

闭门屋里坐，祸从天上来。

当日雪下得越大，周氏在房中向火。忽听得有人敲门，起身开门看时，见一人头戴破头巾，身穿旧衣服。便问周氏道："嫂子，乔俊在家么?"周氏答道："自从九月出门，还未回哩。"那人说："我是他里长。今来差乔俊去海宁砌江塘，做夫十日，歇二十日，又做十日。他既不在家，我替你们寻个人，你出钱雇他去做工。"周氏答道："既如此，只凭你教人替了，我自还你工钱。"里长相别出门。次日饭后，领一个后生，年约二十岁，与周氏相见。里长说与周氏："此人是上海县人，姓董名小二，自幼他父母俱丧。如今专靠与人家做工过日，每年只要你三五百贯钱，冬夏做些衣服与他穿。我看你家里又无人，可雇他在家走动也好。”周氏见说，心中欢喜道：“委实我家无人走动。看这人，想也是个良善本分的，工钱便依你罢了。”当下遂谢了里长，留在家里。至次日，里长来叫去海宁做夫，周氏取些钱钞与小二，跟着里长去了十日，回来。这小二在家里小心谨慎，烧香扫地，件件当心。

且说乔俊在东京卖丝，与一个上厅行首沈瑞莲来往，倒身在他家使钱，因此留恋在彼。全不管家中妻妾，只恋花门柳户，逍遥快乐。那知家里赛儿病了两个馀月，死了。高氏叫洪三买具棺木，扛出城外化人场烧了。

高氏立性贞洁，自在门前卖酒，无有半点狂心。不想周氏自从安了董小二在家，到有心看上他。有时做夫回来，热羹热饭搬与他吃。小二见他家无人，勤谨做活。周氏时常眉来眼去的勾引他。这小二也有心，只是不敢上前。一日正是十二月三十日夜，周氏叫小二去买些酒果鱼肉之类过年。到晚，周氏叫小二关了大门，去灶上烫一注子酒，切些肉做一盘，安排火盆，点上了灯，就摆在房内床面前桌儿上。小二在灶前烧火，周氏轻轻的叫道：“小二，你来房里来，将些东西去吃！”小二千不合万不合走入房内，有分教小二死无葬身之地。正是：

僮仆人家不可无，岂知撞了不良徒。

分明一段跷蹊事，瞒着堂堂大丈夫。

此时周氏叫小二到床前，便道：“小二，你来你来，我和你吃两杯酒，今夜你就在我房里睡罢。”小二道：“不敢！”周氏骂了两三声“蛮子”，双手把小二抱到床边，挨肩而坐。便将小二扯过怀中，解开主腰儿，教他摸胸前麻团也似白奶。小二淫心荡漾，便将周氏脸搂过来，将舌尖儿度在周氏口内，任意快乐。周氏将酒筛下，两个吃一个交杯酒，两人合吃五六杯。周氏道：“你在外头歇，我在房内也是自歇，寒冷难熬。你今无福，不依我的口。”小二跪下道：“感承娘子有心，小人也有意多时了，只是不敢说。今日娘子抬举小人，此恩杀身难报。”二人说罢，解衣脱带，就做了夫妻。一夜快乐，不必说了。天明，小二先起来烧汤洗碗做饭，周氏方起，梳妆洗面罢，吃饭。正是少女少郎，情色相当。却如夫妻一般在家过活，左右邻舍皆知此事，无人闲管。

却说高氏因无人照管门前酒店，忽一日，听得闲人说：“周氏与小二通奸。”且信且疑，放心不下。因此教洪大工去与周氏说：“且搬回家，省得两边家火。”周氏见洪大工来说，沉吟了半晌，勉强回言道：“既是大娘好意，今晚就将家火搬回家去。”洪大工得了言语自回家了。周氏便叫小二商量，“今大娘要我搬回家去，料想违他不得，只是你却如何？”小二答道：“娘子，大娘家里也无人，小人情愿与大娘家送酒走动。只是一件，不比此地，不得与娘子快乐了。不然，就今日拆散了罢。”说罢，两个搂抱着，哭了一回。周氏道：“你且安心，我今收拾衣箱什物，你与我挑回大娘家去。我自与大娘说，留你在家，暗地里与我快乐。且等丈夫回来，再做计较。”小二见说，才放心欢喜，回言道：“万望娘子用心！”当日下午收拾已了，小二先挑了箱笼来。捱到黄昏，洪大工提个灯笼去接周氏。周氏取具锁锁了大门，同小二回家。正是：

飞蛾扑火身须丧，蝙蝠投竿命必倾。

当时小二与周氏到家，见了高氏。高氏道：“你如今回到家一处住了，如何带小二回来？何不打发他去了？”周氏道：“大娘门前无人照管，不如留他在家使唤，待等丈夫回时，打发他未迟。”高氏是个清洁的人，心中想道：“在我家中，我自照管着他，有甚皂丝麻线？”遂留下教他看店，讨酒坛，一应都会得。不觉又过了数月。周氏虽和小二有情，终久不比自住之时，两个任意取乐。

一日，周氏见高氏说起小二诸事勤谨，又本分，便道：“大娘何不将大姐招小二为婿，却不便当？”高氏听得大怒，骂道：“你这个贱人，好没志气！我女儿招雇工人为婿？”周氏不敢言语，吃高氏骂了三四日。高氏只倚着自身正大，全不想周氏与他通奸，故此要将女儿招他。若还思量此事，只消得打发了小二出门，后来不见得自身同女打死在狱，灭门之事。

且说小二自三月来家，古人云：“一年长工，二年家公，三年太公。”不想乔俊一去不回，小二在大娘家一年有馀，出入房室，诸事托他。便做乔家公，欺负洪三。或早或晚，见了玉秀，便将言语调戏他，不则一日。不想玉秀被这小二奸骗了。其事周氏也知，只瞒着高氏。

似此又过了一月。其时是六月半，天道大热，玉秀在房内洗浴。高氏走入房中，看见女儿奶大，吃了一惊。待女儿穿了衣裳，叫女儿到面前问道：“你吃何人弄了身体，这奶大了？你好好实说，我便饶你！”玉秀推托不过，只得实说：“我被小二哄了。”高氏跌脚叫苦：“这事都是这小婆娘做一路，坏了我女孩儿！此事怎生是好？”欲待声张起来，又怕嚷动人知，苦了女儿一世之事。当时沉吟了半晌，眉头一蹙，计上心来，只除害了这蛮子，方才免得人知。

不觉又过了两月。忽值八月中秋节到，高氏叫小二买些鱼肉果子之物，安排家宴。当晚高氏、周氏、玉秀在后园赏月，叫洪三和小二别在一边吃。高氏至夜三更，叫小二赏了两大碗酒。小二不敢推辞，一饮而尽，不觉大醉，倒了。洪三也有酒，自去酒房里睡了。这小二只因酒醉，中了高氏计策，当夜便是：

东岳新添枉死鬼，阳间不见少年人。

当时高氏使女儿自去睡了，便与周氏说："我只管家事买卖，那知你与这蛮子通奸。你两个做了一路，故意教他奸了我的女儿。丈夫回来，教我怎的见他分说？我是个清清白白的人，如今讨了你来，被你玷辱我的门风，如何是好！我今与你只得没奈何害了这蛮子性命，神不知，鬼不觉。倘丈夫回来，你与我女儿俱各免得出丑，各无事了。你可去将条索来！"周氏初时不肯，被高氏骂道："都是你这贱人与他通奸，因此坏了我女儿！你还恋着他？"周氏吃骂得没奈何，只得去房里取了麻索，递与高氏。高氏接了，将去小二脖项下一绞。原来妇人家手软，缚了一个更次，绞不死，小二喊起来。高氏急了，无家火在手边，教周氏去灶前捉把劈柴斧头，把小二脑门上一斧，脑浆流出死了。高氏与周氏商量："好却好了，这死尸须是今夜发落便好。"周氏道："可叫洪三起来，将块大石缚在尸上，驮去丢在新桥河里水底去了，待他尸首自烂，神不知，鬼不觉。"高氏大喜，便到酒作坊里叫起洪大工来。

大工走入后园，看见了小二尸首道："祛除了这害最好，倘留他在家，大官人回来，也有老大的口面。"周氏道："你可趁天未明，把尸首驮去新河里，把块大石缚住，坠下水里去。若到天明，倘有人问时，只说道小二偷了我家首饰物件，夜间逃走了。他家一向又无人往来的，料然没事。"洪大工驮了尸首，高氏将灯照出门去。此时有五更时分，洪大工驮到河边，掇块大石，绑缚在尸首上，丢在河内，直推开在中心里。这河有丈馀深水，当时沉下水底去了，料道永无踪迹。洪大工回家，轻轻的关了大门，高氏与周氏各回房里睡了。高氏虽自清洁，也欠些聪明之处，错干了此事。既知其情，只可好好打发了小二出门便了。千不合，万不合，将他绞死。后来却被人首告，打死在狱，灭门绝户，悔之何及！

且说洪大工睡至天明，起来开了酒店，高氏依旧在门前卖酒。玉秀眼中不见了小二，也不敢问。周氏自言自语，假意道："小二这厮无礼，偷了我首饰物件，夜间逃走了。"玉秀自在房里，也不问他。那邻舍也不管他家小二在与不在。高氏一时害了小二性命，疑决不下，早晚心中只恐事发，终日忧闷过日。正是：

要人知重勤学，怕人知事莫做。

却说武林门外清湖闸边，有个做靴的皮匠，姓陈名文，浑家程氏五娘。夫妻两口儿，止靠做靴鞋度日。此时是十月初旬，这陈文与妻子争论，一口气，走入门里满桥边皮市里买皮，当日不回，次日午后也不回。程五娘心内慌起来。又过了一夜，亦不见回。独自一个在家烦恼，将及一月，并无消息。这程五娘不免走入城里问讯。径到皮市里来，问卖皮店家，皆言："一月前何曾见你丈夫来买皮？莫非死在那里了？"有多口的道："你丈夫穿甚衣服出来？"程五娘道："我丈夫头戴万字头巾，身穿着青绢一口中。一月前说来皮市里买皮，至今不见信息，不知何处去了？”众人道：“你可城内各处去寻，便知音信。”程五娘谢了众人，绕城中逢人便问。一日，并无踪迹。

过了两日，吃了早饭，又入城来寻问。不端不正，走到新桥上过。正是事有凑巧，物有偶然。只见河岸上有人喧哄说道：“有个人死在河里，身上穿领青衣服，泛起在桥下水面上。”程五娘听得说，连忙走到河岸边，分开人众一看时，只见水面上漂浮一个死尸，穿着青衣服。远远看时，有些相像。程氏便大哭道：“丈夫缘何死在水里？”看的人都呆了。程氏又哀告众人：“那个伯伯肯与奴家拽过我的丈夫尸首到岸边，奴家认一认看。奴家自奉酒钱五十贯。”当时有一个破落户，叫做王酒酒，专一在街市上帮闲打哄，赌骗人财。这厮是个泼皮，没人家理他。当时也在那里看，听见程五娘许说五十贯酒钱，便说道：“小娘子，我与你拽过尸首来岸边你认看。”五娘哭罢，道：“若得伯伯如此，深恩难报！”这王酒酒见只过往船，便跳上船去，叫道：“艄工，你可住一住，等我替这个小娘子拽这尸首到岸边。”当时王酒酒拽那尸首来。王酒酒认得乔家董小二的尸首，口里不说出来，只教程氏认看。只因此起，有分教高氏一家死于非命。正是：

闹里钻头热处歪，遇人猛惜爱钱财。

谁知错认尸和首，引出冤家祸患来。

此时王酒酒在船上，将竹篙推那尸首到岸边来。程氏看时，见头面皮肉却被水浸坏了，全不认得。看身上衣服却认得，是丈夫的模样，号号大哭，哀告王酒酒道：“烦伯伯同奴去买口棺木来盛了，却又作计较。”王酒酒便随程五娘到褚堂仵作李团头家，买了棺木，叫两个火家来河下捞起尸首，盛于棺内，就在河岸边存着。那时新桥下无甚人家住，每日止有船只来往。程氏取五十贯钱，谢了王酒酒。

王酒酒得了钱，一径走到高氏酒店门前，以买酒为名，便对高氏说：“你家缘何打死了董小二，丢在新桥河内？如今泛将起来。你道一场好笑！那里走一个来错认做丈夫尸首，买具棺木盛了，改日却来埋葬。”高氏道：“王酒酒，你莫胡言乱语。我家小二，偷了首饰衣服在逃，追获不着，那得这话！”王酒酒道：“大娘子，你不要赖！瞒了别人，不要瞒我。你今送我些钱钞买求我，我便任那妇人错认了去。你若白赖不与我，我就去本府首告，叫你吃一场人命官司。”高氏听得，便骂起来：“你这破落户，千刀万剐的贼，不长俊的乞丐！见我丈夫不在家，今来诈我！”王酒酒被骂，大怒而去。能杀的妇人，到底无志气，胡乱与他些钱钞，也不见得弄出事来。当时高氏千不合万不合，骂了王酒酒这一顿，被那厮走到宁海郡安抚司前，叫起屈来。

安抚相公正坐厅上押文书，叫左右唤至厅下，问道：“有何屈事？”王酒酒跪在厅下，告道：“小人姓王名青，钱塘县人，今来首告。邻居有一乔俊，出外为商未回。其妻高氏，与妾周氏，一女玉秀，与家中一雇工人董小二有奸情。不知怎的缘故，把董小二谋死，丢在新桥河里，如今泛起。小人去与高氏言说，反被本妇百般辱骂。他家有个酒大工，叫做洪三，敢是同心谋害的。小人不甘，因此叫屈。望相公明镜昭察!”安抚听罢，着外郎录了王青口词，押了公文，差两个牌军押着王青去捉拿三人并洪三，火急到厅。

当时公人径到高氏家，捉了高氏、周氏、玉秀、洪三四人，关了大门，取锁锁了，径到安抚司厅上。一行人跪下。相公是蔡州人，姓黄名正大，为人奸狡，贪滥酷刑。问高氏：“你家董小二何在?”高氏道：“小二拐物在逃，不知去向。”王青道：“要知明白，只问洪三，便知分晓。”安抚遂将洪三拖翻拷打，两腿五十黄荆，血流满地。打熬不过，只得招道：“董小二先与周氏有奸，后搬回家，奸了玉秀。高氏知觉，恐丈夫回家，辱灭了门风。于今年八月十五日，中秋夜赏月，教小的同小二两个在一边吃酒，我两个都醉了。小的怕失了事，自去酒房内睡了。到五更时分，只见高氏、周氏来酒房门边，叫小的去后园内，只见小二尸首在地，教我速驮去丢在河内去。小的问高氏因由，高氏备将前事说道：‘二人通同奸骗女儿，倘或丈夫回日，怎的是好？我今出于无奈，因是赶他不出去，又怕说出此情，只得用麻索绞死了。’小的是个老实的人，说道：‘看这厮忒无理，也袪除了一害。’小的便将小二尸首，驮在新桥河边，用块大石，缚在他身上，沉在水底下。只此便是实话。”安抚见洪三招状明白，点指画字。二妇人见洪三已招，惊得魂不附体，玉秀抖做一块。

安抚叫左右将三个妇人过来供招，玉秀只得供道：“先是周氏与小二有奸。母高氏收拾回家，将奴调戏，奴不从。后来又调戏，奴又不从。将奴强抱到后园奸骗了。到八月十五日，备果吃酒赏月，母高氏先叫奴去房内睡了，并不知小二死亡之事。”安抚又问周氏：“你既与小二有奸，缘何将女孩儿坏了？你好好招承，免至受苦!”周氏两泪交流，只得从头一一招了。安抚又问高氏：“你缘何谋杀小二?”高氏抵赖不过，从头招认了。都押下牢监了。安抚俱将各人供状立案，次日差县尉一人，带领仵作行人，押了高氏等去新河桥下检尸。当日闹动城里城外人都得知，男子妇人，挨肩擦背，不计其数，一齐来看。正是：

好事不出门，恶事传千里。

却说县尉押着一行人到新桥下，打开棺木，取出尸首，检看明白。将尸放在棺内，县尉带了一干人回话。董小二尸虽是斧头打碎顶门，麻索绞痕见在。安抚叫左右将高氏等四人各打二十下，都打得昏晕复醒。取一面长枷，将高氏枷了。周氏、玉秀、洪三俱用铁索锁了，押下大牢内监了。王青随衙听候。且说那皮匠妇人，也知得错认了，再也不来哭了。思量起来，一场惶恐，几时不敢见人。这话且不说。

再说玉秀在牢中汤水不吃，次日死了。又过了两日，周氏也死了。洪三看看病重，狱卒告知安抚，安抚令官医医治，不痊而死。止有高氏浑身发肿，棒疮疼痛熬不得，饭食不吃，服药无用，也死了。可怜不勾半个月日，四个都死在牢中。狱卒通报，知府与吏商量，乔俊久不回家，妻妾在家谋死人命，本该偿命。凶身人等俱死，具表申奏朝廷，方可决断。不则一日，圣旨到下，开读道："凶身俱已身死，将家私抄扎入官。小二尸首，又无苦主亲人来领，烧化了罢。"当时安抚即差吏去，打开乔俊家大门，将细软钱物，尽数入官。烧了董小二尸首，不在话下。

却说乔俊合当穷苦，在东京沈瑞莲家，全然不知家中之事。住了两年，财本使得一空，被虔婆常常发语道："我女儿恋住了你，又不能接客，怎的是了？你有钱钞，将些出来使用；无钱，你自离了我家，等我女儿接别个客人。终不成饿死了我一家罢！"乔俊是个有钱过的人，今日无了钱，被虔婆赶了数次，眼中泪下。寻思要回乡，又无盘缠。那沈瑞莲见乔俊泪下，也哭起来，道："乔郎，是我苦了你！我有些日前趱下的零碎钱，与你些，做盘缠回去了罢。你若有心，到家取得些钱，再来走一遭。"乔俊大喜，当晚收拾了旧衣服，打了一个衣包。沈行首取出三百贯文，把与乔俊打在包内。别了虔婆，驮了衣包，手提了一条棍棒，又辞了瑞莲，两个流泪而别。

且说乔俊于路搭船，不则一日，来到北新关。天色晚了，便投一个相识船主人家宿歇，明早入城。那船主人见了乔俊，吃了一惊，道："乔官人，你一向在那里去了，只管不回？你家中小娘子周氏，与一个雇工人有奸。大娘子取回一家住了，却又与你女儿有奸。我听得人说，不知争奸也是怎的，大娘子谋杀了雇工人，酒大工洪三将尸丢在新桥河内。有了两个月，尸首泛将起来，被人首告在安抚司。捉了大娘子、小娘子、你女儿并酒大工洪三到官。拷打不过，只得招认。监在牢里，受苦不过，如今四人都死了。朝廷文书下来，抄扎你家财产入官。你如今投那里去好？"乔俊听罢，却似：

分开八片顶阳骨，倾下半桶冰雪来！

这乔俊惊得呆了半晌，语言不得。那船主人排些酒饭与乔俊吃，那里吃得下！两行泪珠，如雨收不住，哽咽悲啼。心下思量："今日不想我闪得有家难奔，有国难投，如何是好？"番来覆去，过了一夜。

次日黑早起来，辞了船主人，背了衣包，急急奔武林门来。到着自家对门一个古董店王将仕门首立了。看自家房屋，俱拆没了，止有一片荒地。却好王将仕开门，乔俊放下衣包，向前拜道："老伯伯，不想小人不回，家中如此模样！"王将仕道："乔官人，你一向在那里不回？"乔俊道："只为消折了本钱，归乡不得，并不知家中的消息。"王将仕邀乔俊到家中坐定道：

"贤侄听老身说，你去后家中如此如此，……"把从头之事，一一说了。"只好笑一个皮匠妇人，因丈夫死在外边，到来错认了尸。却被王酒酒那厮首告，害了你大妻、小妾、女儿并洪三到官，被打得好苦恼，受疼不过，都死在牢里。家产都抄扎入官了。你如今那里去好？"乔俊听罢，两泪如倾，辞别了王将仕。上南不是，落北又难！叹了一口气，道："罢罢罢！我今年四十馀岁，儿女又无，财产妻妾俱丧了，去投谁的是好？"一径走到西湖上第二桥，望着一湖清水便跳，投入水下而死。这乔俊一家人口，深可惜哉！

却说王青这一日午后，同一般破落户在西湖上闲荡，刚到第二桥坐下，大家商量凑钱出来买碗酒吃。众人道："还劳王大哥去买，有些便宜。"只见王酒酒接钱在手，向西湖里一撒，两眼睁得圆滴溜，口中大骂道："王青！那董小二奸人妻女，自取其死，与你何干？你只为诈钱不遂，害得我乔俊好苦！一门亲丁四口，死无葬身之地。今日须偿还我命来！"众人知道是乔俊附体，替他磕头告饶。只见王青打自己把掌约有百馀，骂不绝口，跳入湖中而死。众人传说此事，都道乔俊虽然好色贪淫，却不曾害人。今受此惨祸，九泉之下，怎放得王青过！这番索命，亦天理之必然也。后人有诗云：

乔俊贪淫害一门，王青毒害亦亡身。
从来好色亡家国，岂见诗书误了人。

第三十四卷
王娇鸾百年长恨

天上乌飞兔走，人间古往今来。昔年歌管变荒台，转眼是非兴败。　须识闹中取静，莫因乖过成呆。不贪花酒不贪财，一世无灾无害。

话说江西饶州府馀干县长乐村，有一小民叫做张乙，因贩些杂货到于县中，夜深投宿城外一邸店。店房已满，不能相容。间壁锁下一空房，却无人住。张乙道："店主人何不开此房与我？"主人道："此房中有鬼，不敢留客。"张乙道："便有鬼，我何惧哉！"主人只得开锁，将灯一盏，扫帚一把，交与张乙。张乙进房，把灯放稳，挑得亮亮的。房中有破床一张，尘埃堆积，用扫帚扫净，展上铺盖，讨些酒饭吃了，推转房门，脱衣而睡。梦见一美色妇人，衣服华丽，自来荐枕，梦中纳之。及至醒来，此妇宛在身边。张乙问是何人，此妇道："妾乃邻家之妇，因夫君远出，不能独宿，是以相就。勿多言，久当自知。”张亦不再问。天明，此妇辞去，至夜又来，欢好如初。如此三夜。

店主人见张客无事，偶话及此房内曾有妇人缢死，往往作怪，今番却太平了。张乙听在肚里。至夜，此妇仍来。张乙问道：“今日店主人说这房中有缢死女鬼，莫非是你?”此妇并无惭讳之意，答道：“妾身是也！然不祸于君，君幸勿惧。”张乙道：“试说其详。”此妇道：“妾乃娼女，姓穆，行廿二，人称我为廿二娘。与馀干客人杨川相厚。杨许娶妾归去，妾将私财百金为助。一去三年不来，妾为鸨儿拘管，无计脱身，挹郁不堪，遂自缢而死。鸨儿以所居售人，今为旅店。此房，昔日妾之房也，一灵不泯，犹依栖于此。杨川与你同乡，可认得么?”张乙道：“认得。”此妇道：“今其人安在?”张乙道：“去岁已移居饶州南门，娶妻开店，生意甚足。”妇人嗟叹良久，更无别语。

又过了二日，张乙要回家。妇人道：“妾愿始终随君，未识许否?”张乙道：“倘能相随，有何不可?”妇人道：“君可制一小木牌，题曰‘廿二娘神位’，置于箧中，但出牌呼妾，妾便出来。”张乙许之。妇人道：“妾尚有白金五十两埋于此床之下，没人知觉，君可取用。”张掘地果得白金一瓶，心中甚喜。过了一夜。次日张乙写了牌位，收藏好了，别店主而归。

到于家中，将此事告与浑家。浑家初时不喜，见了五十两银子，遂不嗔怪。张乙于东壁立了廿二娘神主，其妻戏往呼之，白日里竟走出来，与妻施礼。妻初时也惊讶，后遂惯了，不以为事。夜来张乙夫妇同床，此妇亦来，也不觉床之狭窄。过了十馀日，此妇道：“妾尚有夙债在于郡城，君能随我去索取否?”张利其所有，一口应承。即时雇船而行，船中供下牌位，此妇同行同宿，全不避人。

不则一日，到了饶州南门，此妇道：“妾往杨川家讨债去。”张乙方欲问之，此妇倏已上岸。张随后跟去，见此妇竟入一店中去了。问其店，正扬川家也。张久候不出，忽见杨举家惊惶，少顷哭声振地。问其故，店中人云：“主人杨川向来无病，忽然中恶，九窍流血而死。”张乙心知廿二娘所为，嘿然下船，向牌位苦叫，亦不见出来了。方知有夙债在郡城，乃扬川负义之债也。有诗叹云：

王魁负义曾遭谴，李益亏心亦改常。
请看杨川下梢事，皇天不佑薄情郎。

方才说穆廿二娘事，虽则死后报冤，却是鬼自出头，还是渺茫之事。如今再说一件故事，叫做“王娇鸾百年长恨”。这个冤更报得好。此事非唐非宋，出在国朝天顺初年。广西苗蛮作乱，各处调兵征剿。有临安卫指挥王忠所领一枝浙兵，违了限期，被参降调河南南阳卫中所千户。即日引家小到任。

王忠年六十馀，止一子王彪，颇称骁勇，督抚留在军前效用。到有两个女儿，长曰娇鸾，次曰娇凤。鸾年十八，凤年十六。凤从幼育于外家，就与表兄对姻，只有娇鸾未曾许配。夫人周氏，原系继妻。周氏有嫡姐，嫁曹家，寡居而贫。夫人接他相伴甥女娇鸾，举家呼为曹姨。娇鸾幼通书史，举笔成文。因爱女慎于择配，所以及笄未嫁，每每临风感叹，对月凄凉。惟曹姨与鸾相厚，知其心事，他虽父母亦不知也。

一日清明节届，和曹姨及侍儿明霞后园打秋千耍子。正在闹热之际，忽见墙缺处有一美少年，紫衣唐巾，舒头观看，连声喝采。慌得娇鸾满脸通红，推着曹姨的背，急回香房，侍女也进去了。生见园中无人，窬墙而入，秋千架子尚在，馀香仿佛。正在凝思，忽见草中一物，拾起看时，乃三尺线绣香罗帕也。生得此如获珍宝，闻有人声自内而来，复窬墙而出，仍立于墙缺边。看时，乃是侍儿来寻香罗帕的。生见其三回五转，意兴已倦，微笑而言："小娘子，罗帕已入人手，何处寻觅？"侍儿抬头见是秀才，便上前万福道："相公想已检得，乞即见还，感德不尽！"那生道："此罗帕是何人之物？"侍儿道："是小姐的。"那生道："既是小姐的东西，还得小姐来讨，方才还他。"侍儿道："相公府居何处？"那生道："小生姓周名廷章，苏州府吴江县人。父亲为本学司教，随任在此，与尊府只一墙之隔。"

原来卫署与学宫基址相连，卫叫做东衙，学叫做西衙。花园之外，就是学中的隙地。侍儿道："贵公子又是近邻，失瞻了。妾当禀知小姐，奉命相求。"廷章道："敢闻小姐及小娘子大名？"侍儿道："小姐名娇鸾，主人之爱女。妾乃贴身侍婢明霞也。"廷章道："小生有小诗一章，相烦致于小姐，即以罗帕奉还。"明霞本不肯替他寄诗，因要罗帕入手，只得应允。廷章道："烦小娘子少待。"廷章去不多时，携诗而至。桃花笺叠成方胜。明霞接诗在手，问："罗帕何在？"廷章笑道："罗帕乃至宝，得之非易，岂可轻还？小娘子且将此诗送与小姐看了，待小姐回音，小生方可奉璧。"明霞没奈何，只得转身。

只因一幅香罗帕，惹起千秋《长恨歌》。

话说鸾小姐自见了那美少年，虽则一时惭愧，却也挑动个"情"字。口中不语，心下踌躇道："好个俊俏郎君！若嫁得此人，也不枉聪明一世。"忽见明霞气忿忿的入来，娇鸾问："香罗帕有了么？"明霞口称："怪事！香罗帕却被西衙周公子收着，就是墙缺内喝采的那紫衣郎君。"娇鸾道："与他讨了就是。"明霞道："怎么不讨？也得他肯还！"娇鸾道："他为何不还？"明霞道："他说'小生姓周名廷章，苏州府吴江人氏。父为司教，随任在此。与吾家只一墙之隔。既是小姐的香罗帕，必须小姐自讨。'"娇鸾道："你怎么说？"明霞道："我说待妾禀知小姐，奉命相求。他道，有小诗一章，烦吾传递，待有回音，才把罗帕还我。”明霞将桃花笺递与小姐。娇鸾见了这方胜，已有三分之喜，拆开看时，乃七言绝句一首：

帕出佳人分外香，天公教付有情郎。
殷勤寄取相思句，拟作红丝入洞房。

娇鸾若是个有主意的，拼得弃了这罗帕，把诗烧却，分付侍儿，下次再不许轻易传递，天大的事都完了。奈娇鸾一来是及瓜不嫁，知情慕色的女子；二来满肚才情不肯埋没，亦取薛涛笺答诗八句：

妾身一点玉无瑕，生自侯门将相家。
静里有亲同对月，闲中无事独看花。
碧梧只许来奇凤，翠竹那容入老鸦。
寄语异乡孤另客，莫将心事乱如麻。

明霞捧诗方到后园，廷章早在缺墙相候。明霞道：“小姐已有回诗了，可将罗帕还我。”廷章将诗读了一遍，益慕娇鸾之才，必欲得之，道：“小娘子耐心，小生又有所答。”再回书房，写成一绝：

居傍侯门亦有缘，异乡孤另果堪怜。
若容鸾凤双栖树，一夜箫声入九天。

明霞道：“罗帕又不还，只管寄什么诗？我不寄了！”廷章袖中出金簪一根道：“这微物奉小娘子，权表寸敬，多多致意小姐。”明霞贪了这金簪，又将诗回覆娇鸾。娇鸾看罢，闷闷不悦。明霞道：“诗中有甚言语触犯小姐？”娇鸾道：“书生轻薄，都是调戏之言。”明霞道：“小姐大才，何不作一诗骂之，以绝其意？”娇鸾道：“后生家性重，不必骂，且好言劝之可也。”再取薛笺题诗八句：

独立庭际傍翠阴，侍儿传语意何深。
满身窃玉偷香胆，一片撩云拨雨心。
丹桂岂容稚子折，珠帘那许晓风侵？
劝君莫想阳台梦，努力攻书入翰林。

自此一倡一和，渐渐情熟，往来不绝。明霞的足迹不断后园，廷章的眼光不离墙缺。诗篇甚多，不暇细述。时届端阳，王千户治酒于园亭家宴。廷章于墙缺往来，明知小姐在于园中，无由一面，侍女明霞亦不能通一语。正在气闷，忽撞见卫卒孙九。那孙九善作木匠，长在卫里服役，亦多在学中做工。廷章遂题诗一绝封固了，将青蚨二百赏孙九买酒吃，托他寄与衙中明霞姐。孙九受人之托，忠人之事，伺候到次早，才觑个方便，寄得此诗于明霞。明霞递于小姐，拆开看之，前有叙云：“端阳日园中望娇娘子不见，口占一绝奉寄：

配成彩线思同结，倾就蒲觞拟共斟。

雾隔湘江欢不见，锦葵空有向阳心。”

后写“松陵周廷章拜稿”。娇娘见了，置于书几之上。适当梳头，未及酬和。忽曹姨走进香房，看见了诗稿，大惊道：“娇娘既有西厢之约，可无东道之主？此事如何瞒我？”娇鸾含羞答道：“虽有吟咏往来，实无他事，非敢瞒姨娘也。”曹姨道：“周生江南秀士，门户相当，何不教他遣媒说合，成就百年姻缘，岂不美乎？”娇鸾点头道：“是。”梳妆已毕，遂答诗八句：

深锁香闺十八年，不容风月透帘前。
绣衾香暖谁知苦？锦帐春寒只爱眠。
生怕杜鹃声到耳，死愁蝴蝶梦来缠。
多情果有相怜意，好倩冰人片语传。

廷章得诗，遂假托父亲周司教之意，央赵学究往王千户处求这头亲事。王千户亦重周生才貌。但娇鸾是爱女，况且精通文墨。自已年老，一应卫中文书笔札，都靠着女儿相帮，少他不得，不忍弃之于他乡，以此迟疑未许。廷章知姻事未谐，心中如刺，乃作书寄于小姐。前写：

松陵友弟廷章拜稿：自睹芳容，未宁狂魄。夫妇已是前生定，至死靡他；媒妁传来今日言，为期未决。遥望香闺深锁，如唐玄宗离月宫而空想嫦娥；要从花圃戏游，似牵牛郎隔天河而苦思织女。倘复迁延于月日，必当夭折于沟渠。生若无缘，死亦不瞑。勉成拙律，深冀哀怜。

诗曰：

未有佳期慰我情，可怜春价值千金。
闷来窗下三杯酒，愁向花前一曲琴。
人在琐窗深处好，闷回罗帐静中吟。
孤恓一样昏黄月，肯许相携诉寸心？

娇鸾看罢，即时复书，前写

虎衙爱女娇鸾拜稿：轻荷点水，弱絮飞帘。拜月亭前，懒对东风听杜宇；画眉窗下，强消长昼刺鸳鸯。人正困于妆台，诗忽坠于香案。启观来意，无限幽怀。自怜薄命佳人，恼杀多情才子。一番信到，一番使妾倍支吾；几度诗来，几度令人添寂寞。休得跳东墙学攀花之手，可以仰北斗驾折桂之心。眼底无媒，书中有女。自此束情封去札，莫将消息问来人。谨和佳篇，仰祈深谅！

诗曰：

秋月春花亦有情，也知身价重千金。
虽窥青琐韩郎貌，羞听东墙崔氏琴。
痴念已从空里散，好诗惟向梦中吟。

此生但作干兄妹，直待来生了寸心。

廷章阅书赞叹不已，读诗至末联“此生但作干兄妹”，忽然想起一计道：“当初张珙、申纯皆因兄妹得就私情，王夫人与我同姓，何不拜之为姑？便可通家往来，于中取事矣！”遂托言西衙窄狭，且是喧闹，欲借卫署后园观书。周司教自与王千户开口。王翁道：“彼此通家，就在家下吃些见成茶饭，不烦馈送。”周翁感激不尽，回向儿子说了。廷章道：“虽承王翁盛意，非亲非故，难以打搅。孩儿欲备一礼，拜认王夫人为姑。姑侄一家，庶乎有名。”周司教是糊涂之人，只要讨些小便宜，道：“任从我儿行事。”廷章又央人通了王翁夫妇，择个吉日，备下彩段书仪，写个表侄的名刺，上门认亲，极其卑逊，极其亲热。王翁是个武人，只好奉承，遂请入中堂，教奶奶都相见了。连曹姨也认做姨娘，娇鸾是表妹，一时都请见礼。王翁设宴后堂，权当会亲。一家同席，廷章与娇鸾暗暗欢喜。席上眉来眼去，自不必说。当日尽欢而散。

姻缘好恶犹难问，踪迹亲疏已自分。

次日王翁收拾书室，接内侄周廷章来读书。却也晓得隔绝内外，将内宅后门下锁，不许妇女入于花园。廷章供给，自有外厢照管。虽然搬做一家，音书来往反不便了。娇鸾松筠之志虽存，风月之情已动，况既在席间，眉来眼去，怎当得园上凤隔鸾分。愁绪无聊，郁成一病，朝凉暮热，茶饭不沾。王翁迎医问卜，全然不济。廷章几遍到中堂问病，王翁只教致意，不令进房。廷章心生一计，因假说：“长在江南，曾通医理。表妹不知所患何症，待侄儿诊脉便知。”王翁向夫人说了，又教明霞，道达了小姐，方才迎入。廷章坐于床边，假以看脉为由，抚摩了半晌。其时王翁夫妇俱在，不好交言。只说得一声保重。出了房门，对王翁道：“表妹之疾，是抑郁所致。常须于宽敞之地，散步陶情，更使女伴劝慰，开其郁抱，自当勿药。”王翁敬信周生，更不疑惑，便道：“衙中只有园亭，并无别处宽敞。”廷章故意道：“若表妹不时要园亭散步，恐小侄在彼不便，暂请告归。”王翁道：“既为兄妹，复何嫌阻？”即日教开了后门，将锁钥付曹姨收管，就教曹姨陪侍女儿任情闲耍。明霞伏侍，寸步不离，自以为万全之策矣。

却说娇鸾原为思想周郎致病，得他抚摩一番，已自欢喜。又许散步园亭，陪伴伏侍者，都是心腹之人，病便好了一半。每到园亭，廷章便得相见，同行同坐。有时亦到廷章书房中吃茶，渐渐不避嫌疑，挨肩擦背。廷章捉个空，向小姐恳求，要到香闺一望。娇鸾目视曹姨，低低向生道：“锁钥在彼，兄自求之。”廷章已悟。次日廷章取吴绫二端，金钏一副，央明霞献与曹姨。姨问鸾道：“周公子厚礼见惠，不知何事？”娇鸾道：“年少狂生，不无过失，渠要姨包容耳。”曹姨道：“你二人心事，我已悉知。但有往来，决不泄漏！”因把匙钥付与明霞。鸾心大喜，遂题一绝。寄廷章云：

暗将私语寄英才，倘向人前莫乱开。

今夜香闺春不锁，月移花影玉人来。

廷章得诗，喜不自禁。是夜黄昏已罢，谯鼓方声，廷章悄步及于内宅，后门半启，捱身而进。自那日房中看脉出园上来，依稀记得路径，缓缓而行。但见灯光外射，明霞候于门侧。廷章步进香房，与鸾施礼，便欲搂抱。鸾将生挡开，唤明霞快请曹姨来同坐。廷章大失所望，自陈苦情，责其变卦，一时急泪欲流。鸾道："妾本贞姬，君非荡子。只因有才有貌，所以相爱相怜。妾既私君，终当守君之节；君若弃妾，岂不负妾之诚？必矢明神，誓同白首。若还苟合，有死不从。"说罢，曹姨适至，向廷章谢日间之惠。

廷章遂央姨为媒，誓谐伉俪，口中咒愿如流而出。曹姨道："二位贤甥，既要我为媒，可写合同婚书四纸。将一纸焚于天地，以告鬼神；一纸留于吾手，以为媒证；你二人各执一纸，为他日合卺之验。女若负男，疾雷震死；男若负女，乱箭亡身。再受阴府之愆，永堕酆都之狱。"生与鸾听曹姨说得痛切，各各欢喜。遂依曹姨所说，写成婚书誓约。先拜天地，后谢曹姨。姨乃出清果醇醪，与二人把盏称贺。三人同坐饮酒，直至三鼓，曹姨别去。生与鸾携手上床，云雨之乐可知也。五鼓，鸾促生起身，嘱付道："妾已委身于君，君休负恩于妾。神明在上，鉴察难逃。今后妾若有暇，自遣明霞奉迎，切莫轻行，以招物议。"廷章字字应承，留恋不舍。鸾急教明霞送出园门。是日鸾寄生二律云：

昨夜同君喜事从，芙蓉帐暖语从容。

贴胸交股情偏好，拨雨撩云兴转浓。

一枕凤鸾声细细，半窗花月影重重。

晓来窥视鸳鸯枕，无数飞红扑绣绒。〔其一〕

衾翻红浪效绸缪，乍抱郎腰分外羞。

月正圆时花正好，云初散处雨初收。

一团恩爱从天降，万种情怀得自由。

寄语今宵中夕夜，不须欹枕看牵牛。〔其二〕

廷章亦有酬答之句。自此鸾疾尽愈，门锁竟弛。或三日或五日，鸾必遣明霞召生。来往既频，恩情愈笃。如此半年有馀。

周司教任满，升四川峨眉县尹。廷章恋鸾之情，不肯同行，只推身子有病，怕蜀道艰难；况学业未成，师友相得，尚欲留此读书。周司教平昔纵子，言无不从。起身之日，廷章送父出城而返。鸾感廷章之留，是日邀之相会，愈加亲爱。如此又半年有馀。其中往来诗篇甚多，不能尽载。

廷章一日阅邸报，见父亲在峨眉不服水土，告病回乡。久别亲闱，欲谋归觐。又牵鸾情爱，不忍分离。事在两难，忧形于色。鸾探知其故，因置酒劝生道："夫妇之爱，瀚海同深；父子之情，高天难比。若恋私情而忘公义，不惟君失子道，累妾亦失妇道矣。"曹姨亦劝道："今日暮夜之期，原非百年之算。公子不如暂回乡故，且觐双亲。倘于定省之间，即议婚姻之事，早完誓愿，免致情牵。"廷章心犹不决。娇鸾教曹姨竟将公子欲归之情，对王翁说了。此日正是端阳，王翁治酒与廷章送行，且致厚贶。廷章义不容已，只得收拾行李。是夜，鸾另置酒香闺，邀廷章重伸前誓，再订婚期。曹姨亦在坐，千言万语，一夜不睡。临别，又问廷章住居之处。廷章道："问做甚么?"鸾道："恐君不即来，妾便于通信耳。"廷章索笔写出四句：

思亲千里返姑苏，家住吴江十七都。

须问南麻双漾口，延陵桥下督粮吴。

廷章又解说："家本吴姓，祖当里长督粮，有名督粮吴家，周是外姓也。此字虽然写下，欲见之切，度日如岁。多则一年，少则半载，定当持家君柬帖，亲到求婚，决不忍闺阁佳人，悬悬而望。"言罢，相抱而泣。将次天明，鸾亲送生出园。有联句一律：

绸缪鱼水正投机，无奈思亲使别离；〔廷章〕

花圃从今谁待月？兰房自此懒围棋。〔娇鸾〕

惟忧身远心俱远，非虑文齐福不齐；〔廷章〕

低首不言中自省，强将别泪整蛾眉。〔娇鸾〕

须臾天晓，鞍马齐备。王翁又于中堂设酒，妻女毕集，为上马之饯。廷章再拜而别。鸾自觉悲伤欲泣，潜归内室，取乌丝笺题诗一律，使明霞送廷章上马，伺便投之。章于马上展看云：

同携素手并香肩，送别那堪双泪悬。

郎马未离青柳下，妾心先在白云边。

妾持节操如姜女，君重纲常类闵骞。

得意匆匆便回首，香闺人瘦不禁眠。

廷章读之泪下，一路上触景兴怀，未尝顷刻忘鸾也。

闲话休叙。不一日，到了吴江家中，参见了二亲，一门欢喜。原来父亲已与同里魏同知家议亲，正要接儿子回来行聘完婚。生初时有不愿之意，后访得魏女美色无双，且魏同知十万之富，妆奁甚丰。慕财贪色，遂忘前盟。过了半年，魏氏过门，夫妻恩爱，如鱼似水，竟不知王娇鸾为何人矣。

但知今日新妆好，不顾情人望眼穿。

却说娇鸾一时劝廷章归省，是他贤慧达理之处。然已去之后，未免怀思。白日凄凉，黄昏寂寞，灯前有影相亲，帐底无人共语。每遇春花秋月，不觉梦断魂劳。捱过一年，杳无音信。忽一日明霞来报道："姐姐可要寄书与周姐夫么?”娇鸾道:“那得有这方便?”明霞道:“适才孙九说临安卫有人来此下公文。临安是杭州地方,路从吴江经过,是个便道。”娇鸾道:“既有便,可教孙九嘱付那差人不要去了。”即时修书一封,曲叙别离之意,嘱他早至南阳,同归故里,践婚姻之约,成终始之交。书多不载。书后有诗十首。录其一云:

端阳一别杳无音,两地相看对月明。
暂为椿萱辞虎卫,莫因花酒恋吴城。
游仙阁内占离合,拜月亭前问死生。
此去愿君心自省,同来与妾共调羹。

封皮上又题八句:

此书烦递至吴衙,门面春风足可夸。
父列当今宣化职,祖居自古督粮家。
已知东宅邻西宅,犹恐南麻混北麻。
去路逢人须借问,延陵桥在那村些?

又取银钗二股,为寄书之赠。

书去了七个月,并无回耗。时值新春,又访得前卫有个张客人要往苏州收货。娇鸾又取金花一对,央孙九送与张客,求他寄书。书意同前。亦有诗十首。录其一云:

春到人间万物鲜,香闺无奈别魂牵。
东风浪荡君尤荡,皓月团圆妾未圆。
情洽有心劳白发,天高无计托青鸾。
衷肠万事凭谁诉?寄与才郎仔细看。

封皮上题一绝:

苏州咫尺是吴江,吴姓南麻世督粮。
嘱付行人须着意,好将消息问才郎。

张客人是志诚之士,往苏州收货已毕,赍书亲到吴江。正在长桥上问路,恰好周廷章过去。听得是河南声音,问的又是南麻督粮吴家,知娇鸾书信,怕他到彼,知其再娶之事。遂上前作揖通名,邀往酒馆三杯,拆开书看了。就于酒家借纸笔,匆匆写下回书,推说父病未痊,方侍医药,所以有误佳期。不久即图会面,无劳注想。书后又写:“路次借笔不备,希谅!”张客收了回书,不一日,回到南阳,付孙九回覆鸾小姐。鸾拆书看了,虽然不曾定个来期,也当画饼充饥,望梅止渴。

过了三四个月,依旧杳然无闻。娇鸾对曹姨道:“周郎之言欺我耳!”曹姨道:“誓书在此,皇天鉴知。周郎独不怕死乎?”忽一日,闻有临安人到,乃是娇鸾妹子娇凤生了孩儿,遣人来报喜。娇鸾彼此相形,愈加感叹,且喜又是寄书的一个顺便，再修书一封托他。这是第三封书，亦有诗十首。末一章云：

叮咛才子莫蹉跎，百岁夫妻能几何？
王氏女为周氏室，文官子配武官娥。
三封心事烦青鸟，万斛闲愁锁翠蛾。
远路尺书情未尽，想思两处恨偏多！

封皮上亦写四句：

此书烦递至吴江，粮督南麻姓字香。
去路不须驰步问，延陵桥下暂停航。

鸾自此寝废餐忘，香消玉减，暗地泪流，恹恹成病。父母欲为择配，娇鸾不肯，情愿长斋奉佛。曹姨劝道："周郎未必来矣，毋拘小信，自误青春。"娇鸾道："人而无信，是禽兽也。宁周郎负我，我岂敢负神明哉？"光阴荏苒，不觉已及三年。娇鸾对曹姨说道："闻说周郎已婚他族，此信未知真假。然三年不来，其心肠亦改变矣。但不得一实信，吾心终不死。"曹姨道："何不央孙九亲往吴江一遭，多与他些盘费。若周郎无他更变，使他等候同来，岂不美乎？"娇鸾道："正合吾意。亦求姨娘一字，促他早早登程可也。"当下娇鸾写就古风一首。其略云：

忆昔清明佳节时，与君邂逅成相知。
嘲风弄月通来往，拨动风情无限思。
侯门曳断千金索，携手挨肩游画阁。
好把青丝结死生，盟山誓海情不薄。
白云渺渺草青青，才子思亲欲别情。
顿觉桃脸无春色，愁听传书雁几声。
君行虽不排鸾驭，胜似征蛮父兄去。
悲悲切切断肠声，执手牵衣理前誓。
与君成就鸾凤友，切莫苏城恋花柳。
自君之去妾攒眉，脂粉慵调发如帚。
姻缘两地相思重，雪月风花谁与共？
可怜夫妇正当年，空使梅花蝴蝶梦。
临风对月无欢好，凄凉枕上魂颠倒。
一宵忽梦汝娶亲，来朝不觉愁颜老。
盟言愿作神雷电，九天玄女相传遍。
只归故里未归泉，何故音容难得见？
才郎意假妾意真，再驰驿使陈丹心。
可怜三七羞花貌，寂寞香闺思不禁。

曹姨书中亦备说女甥相思之苦，相望之切。二书共作一封。封皮亦题四句：

荡荡名门宰相衙，更兼粮督镇南麻。

逢人不用停舟问，桥跨延陵第一家。

孙九领书，夜宿晓行，直至吴江延陵桥下。犹恐传递不的，直候周廷章面送。廷章一见孙九，满脸通红，不问寒温，取书纳于袖中，竟进去了。少顷教家童出来回覆道：“相公娶魏同知家小姐，今已二年。南阳路远，不能复来矣。回书难写，仗你代言。这幅香罗帕乃初会鸾姐之物，并合同婚书一纸，央你送还，以绝其念。本欲留你一饭，诚恐老爹盘问嗔怪。白银五钱权充路费，下次更不劳往返。”孙九闻言大怒，掷银于地不受，走出大门，骂道：“似你短行薄情之人，禽兽不如！可怜负了鸾小姐一片真心，皇天断然不佑你！”说罢，大哭而去。路人争问其故，孙老儿数一数二的逢人告诉。自此周廷章无行之名，播于吴江，为衣冠所不齿。正是：

平生不作亏心事，世上应无切齿人。

再说孙九回至南阳，见了明霞，便悲泣不已。明霞道：“莫非你路上吃了苦？莫非周家郎君死了？”孙九只是摇头。停了半晌，方说备细，如此如此：“他不发回书，只将罗帕、婚书送还，以绝小姐之念。我也不去见小姐了。”说罢，拭泪叹息而去。明霞不敢隐瞒，备述孙九之语。娇鸾见了这罗帕，已知孙九不是个谎话，不觉怨气填胸，怒色盈面，就请曹姨至香房中，告诉了一遍。曹姨将言劝解，娇鸾如何肯听？整整的哭了三日三夜，将三尺香罗帕，反覆观看，欲寻自尽。又想道：“我娇鸾名门爱女，美貌多才。若嘿嘿而死，却便宜了薄情之人。”乃制绝命诗三十二首及《长恨歌》一篇。诗云：

倚门默默思重重，自叹双双一笑中。

情惹游丝牵嫩绿，恨随流水缩残红。

当时只道春回准，今日方知色是空。

回首凭栏情切处，闲愁万里怨东风。

馀诗不载。其《长恨歌》略云：

《长恨歌》，为谁作？题起头来心便恶。

朝思暮想无了期，再把鸾笺诉情薄。

妾家原在临安路，麟阁功勋受恩露。

后因亲老失军机，降调南阳卫千户。

深闺养育娇鸾身，不曾举步离中庭。

岂知二九灾星到，忽随女伴妆台行。

秋千戏蹴方才罢，忽惊墙角生人话。

含羞归去香房中，仓忙寻觅香罗帕。

罗帕谁知入君手，空令梅香往来走。
得蒙君赠香罗诗，恼妾相思淹病久。
感君拜母结妹兄，来词去简饶恩情。
只恐恩情成苟合，两曾结发同山盟。
山盟海誓还不信，又托曹姨作媒证。
婚书写定烧苍穹，始结于飞在天命。
情交二载甜如蜜，才子思亲忽成疾。
妾心不忍君心愁，反劝才郎归故籍。
叮咛此去姑苏城，花街莫听阳春声。
一睹慈颜便回首，香闺可念人孤另。
嘱付殷勤别才子，弃旧怜新任从尔。
那知一去意忘还，终日思君不如死。
有人来说君重婚，几番欲信仍难凭。
后因孙九去复返，方知伉俪谐文君。
此情恨杀薄情者，千里姻缘难割舍。
到手恩情都负之，得意风流在何也？
莫论妾愁长与短，无处箱囊诗不满。
题残锦札五千张，写秃毛锥三百管。
玉闺人瘦娇无力，佳期反作长相忆。
枉将八字推子平，空把三生卜《周易》。
从头一一思量起，往日交情不亏汝。
既然恩爱如浮云，何不当初莫相与？
莺莺燕燕皆成对，何独天生我无配。
娇凤妹子少二年，适添孩儿已三岁。
自惭轻弃千金躯，伊欢我独心孤悲。
先年誓愿今何在？举头三尺有神祇。
君往江南妾江北，千里关山远相隔。
若能两翅忽然生，飞向吴江近君侧。
初交你我天地知，今来无数人扬非。
虎门深锁千金色，天教一笑遭君机。
恨君短行归阴府，譬似皇天不生我。
从今书递故人收，不望回音到中所。
可怜铁甲将军家，玉闺养女娇如花。
只因颇识琴书味，风流不久归黄沙。
白罗丈二悬高梁，飘然眼底魂茫茫。

报道一声娇鸾缢，满城笑杀临安王。
妾身自愧非良女，擅把闺情贱轻许。
相思债满还九泉，九泉之下不饶汝。
当初宠妾非如今，我今怨汝如海深。
自知妾意皆仁意，谁想君心似兽心！
再将一幅罗鲛绡，殷勤远寄郎家遥。
自叹兴亡皆此物，杀人可恕情难饶。
反复叮咛只如此，往日闲愁今日止。
君今肯念旧风流，饱看娇鸾书一纸。

书已写就，欲再遣孙九。孙九咬牙怒目，决不肯去。正无其便，偶值父亲痰火病发，唤娇鸾随他检阅文书。娇鸾看文书里面有一宗乃勾本卫逃军者，其军乃吴江县人。鸾心生一计，乃取从前倡和之词，并今日《绝命诗》及《长恨歌》汇成一帙，合同婚书二纸，置于帙内，总作一封，入于官文书内，封筒上填写“南阳卫掌印千户王投下直隶苏州府吴江县当堂开拆”，打发公差去了。王翁全然不知。

是晚，娇鸾沐浴更衣，哄明露出去烹茶。关了房门，用杌子填足，先将白练挂于梁上。取原日香罗帕，向咽喉扣住，接连白练，打个死结。蹬开杌子，两脚悬空，煞时间三魂漂渺，七魄幽沉。刚年二十一岁。

始终一幅香罗帕，成也萧何败也何。

明霞取茶来时，见房门闭紧，敲打不开，慌忙报与曹姨。曹姨同周老夫人打开房门看了，这惊非小。王翁也来了。合家大哭，竟不知什么意故。少不得买棺殓葬。此事阁过休题。

再说吴江阙大尹接得南阳卫文书，拆开看时，深以为奇，此事旷古未闻。适然本府赵推官随察院樊公祉按临本县，阙大尹与赵推官是金榜同年，因将此事与赵推官言及。赵推官取而观之，遂以奇闻报知樊公。樊公将诗歌及婚书反覆详味，深惜娇鸾之才，而恨周廷章之薄幸。乃命赵推官密访其人。次日，擒拿解院。樊公亲自诘问。廷章初时抵赖，后见婚书有据，不敢开口。樊公喝教重责五十收监。行文到南阳卫查娇鸾曾否自缢。不一日文书转来，说娇鸾已死。樊公乃于监中吊取周廷章到察院堂上，樊公骂道：“调戏职官家子女，一罪也；停妻再娶，二罪也；因奸致死，三罪也。婚书上说：‘男若负女，万箭亡身。’我今没有箭射你，用乱捧打杀你，以为薄幸男子之戒。”喝教合堂皂快齐举竹批乱打。下手时宫商齐响，着体处血肉交飞。顷刻之间，化为肉酱，满城人无不称快。周司教闻知，登时气死。魏女后来改嫁。向贪新娶之财色，而没恩背盟，果何益哉！有诗叹云：

一夜恩情百夜多，负心端的欲如何？

若云薄幸无冤报，请读当年《长恨歌》。

第三十五卷
况太守断死孩儿

春花秋月足风流，不分红颜易白头。

试把人心比松柏，几人能为岁寒留？

这四句诗，泛论春花秋月，恼乱人心，所以才子有悲秋之辞，佳人有伤春之咏。往往诗谜写恨，目语传情，月下幽期，花间密约，但图一刻风流，不顾终身名节。这是两下相思，各还其债，不在话下。又有一等男贪而女不爱，女爱而男不贪。虽非两相情愿，却有一片精诚。如冷庙泥神，朝夕焚香拜祷，也少不得灵动起来。其缘短的，合而终暌；倘缘长的，疏而转密。这也是风月场中所有之事，亦不在话下。又有一种男不慕色，女不怀春，志比精金，心如坚石。没来由被旁人播弄，设圈设套，一时失了把柄，堕其术中，事后悔之无及。如宋时玉通禅师，修行了五十年，因触了知府柳宣教，被他设计，教妓女红莲假扮寡妇借宿，百般诱引，坏了他的戒行。这般会合，那些个男欢女爱，是偶然一念之差。如今再说个诱引寡妇失节的，却好与玉通禅师的故事做一对儿。正是：

未离恩山休问道，尚沉欲海莫参禅。

话说宣德年间，南直隶扬州府仪真县有一民家，姓丘名元吉，家颇饶裕。娶妻邵氏，姿容出众，兼有志节。夫妇甚相爱重，相处六年，未曾生育，不料元吉得病身亡。邵氏年方二十三岁，哀痛之极，立志守寡，终身永无他适。不觉三年服满，父母家因其年少，去后日长，劝他改嫁。叔公丘大胜，也叫阿妈来委曲譬喻他几番。那邵氏心如铁石，全不转移，设誓道：“我亡夫在九泉之下，邵氏若事二姓，更二夫，不是刀下亡，便是绳上死！”众人见他主意坚执，谁敢再去强他！自古云：“呷得三斗醋，做得孤孀妇。”孤孀不是好守的。替邵氏从长计较，到不如明明改个丈夫，虽做不得上等之人，还不失为中等，不到得后来出丑。正是：

作事必须踏实地，为人切莫务虚名。

邵氏一口说了满话，众人中贤愚不等，也有啧啧夸奖他的，也有似疑不信，睁着眼看他的。谁知邵氏立心贞洁，闺门愈加严谨。止有一侍婢，叫做秀姑，房中作伴，针指营生；一小厮叫做得贵，年方十岁，看守中门。一应薪水买办，都是得贵传递。童仆已冠者，皆遣出不用。庭无闲杂，内外肃然。如此数年，人人信服。那个不说邵大娘少年老成，治家有法。

光阴如箭，不觉十周年到来。邵氏思念丈夫，要做些法事追荐。叫得贵去请叔公丘大胜来商议，延七众僧人，做三昼夜功德。邵氏道：“奴家是寡妇，全仗叔公过来主持道场。”大胜应允。

语分两头。却说邻近新搬来一个汉子，姓支名助，原是破落户，平昔不守本分，不做生理，专一在街坊上赶热管闲事过活。闻得人说邵大娘守寡贞洁，且是青年标致，天下难得。支助不信，不论早暮，常在丘家门首闲站。果然门无杂人，只有得贵小厮买办出入。支助就与得贵相识，渐渐熟了。闲话中，问得贵：“闻得你家大娘生得标致，是真也不？”得贵生于礼法之家，一味老实，遂答道：“标致是真。”又问道：“大娘也有时到门前看街么？”得贵摇手道：“从来不曾出中门，莫说看街。罪过罪过！”

一日得贵正买办素斋的东西，支助撞见，又问道：“你家买许多素品为甚么？”得贵道：“家主十周年，做法事要用。”支助道：“几时？”得贵道：“明日起，三昼夜，正好辛苦哩！”支助听在肚里，想道：“既追荐丈夫，他必然出来拈香。我且去偷看一看，什么样嘴脸？真像个孤孀也不？”

却说次日，丘大胜请到七众僧人，都是有戒行的，在堂中排设佛像，鸣铙击鼓，诵经礼忏，甚是志诚。丘大胜勤勤拜佛。邵氏出来拈香，昼夜各只一次，拈过香，就进去了。支助趁这道场热闹，几遍混进去看，再不见邵氏出来。又问得贵，方知日间只昼食拈香一遍。支助到第三日，约莫昼食时分，又踅进去，闪在槅子傍边隐着。见那些和尚都穿着袈裟，站在佛前吹打乐器，宣和佛号。香火道人在道场上手忙脚乱的添香换烛。本家止有得贵，只好往来答应，那有工夫照管外边。就是丘大胜同着几个亲戚，也都呆看和尚吹打，那个来稽查他。少顷邵氏出来拈香，被支助看得仔细。常言：“若要俏，添重孝。”缟素妆束，加倍清雅。分明是：

广寒仙子月中出，姑射神人雪里来。

支助一见，遍体酥麻了，回家想念不已。是夜，道场完满，众僧直至天明方散。邵氏依旧不出中堂了。支助无计可施，想着：“得贵小厮老实，我且用心下钓子。”

其时五月端五日，支助拉得贵回家吃雄黄酒。得贵道：“我不会吃酒，红了脸时，怕主母嗔骂。”支助道：“不吃酒，且吃只粽子。”得贵跟支助家去。支助教浑家剥了一盘粽子，一碟糖，一碗肉，一碗鲜鱼，两双箸，两个酒杯，放在桌上。支助把酒壶便筛，得贵道：“我说过不吃酒，莫筛罢！”支助道：“吃杯雄黄酒应应时令。我这酒淡，不妨事。”得贵被央不过，只得吃了。支助道：“后生家莫吃单杯，须吃个成双。”得贵推辞不得，又吃了一

杯。支助自吃了一回，夹七夹八说了些街坊上的闲话。又斟一杯劝得贵，得贵道：“醉得脸都红了，如今真个不吃了。”支助道：“脸左右红了，多坐一时回去，打甚么紧？只吃这一杯罢，我再不劝你了。”得贵前后共吃了三杯酒。他自幼在丘家被邵氏大娘拘管得严，何曾尝酒的滋味？今日三杯落肚，便觉昏醉。支助乘其酒兴，低低说道：“得贵哥！我有句闲话问你。”得贵道：“有甚话尽说。”支助道：“你主母孀居已久，想必风情亦动。倘得个汉子同眠同睡，可不喜欢？从来寡妇都牵挂着男子，只是难得相会。你引我去试他一试何如？若得成事，重重谢你。”得贵道：“说甚么话！亏你不怕罪过！我主母极是正气，闺门整肃，日间男子不许入中门，夜间同使婢持灯照顾四下，各门锁讫，然后去睡。便要引你进去，何处藏身？地上使婢不离身畔，闲话也说不得一句，你却恁地乱讲！”支助道：“既如此，你的门房可来照么？”得贵道：“怎么不来照？”支助道：“得贵哥，你今年几岁了？”得贵道：“十七岁了。”支助道：“男子十六岁精通，你如今十七岁，难道不想妇人？”得贵道：“便想也没用处。”支助道：“放着家里这般标致的，早暮在眼前，好不动兴！”得贵道：“说也不该，他是主母，动不动非打则骂，见了他，好不怕哩！亏你还敢说取笑的话。”支助道：“你既不肯引我去，我教导你一个法儿，作成你自去上手何如？”得贵摇手道：“做不得，做不得，我也没有这样胆！”支助道：“你莫管做得做不得，教你个法儿，且去试他一试。若得上手，莫忘我今日之恩。”得贵一来乘着酒兴，二来年纪也是当时了，被支助说得心痒，便问道：“你且说如何去试他？”支助道：“你夜睡之时，莫关了房门，由他开着。如今五月，天气正热，你却赤身仰卧，待他来照门时，你只推做睡着了。他若看见，必然动情。一次两次，定然打熬不过，上门就你。”得贵道：“倘不来如何？”支助道：“拚得这事不成，也不好嗔责你，有益无损。”得贵道：“依了老哥的言语，果然成事，不敢忘报。”须臾酒醒，得贵别了，是夜依计而行。正是：

商成灯下瞒天计，拨转闺中匪石心。

论来邵氏家法甚严，那得贵长成十七岁，嫌疑之际，也该就打发出去，另换个年幼的小厮答应，岂不尽善？只为得贵从小走使服的，且又粗蠢又老实。邵氏自己立心清正，不想到别的情节上去，所以因循下来。

却说是夜，邵氏同婢秀姑点灯出来照门，见得贵赤身仰卧，骂：“这狗奴才，门也不关，赤条条睡着，是甚么模样？”叫秀姑与他扯上房门。若是邵氏有主意，天明后叫得贵来，说他夜里懒惰放肆，骂一顿，打一顿，得贵也就不敢了。他久旷之人，却似眼见希奇物，寿增一纪，绝不做声。得贵胆大了，到夜来，依前如此。邵氏同婢又去照门，看见又骂道：“这狗才一发不成人了，被也不盖。”叫秀姑替他把卧单扯上，莫惊醒他。此时便有些动情，奈有秀姑在傍碍眼。

到第三日，得贵出外撞见了支助。支助就问他曾用计否？得贵老实，就将两夜光景都叙了。支助道："他叫丫头替你盖被，又教莫惊醒你，便有爱你之意，今夜决有好处。"其夜得贵依原开门，假睡而待。邵氏有意，遂不叫秀姑跟随，自己持灯来照。径到得贵床前，看见得贵赤身仰卧，禁不住春心荡漾，欲火如焚。自解去小衣，爬上床去。还只怕惊醒了得贵，悄悄地跨在身上，从上而压下。得贵忽然抱住，番身转来，与之云雨：

一个久疏乐事，一个初试欢情。一个认着故物肯轻抛？一个尝了甜头难遽放。一个饥不择食，岂嫌小厮粗丑；一个狎恩恃爱，那怕主母威严。分明恶草藤罗，也共名花登架去；可惜清心冰雪，化为春水向东流。十年清白已成虚，一夕垢污难再洗。

事毕，邵氏向得贵道："我苦守十年，一旦失身于你，此亦前生冤债。你须谨口，莫泄于人，我自有看你之处。"得贵道："主母分付，怎敢不依！"自此夜为始，每夜邵氏以看门为由，必与得贵取乐而后入。又恐秀姑知觉，到放个空，教得贵连秀姑奸骗了。邵氏故意欲责秀姑，却教秀姑引进得贵，以塞其口。彼此河同水密，各不相瞒。得贵感支助教导之恩，时常与邵氏讨东讨西，将来奉与支助。支助指望得贵引进，得贵怕主母嗔怪，不敢开口。支助几遍讨信，得贵只是延捱下去。过了三五个月，邵氏与得贵如夫妇无异。

也是数该败露。邵氏当初做了六年亲，不曾生育，如今才得三五月，不觉便胸高腹大，有了身孕。恐人知觉不便，将银与得贵教他悄地赎贴坠胎的药来，打下私胎，免得日后出丑。得贵一来是个老实人，不晓得坠胎是甚么药；二来自得支助指教，以为恩人，凡事直言无隐。今日这件私房关目，也去与他商议。那支助是个棍徒，见得贵不肯引进，自家心中正在忿恨，却好有这个机会，便是生意上门。心生一计，哄得贵道："这药只有我一个相识人家最效，我替你赎去。"乃往药铺中赎了固胎散四服，与得贵带回。邵氏将此药做四次吃了，腹中未见动静，叫得贵再往别处赎取好药。得贵又来问支助："前药如何不效？"支助道："打胎只是一次，若一次打不下，再不能打了。况这药，只此一家最高，今打不下，必是胎受坚固。若再用狼虎药去打，恐伤大人之命。"得贵将此言对邵氏说了，邵氏信以为然。

到十月将满，支助料是分娩之期，去寻得贵说道："我要合补药，必用一血孩子。你主母今当临月，生下孩子，必然不养，或男或女，可将来送我。你亏我处多，把这一件谢我，亦是不费之惠，只瞒过主母便是。"得贵应允。

过了数日，果生一男，邵氏将男溺死，用蒲包裹来，教得贵密地把去埋了。得贵答应晓得，却不去埋，背地悄悄送与支助。支助将死孩收讫，一把扯住得贵，喝道："你主母是丘元吉之妻。家主已死多年，当家寡妇，这孩子从何而得？今番我去出首。”得贵慌忙掩住他口，说道：“我把你做恩人，每事与你商议，今日何反面无情？”支助变着脸道：“干得好事！你强奸主母，罪该凌迟，难道叫句恩人就罢了？既知恩当报恩，你作成得我什么事？你今若要我不开口，可问主母讨一百两银子与我，我便隐恶而扬善；若然没有，决不干休。见有血孩作证，你自到官司去辨，连你主母做不得人。我在家等你回话，你快去快来。”

急得得贵眼泪汪汪，回家料瞒不过，只得把这话对邵氏说了。邵氏埋怨道：“此是何等东西，却把做礼物送人！坑死了我也！”说罢，流泪起来。得贵道：“若是别人，我也不把与他，因他是我的恩人，所以不好推托。”邵氏道：“他是你什么恩人？”得贵道：“当初我赤身仰卧，都是他教我的方法来调引你。没有他时，怎得你我今日恩爱？他说要血孩合补药，我好不奉他？谁知他不怀好意！”邵氏道：“你做的事，忒不即溜。当初是我一念之差，堕在这光棍术中，今已悔之无及。若不将银买转孩子，他必然出首，那时难以挽回。”只得取出四十两银子，教得贵拿去与那光棍赎取血孩，背地埋藏，以绝祸根。

得贵老实，将四十两银子双手递与支助，说道：“只有这些，你可将血孩还我罢！”支助得了银子，贪心不足，思想：“此妇美貌，又且囊中有物。借此机会，倘得捱身入马，他的家事在我掌握之中，岂不美哉！”乃向得贵道：“我说要银子，是取笑话。你当真送来，我只得收受了。那血孩我已埋讫。你可在主母前引荐我与他相处；倘若见允，我替他持家，无人敢欺负他，可不两全其美？不然，我仍在地下掘起孩子出首，限你五日内回话。”得贵出于无奈，只得回家，述与邵氏。邵氏大怒道：“听那光棍放屁，不要理他！”得贵遂不敢再说。

却说支助将血孩用石灰腌了，仍放蒲包之内，藏于隐处。等了五日，不见得贵回话。又捱了五日，共是十日。料得产妇也健旺了，乃往丘家门首，伺候得贵出来，问道：“所言之事济否？”得贵摇头道：“不济，不济！”支助更不问第二句，望门内直闯进去。得贵不敢拦阻，到走往街口远远的打听消息。邵氏见有人走进中堂，骂道：“人家内外各别，你是何人，突入吾室？”支助道：“小人姓支名助，是得贵哥的恩人。”邵氏心中已知，便道：“你要寻得贵，在外边去，此非你歇脚之所。”支助道：“小人久慕大娘，有如饥渴。小人纵不才，料不在得贵哥之下，大娘何必峻拒？”邵氏听见话不投机，转身便走。支助赶上，双手抱住，说道：“你的私孩，现在我处。若不从我，我就首官。”邵氏忿怒无极，只恨摆脱不开，乃以好言哄之，道：“日里怕人知觉，到夜时，我叫得贵来接你。”支助道：“亲口许下，切莫失信。”放开了手，走几步，又回头，说道：“我也不怕你失信！”一直出外去了。

气得邵氏半晌无言，珠泪纷纷而坠。推转房门，独坐杌子上，左思右想，只是自家不是。当初不肯改嫁，要做上流之人；如今出乖露丑，有何颜见诸亲之面？又想道："日前曾对众发誓：'我若事二姓，更二夫，不是刀下亡，便是绳上死。'我今拚这性命，谢我亡夫于九泉之下，却不干净！"秀姑见主母啼哭，不敢上前解劝，守住中门，专等得贵回来。

得贵在街上望见支助去了，方才回家。见秀姑问："大娘呢？"秀姑指道："在里面。"得贵推开房门看主母。却说邵氏取床头解手刀一把，欲要自刎，担手不起。哭了一回，把刀放在桌上。在腰间解下八尺长的汗巾，打成结儿，悬于梁上，要把颈子套进结去。心下展转凄惨，禁不住呜呜咽咽的啼哭。忽见得贵推门而进，抖然触起他一点念头："当初都是那狗才做圈做套，来作弄我，害了我一生名节！"说时迟，那时快，只就这点念头起处，仇人相见，分外眼睁。提起解手刀，望得贵当头就劈。那刀如风之快，恼怒中，气力倍加，把得贵头脑劈做两界，血流满地，登时呜呼了。邵氏着了忙，便引颈受套，两脚蹬开杌子，做一个秋千把戏：

　　地下新添冤恨鬼，人间少了俏孤孀。

常言："赌近盗，淫近杀。"今日只为一个"淫"字，害了两条性命。

且说秀姑平昔惯了，但是得贵进房，怕有别事，就远远闪开。今番半晌不见则声，心中疑惑。去张望时，只见上吊一个，下横一个，吓得秀姑软做一团。按定了胆，把房门款上，急跑到叔公丘大胜家中报信。丘大胜大惊，转报邵氏父母，同到丘家，关上大门，将秀姑盘问致死缘由。原来秀姑不认得支助，连血孩诈去银子四十两的事，都是瞒着秀姑的。以此秀姑只将邵氏得贵平昔奸情叙了一遍。"今日不知何故两个都死了？"三番四复问他，只如此说。邵公邵母听说奸情的话，满面羞惭，自回去了，不管其事。丘大胜只得带秀姑到县里出首。知县验了二尸，一名得贵，刀劈死的；一名邵氏，缢死的。审问了秀姑口辞。知县道："邵氏与得贵奸情是的，主仆之分已废。必是得贵言语触犯，邵氏不忿，一时失手，误伤人命，情慌自缢，更无别情。"责令丘大胜殡殓。秀姑知情，问杖官卖。

再说支助自那日调戏不遂，回家，还想赴夜来之约。听说弄死了两条人命，吓了一大跳，好几时不敢出门。一日早起，偶然检着了石灰腌的血孩，连蒲包拿去抛在江里。遇着一个相识叫做包九，在仪真闸上当夫头，问道："支大哥，你抛的是什么东西？"支助道："腌几块牛肉，包好了，要带出去吃的，不期臭了。九哥，你两日没甚事？到我家吃三杯。"包九道："今日忙些个，苏州府况钟老爷驰驿复任，即刻船到，在此趱夫哩！"支助道："既如此，改日再会。"支助自去了。

却说况钟原是吏员出身，礼部尚书胡濙荐为苏州府太守，在任一年，百姓呼为“况青天”。因丁忧回籍，圣旨夺情起用，特赐驰驿赴任。船至仪真闸口，况爷在舱中看书，忽闻小儿啼声，出自江中，想必溺死之儿。差人看来，回报：“没有。”如此两度，况爷又闻啼声，问众人皆云不闻。况爷口称怪事，推窗亲看，只见一个小小蒲包，浮于水面。况爷叫水手捞起，打开看了，回覆：“是一个小孩子。”况爷问：“活的死的？”水手道：“石灰腌过的，像死得久了。”况爷想道：“死的如何会啼？况且死孩子，抛掉就罢了，何必灰腌，必有缘故！”叫水手，把这死孩连蒲包放在船头上：“如有人晓得来历，密密报我，我有重赏。”水手奉钧旨，拿出船头。恰好夫头包九看见小蒲包，认得是支助抛下的。“他说是臭牛肉，如何却是个死孩？”遂进舱禀况爷：“小人不晓得这小孩子的来历，却认得抛那小孩子在江里这个人，叫做支助。”况爷道：“有了人，就有来历了。”一面差人密拿支助，一面请仪真知县到察院中同问这节公事。

况爷带了这死孩，坐了察院。等得知县来时，支助也拿到了。况爷上坐，知县坐于左手之傍。况爷因这仪真不是自己属县，不敢自专，让本县推问。那知县见况公是奉过敕书的，又且为人古怪，怎敢僭越。推逊了多时。况爷只得开言，叫：“支助，你这石灰腌的小孩子，是那里来的？”支助正要抵赖，却被包九在傍指实了，只得转口道：“小的见这臜东西在路傍不便，将来抛向江里，其实不知来历。”况爷问包九：“你看见他在路傍检的么？”包九道：“他抛下江里，小的方才看见。问他什么东西，他说是臭牛肉。”况爷大怒道：“既假说臭牛肉，必有瞒人之意！”喝教手下选大毛板，先打二十再问。况爷的板子利害，二十板抵四十板还有馀，打得皮开肉绽，鲜血迸流。支助只是不招，况爷喝教夹起来。

况爷的夹棍也利害，第一遍，支助还熬过；第二遍，就熬不得了，招道：“这死孩是邵寡妇的。寡妇与家童得贵有奸，养下这私胎来。得贵央小的替他埋藏，被狗子爬了出来。故此小的将来抛在江里。”况爷见他言词不一。又问：“你肯替他埋藏，必然与他家通情。”支助道：“小的并不通情，只是平日与得贵相熟。”况爷道：“他埋藏只要朽烂，如何把石灰腌着？”支助支吾不来，只得磕头道：“青天爷爷，这石灰其实是小的腌的。小的知邵寡妇家殷实，欲留这死孩去需索他几两银子。不期邵氏与得贵都死了，小的不遂其愿，故此抛在江里。”况爷道：“那妇人与小厮果然死了么？”知县在傍边起身打一躬，答应道：“死了，是知县亲验过的。”况爷道：“如何便会死？”知县道：“那小厮是刀劈死的，妇人是自缢的。知县也曾细详，他两个奸情已久，主仆之分久废。必是小厮言语触犯，那妇人一时不忿，提刀劈去，误伤其命，情慌自缢，别无他说。”况爷肚里踌躇：“他两个既然奸密，就是语言小伤，怎下此毒手！早间死孩儿啼哭，必有缘故！”遂问道：“那邵氏家还有别人么?”知县道：“还有个使女，叫做秀姑，官卖去了。”况爷道：“官卖，一定就在本地。烦贵县差人提来一审，便知端的。”知县忙差快手去了。

不多时，秀姑拿到，所言与知县相同。况爷踌躇了半晌，走下公座，指着支助，问秀姑道：“你可认得这个人?”秀姑仔细看了一看，说道：“小妇人不识他姓名，曾认得他嘴脸。”况爷道：“是了，他和得贵相熟，必然曾同得贵到你家去。你可实说，若半句含糊，便上拶。”秀姑道：“平日间实不曾见他上门，只是结末来，他突入中堂，调戏主母，被主母赶去。随后得贵方来，主母正在房中啼哭。得贵进房，不多时两个就都死了。”况爷喝骂支助：“光棍！你不曾与得贵通情，如何敢突入中堂？这两条人命，都因你起!”叫手下：“再与我夹起来!”支助被夹昏了，不由自家做主，从前至尾，如何教导得贵哄诱主母；如何哄他血孩到手，诈他银子；如何挟制得贵要他引入同奸；如何闯入内室，抱住求奸，被他如何哄脱了，备细说了一遍。“后来死的情由，其实不知。”况爷道：“这是真情了。”放了夹，叫书吏取了口词明白。知县在傍，自知才力不及，惶恐无地。况爷提笔，竟判审单：

审得支助，奸棍也。始窥寡妇之色，辄起邪心；既秉弱仆之愚，巧行诱语。开门裸卧，尽出其谋；固胎取孩，悉堕其术。求奸未能，转而求利；求利未厌，仍欲求奸。在邵氏一念之差，盗铃尚思掩耳；乃支助几番之诈，探箧加以窬墙。以恨助之心恨贵，恩变为仇；于杀贵之后自杀，死有馀愧。主仆既死勿论，秀婢已杖何言。惟是恶魁，尚逃法网。包九无心而遇，腌孩有故而啼，天若使之，罪难容矣！宜坐致死之律，兼追所诈之赃。

况爷念了审单，连支助亦甘心服罪。况爷将此事申文上司，无不夸奖大才。万民传颂，以为包龙图复出，不是过也。这一家小说，又题做“况太守断死孩儿”。有诗为证：

俏邵娘见欲心乱，蠢得贵福过灾生。
支赤棍奸谋似鬼，况青天折狱如神。

第三十六卷
皂角林大王假形

富贵还将智力求，仲尼年少合封侯。

时人不解苍天意，空使身心半夜愁。

话说汉帝时，西川成都府，有个官人，姓栾名巴，少好道术，官至郎中，授得豫章太守，择日上任。不则一日，到得半路，远近接见；到了豫章，交割牌印已毕。原来豫章城内有座庙，唤做庐山庙。好座庙！但见：

苍松偃盖，古桧蟠龙。侵云碧瓦鳞鳞，映日朱门赫赫。巍峨形势，控万里之澄江；生杀威灵，总一方之祸福。新建庙牌镌古篆，两行庭树种官槐。

这座庙甚灵，有神能于帐中共人说话，空中饮酒掷杯。豫章一郡人，尽来祈求福德，能使江湖分风举帆，如此灵应。这栾太守到郡，往诸庙拈香。次至庐山庙，庙祝参见。太守道："我闻此庙有神最灵，能对人言，我欲见之集福。"太守拈香下拜道："栾巴初到此郡，特来拈香，望乞圣慈，明彰感应。"问之数次，不听得帐内则声。太守焦躁道："我能行天心正法，此必是鬼，见我害怕，故不敢则声。"向前招起帐幔，打一看时，可煞作怪，那神道塑像都不见了。这神道是个作怪的物事，被栾太守来看，故不敢出来。太守道："庙鬼诈为天官，损害百姓。"即时教手下人把庙来拆毁了。太守又恐怕此鬼游行天下，所在血食，诳惑良民，不当稳便，乃推问山川社稷，求鬼踪迹。

却说此鬼走至齐郡，化为书生，风姿绝世，才辨无双。齐郡太守却以女妻之。栾太守知其所在，即上章解去印绶，直至齐郡，相见太守，往捕其鬼。太守召其女婿出来，只是不出。栾太守曰："贤婿非人也，是阴鬼诈为天官，在豫章城内被我追捕甚急，故走来此处。今欲出之甚易。"乃请笔砚书成一道符，向空中一吹，一似有人接去的。那一道符，径入太守女儿房中。且说书生在房里觑着浑家道："我去必死！"那书生口衔着符，走至栾太守面前。栾太守打一喝："老鬼何不现形！"那书生即变为一老狸，叩头乞命。栾太守道："你不合损害良民，依天条律令处斩。"喝一声，但见刀下，狸头坠地，遂乃平静。

说话的说这栾太守断妖则甚？今日一个官人，只因上任，平白地惹出一件跷蹊作怪底事来，险些坏了性命。却说大宋宣和年间，有个官人姓赵名再理，东京人氏，授得广州新会县知县。这广里怎见得好？有诗道：

苏木沉香劈作柴，荔枝圆眼绕篱栽。
船通异国人交易，水接他邦客往来。
地暖三冬无积雪，天和四季有花开。
广南一境真堪羡，琥珀珲璖玳瑁阶。

当下辞别了母亲妻子，带着几个仆从迤逦登程。非止一日，到得本县，众官相贺。第一日谒庙行香，第二日交割牌印，第三日打断公事。只见：

冬冬牙鼓响，公吏两边排。
阎王生死案，东岳摄魂台。

知县恰才坐衙，忽然打一喷涕，厅上阶下众人也打喷涕。客将覆判县郎中："非敢学郎中打喷涕。离县九里有座庙，唤做皂角林大王庙。庙前有两株皂角树，多年结成皂角，无人敢动，蛀成末子。往时官府到任，未理公事，先去拈香。今日判县郎中不曾拈香，大王灵圣，一阵风吹皂角末到此。众人闻了皂角末，都打喷涕。"知县道："作怪！"即往大王庙烧香。到得庙前，离鞍下马。庙祝接到殿上，拈香拜毕。知县揭起帐幔，看神道怎生结束：

戴顶簇金蛾帽子，着百花战袍，系蓝田碧玉带，抹绿绣花靴。脸子是一个骷髅，去骷髅眼里生出两只手来，左手提着方天戟，右手结印。

知县大惊，问庙官："春秋祭赛何物？"庙官覆知县："春间赛七岁花男，秋间赛个女儿。都是地方敛钱，预先买贫户人家儿女。临祭时将来，背剪在柱上，剖腹取心，劝大王一杯。"知县大怒，教左右执下庙官送狱勘罪："下官初授一任，为民父母，岂可枉害人性命！"即时教从人打那泥神，点火把庙烧做白地。

一行人簇拥知县上马。只听得喝道："大王来！大王来！"问左右是甚大王，客将覆告："是皂角林大王。"知县看时，红纱引道，闹装银鞍马，上坐着一个鬼王，眼如漆丸，嘴尖数寸，妆束如庙中所见。知县叫取弓箭来，一箭射去。昏天闭日，霹雳交加，射百道金光，大风起飞砂走石，不见了皂角林大王。人从扶策知县归到县衙，明日依旧判断公事。众父老下状要与皂角林大王重修庙宇，知县焦躁，把众父老赶出来。说这广州有数般瘴气：

欲说岭南景，闻知便大忧。
巨象成群走，巴蛇捉对游。
鸩鸟藏枯木，含沙隐渡头。
野猿啼叫处，惹起故乡愁。

赵知县自从烧了皂角林大王庙，更无些个事。在任治得路不拾遗，犬不夜吠，丰稔年熟。

时光似箭，不觉三年。新官上任，赵知县带了人从归东京。在路行了几日，离那广州新会县有二千馀里，来到座馆驿，唤做峰头驿。知县入那馆驿安歇，仆从唱了下宿喏。到明朝，天色已晓，赵知县开眼看时，衣服箱笼都不见。叫人从时，没有人应。叫管驿子，也不应。知县披了被起来，开放阁门看时，不见一人一骑，馆驿前后并没一人，荒忙出那馆驿门外看时：

经年无客过，尽日有云收。

思量："从人都到那里去了？莫是被强寇劫掠？"披着被，飞也似下那峰头驿。行了数里，没一个人家。赵知县长叹一声，自思量道："休，休！生作湘江岸上人，死作路途中之鬼。"

远远地见一座草舍。知县道："惭愧！"行到草舍，见一个老丈，便道："老丈拜揖，救赵再理性命则个！"那老儿见知县披着被，便道："官人如何恁的打扮？"知县道："老丈，再理是广州新会县知县，来到这峰头驿安歇。到晓，人从行李都不见。"老儿道："却不作怪！"也亏那老儿，便教知县入来，取些旧衣服换了，安排酒饭请他。住了五六日，又措置盘费攛掇知县回东京去。知县谢了出门。

夜住晓行，不则一日，来到东京。归去那对门茶坊里，叫点茶婆婆："认得我？"婆婆道："官人失望。"赵再理道："我便是对门赵知县，归到峰头驿安歇，到晓起来，人从担仗都不见一个。罪过村间一老儿与我衣服盘费。不止一日，来到这里。"婆婆道："官人错了！对门赵知县归来两个月了。"赵再理道："先归的是假，我是真的。"婆婆道："那得有两个知县？"再理道："相烦婆婆叫我妈妈过来。"婆婆仔细看时，果然和先前归来的不差分毫。只得走过去，只见赵知县在家坐地。婆婆道了万福，却和外面一般的。入到里面，见了妈妈道："外面又有一个知县归来。"妈妈道："休要胡说！我只有一个儿子，那得有两个知县来！"婆婆道："且去看一看。"走到对门，赵再理道："妈妈认得儿？"妈妈道："汉子休胡说！我只有一个儿子，那得两个？"赵再理道："儿是真的！儿归到峰头驿，睡了一夜，到晓，人从行李都不见了。如此这般，来到这里。"看的人桥肩叠背，拥约不开。赵再理捽着娘不肯放。点茶的婆婆道："生知县时须有个瘢痕隐记。"妈妈道："生那儿时，脊背下有一搭红记。"脱下衣裳，果然有一搭红记。看的人发一声喊："先归的是假的！"

却说对门赵知县问门前为甚乱嚷，院子道："门前又一个知县归来。"赵知县道："甚人敢恁的无状！我已归来了，如何又一个赵知县？"出门，看的人都四散走开。知县道："妈妈，这汉是甚人？如何扯住我的娘无状！"娘道："我儿身上有红记，是真的。"赵知县也脱下衣裳。众人大喊一声，看那脊背上，也有一搭红记。众人道："作怪！"

赵知县送赵再理去开封府，正直大尹升堂。那先回的赵知县，公然冠带入府，与大尹分宾而坐，谈是说非。大尹先自信了，反将赵再理喝骂，几番便要用刑拷打。赵再理理直气壮，不免将峰头驿安歇事情，高声抗辨。大尹再三不决，猛省思量："有告劄文凭是真的。"便问赵再理："你是真的，告劄文凭在那里？"赵再理道："在峰头驿都不见了。"大尹台旨，教客将请假的赵知县来。太守问："判县郎中，可有告劄文字在何处？"知县道："有。"令人去妈妈处取来呈上。大尹叫："赵再理，你既是真的，如何官告文凭，却在他处？"再理道："告大尹，只因在峰头驿失去了。——却问他几年及第？试官是兀谁？当年做甚题目？因何授得新会县知县？"大尹思量道："也是。"问那假的赵知县，一一对答，如赵再理所言，并无差误。大尹一发决断不下。

那假的赵知县归家，把金珠送与推款司。自古"官不容针，私通车马。"推司接了假的知县金珠，开封府断配真的出境，直到兖州奉符县。两个防送公人，带着衣包雨伞，押送上路。

不则一日，行了三四百里路，地名青岩山脚下，前后都没有人家。公人对赵再理道："官人，商量句话。你到牢城营里，也是担土挑水，作塌杀你，不如就这里寻个自尽。非甘我二人之罪，正是上命差遣，盖不由己。我两个去本地官司讨得回文。你便早死，我们也得早早回京。"赵再理听说，叫苦连天："罢，罢！死去阴司告状理会！"当时颤做一团，闭着眼等候棍子落下。公人手里把著棍子，口里念道："善去阴司，好归地府。"恰才举棍要打，只听得背后有人大叫道："防送公人不得下手！"吓得公人放下棍子，看时，见一个六七岁孩儿，裹着光纱帽，绿襕衫，玉束带，甜鞋净袜，来到目前。公人问是谁。说道："我非是人。"吓得两个公人，喏喏连声。便道："他是真的赵知县，却如何打杀他？我与你一笏银，好看承他到奉符县。若坏了他性命，教你两个都回去不得。"一阵风，不见了小儿。

二人便对赵知县道："莫怪，不知道是真的！若得回东京，切莫题名。"迤逦来到奉符县牢城营，端公交割了。公人说上项事，端公便安排书院，请那赵知县教两个孩儿读书，不教他重难差役。然虽如此，坐过公堂的人，却教他做这勾当，好生愁闷，难过日子。不觉捱了一年。

时遇春初，往后花园闲步散闷，见花柳生芽，百禽鸣舞。思想为官一场，功名已付之度外，奈何骨肉分离，母子夫妻俱不相认。不知前生作何罪业，受此恶报，餬口于此，终无出头之日，凄然堕下泪来。猛见一所池子，思量："不如就池里投水而死，早去阴司地府告理他。"叹了口气，觑着池里一跳。只听得有人叫道："不得投水！"回头看时，又见个光纱帽、绿襕衫、玉束带孩儿道："知县，婆婆教你三月三日上东峰东岳左廊下，见九子母娘娘，与你一件物事，上东京报仇。"赵知县拜谢道："尊神，如今在东京假赵某的是甚人？"孩儿道："是广州皂角林大王。"说罢，一阵风不见了。

巴不得到三月三日，辞了端公，往东峰东岱岳烧香。上得岳庙，望那左廊下，见九子母娘娘，拜祝再三。转出庙后，有人叫："赵知县！"回头看时，见一个孩儿，挽着三个角儿，棋子布背心，道："婆婆叫你。"随那小儿，行半里田地看时，金钉朱户，碧瓦雕梁。望见殿上坐着一个婆婆，眉分两道雪，髻挽一窝丝，有三四个孩儿，叫："恩人来了。"——如何叫赵知县是恩人？他在广州做知县时，一年便救了两个小厮，三年便救几人性命，因此叫做恩人。——知县在阶下拜求。婆婆便请知县上殿来："且坐，安排酒来。"数杯酒后，婆婆道："见今在东京夺你家室的，是皂角林大王。官司如何断决得！我念你有救童男童女之功，却用救你。"便叫第三个孩儿："你取将那件物事。"孩儿手里托着黄帕，包着一个盒儿。婆婆去头上拔一只金钗，分付知县道："你去那山脚下一所大池边头，一株大树，把金钗去那树上敲三敲，那水面上定有夜叉出来。你说是九子母娘娘差来，便带你到龙宫海藏取一件物事在盒子内，便可往东京坏那皂角林大王。"知县拜谢婆婆，便下东峰东岱岳来。

到山脚下，寻见池子边大树，用金钗去敲三敲。一阵风起，只见水面上一个夜叉出来，问："是甚人？"便道："奉九子母娘娘命，来见龙君。"夜叉便入去，不多时，复出来，叫知县闭目。只听得风雨之声。夜叉叫开眼，看时：

霭霭祥云笼殿宇，依依薄雾罩回廊。

夜叉教知县把那盒子来。知县便解开黄袱，把那盒子与夜叉。夜叉揭开盒盖，去那殿角头叫恶物过来。只见一件东西，似龙无角，似虎有鳞，入于盒内。把盒盖定，把黄袱包了，付与知县牢收，直到东京去坏皂角林大王。夜叉依旧教他闭目，引出水中。

知县离了东峰东岱岳，到奉符县，一路上自思量："要去问牢城营端公，还是不去好？我是配来的罪人，定不肯放我去。留住便坏了我的事，不如一径取路。"过了奉符县，趁金水银堤汴河船，直到东京开封府前，大声叫屈："我是真的赵知县，却配我到兖州奉符县。如今占住我浑家的不是人，是广州新会县皂角林大王！"众人都拥将来看，便有做公的捉入府来，驱到厅前阶下。大尹问道："配去的罪人，辄敢道我打断不明！"赵知县告大尹："再理授得广州新会县知县，第一日打断公事，忽然打一个喷涕，厅上厅下人都打喷涕。客将禀覆：'离县九里有座皂角林大王庙，庙前有两株皂角树，多年蛀成末，无人敢动。判县郎中不曾拈香，所以大王显灵，吹皂角末来打喷涕。’再理即时备马往庙拈香，见神道形容怪异，眼里伸出两只手来。问庙祝春秋祭赛何物。覆道：‘春赛祭七岁花男，秋赛祭一童女，背绑那将军柱上，剖腹取心供养。’再理即时将庙官送狱究罪，焚烧了庙宇神像。回来路上，又见喝：‘大王来！’红纱照道。再理又射了一箭，次后无事。捻指三年任满，到半路馆驿安歇。到天明起来，三十馀人从者不见一人。上至头巾，下至衣服，并不见。只得披着被走乡中，亏一个老儿赠我衣服盘费，得到东京。不想大尹将再理断配去奉符县。因上东峰东岱岳，遇九子母娘娘，得其一物，在盒子中，能坏得皂角林大王。若请那假知县来，坏他不得，甘罪无辞。”大尹道：“你且开盒子先看一看，是甚物件。”再理告大尹：“看不得。揭开后，坏人性命。”

大尹教押过一边，即时请将假知县来，到厅坐下。大尹道：“有人在此告判县郎中非人，乃是广州新会县皂角林大王。”假知县听说，面皮通红，问道：“是谁说的？”大尹道：“那真赵知县上东峰东岱岳，遇九子母娘娘所说。”假知县大惊，仓皇欲走。那真的赵知县在阶下，也不等大尹台旨，解开黄袱，揭开盒子。只见风雨便下，伸手不见掌。须臾，云散风定，就厅上不见了假的知县。大尹吓得战做一团，只得将此事奏知道君皇帝。降了三个圣旨：第一开封府问官追官勒停；第二赵知县认了母子，仍旧补官；第三广州一境不许供养神道。

赵知县到家，母亲妻子号淘大哭，“怎知我儿却是真的！”叫那三十馀人从问时，覆道：“驿中五更前后，教备马起行，怎知是假的！”众人都来贺喜，问盒中是何物，便坏得皂角林大王。赵知县道：“下官亦不认得是何物，若不是九子母娘娘，满门被这皂角林大王所坏。须往东峰东岱岳烧香拜谢则个。”即便拣日，带了妈妈浑家仆从，上汴河船，直到兖州奉符县，谢了端公。那端公晓得是真赵知县，奉承不迭。

住了三两日，上东峰东岱岳来。入得庙门，径来左廊下谢那九子母娘娘。烧罢香，拜谢出门。妈妈和浑家先下山去，赵知县带两个仆人往山后闲行，见怪石上坐一个婆婆，颜如莹玉，叫一声：“赵再理，你好喜也！”赵知县上前认时，便是九子母娘娘。赵知县即时拜谢。娘娘道：“早来祈祷之事，吾已都知。盒子中物，乃是东峰东岱岳一个狐狸精。皂角林大王，乃是阴鼠精。非狸不能捕鼠。知县不妨到御前奏上，宣扬道力。”道罢，一阵风不见了。赵知县骇然大惊。下山来，对妈妈浑家说知，感谢不尽。直到东京，奏知道君皇帝。此时道教方当盛行，降一道圣旨，逢州遇县，都盖九子母娘娘神庙。至今庙宇犹有存者。诗云：

世情宜假不宜真，信假疑真害正人。
若是世人能辨假，真人不用诉明神。

第三十七卷
万秀娘仇报山亭儿

春浓花艳佳人胆，月黑风高壮士心。
讲论只凭三寸舌，秤评天下浅和深。

话说山东襄阳府，唐时唤做山南东道。这襄阳府城中，一个员外，姓万，人叫做万员外。这个员外，排行第三，人叫做万三官人。在襄阳府市心里住，一壁开着乾茶铺，一壁开着茶坊。家里一个茶博士，姓陶，小名叫做铁僧。自从小时绾着角儿，便在万员外家中掉盏子，养得长成二十馀岁，是个家生孩儿。当日茶市罢，万员外在布帘底下，张见陶铁僧这厮，栾四十五见钱在手里。万员外道："且看如何？"原来茶博士市语，唤做"走州府"。且如道市语说"今日走到馀杭县"，这钱，一日只稍得四十五钱，馀杭是四十五里；若说一声"走到平江府"，早一日稍三百六十足。若还信脚走到"西川成都府"，一日却是多少里田地！万员外望见了，且道："看这厮如何？"只见陶铁僧栾了四五十钱，鹰觑鹘望，看布帘里面，约莫没人见，把那见钱怀中便搋。

万员外慢腾腾地掀开布帘出来，柜身里凳子上坐地，见陶铁僧舒手去怀里摸一摸，唤做"自搜"，腰间解下衣带，取下布袯，两只手提住布袯角，向空一抖，拍着肚皮和腰，意思间分说：教万员外看道，我不曾偷你钱。万员外叫过陶铁僧来问道："方才我见你栾四五十钱在手里，望这布帘里一望了，便搋了；你实对我说，钱却不计利害。见你解了布袋，空中抖一抖，真个瞒得我好！你这钱藏在那里？说与我，我到饶你；若不说，送你去官司。"陶铁僧叉大姆指不离方寸地道："告员外，实不敢相瞒，是有四五十钱，安在一个去处。"那厮指道："安在挂着底浪荡灯铁片儿上！"万员外把凳儿站起脚上去，果然是一垛儿，安着四五十钱。万员外复身再来凳上坐地，叫这陶铁僧来问道："你在我家里几年？"陶铁僧道："从小里，随先老底便在员外宅里掉茶盏抹托子。自从老底死后，罪过员外收留，养得大，却也有十四五年。"万员外道："你一日只做偷我五十钱，十日五百，一个月一贯五百，一年十八贯，十五来年，你偷了我二百七十贯钱。如今不欲送你去官司，你且闲休！"当下发遣了陶铁僧。这陶铁僧辞了万员外，收拾了被包，离了万员外茶坊里。

这陶铁僧小后生家，寻常和罗槌不曾收拾得一个，包裹里有得些个钱物，没十日都使尽了。又被万员外分付尽一襄阳府开茶坊底行院，这陶铁僧没经纪，无讨饭吃处。当时正是秋间天色，古人有一首诗道：

柄柄芰荷枯，叶叶梧桐坠。
细雨洒霏微，催促寒天气。
蛩吟败草根，雁落平沙地。
不是路途人，怎知这滋味。

一阵价起底是秋风，一阵价下的是秋雨。陶铁僧当初只道是除了万员外不要得我，别处也有经纪处；却不知吃这万员外都分付了行院，没讨饭吃处。那厮身上两件衣裳，生绢底衣服，渐渐底都曹破了，黄草衣裳，渐渐底卷将来。曾记得建康府中二官人有一词儿，名唤做《鹧鸪天》：

黄草秋深最不宜，肩穿袖破使人悲。领单色旧褫先卷，怎奈金风早晚吹。　才挂体，皱双眉。出门羞赧见相知。邻家女子低声问，觅与奴糊隔帛儿。

陶铁僧看着身上黄草布衫，卷将来，风飕飕地起，便再来周行老家中来。心下自道："万员外忒恁地毒害！便做我拿了你三五十钱，你只不使我便了。'那个猫儿不偷食'？直分付尽一襄阳府开茶坊底教不使我，致令我而今没讨饭吃处。这一秋一冬，却是怎地计结？做甚么是得？"

正恁地思量，则见一个男女来行老家中道："行老，我问你借一条匾担。"那周行老便问道："你借匾担做甚么？"那个哥哥道："万三员外女儿万秀娘，死了夫婿，今日归来。我问你借匾担去挑笼仗则个。"陶铁僧自道："我若还不被赶了，今日我定是同去搬担，也有百十钱撰。"当时越思量越烦恼，转恨这万员外。陶铁僧道："我如今且出城去，看这万员外女儿归，怕路上见他，告这小娘子则个；怕劝得他爹爹，再去求得这经纪也好。"陶铁僧拽开脚出这门去，相次到五里头，独自行。身上又不齐不整，一步懒了一步。正恁地行，只听得后面一个人叫道："铁僧，我叫你。"回头看那叫底人时，却是：

人材凛凛，掀翻地轴鬼魔王；容貌堂堂，撼动天关夜叉将。

陶铁僧唱喏道："大官人叫铁僧做什么？"大官人道："我几遍在你茶坊里吃茶，都不见你。"铁僧道："上覆大官人，这万员外不近道理，赶了铁僧多日。则恁地赶了铁僧，兀自来利害，如今直分付一襄阳府开茶坊行院，教不得与铁僧经纪。大官人看，铁僧身上衣裳都破了，一阵秋风起，饭也不知在何处吃？不是今秋饿死，定是今冬冻死。"那大官人问道："你如今却那里去？"铁僧道："今日听得说，万员外底女儿万秀娘死了夫婿，带着一个房卧，也有数万贯钱物，到晚归来。欲待拦住万小娘子，告他则个。"大官人听得，道是：

入山擒虎易，开口告人难。

大官人说："大丈夫，告他做什么？把以告他，何似自告！"自便把指头指一个去处，叫铁僧道："这里不是说话处，随我来。"两个离了五里头大路，入这小路上来。见一个小小地庄舍寂静去处，这座庄：

前临剪径道，背靠杀人冈。远看黑气冷森森，近视令人心胆丧。

料应不是孟尝家，只会杀人并放火。

大官人见庄门闭着，不去敲那门，就地上捉一块砖儿，撒放屋上。顷刻之间，听得里面掣玷抽撰，开放门，一个大汉出来。看这个人，兜腮卷口，面上刺着六个大字。这汉不知怎地，人都叫他做大字焦吉。出来与大官人厮叫了，指着陶铁僧问道："这个是甚人？"大官人道："他今日看得外婆家报与我，是好一拳买卖。"三个都入来大字焦吉家中。大官人腰里把些碎银子，教焦吉买些酒和肉来共吃。陶铁僧吃了，便去打听消息，回来报说道："好教大官人得知，如今笼仗什物，有二十来担，都搬入城去了。只有万员外的女儿万秀娘，与他万小员外，一个当直，唤做周吉，一担细软头面金银钱物笼子，共三个人，两匹马，到黄昏前后，到这五里头，要赶门入去。"大官人听得说，三人把三条朴刀，叫铁僧："随我来，去五里头林子前等候。"

果是黄昏左右，万小员外和那万秀娘，当直周吉，两个使马的，共五个人，待要入城去。行到五里头，见一所林子，但见：

远观似突兀云头，近看似倒悬雨脚。

影摇千尺龙蛇动，声撼半天风雨寒。

那五个人方才到林子前，只听得林子内大喊一声，叫道："紫金山三百个好汉且未消出来，恐怕唬了小员外共小娘子！"三条好汉，三条朴刀。唬得五个人顶门上荡了三魂，脚板下走了七魄。两个使马的都走了，只留下万秀娘、万小员外、当直周吉三人。大汉道："不坏你性命，只多留下买路钱！"万小员外教周吉把与他。周吉取一锭二十五两银子把与这大汉。那焦吉见了道："这厮，却不叵耐你！我们却只直你一锭银子！"拿起手中朴刀，看着周吉，要下手了。那万小员外和万秀娘道："如壮士要时，都把去不妨。"大字焦吉担着笼子，却待入这林子去，只听得万小员外叫一声道："铁僧，却是你来劫我！"唬得焦吉放了担子道："却不利害！若放他们去，明日襄阳府下状，捉铁僧一个去，我两个怎地计结？"都赶来看着小员外，手起刀举，道声："着！"看小员外时：

身如柳絮飘飏，命似藕丝将断。

大字焦吉一下朴刀，杀了万小员外和那当直周吉，拖这两个死尸入林子里面去，担了笼仗。陶铁僧牵了小员外底马，大官人牵了万秀娘底马。万秀娘道："告壮士，饶我性命则个！"当夜都来焦吉庄上来。连夜敲开酒店门，买些个酒，买些个食，吃了。打开笼仗里金银细软头面物事，做三分：陶铁僧分了一分，焦吉分了一分，大官人也分了一分。这大官人道："物事都分了，万秀娘却是我要，待把来做个札寨夫人。"当下只留这万秀娘在焦吉庄上。万秀娘离不得是把个甜言美语，啜持过来。

在焦吉庄上不则一日，这大官人无过是出路时抢金劫银，在家时饮酒食肉。一日大醉，正是：

三杯竹叶穿心过，两朵桃花脸上来。

万秀娘问道："你今日也说大官人，明日也说大官人，你如今必竟是我底丈夫。犬马尚分毛色，为人岂无姓名？敢问大官人姓甚名谁？"大官人乘着酒兴，就身上指出一件物事来道："是。我是襄阳府上一个好汉，不认得时，我说与你道，教你：

顶门上走了三魂，脚板下荡散七魄！"

掀起两只腿上间朱刺着底文字，道："这个便是我姓名，我便唤做十条龙苗忠。我却说与你。"

原来是：

壁间犹有耳，窗外岂无人。

大字焦吉在窗子外面听得，说道："你看我哥哥苗大官人，却没事说与他姓名做甚么？"走入来道："哥哥，你只好推了这牛子休！"——原来强人市语唤杀人做"推牛子"。——焦吉便要教这十条龙苗忠杀了万秀娘，唤做："斩草除根，萌芽不发；斩草若不除根，春至萌芽再发。"苗忠那里肯听焦吉说，便向焦吉道："钱物平分，我只有这一件偏倍得你们些子，你却恁地吃不得，要来害他。我也不过只要他做个札寨夫人，又且何妨！"焦吉道："异日却为这妇女变做个利害，却又不坏了我！"

忽一日，等得苗忠转脚出门去，焦吉道："我几回说与我这哥哥，教他推了这牛子，左右不肯。把似你今日不肯，明日又不肯，不如我与你下手推了这牛子，免致后患。"那焦吉怀里和鞘搋着一把尖长靶短，背厚刃薄八字尖刀，走入那房里来。万秀娘正在房里坐地，只见焦吉掣那尖刀执在手中，左手捽住万秀娘，右手提起那刀，方欲下手。只见一个人从后面把他腕子一捉，捉住焦吉道："你却真个要来坏他，也不看我面！"焦吉回头看时，便是十条龙苗忠。那苗忠道："只消叫他离了你这庄里便了，何须只管要坏他？"当时焦吉见他恁地说，放下了。

当日天色晚了：

红轮西坠，玉兔东生。佳人秉烛归房，江上渔翁罢钓。萤火点开青草面，蟾光穿破碧云头。

到一更前后，苗忠道："小娘子，这里不是安顿你去处。你须见他们行坐时只要坏你。"万秀娘道："大官人，你如今怎地好！"苗忠道："容易事。"便背了万秀娘，夜里走了一夜，天色渐渐晓，到一所庄院。苗忠放那万秀娘在地上，敲那庄门，里面应道："便来。"不移时，一个庄客出来。苗忠道："报与庄主，说道苗大官人在门前。"庄客入去报了庄主。那庄中一个官人出来。怎地打扮？且看那官人：

> 背系带砖项头巾，着斗花青罗褙子，腰系袜头裆裤，脚穿时样丝鞋。

两个相揖罢，将这万秀娘同来草堂上，三人分宾主坐定。苗忠道："相烦哥哥，甚不合寄这个人在庄上则个。"官人道："留在此间不妨。"苗忠向那人同吃了几碗酒，吃些个早饭，苗忠掉了自去。

那官人请那万秀娘来书院里，说与万秀娘道："你更知得一事么？十条龙苗大官人把你卖在我家中了。"万秀娘听得道，簌簌地两行泪下。有一首《鹧鸪天》，道是：

> 碎似真珠颗颗停，清如秋露脸边倾。洒时点尽湘江竹，感处曾摧数里城。　　思薄幸，忆多情，玉纤弹处暗销魂。有时看了鲛禊上，无限新痕压旧痕。

万秀娘哭了，口中不说，心下寻思道："苗忠底贼！你劫了我钱物，杀了我哥哥，又杀了当直周吉，奸骗了我身己，划地把我来卖了！教我如何活得？"

则好过了数日。当夜，天昏地惨，月色无光，各自都去睡了。万秀娘移步出那脚子门，来后花园里，仰面观天祷祝道："我这爹爹万员外，想是你寻常不近道理，而今教我受这折罚，有今日之事。苗忠底贼！你劫了我钱物，杀了我哥哥，杀了我当直周吉，骗了我身己，又将我卖在这里！"就身上解下抹胸，看着一株大桑树上，掉将过去道："哥哥员外阴灵不远，当直周吉，你们在鬼门关下相等。我生为襄阳府人，死为襄阳府鬼。"

欲待把那颈项伸在抹胸里自吊，忽然黑地里隐隐见假山子背后一个大汉，手里把着一条朴刀，走出来指着万秀娘道："不得做声！我都听得你说底话。你如今休寻死处，我救你出去，不知如何？"万秀娘道："恁地时可知道好。敢问壮士姓氏？"那大汉道："我姓尹名宗。我家中有八十岁底老母，我寻常孝顺，人都叫做孝义尹宗。当初来这里，指望偷些个物事，卖来养这八十岁底老娘。今日却限撞着你，也是'路见不平，拔刀相助'，救你出去。却无他事，不得慌。"把这万秀娘一肩肩到园墙根底，用力打一耸，万秀娘骑着墙头。尹宗把朴刀一点，跳过墙来，接这万秀娘下去。一背背了，方才待行，则见黑地里把一条笔头枪看得清，喝声道："着！"向尹宗前心便擢将来，圪折地一声响。这汉是园墙外面巡逻底，见一个大汉，把条朴刀，跳过墙来，背着一个妇女，一笔头枪擢将来。黑地里尹宗侧身躲过，一枪擢在墙上，正摇索那枪头不出。尹宗背了万秀娘，提着朴刀，拽开脚步便走。

相次走到尹宗家中，尹宗在路上说与万秀娘道："我娘却是怕人，不容物。你到我家中，实把这件事说与我娘道。"万秀娘听得道："好。"巴得到家中，尹宗底娘听得道："儿子归来。"那婆婆开放门，便着手来接儿子，将为道儿子背上偷得甚底物事了喜欢，则见儿子背着一个妇女。婆婆不问事由，拿起一条柱杖，看着尹宗落夹背便打，也打了三四柱杖，道："我教你去偷些个物事来养我老，你却没事背这妇女归来则甚?"

那尹宗吃了三四柱杖，未敢说与娘道。万秀娘见那婆婆打了儿子，肚里便怕。尹宗却放下万秀娘，教他参拜了婆婆。把那前面话对着婆婆说了一遍，道谢尹宗："救妾性命。"婆婆道："何不早说?"尹宗便问娘道："我如今送他归去，不知如何?"婆婆问道："你而今怎地送他归去?"尹宗道："路上一似姊妹，解房时便说是哥哥妹妹。"婆婆道："且待我来教你。"即时走入房里，去取出一件物事。婆婆提出一领千补百衲旧红衲背心，披在万秀娘身上。指了尹宗道："你见我这件衲背心，便似见娘一般，路上切不得胡乱生事，淫污这妇女。"万秀娘辞了婆婆。尹宗脊背上背着万秀娘，迤逦取路，待要奔这襄阳府路上来。

当日天色晚，见一所客店，姊妹两人解了房，讨些饭吃了。万秀娘在客店内床上睡，尹宗在床面前打铺。夜至三更前后，万秀娘在那床上睡不着，肚里思量道："荷得尹宗救我，便是我重生父母，再长爷娘一般。只好嫁与他，共做个夫妻谢他。"万秀娘移步下床，款款地摇觉尹宗道："哥哥，有三二句话与哥哥说。妾荷得哥哥相救，别无答谢，有少事拜覆，未知尊意如何?"尹宗见说，拿起朴刀在手，道："你不可胡乱。"万秀娘心里道："我若到家中，正嫁与他。尹宗定不肯胡乱做些个。"得这尹宗却是大孝之人，依娘言语，不肯胡行。万秀娘见他焦躁，便转了话道："哥哥，若到襄阳府，怕你不须见我爹爹妈妈。"尹宗道："只是恁地时不妨。来日到襄阳府城中，我自回，你自归去。"

到得来日，尹宗背着万秀娘，走相将到襄阳府，则有得五七里田地。正是：

遥望楼头城不远，顺风听得管弦声。

看看望见襄阳府，平白地下一阵雨：

云生东北，雾涌西南。须臾倒瓮倾盆，顷刻悬河注海。

这阵雨下了不住，却又没处躲避。尹宗背着万秀娘，落路来见一个庄舍，要去这庄里躲雨。只因来这庄里，教两人变做：

青云有路，翻为苦楚之人；白骨无坟，变作失乡之鬼。

这尹宗分明是推着一车子没兴骨头，入那千万丈琉璃井里。这庄却是大字焦吉家里。万秀娘见了焦吉那庄，目睁口痴，罔知所措。焦吉见了万秀娘，又不敢问，正恁地踌躕。则见一个人吃得八分来醉，提着一条朴刀，从外来。万秀娘道："哥哥，兀底便是劫了我底十条龙苗忠！"尹宗听得道，提手中朴刀，奔那苗忠。当时苗忠一条朴刀来迎这尹宗。原来有三件事奈何尹宗不得：第一，是苗忠醉了；第二，是苗忠没心，尹宗有心；第三，是苗忠是贼人心虚。苗忠自知奈何尹宗不得，提着朴刀便走。尹宗把一条朴刀赶将来，走了一里田地，苗忠却遇着一堵墙，跳将过去。尹宗只顾赶将来，不知大字焦吉也把一条朴刀，却在后面，把那尹宗坏了性命。果谓是：

螳螂正是遭黄雀，岂解堤防挟弹人！

那尹宗一个，怎抵当得两人！不多时，前面焦吉，后面苗忠，两个回来。苗忠放下手里朴刀，右手换一把尖长靶短、背厚刃薄八字尖刀，左手捽住万秀娘胸前衣裳，骂道："你这个贱人！却不是叵耐你，几乎教我吃这大汉坏了性命。你且吃取我几刀！"正是：

故将挫玉摧花手，来折江梅第一枝。

那万秀娘见苗忠刀举，生一个急计，一只手托住苗忠腕子道："且住！你好没见识！你情知道我又不识这个大汉姓甚名谁，又不知道他是何等样人，不问事由，背着我去，恰好走到这里。我便认得这里是焦吉庄上，故意叫他行这路，特地来寻你。如今你倒坏了我，却不是错了！"苗忠道："你也说得是。"把那刀来入了鞘，却来啜醋万秀娘道："我争些个错坏了你！"正恁地说，则见万秀娘左手捽住苗忠，右手打一个漏风掌，打得苗忠耳门上似起一个霹雳。那苗忠：

睁开眉下眼，咬碎口中牙！

那苗忠怒起来，却见万秀娘说道："苗忠底贼，我家中有八十岁底老娘，你共焦吉坏了我性命，你也好休！"道罢，僻然倒地。苗忠方省得是这尹宗附体在秀娘身上。即时扶起来，救得苏醒，当下都没甚话说。

却说这万员外，打听得儿子万小员外和那当直周吉，被人杀了，两个死尸在城外五里头林子，更劫了一万馀贯家财，万秀娘不知下落。去襄阳府城里下状，出一千贯赏钱，捉杀人劫贼，那里便捉得。万员外自备一千贯，过了几个月，没捉人处。州府赏钱，和万员外赏钱，共添做三千贯，明示榜文，要捉这贼，则是没捉处。当日万员外邻舍，一个公公，七十馀岁，养得一个儿子，小名叫做合哥。大伯道："合哥，你只管躲懒，没个长进。今日也好去上行些个'山亭儿'来卖。"合哥挑着两个土袋，搋着二三百钱，来焦吉庄里，问焦吉上行些个"山亭儿"，拣几个物事。唤做：山亭儿，庵儿，宝塔儿，石桥儿，屏风儿，人物儿。买了几件了。合哥道："更把几件好样式底

'山亭儿'卖与我。"大字焦吉道："你自去屋角头窗子外面自拣几个。"

当时合哥移步来窗子外面，正在那里拣"山亭儿"，则听得窗子里面一个人，低低地叫道："合哥。"那合哥听得道："这人好似万员外底女儿声音。"合哥道："谁叫我？"应声道："是万秀娘叫。"那合哥道："小娘子，你如何在这里？"万秀娘说："一言难尽，我被陶铁僧领他们劫我在这里。相烦你归去，说与我爹爹妈妈，教去下状，差人来捉这大字焦吉，十条龙苗忠，和那陶铁僧。如今与你一个执照归去。"就身上解下一个刺绣香囊，从那窗窟窿子掉出，自入去。合哥接得，贴腰搋着，还了焦吉"山亭儿"钱，挑着担子便行。焦吉道："你这厮在窗子边和甚么人说话？"唬得合哥一似：

分开八面顶阳骨，倾下半桶冰雪水。

合哥放下"山亭儿"担子，看着焦吉道："你见甚么，便说我和兀谁说话？"焦吉探那窗子里面，真个没谁。

担起担子便走，一向不歇脚，直入城来，把一担"山亭儿"，和担一时尽都把来倾在河里，掉臂挥拳归来。爷见他空手归来，问道："'山亭儿'在那里？"合哥应道："倾在河里了。"问道："担子呢？"应道："撺在河里。""匾担呢？"应道："撺在河里。"大伯焦躁起来道："打杀这厮，你是甚意思？"合哥道："三千贯赏钱劈面地来。"大伯道："是如何？"合哥道："我见万员外女儿万秀娘在一个去处。"大伯道："你不得胡说，他在那里？"合哥就怀里取出那刺绣香囊，教把看了，同去万员外家里。

万员外见说，看了香囊，叫出他这妈妈来，看见了刺绣香囊，认得真个是秀娘手迹，举家都哭起来。万员外道："且未消得哭。"即时同合哥来州里下状。官司见说，即特差土兵二十馀人，各人尽带着器械，前去缉捉这场公事。当时叫这合哥引着一行人，取苗忠庄上去，即时就公厅上责了限状，唱罢喏，迤逦登程而去。真个是：

个个威雄似虎，人人猛烈如龙。雨具麻鞋，行缠搭膊。手中杖牛头铛，拨互叉，鼠尾刀，画皮弓，柳叶箭。在路上饥餐渴饮，夜住晓行。才过杏花村，又经芳草渡。好似皂雕追紫燕，浑如饿虎赶黄羊。

其时合哥儿一行到得苗忠庄上，分付教众缉捕人："且休来，待我先去探问。"多时不见合哥儿回来，那众人商议道："想必是那苗忠知得这事，将身躲了。"合哥回来，与众人低低道："作一计引他，他便出来。"离不得到那苗忠庄前庄后，打一观看，不见踪由。众做公底人道："是那苗忠每常间见这合哥儿来家中，如父母看待，这番却是如何？"别商量一计，先教差一人去，用火烧了那苗忠庄，便知苗忠躲在那里。苗忠一见土兵烧起那庄子，便提着一条朴刀，向西便走。做公底一发赶将来，正是：

有似皂雕追困雁，浑如雪鹘打寒鸠。

那十条龙苗忠慌忙走去，到一个林子前，苗忠入这林子内去。方才走得十馀步，则见一个大汉，浑身血污，手里搦着一条朴刀，在林子里等他，便是那吃他坏了性命底孝义尹宗在这里相遇。所谓是：

劝君莫要作冤仇，狭路相逢难躲避。

苗忠认得尹宗了，欲待行，被他拦住路。正恁地进退不得，后面做公底赶上，将一条绳子，缚了苗忠，并大字焦吉、茶博士陶铁僧，解在襄阳府来，押下司理院。绷爬吊拷，一一勘正，三人各自招伏了。同日将大字焦吉、十条龙苗忠、茶博士陶铁僧，押赴市曹，照条处斩。合哥便请了那三千贯赏钱。万员外要报答孝义尹宗，差人迎他母亲到家奉养。又去官中下状用钱，就襄阳府城外五里头，为这尹宗起立一座庙宇。直到如今，襄阳府城外五头孝义庙，便是这尹宗底，至今古迹尚存，香烟不断。话名只唤做“山亭儿”，亦名“十条龙陶铁僧孝义尹宗事迹”。后人评得好：

万员外刻深招祸，陶铁僧穷极行凶。
生报仇秀娘坚忍，死为神孝义尹宗。

第三十八卷 蒋淑真刎颈鸳鸯会

眼意心期卒未休，暗中终拟约登楼。
光阴负我难相偶，情绪牵人不自由。
遥夜定怜香蔽膝，闷时应弄玉搔头。
樱桃花谢梨花发，肠断青春两处愁。

右诗单说着“情色”二字。此二字，乃一体一用也。故色绚于目，情感于心，情色相生，心目相视。虽亘古迄今，仁人君子，弗能忘之。晋人有云：“情之所钟，正在我辈。”慧远曰：“情色觉如磁石，遇针不觉合为一处。无情之物尚尔，何况我终日在情里做活计耶？”

如今只管说这“情色”二字则甚？且说个临淮武公业，于咸通中，任河南府功曹参军。爱妾曰非烟，姓步氏，容止纤丽，弱不胜绮罗。善秦声，好诗弄笔。公业甚嬖之。比邻乃天水赵氏第也，亦衣缨之族。其子赵象，端秀有文学。忽一日于南垣隙中，窥见非烟，而神气俱丧，废食思之。遂厚赂公业之阍人，以情相告。阍有难色。后为赂所动，令妻伺非烟闲处，具言象意。

非烟闻之，但含笑而不答。阍媪尽以语象。象发狂心荡，不知所如。乃取薛涛笺，题一绝于上。诗曰：

绿暗红稀起暝烟，独将幽恨小庭前。
沉沉良夜与谁语？星隔银河月半天。

写讫，密缄之。祈阍媪达于非烟。非烟读毕，吁嗟良久，向媪而言曰："我亦曾窥见赵郎，大好才貌。今生薄福，不得当之。尝嫌武生粗悍，非青云器也。"乃复酬篇，写于金凤笺。诗曰：

画檐春燕须知宿，兰浦双鸳肯独飞？
长恨桃源诸女伴，等闲花里送郎归。

封付阍媪，令遗象。象启缄，喜曰："吾事谐矣！"但静坐焚香，时时虔祷以候。

越数日，将夕，阍媪促步而至，笑且拜曰："赵郎愿见神仙否？"象惊，连问之。传非烟语曰："功曹今夜府直，可谓良时。妾家后庭，即君之前垣也。若不渝约好，专望来仪，方可候晤。"语罢，既曛黑，象乘梯而登。非烟已置重榻于下。既下，见非烟艳妆盛服，迎入室中，相携就寝，尽缱绻之意焉。乃晓，象执非烟手曰："接倾城之貌，挹希世之人，已担幽明，永奉欢狎。"言讫，潜归。兹后不盈旬日，常得一期于后庭矣。展幽彻之恩，罄宿昔之情，以为鬼鸟不知，人神相助。如是者周岁。

无何，非烟数以细故挞其女奴。奴衔之，乘间尽以告公业。公业曰："汝慎勿扬声，我当自察之！"后至堂直日，乃密陈状请假。迨夜，如常入直，遂潜伏里门。俟暮鼓既作，蹑足而回，循墙至后庭。见非烟方倚户微吟，象则据垣斜睇。公业不胜其忿，挺前欲擒象。象觉跳出。公业持之，得其半襦。

乃入室，呼非烟诘之。非烟色动，不以实告。公业愈怒，缚之大柱，鞭挞血流。非烟但云："生则相亲，死亦无恨！"遂饮杯水而绝。象乃变服易名，远窜于江湖间，稍避其锋焉。可怜雨散云消，花残月缺。

且如赵象知机识务，离脱虎口，免遭毒手，可谓善悔过者也。于今又有个不识窍的小二哥，也与个妇人私通，日日贪欢，朝朝迷恋，后惹出一场祸来，尸横刀下，命赴阴间。致母不得侍，妻不得顾，子号寒于严冬，女啼饥于永昼。静而思之，着何来由！况这妇人不害了你一条性命了？真个：

蛾眉本是婵娟刃，杀尽风流世上人。

说话的，你道这妇人住居何处？姓甚名谁？原来是浙江杭州府武林门外落乡村中，一个姓蒋的生的女儿，小字淑真。生得甚是标致，脸衬桃花，比桃花不红不白；眉分柳叶，如柳叶犹细犹弯。自小聪明，从来机巧，善描龙而刺凤，能剪雪以裁云。心中只是好些风月，又饮得几杯酒。年已及笄，父母议亲，东也不成，西也不就。每兴凿穴之私，常感伤春之病。自恨芳年不偶，郁郁不乐。垂帘不卷，羞杀紫燕双飞；高阁慵凭，厌听黄莺并语。未知此女儿时得偶素愿？因成商调《醋葫芦》小令十篇，系于事后，少述斯女始末之情。奉劳歌伴，先听格律，后听芜词：

湛秋波两剪明，露金莲三寸小。弄春风杨柳细身腰，比红儿态度应更娇。他生得诸般齐妙，纵司空见惯也魂消！

况这蒋家女儿，如此容貌，如此伶俐，缘何豪门巨族，王孙公子，文士富商，不行求聘？却这女儿心性有些跷蹊，描眉画眼，傅粉施朱。梳个纵鬓头儿，着件叩身衫子，做张做势，乔模乔样。或倚槛凝神，或临街献笑，因此闾里皆鄙之。所以迁延岁月，顿失光阴，不觉二十馀岁。

隔邻有一儿子，名叫阿巧，未曾出幼，常来女家嬉戏。不料此女已动不正之心有日矣。况阿巧不甚长成，父母不以为怪，遂得通家往来无间。一日，女父母他适，阿巧偶来，其女相诱入室，强合焉。忽闻扣户声急，阿巧惊遁而去，女父母至家亦不知也。且此女欲心如炽，久渴此事，自从情窦一开，不能自已。阿巧回家，惊气冲心而殒。女闻其死，哀痛弥极，但不敢形诸颜颊。奉劳歌伴，再和前声：

锁修眉恨尚存。痛知心人已亡。霎时间云雨散巫阳，自别来几日行坐想。空撇下一天情况，则除是梦里见才郎。

这女儿自因阿巧死后，心中好生不快活，自思量道："皆由我之过，送了他青春一命。"日逐蹀躞不下。

倏尔又是一个月来。女儿晨起梳妆，父母偶然视听，其女颜色精神，语言恍惚。老儿因谓妈妈曰："莫非淑真做出来了？"殊不知其女春色飘零，蝶粉蜂黄都退了；韶华狼籍，花心柳眼已开残。妈妈老儿互相埋怨了一会，只怕亲戚耻笑。"常言道：'女大不中留。'留在家中，却如私盐包儿，脱手方可。不然，直待事发，弄出丑来，不好看。"那妈妈和老儿说罢，央王嫂嫂作媒："将高就低，添长补短，发落了罢。"

一日，王嫂嫂来说，嫁与近村李二郎为妻。且李二郎是个农庄之人，又四十多岁，只图美貌，不计其他。过门之后，两个颇说得着。瞬息间十有馀年，李二郎被他彻夜盘弄，衰惫了。年将五十之上，此心已灰。奈何此妇正在妙龄，酷好不厌，仍与夫家西宾有事。李二郎一见，病发身故。这妇人眼见断送两人性命了。奉劳歌伴，再和前声：

结姻缘十数年，动春情三四番。萧墙祸起片时间，到如今反为难上难。把一对凤鸾惊散，倚阑干无语泪偷弹。

那李大郎斥退西宾，择日葬弟之柩。这妇人不免守孝三年。其家已知其非，着人防闲。本妇自揣于心，亦不敢妄为矣。朝夕之间，受了多少的熬煎，或饱一顿，或缺一餐，家人都不理他了。将及一年之上，李大郎自思留此无益，不若逐回，庶免辱门败户。遂唤原媒眼同，将妇罄身赶回。本妇如鸟出笼，似鱼漏网，其馀物饰，亦不计较。本妇抵家，父母只得收留，那有好气待他，如同使婢。妇亦甘心忍受。

一日，有个张二官过门，因见本妇，心甚悦之。挽人说合，求为继室。女父母允诺，恨不推将出去。且张二官是个行商，多在外，少在内，不曾打听得备细。设下盒盘羊酒，涓吉成亲。这妇人不去则罢，这一去，好似：

猪羊奔屠宰之家，一步步来寻死路。

是夜，画烛摇光，粉香喷雾。奉劳歌伴，再和前声：

喜今宵月再圆，赏名园花正芳。笑吟吟携手上牙床，恣交欢恍然入醉乡。不觉的浑身通畅，把断弦重续两情偿。

他两个自花烛之后，日则并肩而坐，夜则叠股而眠，如鱼藉水，似漆投胶。一个全不念前夫之恩爱，一个那曾题亡室之音容。妇羡夫之殷富，夫怜妇之丰仪。两个过活了一月。

一日，张二官人早起，分付虞候收拾行李，要往德清取帐。这妇人怎生割舍得他去。张二官人不免起身，这妇人簌簌垂下泪来。张二官道："我你既为夫妇，不须如此。"各道保重而别。

别去又过了半月光景，这妇人是久旷之人，既成佳配，未尽畅怀，又值孤守岑寂，好生难遣。觉身子困倦，步至门首闲望。对门店中一后生，约三十已上年纪，资质丰粹，举止闲雅。遂问随侍阿瞒，阿瞒道："此店乃朱秉中开的。此人和气，人称他为朱小二哥。"妇人问罢，夜饭也不吃，上楼睡了。楼外乃是官河，舟船歇泊之处。将及二更，忽闻梢人嘲歌声隐约，侧耳而听，其歌云：

二十去了廿一来，不做私情也是呆。

有朝一日花容退，双手招郎郎不来。

妇人自此复萌觊觎之心，往往倚门独立。朱秉中时来调戏，彼此相慕，目成眉语，但不能一叙款曲为恨也。奉劳歌伴，再和前声：

美温温颜面肥，光油油鬓发长。他半生花酒肆颠狂，对人前扯拽都是谎。全无有风云气象，一味里窃玉与偷香。

这妇人羡慕朱秉中不已，只是不得凑巧。一日，张二官讨帐回家，夫妇相见了，叙些间阔的话。本妇似有不悦之意，只是勉强奉承，一心倒在朱秉中身上了。张二官在家又住了一个月之上。正值仲冬天气，收买了杂货赶节，赁船装载到彼，发卖之间，不甚称意，把货都赊与人上了，旧帐又讨不上手。俄然逼岁，不得归家过年，预先寄些物事回家支用，不题。

且说朱秉中因见其夫不在，乘机去这妇人家贺节。留饮了三五杯，意欲做些暗昧之事。奈何往来之人，应接不暇，取便约在灯宵相会。秉中领教而去。捻指间又届十三日试灯之夕，于是户户鸣锣击鼓，家家品竹弹丝。游人队队踏歌声，仕女翩翩垂舞袖。鳌山彩结，嵬峨百尺矗晴空；凤篆香浓，缥渺千层笼绮陌。闲庭内外，溶溶宝烛光辉；杰阁高低，烁烁华灯照耀。奉劳歌伴，再和前声：

奏箫韶一派鸣，绽池莲万朵开。看六街三市闹挨挨，笑声高满城春似海。期人在灯前相待，几回价又恐燕莺猜。

其夜，秉中侵早的更衣着靴，只在街上往来。本妇也在门首抛声炫俏。两个相见暗喜，准定目下成事。不期伊母因往观灯，就便探女。女扃户邀入参见，不免留宿。秉中等至夜分，闷闷归卧。次夜如前。正遇本妇，怪问如何爽约。挨身相就，止做得个“吕”字儿而散。少间，具酒奉母。母见其无情无绪，向女言曰：“汝如今迁于乔木，只宜守分，也与父母争一口气。”岂知本妇已约秉中等了二夜了，可不是鬼门上占卦？平旦，买两盒饼馓，雇顶轿儿，送母回了。薄晚，秉中张个眼慢，钻进妇家，就便上楼。本妇灯也不看，解衣相抱，曲尽于飞。然本妇平生相接数人，或老或少，那能造其奥处。自经此合，身酥骨软，飘飘然其滋味不可胜言也。且朱秉中日常在花柳丛中打交，深谙十要之术，那十要？

一要滥于撒漫，二要不算工夫，三要甜言美语，四要软款温柔，五要乜斜缠帐，六要施逞枪法，七要妆聋做哑，八要择友同行，九要穿着新鲜，十要一团和气。

若狐媚之人，缺一不可行也。

再说秉中已回，张二官又到。本妇便害些木边之目，田下之心。要好只除相见。奉劳歌伴，再和前声：

报黄昏角数声，助凄凉泪几行。论深情海角未为长，难捉摸这般心内痒。不能勾相偎相傍，恶思量萦损九回肠。

这妇人自庆前夕欢娱，直至佳境，又约秉中晚些相会，要连歇几十夜。谁知张二官家来，心中纳闷，就害起病来。头疼腹痛，骨热身寒。张二官颙望回家，将息取乐，因见本妇身子不快，倒戴了一个愁帽。遂请医调治，倩巫烧献，药必亲尝，衣不解带，反受辛苦，不似在外了。

且说秉中思想，行坐不安。托故去望张二官，称道：“小弟久疏趋侍，昨闻荣回，今特拜谒。奉请明午于蓬舍，少具鸡酒，聊与兄长洗尘，幸勿他却！”翌日，张二官赴席，秉中出妻女奉劝，大醉扶归。已后还了席，往往来来。本妇但闻秉中在座，说也有，笑也有，病也无；倘或不来，就呻吟叫唤，邻里厌闻。

张二官指望便好，谁知日渐沉重。本妇病中，但瞑目，就见向日之阿巧和李二郎偕来索命，势渐狞恶。本妇惧怕，难以实告，惟向张二官道：“你可替我求问：'几时脱体？'"如言径往洞虚先生卦肆，卜下卦来。判道："此病大分不好，有横死老幼阳人死命为祸，非今生，乃宿世之冤。今夜就可办备福物酒果冥衣各一分，用鬼宿度河之次，向西铺设，苦苦哀求，庶有少救；不然，决不好也。"奉劳歌伴，再和前声：

挪揄来苦怨咱，朦胧着便见他。病恹恹害的眼儿花，瘦身躯怎禁没乱杀！则说不和我干休罢，几时节离了两冤家！

张二官正依法祭祀之间，本妇在床，又见阿巧和李二郎击手言曰："我辈已诉于天，着来取命。你央后夫张二官再四恳求，意甚虔恪。我辈且容你至五五之间，待同你一会之人，却假弓长之手，与你相见。"言讫，欻然不见了。本妇当夜似觉精爽些个，后看看复旧。张二官喜甚，不题。

却见秉中旦夕亲近，馈送迭至，意颇疑之，尤未为信。一日，张二官入城催讨货物。回家进门，正见本妇与秉中执手联坐。张二官倒退扬声，秉中迎出相揖。他两个亦不知其见也。张二官当时见他殷勤，已自生疑七八分了，今日撞个满怀，凑成十分。张二官自思量道："他两个若犯在我手里，教他死无葬身之地！"遂往德清去做买卖。到了德清，已是五月初一日。安顿了行李在店中，上街买一口刀，悬挂腰间。至初四日连夜奔回，匿于他处，不在话下。

再题本妇渴欲一见，终日去接秉中。秉中也有些病在家里。延至初五日，阿瞒又来请赴鸳鸯会。秉中勉强赴之，楼上已筵张水陆矣：盛两盂煎石首，贮二器炒山鸡，酒泛菖蒲，糖烧角黍。其馀肴馔蔬果，未暇尽录。两个遂相轰饮，亦不顾其他也。奉劳歌伴，再和前声：

绿溶溶酒满斟，红焰焰烛半烧；正中庭花月影儿交，直吃得玉山时自倒。他两个贪欢贪笑，不提防门外有人瞧！

两个正饮间，秉中自觉耳热眼跳，心惊肉战，欠身求退。本妇怒曰："怪见终日请你不来，你何轻贱我之甚！你道你有老婆，我便是无老公的？你殊不知我做鸳鸯会的主意。夫此二鸟，飞鸣宿食，镇常相守；尔我生不成双，死作一对。"昔有韩凭妻美，郡王欲夺之，夫妻皆自杀。王恨，两冢瘗之，后冢上生连理树，上有鸳鸯，悲鸣飞去。此两个要效鸳鸯比翼交颈，不料便成语谶。况本妇甫能阐阃得病好，就便荒淫无度，正是：

偷鸡猫儿性不改，养汉婆娘死不休。

再说张二官提刀在手，潜步至门，梯树窃听。见他两个戏谑歌呼，历历在耳，气得按捺不下，打一砖去。本妇就吹灭了灯，声也不则了。连打了三块，本妇教秉中先睡："我去看看便来。"阿瞒持烛先行，开了大门，并无人迹。本妇叫道："今日是个端阳佳节，那家不吃几杯雄黄酒？……"正要骂间，张二官跳将下来，喝道："泼贱！你和甚人夤夜吃酒？"本妇吓得战做一团，只说："不不不！"张二官乃曰："你同我上楼一看，如无便罢，慌做甚么？"本妇又见阿巧、李二郎一齐都来，自分必死，延颈待尽。秉中赤条条惊下床来，匍匐口称："死罪，死罪！情愿将家私并女奉报，哀怜小弟母老妻娇，子幼女弱！"张二官那里准他。则见刀过处，一对人头落地，两腔鲜血冲天。正是：

当时不解恩成怨，今日方知色是空。

当初本妇卧病，已闻阿巧、李二郎言道："五五之间，待同你一会之人，假弓长之手，再与相见。"果至五月五日，被张二官杀死。"一会之人"，乃秉中也。祸福未至，鬼神必先知之，可不惧欤！故知士矜才则德薄，女炫色则情放。若能如执盈，如临深，则为端士淑女矣，岂不美哉！惟愿率土之民，夫妇和柔，琴瑟谐协，有过则改之，未萌则戒之，敦崇风教，未为晚也。在座看官，漫听这一本《鸳鸯刎颈会》。奉劳歌伴，再和前声：

见抛砖意暗猜，入门来魂已惊。举青锋过处丧多情，到今朝你心还未省！送了他三条性命，果冤冤相报有神明。

又调《南乡子》一阕，词曰：

春老怨啼鹃，玉损香消事可怜。一对风流伤白刃，冤冤，惆怅劳魂赴九泉。　抵死苦留连，相是前生有业缘。景色依然人已散，天天，千古多情月自圆。

第三十九卷
福禄寿三星度世

欲学为仙说与贤，长生不死是虚传。
少贪色欲身康健，心不瞒人便是仙。

说这四句诗，单说一个官人，二十年灯窗用心，苦志勤学。谁知时也，运也，命也，连举不第，没分做官，有分做仙去。这大宋第三帝主，乃是真宗皇帝。景德四年，秋八月中，这个官人，水乡为活，捕鱼为生。捕鱼有四般：攀缯者仰，鸣榔者闹，垂钓者静，撒网者舞。这个官人，在一座州，谓之江州，军号定江军。去这江州东门，谓之九江门；外，一条江，随地呼为浔阳江。

万里长江水似倾，东连大海若雷鸣。
一江护国清泠水，不请衣粮百万兵。

这官人于八月十四夜，解放渔船，用棹竿掉开，至江中，水光月色，上下相照。这官人用手拿起网来，就江心一撒，连撒三网，一鳞不获。只听得有人叫道："刘本道，刘本道，大丈夫不进取光显，何故捕鱼而堕志?"那官人吃一惊，连名道姓，叫得好亲。收了网四下看时，不见一人。再将网起来撒，又有人叫，四顾又不见人。似此三番，当夜不曾捕鱼，使船傍岸。

到明日十五夜，再使船到江心，又有人连名道姓，叫刘本道。本道焦躁，放下网听时，是后面有人叫。使船到后看时，其声从芦苇中出。及至寻入芦苇之中，并无一人。却不作怪！使出江心举网再撒，约莫网重，收网起来看时，本道又惊又喜，打得一尾赤梢金色鲤鱼，约长五尺。本道道谢天地，来日将入城去卖，有三五日粮食。将船傍岸，缆住鲤鱼，放在船板底下，活水养着。待欲将身入舱内解衣睡，觉肚中又饥又渴。看船中时，别无止饥止渴的物。怎的好？番来覆去，思量去那江岸上，有个开村酒店张大公家，买些酒吃才好。就船中取一个盛酒的葫芦上岸来。左胁下挟着棹竿，右手提着葫芦，乘着月色，沿江而走。肚里思量："知他张大公睡也未睡？未睡时，叫开门，沽些酒吃；睡了时，只得忍饥渴睡一夜。"

迤逦行来，约离船边半里多路，见一簇人家。这里便是张大公家。到他门前，打一望，里面有灯也无，但见张大公家有灯。怎见得？有只词名《西江月》，单咏着这灯花：

> 零落不因春雨，吹残岂藉东风。结成一朵自然红，费尽工夫怎种？　　有焰难藏粉蝶，生花不惹游蜂。更阑人静画堂中，曾伴玉人春梦。

本道见张大公家有灯，叫道："我来问公公沽些酒吃。公公睡了便休，未睡时，可沽些与我。"张大公道："老汉未睡。"开了门，问刘官人讨了葫芦，问了升数，入去盛将出来，道："酒便有，却是冷酒。"本道说与公公："今夜无钱，来日卖了鱼，却把钱来还。"张大公道："妨甚事。"张大公关了门。

本道挟着棹竿，提着葫芦，一面行，肚中又饥，顾不得冷酒，一面吃，就路上也吃了二停。到得船边，月明下，见一个人，球头光纱帽，宽袖绿罗袍，身材不满三尺，觑着本道掩面大哭道："吾之子孙，被汝获尽！"本道见了，大惊："江边无这般人，莫非是鬼！"放下葫芦，将手中棹竿去打，叫声："着！"打一看时，火光迸散，豁剌剌地一声响。本道凝睛看时，不是有分为仙，险些做个江边失路鬼，波内横亡人。有诗为证：

> 高人多慕神仙好，几时身在蓬莱岛？
> 由来仙境在人心，清歌试听《渔家傲》。
> 此理渔人知得少，不经指示谁能晓。
> 君欲求鱼何处非，鹊桥有路通仙道。

当下本道看时，不见了球头光纱帽、宽袖绿罗袍、身不满三尺的人。却不作怪！

到这缆船岸边，却待下船去，本道叫声苦，不知高低，去江岸边不见了船。“不知甚人偷了我的船去？”看那江对岸，万籁无声；下江一带，又无甚船只。今夜却是那里去歇息？思量：“这船无人偷我的，多时捕鱼不曾失了船，今日却不见了这船！不是下江人偷去，还是上江人偷我的。”本道不来下江寻船，将葫芦中酒吃尽了，葫芦撇在江岸，沿那岸走。从二更走至三更，那里见有船！思量：“今夜何处去好？”

走来走去，不知路径。走到一座庄院前，放下棹竿，打一望，只见庄里停着灯。本道进退无门，欲待叫，这庄上素不相识；欲待不叫，又无栖止处。只得叫道：“有人么？念本道是打鱼的，因失了船，寻来到此。夜深无止宿处，万望庄主暂借庄上告宿一宵。”只听得庄内有人应道：“来也。官人少待。”却是女人声息。那女娘开放庄门，本道低头作揖。女娘答礼相邀道：“官人请进，且过一宵了去。”本道谢了，挟着棹竿，随那女娘入去。女娘把庄门掩上，引至草堂坐地，问过了姓名，殷勤启齿道：“敢怕官人肚饥，安排些酒食与官人充饥，未知何如？”本道道：“谢娘子，胡乱安顿一个去处，教过得一夜，深谢相留！”女娘道：“不妨，有歇卧处。……”

说犹未了，只听得外面有人声唤：“阿耶！阿耶！我不撩拨你，却打了我！这人不到别处去，定走来我庄上借宿。”这人开门，本道吃一惊：“告娘子，外面声唤的是何人？”女娘道：“是我哥哥。”本道且走入一壁厢黑地里立着看时，女娘移身去开门，与哥哥叫声万福。那人叫唤：“阿耶！阿耶！妹妹关上门，随我入来。”女娘将庄门掩了，请哥哥到草堂坐地。本道看那草堂上的人，叫声苦：“我这性命须休！”正是猪羊入屠宰之家，一脚脚来寻死路。有诗为证：

撇了先妻娶晚妻，晚妻终不恋前儿。
先妻却在晚妻丧，盖为冤家没尽期。

本道看草堂上那个人，便是球头光纱帽、宽袖绿罗袍、身材不满三尺的人。“我曾打他一棹竿，去那江里死了，我却如何到他庄上借宿！”本道顾不得那女子，挟着棹竿，偷出庄门，奔下江而走。

却说庄上那个人声唤，看着女子道：“妹妹，安排乳香一块，暖一碗热酒来与我吃，且定我脊背上疼。”即时，女子安排与哥哥吃。问道：“哥哥做甚声唤？”哥哥道：“好教你得知，我又不撩拨他；我在江边立地，见那厮沽酒回来，我掩面大哭道：‘吾之子孙，尽被汝获之。’那厮将手中棹竿打一下，被我变一道火光走入水里去。那厮上岸去了，我却把他的打鱼船摄过。那厮四下里没寻处，迤逦沿江岸走来。我想他不走别处去，只好来我庄上借

宿。妹妹，他曾来借宿也不？”妹妹道：“却是兀谁？”哥哥说：“是刘本道，他是打鱼人。”女娘心中暗想：“原来这位官人，是打我哥哥的。不免与他遮饰则个。”遂答应道：“他曾来庄上借宿，我不曾留他，他自去了。哥哥辛苦了，且安排哥哥睡。”

却说刘本道沿着江岸，荒荒走去，从三更起仿佛至五更，走得腿脚酸疼。明月下，见一块大石头，放下棹竿，方才歇不多时，只听得有人走得荒速，高声大叫：“刘本道休走，我来赶你。”本道叫声苦，不知高低！“莫是那汉赶来，报那一棹竿的冤仇？”把起棹竿立地，等候他来。无移时渐近看时，见那女娘身穿白衣，手捧着一个包裹走至面前道：“官人，你却走了。后面寻不见你。我安排哥哥睡了，随后赶来。你不得疑惑，我即非鬼，亦非魅，我乃是人。你看我衣裳有缝，月下有影，一声高似一声。我特地赶你来。”本道见了，连忙放下棹竿，问：“娘子连夜赶来，不知有何事？”女娘问：“官人有妻也无？有妻为妾，无妻嫁你。包裹中尽有馀资，勾你受用。官人是肯也不？”本道思量恁般一个好女娘，又提着一包衣饰金珠，这也是求之不得的。觑着女娘道：“多谢，本道自来未有妻子。”将那棹竿撇下江中，同女娘行至天晓，入江州来。本道叫女娘做妻。女娘问道：“丈夫，我两个何处安身是好？”本道应道：“放心，我自寻个去处。”

走入城中，见一人家门首，挂着一面牌，看时，写着“顾一郎店”。本道向前问道：“那个是顾一郎？”那人道：“我便是。”本道道：“小生和家间爹爹说不着，赶我夫妻两口出来，无处安歇。问一郎讨间小房，权住三五日。亲戚相劝，回心转意时，便归去，却得相谢。”顾一郎道：“小娘子在那里？”本道叫：“妻子来相见则个。”顾一郎见他夫妻两个，引来店中，去南首第三间房，开放房门，讨了钥匙。本道看时，好喜欢。当日打火做饭吃了，将些金珠变卖来，买些箱笼被卧衣服。在这店中约过半年，本道看着妻子道：“今日使，明日使，金山也有使尽时。”女娘大笑道：“休忧！”去箱子内取出一物，教丈夫看：“我两个尽过得一世。”正是：

休道男儿无志气，妇人犹且辨贤愚。

当下女娘却取出一个天圆地方卦盘来。本道见了，问妻子：“缘何会他？”女娘道：“我爹爹在日，曾任江州刺史，姓齐名文叔。奴小字寿奴。不幸去任时，一行人在江中，遭遇风浪，爹妈从人俱亡。奴被官人打的那球头光纱帽、宽袖绿罗袍、身材不满三尺的人，救我在庄上，因此拜他做哥哥。如何官人不见了船，却是被他摄了。你来庄上借宿，他问我时，被我瞒过了，有心要与你做夫妻。你道我如何有这卦盘？我幼年曾在爹行学三件事：第一，写字读书；第二，书符咒水；第三，算命起课。我今日却用着这卦盘，可同顾一郎出去寻个浮铺，算命起课，尽可度日。”本道谢道：“全仗我妻贤达。”

当下把些钱，同顾一郎去南瓦子内，寻得卦铺，买些纸墨笔砚，挂了牌儿，拣个吉日，去开卦肆。取名为白衣女士。顾一郎相伴他夫妻两人坐地，半日先回。当日不发市，明日也不发市。到后日午后，又不发市。女娘觑着丈夫道："一连三日不发市，你理会得么？必有人冲撞我。你去看有甚事，来对我说。"

本道起身，去瓦左瓦右都看过，无甚事。走出瓦子来，大街上但见一伙人围着。本道走来人丛外打一看时，只见一个先生，把着一个药瓢在手，开科道：

五里亭亭一小峰，自知南北与西东。
世间多少迷途客，不指还归大道中。

看官听说："贫道乃是皖公山修行人。贫道有三件事，离了皖公山，走来江州。在席一呵好事君子，听贫道说：第一件，贫道在山修行一十三年，炼得一炉好丹，将来救人；第二件，来寻一物；第三件，贫道救你江州一城人……"众人听说皆惊。先生正说未了，大笑道："众多君子未曾买我的药，却先见了这一物。你道在何处？"觑着人丛外头，用手一招道："后生，你且入来。"本道看那先生。先生道："你来，我和你说。"吓得本道慌随先生入来。先生拍着手："你来救得江州一城人！贫道见那一物了。在那里？这后生便是。"众人吃惊，如何这后生却是一物？先生道："且听我说。那后生，你眉中生黑气，有阴祟缠扰。你实对我说。"本道将前项见女娘的话，都一一说知。先生道："众人在此，这一物，便是那女子。贫道救你。"去地上黄袱里，取出一道符，把与本道："你如今回去，先到房中，推醉了去睡。女娘到晚归来，睡至三更，将这符安在他身上，便见他本来面目。"本道听那先生说了，也不去卦肆里，归到店中，开房门，推醉去睡。

却说女娘不见本道来，到晚，自收了卦铺，归来焦躁，问顾一郎道："丈夫归也未？"顾一郎道："官人及早的醉了，入房里睡。"女娘呵呵大笑道："原来如此！"入房来，见了本道，大喝一声。本道吃了一惊。女娘发话道："好没道理！日多时夫妻，有甚亏负你？却信人斗叠我两人不和！我教你去看有甚人冲撞卦铺，教我三日不发市。你却信乞道人言语，推醉睡了，把一道符教安在我身上，看我本来面目。我是齐刺史女儿，难道是鬼祟？却信恁般没来头的话，要来害我！你好好把出这符来，和你做夫妻；不把出来时，目前相别。"本道怀中取出符来付与女娘。安排晚饭吃了，睡一夜。

明早起来，吃了早饭，却待出门，女娘道："且住，我今日不开卦铺，和你寻那乞道人。问他是何道理，却把符来，唆我夫妻不和；二则去看我与他斗法。"两个行到大街上，本道引至南瓦子前，见一伙人围住先生。先生正说得高兴，被女娘分开人丛，喝声："乞道人！你自是野外乞丐，却把一道符斗叠我夫妻不和！你教安在我身上，见我本来面目。”女娘拍着手道：“我乃前任刺史齐安抚女儿，你们都是认得我爹爹的。辄敢道我是鬼祟！你有法，就众人面前赢了我；我有法，赢了你。”先生见了，大怒，提起剑来，觑着女子头便斫。看的人只道先生坏了女娘。只见先生一剑斫去，女娘把手一指，众人都发声喊，皆惊呆了。有诗为证：

昨夜东风起太虚，丹炉无火酒杯疏。

男儿未遂平生志，时复挑灯玩古书。

女娘把手一指，叫声：“着！”只见先生剑不能下，手不能举。女娘道：“我夫妻两个无事，把一道符与他奈何我，却奈何我不得！今日有何理说？”先生但言：“告娘子，恕贫道！贫道一时见不到，激恼娘子，望乞恕饶。”众人都笑，齐来劝女娘。女娘道：“看众人面，饶了你这乞道人。”女娘念念有词，那剑即时下地。众皆大笑。先生分开人丛，走了。一呵人尚未散，先生复回来。莫是奈何那女娘？却是来取剑。先生去了。

自后女子在卦铺里，从早至晚，挨挤不开。算命发课，书符咒水，没工夫得吃点心，因此出名。

忽一日，见一个人，引着一乘轿子，来请小娘子道：“小人是江州赵安抚老爷的家人。今有小衙内患病，日久不痊。奉台旨，请教小娘子乘轿就行。”女娘分付了丈夫，教回店里去。女子上轿来，见赵安抚引入花园。见小衙内在亭子上，自言自语，口里酒香喷鼻。一行人在花园角门边，看白衣女士作法。念咒毕，起一阵大风：

来无形影去无知，吹开吹谢总由伊。

无端暗度花枝上，偷得清香送与谁？

风过处，见一黄衣女子，怒容可掬，叱喝：“何人敢来奈何我！”见了白衣女士，深深下拜道：“原来是妹子。”白衣女士道：“甚的姐姐从空而下？”那女子道：“妹妹，你如何来这里？”白衣女士道：“奉赵安抚请来救小衙内，坏那邪祟。”女子不听得，万事俱休，听了时，睁目切齿道：“你丈夫不能救，何况救外人！”一阵风不见了黄衣女子。白衣女士就花园内救了小衙内。赵安抚礼物相酬谢了，教人送来顾一郎店中。到得店里，把些钱赏与来人，发落他去。问顾一郎丈夫可在房里。顾一郎道：“好教小娘子得知，走一个黄衣女子入房，挟了官人，托起天窗，望西南上去了。”白衣女士道：“不妨！”即喝声：“起！”就地上踏一片云，起去赶那黄衣女子。仿佛赶上，大叫：“还我丈夫来！”黄衣女子看见赶来，叫声：“落！”放下刘本道，却与白衣女士斗法。

本道顾不得妻子，只顾自走。走至一寺前，力乏了，见一僧在门首立地。本道问：“吾师，借上房歇脚片时则个！”僧言：“今日好忙哩！有一施主来寺中斋僧。”正说间，只见数担柴，数桶酱，数担米，更有香烛纸札，并斋衬钱，远望凉伞下一人，便是那球头光纱帽、宽袖绿罗袍、身材不满三尺的人。本道见了，落荒便走。被那施主赶上，一把捉住道：“你便是打我一棹竿的人！今番落于吾手，我正要取你的心肝，来做下酒。”本道正在危急，却得白衣女士赶来寺前。见了那人，叫道：“哥哥莫怪！他是我丈夫，……”说犹未毕，黄衣女子也来了，对那人高叫道：“哥哥，莫听他！那里是他真丈夫？既是打哥哥的，姊妹们都是仇人了。”一扯一拽，四个搅做一团。

正争不开，只见寺中走出一个老人来，大喝一声：“畜生不得无礼！”叫：“变！”黄衣女子变做一只黄鹿；绿袍的人，变做绿毛灵龟；白衣女子，变做一只白鹤。老人乃是寿星，骑白鹤上升，本道也跨上黄鹿，跟随寿星；灵龟导引，上升霄汉。

那刘本道原是延寿司掌书记的一位仙官，因好与鹤鹿龟三物顽耍，懒惰正事，故此谪下凡世为贫儒。谪限完满，南极寿星引归天上。那一座寺，唤做寿星寺，见在江州浔阳江上，古迹犹存。诗云：

原是仙官不染尘，飘然鹤鹿可为邻。
神仙不肯分明说，误了阎浮多少人。

第四十卷 旌阳宫铁树镇妖

春到人间景色新，桃红李白柳条青。
香车宝马闲来往，引却东风入禁城。
酾剩酒，豁吟情，顿教忘却利和名。
豪来试说当年事，犹记旌阳伏水精。

粤自混沌初辟，民物始生，中间有三个大圣人，为三教之祖。三教是甚么教？一是儒家：乃孔夫子，删述《六经》，垂宪万世，为历代帝王之师，万世文章之祖，这是一教。一是释家：是西方释迦牟尼佛祖，当时生在舍卫国刹利王家，放大智光明，照十方世界，地涌金莲华，丈六金身，能变能化，无大无不大，无通无不通，普度众生，号作天人师，这又是一教。一是道家：是太上老君，乃元气之祖，生天生地，生佛生仙，号铁师元炀上帝。他化身周历尘沙，也不可计数。至商汤王四十八年，又来出世，乘太阳日精，化为弹丸，流入玉女口中。玉女吞之，遂觉有孕。怀胎八十一年，直到武丁九年，破胁而生，生下地时，须发就白，人呼为老子。老子生在李树下，因指李为姓，名耳，字伯阳。后骑着青牛出函谷关。把关吏尹喜望见紫气，知是异人，求得《道德真经》共五千言，传留于世。老子入流沙修炼成仙，今居太清仙境，称为道德天尊，这又是一教。

那三教之中，惟老君为道祖，居于太清仙境。彩云缭绕，瑞气氤氲。一日是寿诞之辰，群三十三天天宫，并终南山、蓬莱山、阆苑山等处，三十六洞天，七十二福地，列位神仙，千千万万，或跨彩鸾，或骑白鹤，或驭赤龙，或驾丹凤，皆飘飘然乘云而至。次第朝贺，献上寿词，稽首作礼。词名《水龙吟》：

红云紫盖葳蕤，仙官浑是阳春候。玄鹤来时，青牛过处，彩云依旧。寿诞宏开，喜《道德》五千言，流传万古不朽。　况是天上仙筵，献珍果人间未有。巨枣如瓜，与着万岁冰桃，千年碧藕。比乾坤永劫无休，举沧海为真仙寿。

彼时老君见群臣赞贺，大展仙颜，即设宴相待。酒至半酣，忽太白金星越席言曰："众仙长知南赡部洲江西省之事乎？江西分野，旧属豫章。其地四百年后，当有蛟蜃为妖，无人降伏，千百里之地，必化成中洋之海也。"老君曰："吾已知之。江西四百年后，有地名曰西山，龙盘虎踞，水绕山环，当出异人，姓许名逊，可为群仙领袖，殄灭妖邪。今必须一仙下凡，择世人德行浑全者，传以道法，使他日许逊降生，有传授渊源耳。"斗中一仙，乃孝悌王，姓卫名弘康，字伯冲，出曰："某观下凡有兰期者，素行不疚，兼有仙风道骨，可传以妙道。更令付此道与女真谌母，谌母付此道于许逊。口口相承，心心相契，使他日真仙有所传授，江西不至沉没，诸仙以为何如?"老君曰："善哉，善哉!"众仙即送孝悌王至焰摩天中，通明殿下，将此事奏闻玉帝。玉帝允奏，即命直殿仙官，将神书玉旨付与孝悌王领讫。孝悌王辞别众仙，蹑起祥云，顷刻之间，到阎浮世界来了。

却说前汉有一人，姓兰名期，字子约，本贯兖州曲阜县高平乡九原里人氏。历年二百，鹤发童颜。率其家百馀口，精修孝行，以善化人，与物无忤。时人不敢呼其名，尽称为兰公。彼时儿童谣云："兰公兰公，上与天通。赤龙下迎，名列斗中。"人知其必仙也。

一日，兰公凭几而坐。忽有一人，头戴逍遥巾，身披道袍，脚穿云履，手中拿一个鱼鼓简板儿，潇潇洒洒，徐步而来。兰公观其有仙家道气，慌忙下阶迎接，分宾坐定。茶毕，遂问："仙翁高姓贵名?"答曰："吾乃斗中之仙，孝悌王是也。自上清下降，遨游人间。久闻先生精修孝行，故此相访。"兰公闻言，即低头拜曰："贫老凡骨，勉修孝行，止可淑一身，不能率四海，有何功德，感动仙灵!"孝悌王遂以手扶起兰公曰："居，吾语汝孝悌之旨。"

兰公欠身起曰："愿听指教！"

孝悌王曰："始炁为大道于日中，是为'孝仙王'。元炁为至道于月中，是为'孝道明王'。玄炁为孝道于斗中，是为'孝悌王'。夫孝至于天，日月为之明；孝至于地，万物为之生；孝至于民，王道为之成。是故舜文至孝，凤凰来翔。姜诗王祥，得鱼奉母。即此论之，上自天子，下至庶人，孝道所至，异类皆应。先生修养三世，行满功成，当得元炁于月中，而为孝道明王。四百年后，晋代有一真仙许逊出世，传吾孝道之宗，是为众仙之长，得始炁于日中，而为孝仙王也。"

自是孝悌王，悉将仙家妙诀，及金丹宝鉴、铜符铁券，并上清灵章、飞步斩邪之法，一一传授与兰公。又嘱道："此道不可轻传，惟丹阳黄堂者，有一女真谌母，德性纯全，汝可传之。可令谌母传授与晋代学仙童子许逊，许逊复传吴猛诸徒，则渊源有自，超凡入圣者，不患无门矣。"孝悌王言罢，足起祥云，冲霄而去。兰公拜而送之。

自此以后，将金符铁券秘诀逐一参悟，遂择地修炼仙丹。其法云：

黑铅天之精，白金地之髓。
黑隐水中阳，白有火之炁。
黑白往来蟠，阴阳归正位。
二物俱含性，丹经号同类。
黑以白为天，白以黑为地。
阴阳混沌时，朵朵金莲华。
宝月满丹田，霞光照灵慧。
休闭通天窍，莫泄混元气。
精奇口诀功，火候文武意。
凡中养圣孙，万般只此贵。
一日生一男，男男各有配。

兰公炼丹已成，举家服之，老者发白反黑，少者辟谷无饥。远近闻之，皆知其必飞升上清也。

时有火龙者，系洋子江中孽畜，神通广大。知得兰公成道，法教流传，后来子孙必遭歼灭。乃率领鼋帅虾兵蟹将，统领党类，一齐奔出潮头，将兰公宅上团团围住，喊杀连天。兰公听得，不知灾从何来，开门一看，好惊人哩！但见：

一片黑烟，万团烈火，却是红孩儿身中四十八万毛孔，一齐迸出；又是华光将手里三十六块金砖，一并烧挥。咸阳遇之，烽焰三月不绝；昆山遇之，玉石一旦俱焚。疑年少周郎赤壁鏖战，似智谋诸葛博望烧屯。

那火，也不是天火，也不是地火，也不是人火，也不是鬼火，也不是雷公霹雳火，却是那洋子江中一个火龙吐出来的。惊得兰公家人，叫苦不迭。兰公知是火龙为害，问曰："你这孽畜无故火攻我家，却待怎的？"孽龙道："我只问你取金丹宝鉴、铜符铁券并灵章等事。你若献我，万事皆休；不然，烧得你一门尽绝！"兰公曰："金丹宝鉴等乃斗中孝悌王所授，我怎肯胡乱与你？"只见那火光中，闪出一员鼋帅，形容古怪，背负团牌，扬威耀武。兰公睁仙眼一看，原来是个鼋鼍，却不在意下。又有那虾兵乱跳，蟹将横行，一个个身披甲胄，手执钢叉。兰公又举仙眼一看，原来都是虾蟹之属，转不着意了。遂剪下一个中指甲来，约有三寸多长，呵了一口仙气，念动真言，化作个三尺宝剑。有歌为证：

非钢非铁体质坚，化成宝剑光凛然。
不须锻炼洪炉烟，棱棱杀气欺龙泉。
光芒颜色如霜雪，见者咨嗟叹奇绝。
琉璃宝匣吐莲花，查镂金环生明月。
此剑神仙流金精，干将莫邪难比伦。
闪闪烁烁青蛇子，重重片片绿龟鳞。
腾出寒光逼星斗，响声一似苍龙吼。
今朝挥向烈炎中，不识蛟螭敢当否？

兰公将所化宝剑望空掷起，那剑刮喇喇，就似翻身样子一般，飞入火焰之中。左一冲右一击，左一挑右一剔，左一砍右一劈，那些孽怪如何当抵得住！只见鼋帅遇着缩头缩脑，负一面团牌急走。他却走在那里？直走在峡江口深岩里躲避，至今尚不敢出头哩。那虾兵遇着，拖着两个钢叉连跳连跳。他却走在那里？直走在洛阳桥下石缝子里面藏身，至今腰也不敢伸哩。那蟹将遇着，虽有全身坚甲，不能济事，也拖着两个钢叉横走直走。他须有八只脚儿更走不动，却被"扑砻松"宝剑一劈，分为两半。你看他腹中不红不白不黄不黑，似脓却不是脓，似血却不是血，遍地上滚将出来，真个是：

但将冷眼观螃蟹，看你横行得几时？

那火龙自知兰公法大，难以当抵，叹曰："'儿孙自有儿孙福。'我后来子孙，福来由他去享，祸来由他去当，我管他则甚？"遂奔入洋子江中，万丈深潭底藏身去了。自是兰公举家数十口拔宅升天，玉帝封兰公为孝明王，不在话下。

却说金陵丹阳郡，地名黄堂，有一女真字曰婴。潜通至道，忘其甲子，不知几百年岁。乡人累世见之，齿发不衰，皆以谌母呼之。一日偶过市上，见一小儿伏地悲哭，问其来历，说："父母避乱而来，弃之于此。"谌母怜其孤苦，遂收归抚育。渐已长成，教他读书，聪明出众，天文地理，无所不通。

有东邻耆老，欲以女娶之，谌母问儿允否？儿告曰：“儿非浮世之人，乃月中孝道明王，领斗中孝悌王仙旨，教我传道与母。今此化身为儿，度脱我母，何必更议婚姻！但可高建仙坛，传付此道，使我母飞升上清也。”谌母闻得此言，且惊且喜，遂于黄堂建立坛宇，大阐孝悌王之教。

谌母已得修真之诀，于是孝明王仍以孝悌王所授金丹宝鉴、铜符铁券灵章，及正一斩邪、三五飞步之术，悉传与谌母。谌母乃谓孝明王曰：“论昔日恩情，我为母，君为子；论今日传授，君为师，我为徒。”遂欲下拜。孝明王曰：“只论子母，莫论师徒。”乃不受其拜，惟嘱之曰：“此道宜深秘，不可轻泄。后世晋代有二人学仙，一名许逊，一名吴猛，二人皆名登仙籍。惟许逊得传此道。按《玉皇玄谱》仙籍品秩，吴猛位居元郡御史，许逊位居都仙大使，兼高明太史，总领仙部，是为众仙之长。老母可将此道传与许逊，又着许逊传与吴猛，庶品秩不紊矣。”明王言罢，拜辞老母，飞腾太空而去。有诗为证：

出入无车只驾云，尘凡自是不同群。
明王恐绝仙家术，告戒叮咛度后人。

却说汉灵帝时，十常侍用事，忠良党锢，谗谄横行，毒流四海，万民嗟怨。那怨气感动了上苍，降下两场大灾，久雨之后，又是久旱。那雨整整的下了五个月，直落得江湖满目，厨灶无烟。及至水退了，又经年不雨，莫说是禾苗槁死，就是草木也干枯了。可怜那一时的百姓，吃早膳先愁晚膳，缝夏衣便作冬衣。正是朝有奸臣野有贼，地无荒草树无皮。壮者散于四方，老者死于沟壑。

时许都有一人，姓许名琰，字汝玉，乃颍阳许田之后。为人慈仁，深明医道，擢太医院医官。感饥荒之岁，乃罄其家赀，置丸药数百斛，名曰“救饥丹”，散与四方食之。每食一丸，可饱四十馀日，饥民赖以不死者甚众。至献帝初平年间，黄巾贼起，天下大乱，许都又遭大荒，斗米千钱，人人菜色，个个鹄形。时许琰已故，其子许肃，家尚丰盈，将自己仓谷尽数周给各乡，遂挈家避乱江南，择居豫章之南昌。有鉴察神将许氏世代积善，奏知玉帝：“若不厚报，无以劝善！”玉帝准奏，即仰殿前掌判仙官，将《玄谱》仙籍品秩，逐一查检，看有何仙轮当下世？仙官检看毕，奏曰：“晋代江南，当出一孽龙精，扰害良民，生养蛟党繁盛。今轮系玉洞天仙降世，传受女真谌母飞步斩邪之法，斩灭蛟党以除民害。”玉帝闻奏，即降旨，宣取玉洞天仙，令他身变金凤，口衔宝珠，下降许肃家投胎。有诗为证：

御殿亲传玉帝书，祥云蔼蔼凤衔珠。
试看凡子生仙种，积善之家庆有馀。

却说吴赤乌二年三月，许肃妻何氏，夜得一梦。梦见一只金凤飞降庭前，口内衔珠，坠在何氏掌中。何氏喜而玩之，含于口中，不觉溜下肚子去了，因而有孕。许肃一则以喜，一则以惧。喜的是年过三十无嗣，今幸有孕；惧的是何氏自来不曾生育，恐临产艰难。那广润门有个占卦先生，混名"鬼推"，决断如神。不免去问他个吉凶，或男或女，看他如何？

许肃整顿衣帽，竟望广润门来。只见那先生忙忙的，占了又断，断了又占，拨不开的人头，移不动脚步。许员外站得个腿儿酸麻，还轮他不上，只得叫上一声："鬼推先生!"那先生听知叫了他的混名，只说是个旧相识，连忙的说道："请进，请进。"许员外把两只手排开了众人，方才挨得进去。相见礼毕，许员外道："小人许肃敬来问个六甲，生男生女，或吉或凶，请先生指教。"那先生就添上一炷香，唱上一个喏，口念四句：

虔叩六丁神，文王卦有灵。

吉凶含万象，切莫顺人情。

通陈了姓名意旨，把铜钱掷了六掷，占得个"地天泰"卦。先生道："恭喜，好一个男喜。"遂批上几句云：

福德临身旺，青龙把世持。

秋风生桂子，坐草却无虞。

许员外闻言甚喜，收了卦书，遂将几十文钱谢了先生。回去对浑家说了，何氏心亦少稳。

光阴似箭，忽到八月十五中秋，其夜天朗气清，现出一轮明月，皎洁无翳。许员外与何氏玩赏，贪看了一会，不觉二更将尽，三鼓初传。忽然月华散彩，半空中仙音嘹亮。何氏只一阵腹痛，产下个孩儿，异香满室，红光照人。真个是：

五色云中呈鸑鷟，九重天上送麒麟。

次早，邻居都来贺喜，所生即真君也。形端骨秀，颖悟过人。年甫三岁，即知礼让。父母乃取名逊，字敬之。年十岁，从师读书，一目十行俱下，作文写字，不教自会，世俗无有能为之师者。真君遂弃书不读，慕修养学仙之法，却没有师传，心常切切。

忽一日，有一人姓胡名云，字子元，自幼与真君同窗，情好甚密，别真君日久，特来相访。真君倒屣趋迎，握手话旧。子元见真君谈吐间有驰慕神仙之意，乃曰："老兄少年高才，乃欲为云外客乎？"真君曰："惶愧，自思百年旦暮，欲求出世之方，恨未得明师指示!"子元曰："兄言正合我意，往者因访道友云阳詹晩先生，言及西宁州有一人，姓吴名猛，字世云，曾举孝廉，仕吴为洛阳令。后弃职而归，得传异人丁义神方，日以修炼为事。又闻南海太守鲍靓有道德，往师事之，得其秘法。回至豫章，江中风涛大作，乃取所执白羽扇画水成路，徐行而渡。渡毕，路复为水。观者大骇。于是道术盛行，弟子相从者甚众。区区每欲拜投，奈母老不敢远离。兄若不惜劳苦，可往师之。”真君闻言，大喜曰：“多谢指教！”

真君待子元别去，即拜辞父母，收拾行李，竟投西宁，寻访吴君。有诗赞曰：

无影无形仙路难，未经师授莫跻攀。
胡君幸赐吹嘘力，打破玄元第一关。

话说真君一念投师，辞不得路途辛苦。不一日得到吴君之门，写一个门生拜帖，央道童通报。吴君看是“豫章门生许逊”，大惊曰：“此人乃有道之士！”即出门迎接。此时吴君年九十一岁，真君年四十一岁，真君不敢当客礼，口称：“仙丈，愿受业于门下。”吴君曰：“小老粗通道术，焉能为人之师？但先生此来，当尽剖露，岂敢自私？亦不敢以先生在弟子列也。”自此每称真君为“许先生”，敬如宾友。真君亦尊吴君而不敢自居。

一日二人坐清虚堂，共谈神仙之事。真君问曰：“人之有生必有死，乃古今定理。吾见有壮而不老，生而不死者，不知何道可致？”吴君曰：“人之有生，自父母交姤，二气相合，阴承阳生，气随胎化。三百日形圆，灵光入体，与母分离。五千日气足，是为十五童男。此时阴中阳半，可以比东日之光。过此以往，不知修养，则走失元阳，耗散真气，气弱则有病老死苦之患。”真君曰：“病老死苦，将何却之？”吴君曰：“人生所免病老死苦，在人中修仙，仙中升天耳。”真君曰：“人死为鬼，道成为仙，仙中升天者，何也？”吴君曰：“纯阴而无阳者，鬼也；纯阳而无阴者，仙也；阴阳相离者，人也。惟人可以为仙，可以为鬼。仙有五等，法有三成，持修在人而已。”

真君曰：“何谓法有三成，仙有五等？”吴君曰：“法有三成者：小成、中成、大成。仙有五等者：鬼仙、人仙、地仙、神仙、天仙。所谓鬼仙者，少年不修，恣情纵欲，形如枯木，心若死灰，以致病死，阴灵不散，成精作怪，故曰鬼仙。鬼仙不离于鬼也。所谓人仙者，修真之士，不悟大道，惟小用其功。绝五味者，岂知有六气？忘七情者，岂知有十戒？行嗽咽者，哂吐纳之为错；著采补者，笑清净以为愚。采阴取妇人之气者，与缩金龟者不同；盖阳食女子之乳者，与炼金丹不同。此等之流，止是于大道中得一法一术，成功但能安乐延寿而已，故曰人仙。人仙不离于人也。所谓地仙者，天仙之半，神仙之中，亦止小成之法。识坎离之交配，悟龙虎之飞腾，炼成丹药，得以长生住世，故曰地仙。地仙不离于地也。所谓神仙者，以地仙厌居尘世，得中成之法，抽铅添汞，金精炼顶，玉液还丹，五气朝元，三阳聚顶，功满忘形，胎生自化，阴尽阳纯，身外有身，脱质升仙，超凡入圣，谢绝尘世以归三岛，故曰神仙。神仙不离于神也。所谓天仙者，以神仙厌居三岛，得大成之法，内外丹成，道上有功，人间有行，功行满足，授天书以返洞天，是曰天仙。天仙不离于天也。然修仙之要，炼丹为急。吾有《洞仙歌》二十二首，君宜谨记之：

丹之始，无上元君授圣主。法出先天五太初，遇元修炼身冲举。
丹之祖，生育三才运今古。隐在鄱湖山泽间，志士采来作丹母。
丹之父，晓来飞上扶桑树。万道霞光照太虚，调和兔髓可烹煮。
丹之母，金晶莹洁夜三五。乌兔搏搦不终朝，炼成大药世无比。
丹之胎，乌肝兔髓育真胚。一水三汞三砂质，四五三成明自来。
丹之兆，三日结胎方入妙。万丈红光贯斗牛，五音六律随时奏。
丹之质，红紫光明人莫识。元自虚无黍米珠，色即是空空即色。
丹之灵，十月脱胎丹始成。一粒一服百日足，改换形骨身长生。
丹之圣，九年炼就五霞鼎。药力加添水火功，枯骨立起孤魂醒。
丹之室，上弦七兮下弦八。中虚一寸号明堂，产出灵苗成金液。
丹之釜，垣廓坛炉须坚固。内外护持水火金，日丁金胎产盘古。
丹之灶，鼎曲相通似蓬岛。上安垣廓护金炉，立炼龙膏并虎脑。
丹之火，一日时辰十二个。文兮武兮要合宜，抽添进退莫太过。
丹之水，器凭胜负斯为美。不潮不滥致中和，滋产灵苗吐金蕊。
丹之威，红光耿耿冲紫薇。七星灿灿三台烂，天丁地甲皆皈依。
丹之窍，天地人兮各有奥。紫薇岳渎及明君，三界精灵皈至道。
丹之彩，依方逐位安排派。青红赤白黄居中，摄瑞招祥神自在。
丹之用，真土真铅与真汞。黑中取白赤中青，全凭水火静中动。
丹之融，阴阳配合在雌雄。龙精虎髓鼎中烹，造化抽添火候功。
丹之理，龙膏虎髓灵无比。二家交姤仗黄精，屯蒙进退全终始。
丹之瑞，小无其内大无外。放弥六合退藏密，三界收来黍珠内。
丹之完，玉皇捧禄要天缘。等闲岂许凡人泄，万劫之中始一传。”

真君曰：“多谢指迷！敢问仙丈，五仙之中，已造到何仙地位？”吴君曰：“小老山野愚蒙，功行殊欠，不过得小成之功，而为地仙耳。若于神仙天仙，虽知门路，无力可攀。”遂将烧炼秘诀，并白云符书，悉传与真君。真君顿首拜谢，相辞而归。

回至家中，厌居闹市，欲寻名山胜地，以为栖身之所。闻知汝南有一人，姓郭名璞，字景纯，明阴阳风水之道，遨游江湖。真君敬访之。璞一日早起，见鸦从东南而鸣，遂占一课，断曰：“今日午时，当有一仙客许姓者，到我家中，欲问择居之事。”至日中，家童果报客至。璞慌忙出迎，礼罢，分宾而坐。璞问曰：“先生非许姓，为卜居而来乎？”真君曰：“公何以知之？”璞曰：“某今早卜卦如此，未知然否？”真君曰：“诚然。”因自叙姓名，并道卜居之意。璞曰：“先生仪容秀伟，骨骼清奇，非尘中人物。富贵之地，不足居先生。居先生者，其神仙之地乎？”真君曰：“昔吕洞宾居庐山而成仙，鬼谷子居云梦而得道，今或无此吉地么？”璞曰：“有，但当遍历耳。”于是命童仆收拾行囊，与真君同游江南诸郡，采访名山。

一日，行至庐山，璞曰：“此山嵯峨雄壮，湖水还东，紫云盖顶，累代产升仙之士。但山形属土，先生姓许，羽音属水，水土相克，不宜居也。但作往来游寓之所，则可矣。”又行至饶州鄱阳，地名傍湖，璞曰：“此傍湖富贵大地，但非先生所居。”真君曰：“此地气乘风散，安得拟大富贵耶？”璞曰：“相地之法，道眼为上，法眼次之。道眼者，凭目力之巧，以察山河形势；法眼者，执天星河图紫薇等法，以定山川。吉凶富贵之地，天地所秘，神物所护，苟非其人，见而不见。俗云‘福地留与福人来’，正谓此也。”真君曰：“今有此等好地，先生何不留一记，以为他日之验？”郭璞乃题诗一首为记，云：

行尽江南数百州，惟有傍湖出石牛。
雁鹅夜夜鸣更鼓，鱼鳖朝朝拜冕旒。
离龙隐隐居乾位，巽水滔滔入艮流。
后代福人来遇此，富贵绵绵八百秋。

许、郭二人离了鄱阳，又行至宜春栖梧山下，有一人姓王名朔，亦善通五行历数之书。见许、郭二人登山采地，料必异人，遂迎至其家。询姓名已毕，朔留二人宿于西亭，相待甚厚。真君感其殷勤，乃告之曰：“子相貌非凡，可传吾术。”遂密授修炼仙方。郭璞曰：“此居山水秀丽，宜为道院，以作养真之地。”王朔从其言，遂盖起道院，真君援笔大书“迎仙院”三字，以作牌额。王朔感戴不胜。二人相辞而去，遂行至洪都西山，地名金田，则见：

嵯嵯峨峨的山势，突突兀兀的峰峦，活活泼泼的青龙，端端正正的白虎，圆圆净净的护沙，湾湾环环的朝水。山上有苍苍郁郁的虬髯美松，山下有翠翠青青的凤尾修竹，山前有软软柔柔的龙须嫩草，山后有古古怪怪的鹿角枯樟。也曾闻华华彩彩的鸾吟，也曾闻昂昂藏藏的鹤唳，也曾闻咆咆哮哮的虎啸，也曾闻呦呦诜诜的鹿鸣。这山呵！比浙之天台更生得奇奇绝绝，比闽之武夷更生得岧岧峣峣，比池之九华更生得迤迤逦逦，比蜀之峨眉更生得秀秀丽丽，比楚之武当更生得尖尖圆圆，比陕之终南更生得巧巧妙妙，比鲁之泰山更生得蜿蜿蜒蜒，比广之罗浮更生得苍苍奕奕。真个是天下无双胜境，江西第一名山。万古精英此处藏，分明是个神仙宅。

却说郭璞先生行到山麓之下，前观后察，左顾右盼，遂将罗经下针，审了方向，抚掌大笑曰：“璞相地多矣，未有如此之妙！若求富贵，则有起歇；如欲栖隐，大合仙格。观其冈阜厚圆，位坐深邃，三峰壁立，四环云拱，内外勾锁，无不合宜。大凡相地，兼相其人，观君表里，正与地符。且西山属金，以五音论之，先生之姓，羽音属水，金能生水，合得长生之局，舍此无他往也。但不知此地谁人为主?”傍有一樵夫指曰：“此地乃金长者之业。”真君曰：“既称长者，必是善人。”

二人径造其家。金公欣然出迎，欢若平生。金公问曰：“二位仙客，从何而至?”郭璞曰：“小子姓郭名璞，略晓阴阳之术。因此位道友姓许名逊，欲求栖隐之地。偶采宝庄，正合仙格，欲置一舍，以为修炼之所。不知尊翁肯慨诺否?”金公曰：“第恐此地褊小，不足以处许君。如不弃，并寒庄薄地数亩悉当相赠。”真君曰：“愿订价多少？惟命是从。”金公曰：“大丈夫一言，万金不易。愚老拙直，平生不立文券。”乃与真君索大钱一文，中破之，自收其半，一半付还真君。真君叩头拜谢，三人分别而去。

于是真君辞了郭璞，择取吉日，挈家父母妻子，凡数十口，徙于西山，筑室而居焉。——金公后封为地主真官。金氏之宅，即今玉隆万寿宫是也。——却说真君日以修炼为事，炼就金丹，用之可以点石为金，服之可以却老延年。于是周济贫乏，德义彰播。

时晋武帝西平蜀，东取吴，天下一统，建元太康。从吏部尚书山涛之奏，诏各郡保举孝廉贤能之士。豫章郡太守范甯，见真君孝养二亲，雍睦乡里，轻财利物，即保举真君为孝廉。武帝遣使臣束帛赍诏，取真君为蜀郡旌阳县令。真君以父母年老，不忍远离，上表辞职。武帝不允，命本郡守催迫上任。捱至次年，真君不得已辞别父母妻子，只得起程。真君有二姊，长姊事南昌盱君，夫早丧，遗下一子盱烈，字道微，事母至孝。真君虑其姊孀居无倚，遂筑室于宅之西，奉姊居之，于是母子得闻妙道。真君临行，谓姊曰：“吾父母年迈，妻子尚不知世务，贤姊当代弟掌治家事。如有仙翁隐客相过者，可以礼貌相待。汝子盱烈，吾嘉其有仁孝之风，使与我同往任所。”盱母曰：“贤弟好去为官，家下一应事体为姊的担当，不劳远念！……”言未毕，忽有一少年上堂，长揖言曰：“吾与盱烈哥哥，皆外甥也。何独与盱兄同行，而不及我?”真君视其人，乃次姊之子，复姓钟离名嘉，字公阳，新建县象牙山西里人也。父母俱早丧，自幼依于真君。为人气象恢弘，德性温雅，至是欲与真君同行，真君许之。于是二甥得薰陶之力，神仙器量，从此以立。真君又呼其妻周夫人告之曰：“我本无心功名，奈朝廷屡聘，若不奉行，恐抗君命。自古忠孝不能两全，二亲老迈，汝当朝夕侍奉，调护寒暑，克尽汝子妇之道！且儿女少幼，须不时教训，勤以治家，俭以节用，此是汝当然事也。”周夫人答曰：“谨领教!”言毕，拜别而行，不在话下。

话说真君未到任之初，蜀中饥荒，民贫不能纳租。真君到任，上官督责甚严，真君乃以灵丹点瓦石为金，暗使人埋于县衙后圃。一旦，拘集贫民未纳租者，尽至阶下，真君问曰："朝廷粮税，汝等缘何不纳?"贫民告曰："输纳国税，乃理之常，岂敢不遵？奈因饥荒，不能纳尔。"真君曰："既如此，吾罚汝等在于县衙后圃，开凿池塘，以作工数，倘有所得，即来完纳。"民皆大喜，即往后圃开凿池塘，遂皆拾得黄金，都来完纳，百姓遂免流移之苦。邻郡闻风者，皆来依附，遂至户口增益。按《一统志》，旌阳县属汉州，真君飞升后，改为德阳，以表真君之德及民也。其地赖真君点金，故至今尚富，这话休题。那时民间又患瘟疫，死者无数，真君符咒所及，即时痊愈。又怜他郡病民，乃插竹为标，置于四境溪上，焚符其中，使病者就而饮之，无不痊可。其老幼妇女尪羸不能自至者，令人汲水归家饮之，亦复安痊。郡人有诗赞曰：

百里桑麻知善政，万家烟井沐仁风。
明悬藻鉴秋阳暴，清逼冰壶夜月溶。
符置江滨驱痼病，金埋县圃起民穷。
真君德泽于今在，庙祀巍巍报厥功。

却说成都府有一人，姓陈名勋，字孝举。因举孝廉，官居益州别驾。闻真君传授吴猛道法，今治旌阳，恩及百姓，遂来拜谒，愿投案下，充为书吏，使朝夕得领玄教。真君见其人，气清色润，遂付以吏职。既而见勋有道骨，乃引勋居门下为弟子，看守药炉。又有一人，姓周名广，字惠常，庐陵人也。乃吴都督周瑜之后。游巴蜀云台山，粗得汉天师驱精斩邪之法。至是闻真君深得仙道，特至旌阳县投拜真君为师，愿垂教训。真君纳之，职掌雷坛。二人自是得闻仙道之妙。真君任旌阳既久，弟子渐众，每因公馀无事，与众弟子讲论道法。

却说晋朝承平既久，外有五胡强横，浊乱中原。那五胡？匈奴刘渊居晋阳；羯戎石勒，居上党；羌人姚弋仲，居扶风；氐人符洪，居临渭；鲜卑慕容廆，居昌黎。

先是，汉、魏以来，收服夷、狄，诸胡多居塞内。太子洗马江统劝武帝徙于边地，免后日夷、狄乱华之祸。武帝不听，至是果然侵乱晋朝。太子惠帝愚蠢，贾后横恣，杀戮大臣。真君乃谓弟子曰："吾闻君子有道则见，无道则隐。"遂解官东归。百姓闻知，扳辕卧辙而留，泣声震地。真君亦泣下，谓其民曰："吾非肯舍汝而去，奈今天下不久大乱，吾是以为保身之计。尔等子民，各务生业！"百姓不忍，送至百里之外，或数百里，又有送至家中不肯回者。真君至家，拜见父母妻子，合家相庆，喜不自胜。即于宅东空地结茅为屋，状如营垒，令蜀民居之。蜀民多改其氏族，从真君之姓，故号许氏营。

却说真君之妻周夫人对真君言："女姑年长，当择佳配。"真君曰："吾久思在心矣。”遍观众弟子中，有一人姓黄名仁览，字紫庭，建城人也。乃御史中丞黄辅之子。其人忠信纯笃，有受道之器。真君遂令弟子周广作媒。仁览禀于父母，择吉备礼，在真君宅上成婚。满月后，禀于真君，同仙姑归家省亲。仙姑克尽妇道，仁览分付其妻在家事奉公姑，复拜辞父母，敬从真君求仙学道。

却说吴真君猛，时年一百二十馀岁矣，闻知真君解绶归家，自西安来相访。真君整衣出迎，坐定叙阔，命筑室于宅西以居之。一日，忽大风暴作，吴君即书一符，掷于屋上，须臾见有一青鸟衔去，其风顿息。真君问曰：“此风主何吉凶？”吴君曰：“南湖有一舟经过，忽遇此风，舟中有一道人呼天求救，吾以此止之。”不数日，有一人深衣大带，头戴幅巾，进门与二君施礼曰：“姓彭名抗，字武阳，兰陵人也。自少举孝廉，官至晋朝尚书左丞。因见天下将乱，托疾辞职。闻许先生施行德惠，参悟仙机，特来拜投为师。昨过南湖，偶遇狂风大作，舟几覆。吾乃呼天号救，俄有一青鸟飞来，其风顿息。今日得拜仙颜，实乃万幸！”真君即以吴君书符之事告之。彭抗拜谢不胜，遂挈家居豫章城中。既而见真君一子未婚，愿将女胜娘为配。真君从之。自后待彭抗以宾礼，尽以神仙秘术付之。东明子有诗云：

> 二品高官职匪轻，一朝抛却拜仙庭。
> 不因懿戚情相厚，彭老安能得上升？

此时真君传得吴猛道术，犹未传谌母飞步斩邪之法。有太白金星奏闻玉帝：“南昌郡孽龙将为民害，今有许逊，原系玉洞真仙降世，应在此人收伏。望差天使赍赐斩妖神剑，付与许逊，助斩妖精，免使黎民遭害。”玉帝闻奏，即宣女童二人，将神剑二口，赍至地名柏林，献于许逊，宣上帝之命，教他斩魅除妖，济民救世。真君拜而受之，回顾女童，已飞升云端矣。后人有诗叹曰：

> 坚金烈火炼将成，削铁吹毛耀日明。
> 玉女捧来离紫府，江湖从此水流腥。

且说江南有一妖物，号曰“孽龙”。初生人世，为聪明才子，姓张名酷。因乘船渡江，偶值大风，其船遂覆。张酷溺于水中，彼时得附一木板，随水漂流，泊于沙滩之上。肚中正饿，忽见明珠一颗，取而吞之。那珠不是别的珠，乃是那火龙生下的卵。吞了这珠却不饿了，就在水中能游能泳。过了一月有馀，脱胎换骨，遍身尽生鳞甲，止有一个头，还是人头。其后这个畜生，只好在水中戏要，或跳入三级巨浪，看鱼龙变化；或撞在万丈深潭，看虾鳖潜游。不想火龙见了，就认得是他儿子，嘘了一气，教以神通。那畜生走上岸来，即能千变万化，于是呼风作雨，握雾撩云。喜则化人形而淫人间之女子，怒则变精怪而兴陆地之波涛。或坏人屋舍，或食人精血，或覆人舟船，取人金珠，为人间大患。诞有六子，数十年间，生息蕃盛，约有千馀。兼之族类蛟党甚多，常欲把江西数郡滚出一个大中海。

一日，真君炼丹于艾城之山，有蛟党辄兴洪水，欲漂流其丹室。真君大怒，即遣神兵擒之，钉于石壁，今钉蛟石犹在。又挥起宝剑，将一蛟斩讫。不想那孽龙知道，杀了他的党类，一呼百集，老老少少，大大小小，都打做一团儿。孽龙道："许逊恁般可恶，欲诛吾党，不报此仇，生亦枉然！"内有一班孽畜，有叫孽龙做公公的，有叫做伯伯的，有叫做叔叔的，有叫做哥哥的，说道："不消费心，等我们去，把那许逊抓将来，碎尸万段，以泄其恨。"孽龙道："闻得许逊传授了吴猛的法术，甚有本事，还要个有力量的去才好。"内有一长蛇精说道："哥哥，等我去来。"孽龙道："贤弟到去得。"

于是长蛇精带了百十个蛟党，一齐冲奔许氏之宅，一字阵儿摆开，叫道："许逊，敢与我比势么？"真君见是一伙蛟党，仗剑在手问云："你这些孽畜，有甚本事，敢与我相比？"长蛇精道："你听我说：

鳞甲棱层气势雄，神通会上显神通。
开喉一旦能吞象，伏气三年便化龙。
巨口张时偏作雾，高头昂处便呼风。
身长九万人知否，绕遍昆仑第一峰。"

长蛇精恃了本事，耀武扬威，众蛟党一齐踊跃，声声口口说道："你不该杀了我家人，定不与你干休！"真君曰："只怕你这些孽畜逃不过我手中宝剑。"那长蛇精就弄他本事，放出一阵大风，又只见：

视之无影，听之有声。噫大块之怒号，传万窍之跳叫。一任他砯砯磅磅，栗栗烈烈，撼天阙，摇地轴，九天仙子也愁眉；那管他青青白白，红红黄黄，翻大海，搅长江，四海龙王同缩颈。雷轰轰，电闪闪，飞的是沙，走的是石，直恁的满眼尘霾春起早；云惨惨，雾腾腾，折也乔林，不也古木，说甚么前村灯火夜眠迟。忽喇喇前呼后叫，左奔右突，就是九重龙楼凤阁，也教他万瓦齐飞；吉都都横冲直撞，乱卷斜拖，即如千丈虎狼穴，难道是一毛不拔？纵宗生之大志，不敢谓其乘之而浪破千层；虽列子之泠然，吾未见其御之而旬有五日。正是：

万里尘沙阴晦暝，几家门户响敲推。
多情折尽章台柳，底事掀开社屋茅？

真个好一阵大风也！真君按剑在手，叱曰："风伯等神，好将此风息了！"须臾之间，那风寂然不动。

谁知那些孽怪，又弄出一番大雨来：则见：

石燕飞翔，商羊鼓舞。滂沱的云中泻下，就似倾盆；忽喇的空里注来，岂因救旱。逼逼剥剥，打过那园林焦叶，东一片，西一片，翠色阑珊；淋淋筛筛，滴得那池沼荷花，上一瓣，下一瓣，红妆零乱。沟面洪盈，倏忽间漂去高凤庭前麦；檐头长溜，须臾里洗却周武郊外兵。这不是鞭将蜥蜴，碧天上祈祷下的甘霖；这却是驱起鲸鲵，沧海中喷将来的唾沫。正是：

茅屋人家烟火冷，梨花庭院梦魂惊。
渠添浊水通鱼入，地秀苍苔滞鹤行。

真个好一阵大雨也！真君又按剑叱曰："雨师等神，好将此雨止了！"那雨一霎时间半点儿也没了。真君乃大显法力，奔往长蛇精阵中，将两口宝剑挥起，把长蛇精挥为两段。那伙蛟党，见斩了蛇精，各自逃生。真君赶上，一概诛灭。径往群蛟之所，寻取孽龙。

那孽龙闻得斩了蛇精，伤了许多党类，心里那肯干休！就呼集一党蛟精，约有千百之众，人多口多，骂着真君："骚道，野道，你不合这等上门欺负人！"于是呼风的呼风，唤雨的唤雨，作雾的作雾，兴云的兴云，攫烟的攫烟，弄火的弄火，一齐奔向前来。真君将两口宝剑，左砍右斫，那蛟党多了，怎生收伏得尽？况真君此时未传得谌母飞腾之法，只是个陆地神仙。那孽龙到会变化，冲上云霄，就变成一个大鹰儿。真个：

爪似铜钉快利，嘴似铁钻坚刚。展开双翅欲飞扬，好似大鹏模样。　云里叫时声大，林端立处头昂。纷纷鸟雀尽潜藏，那个飞禽敢挡！

只见那鹰儿在半空展翅，忽喇地扑将下来，到把真君脸上挝了一下，挝得血流满面。真君忙挥剑斩时，那鹰又飞在半空中去了。真君没奈何，只得转回家中。那些蛟党见伤得性命多了，亦各自收阵回去。

却说真君见孽龙神通广大，敬来吴君处相访，求其破蛟之策。吴君曰："孽龙久为民害，小老素有剪除之心。但恨道法未高，莫能取胜。汝今既擒蛟党，孽龙必然忿怒，愈加残害，江南休矣！"真君曰："如此奈何？"吴君曰："我近日闻得镇江府丹阳县，地名黄堂，有一女真谌母，深通道术。吾与汝同往师之，叩其妙道，然后除此妖物，未为晚也。"真君闻言大喜，遂整行囊与吴君共往黄堂，谒见谌母。谌母曰："二公何人？到此有何见谕？"真君曰："弟子许逊、吴猛。今因江南有一孽龙精，大为民害，吾二人有心殄灭，奈法术殊欠。久闻尊母道传无极，法演先天，径来恳求，望指示仙诀，实乃平生之至愿也。"言讫，拜伏于地。谌母曰："二公请起，听吾言之：君等乃夙禀奇骨，名在天府。昔者孝悌王自上清下降山东曲阜县兰公之家，谓兰公曰：'后世晋代当出一神仙，姓许名逊，传吾至道，是为众仙之长。'遂留下金丹宝鉴、铜符铁券，并飞步斩邪之法，传与兰公。复令兰公传我，兰公又使我收掌，以待汝等，积有四百馀年矣。子今既来，吾当传授于汝。”于是选择吉日，依科设仪，付出铜符铁券、金丹宝鉴，并正一斩邪之法，三五飞腾之术，及诸灵章秘诀，并各样符箓，悉以传诸许君。今净明法、五雷法之类，皆谌母所传也。谌母又谓吴君曰：“君昔者以神方为许君之师。今孝悌王之道，唯许君得传，汝当退而反师之也。”

真君传道已毕，将欲辞归。心中暗想：“今幸得闻谌母之教，每岁必当谒拜，以尽弟子之礼。”此意未形于言，谌母已先知矣，乃对真君曰：“我今还帝乡，子不必再来谒也。”乃取香茅一根，望南而掷，其茅随风飘然。谌母谓真君曰：“子于所居之南数十里，看香茅落于何处，其处立吾庙宇，每岁逢秋，一至吾庙足矣。”谌母言罢，空中忽有龙车凤辇来迎，谌母即凌空而去。其时吴、许二君望空拜送，即还本部。遂往寻飞茅之迹，行至西山之南四十里，觅得香茅，已丛生茂盛，二君遂于此地建立祠宇，亦以黄堂名之。令匠人塑谌母宝像，严奉香火，期以八月初三日，必往朝谒。即今崇真观是也，朝谒之礼犹在。真君亦于黄堂立坛，悉依谌母之言，将此道法传授吴君。吴君反拜真君为师。自此二人始有飞腾变化之术。

回至小江，寓客店，主人宋氏见方外高人，不索酒钱，厚具相待。二君感其恭敬，遂求笔墨画一松树于其壁上而去。自二君去后，其松青郁如生，风动则其枝摇摇，月来则其彩淡淡，露下则其色湿湿，往来观者，日以千计。去则皆留钱谢之，宋氏遂至巨富。后江涨堤溃，店屋俱漂，惟松壁不坏。

却说孽龙精被真君斩其族类，心甚怒。又闻吴君同真君往黄堂学法，于是命蛟党先入吴君所居地方，残害生民，为灾降祸。真君回至西宁，闻蛟孽腥风袭人，责备社伯：“汝为一县鬼神之主，如何纵容他为害？”社伯答曰：“妖物神通广大，非小神能制。”再三谢罪。忽孽龙精见真君至，统集蛟党，涌起十数丈水头。那水波涛泛涨，怎见得好狠？

只听得潺潺声振谷，又见那滔滔势漫天！雄威响若雷奔走，猛涌波如雪卷颠。千丈波高浸道路，万层涛激泛山岩。泠泠如漱玉，滚滚似鸣弦。触石沧沧喷碎玉，回湍渺渺漩涡圆。低低凸凸随流荡，大势弥漫上下连。

真君见了这等大水，恐损坏了居民屋宇田禾，急将手中宝剑，望空书符一道，叫道：“水伯，急急收水！”水伯收得水迟，真君大怒。水伯道：“常言泼水难收，且从容些！”真君欲责水伯，水伯大惧，须臾间将水收了，依旧是平洋陆地。

真君提着宝剑径斩孽龙，那孽龙变作一个巡海夜叉，持枪相迎。这一场好杀：

真君剑砍，妖怪枪迎。剑砍霜光喷烈火，枪迎锐气迸愁云。一个是洋子江生成的恶怪，一个是灵霄殿差下的仙真。那一个扬威耀武欺天律，这一个御暴除灾转法轮。真仙使法身驱雾，魔怪争强浪滚尘。两家努力争功绩，皆为洪都百万民。

那些蛟党见孽龙与真君正杀得英雄，一齐前来助战。忽然弄出一阵怪砂来，要把真君眼目蒙蔽，只见：

似雾如烟初散漫，纷纷蔼蔼下天涯。白茫茫到处难开眼，昏暗暗飞时找路差。打柴的樵子失了伴，采药的仙童不见家。细细轻飘如麦面，粗粗翻覆似芝麻。世间朦胧山顶暗，长空迷没太阳遮。不比尘嚣随骏马，难言轻软衬香车。此沙本是无情物，登时刮得眼生花。

此时飞沙大作，那蛟党一齐呐喊。真君呵了仙气一口，化作一阵雄风，将沙刮转。

吴君在高阜之上，观看妖孽，更有许大神通，于是运取掌心蛮雷，望空打去。虽风云雷雨，乃蛟龙所喜的，但此系吴君法雷，专打妖怪，则见：

运之掌上，震之云间，虺虺虩虩可畏，轰轰划划初闻。烧起谢仙之火烈，推转阿香之车轮。音赫赫，就似撞八荒之鼓，音闻天地；声喤喤，又如放九边之炮，响振军屯。使刘先主失了双箸，教蔡元中绕遍孤坟。闻之不及掩耳，当之谁不销魂！真个天仙手上威灵振，蛟魅胸中心胆倾。

那些群孽，闻得这个法雷，惊天动地之声，倒海震山之怒，唬得魂不附体。更见那真君两口宝剑，寒光闪闪，杀气腾腾。孽龙当抵不住，就收了夜叉之形，不知变了个甚么物件，潜踪遁走。真君乃舍了孽龙，追杀蛟党，蛟党四散逃去。

真君追二蛟至鄂渚，忽然不见。路逢三老人侍立，真君问曰："吾追蛟孽至此，失其踪迹，汝三老曾见否?"老人指曰："敢伏在前桥之下?"真君闻言，遂至桥侧，仗剑叱之。蛟党大惊，奔入大江，藏于深渊。真君乃即书符数道，敕遣符使驱之。蛟孽不能藏隐，乃从上流奔出。真君挥剑斩之，江水俱红，此二蛟皆孽龙子也。今鄂渚有三圣王庙，桥名伏龙桥，渊名龙窝，斩蛟处名上龙口。真君复回至西宁，怒社伯不能称职，乃以铜锁贯其祠门，禁止民间不许祭享。今分宁县城隍庙正门常闭，居民祭祀者亦少。乃令百姓崇祀小神，其人姓毛，兄弟三人，即指引真君桥下斩蛟者。今封叶佑侯，血食甚盛。

真君见吴君曰："孽龙潜逃，蛟党奔散，吾欲遍寻踪迹，一并诛之。"吴君曰："君至金陵远回，令椿萱大人，且须问省。吾谅此蛟孽，有师尊在，岂能复恣猖狂，待徐徐除之。"于是二君回过丰城县杪针洞，真君曰："后此洞必有蛟螭出入，吾当镇之。”遂取大杉木一根，书符其上以为楔，至今其楔不朽。又过奉新县，地名藏溪，又名蛟穴，其中积水不竭。真君曰：“此溪乃蛟龙所藏之处。”遂举神剑劈破溪傍巨石，书符镇之。今镇蛟石犹在。又过新建县，地名叹早湖，湖中水蛭甚多，皆是蛟党奴隶，散入田中，啑人之血。真君恶之，遂将药一粒，投于湖中，其蛭永绝。今名药湖。复归郡城，转西山之宅，回见父母，一家具庆，不在话下。

却说真君屡败孽龙，仙法愈显，德著人间，名传海内。时天下求为弟子者不下千数，真君却之不可得，乃削炭化为美妇数百人，夜散群弟子寝处。次早验之，未被炭妇污染者得十人而已。先受业者六人：

陈勋，字孝举，成都人。

周广，字惠常，庐陵人。

黄仁览，字紫庭，建城人。真君之婿。

彭抗，字武阳，兰陵人。其女配真君之子。

盱烈，字道微，南昌人。真君外甥。

钟离嘉，字公阳，新建人。真君外甥。

后相从者四人：

曾亨，字典国，泗水人。骨秀神慧，孙登见而异之。乃潜心学道，游于江南，居豫章之丰城真阳观。闻真君道法，投于门下。

时荷，字道阳，巨鹿人。少出家，居东海沐阳院奉仙观，修老子之教。因入四明山遇神人授以胎息导引之术，颇能辟谷，亦能役使鬼神。慕真君之名，徒步踵门，愿充弟子。

甘战，字伯武，丰城人。性喜修真，不求闻达，径从真君学道。

施岑，字太玉，沛郡人。其父施朔仕吴，因移居于九江赤乌县。岑状貌雄杰，勇健多力。时闻真君斩蛟立功，喜而从之。真君使与甘战各持神剑，常侍左右。

这弟子十人，不被炭妇染污。真君嘉之，凡周游江湖，诛蛟斩蛇，时刻相从，即异时上升诸徒也。其馀被炭妇所污者，往往自愧而去。今炭妇市犹在。真君谓施岑、盱烈曰：“目今妖孽为害，变化百端，无所定向。汝二人可向鄱阳湖中追而寻之。”施、盱欣然领命，仗剑而去。夜至鄱阳湖中，登石台之上望之。今饶河口有眺台，俗呼为钓台，非也。此盖施、盱眺望妖蜃出没之所耳。其时但见一物隐隐如蛇，昂头摆尾，横亘数十里。施岑曰：“妖物今在此乎？”即拔剑挥之，斩其腰。至次日天明视之，乃蜈蚣山也。至今其山断腰，仙迹犹在。施岑谓盱烈曰：“黑夜吾认此山，以为妖物，今误矣，与汝尚当尽力追寻。”

却说孽龙精被真君杀败，更伤了二子并许多族类，咬牙嚼齿，以恨真君。

聚集众族类商议，欲往小姑潭求老龙报仇。众蛟党曰："如此甚好。"孽龙乃奔入小姑潭深底。那潭不知有几许深，谚云："大姑阔万丈，小姑深万丈。"所以叫做小姑潭。那孽龙到万丈潭底，只见：

水泛泛漫天，浪层层拍岸。江中心有一座小姑山，虽是个中流砥柱；江下面有一所老龙潭，却似个不朽龙宫。那龙宫盖的碧磷磷鸳鸯瓦，围的光闪闪孔雀屏，垂的疏朗朗翡翠帘，摆的弯环环虎皮椅。只见老龙坐在虎椅之上，龙女侍在堂下，龙兵绕在宫前，夜叉立在门边，龙子龙孙列在阶上。真个是：江心渺渺无双景，水府茫茫第一家。

说那老龙出处，他原是黄帝荆山铸鼎之时，骑他上天。他在天上贪毒，九天玄女拿着他送与罗堕阇尊者。尊者养他在钵盂里，养了千百年。他贪毒的性子不改，走下世来，就吃了张果老的驴，伤了周穆王的八骏。朱漫泙心怀不忿，学就个屠龙之法，要下手着他。他又藏在巴蜀地方，一人家后园之中橘子里面。那两个着棋的老儿想他做龙脯，他又走到葛陂中来，撞着费长房打一棒，他就忍着疼奔走华阳洞去。那晓得吴绰的斧子又利害些，当头一劈，受了老大的亏苦。头脑子虽不曾破，却失了项下这一颗明珠，再也上天不得。因此上拜了小姑娘娘，求得这所万丈深潭，盖造个龙宫，恁般齐整。

却说那孽龙奔入龙宫之内，投拜老龙，哭哭啼啼，告诉前情。说道许逊斩了他的儿子，伤了他的族类，苦苦还要擒他，言罢，放声大哭。那龙宫大大小小，那一个不泪下。老龙曰："'兔死狐悲，物伤其类。'许逊既这等可恶，待我拿来与你复仇！"孽龙曰："许逊传了谌母飞步之法，又得了玉女斩邪之剑，神通广大，难以轻敌。"老龙曰："他纵有飞步之法，飞我老龙不过；他纵有斩邪之剑，斩我老龙不得。"于是即变作个天神模样，三头六臂，黑脸獠牙，则见：

身穿着重重铁甲，手提着利利钢叉。头戴着金盔，闪闪耀红霞，身跨着奔奔腾腾的骏马。雄纠纠英风直奋，威凛凛杀气横加。一心心要与人报冤家，古古怪怪的好怕。

那老龙打扮得这个模样，巡江夜叉，守宫将卒，人人喝采，个个称奇，道："好一个妆束！"孽龙亦摇身一变，也变作天神模样。你看他怎生打扮？则见：

面乌乌赵玄坛般黑，身挺挺邓天王般长。手持张翼德丈八长枪，就好似斗口灵官的形状。口吐出葛仙真君的腾腾火焰，头放着华光菩萨的闪闪豪光。威风凛凛貌堂堂，不比前番模样。

那孽龙打扮出来，龙宫之内，可知人人喝采，个个夸奇。两个龙妖一齐打个旋风，奔上岸来。老龙居左，孽龙居右，蛟党列成阵势，准备真君到来

迎敌。不在话下。

施岑与盱烈从高阜上一望，见那妖气弥天，他两个少年英勇，也不管他势头来得大，也不管他党类来得多，就掣手中宝剑跳下高阜来，与那些妖怪大杀一场。施、盱二人，虽传得真君妙诀，终是寡不敌众。三合之中，当抵不住，败阵而走。老龙与孽龙随后赶杀，施、盱大败，回见真君，具说前事。真君大怒，遂提着两口宝剑，命甘战、时荷二人同去助阵。驾一朵祥云，径奔老龙列阵之所。那孽龙见了，自古“仇人相见，分外眼睁”，就提那长枪，径来刺着真君。老龙亦举起钢叉，径来叉着真君。好一个真君，展开法力，就两口宝剑，左遮右隔。只见：

这一边挥宝剑，对一枝长枪，倍增杀气；那一边挥宝剑，架一管钢叉，顿长精神。这一边砍将去，就似那吕梁泻下的狂澜，如何当抵？那一边斫将去，就似那蜀山崩了的土块，怎样支撑？这一边施高强武艺，杀一个鹘入鸦群；那一边显凛烈威风，杀一个虎奔羊穴。这一边用一个风扫残红的法子，杀得他落花片片坠红泥；那一边使一个浪滚陆地的势儿，杀得他尘土茫茫归大海。真个是拨开覆地翻天手，要斩兴波作浪邪。

二龙与真君混战，未分胜败。忽翻身腾在半空，却要呼风唤雨，飞沙走石，来捉真君。此时真君已会腾云驾雾，遂赶上二龙，又在半空中杀了多时。后落下平地又战。那些蛟党，见真君法大，二龙渐渐当抵不住，一齐掩杀过来。时荷甘战二人，乃各执利剑，亦杀入阵中。你看那师徒们横冲直撞，那些妖孽怎生抵敌得住？那老龙力气不加，三头中被真君伤了一头，六臂中被真君断了一臂，遂化阵清风去了。孽龙见老龙败阵，心中慌张，恐被真君所捉，亦化作一阵清风望西而去。其馀蛟党，各自逃散。有化作螽斯，在麦陇上逼逼剥剥跳的；有化作青蝇，在棘树上嘈嘈杂杂闹的；有化作蚯蚓，在水田中扭扭屹屹走的；有化作蜜蜂，在花枝上扰扰嚷嚷采的；有化作蜻蜓，在云霄里轻轻款款飞的；有化作土狗子，不做声，不做气，躲在田傍下的。彼时真君追赶妖孽，走在田傍上经过，忽失了一足，把那田傍踹开。只见一道妖气，迸将出来。真君急忙看时，只见一个土狗子躲在那里。真君将剑一挥，砍成两截，原来是孽龙第五子也。后人有诗叹曰：

自笑蛟精不见机，苦同仙子两相持。
今朝挥起无情剑，又斩亲生第五儿。

却说真君斩了孽龙第五子，急忙追寻孽龙，不见踪影，遂与二弟子且回豫章。吴君谓真君曰：“目今蛟党还盛，未曾诛灭。孽龙有此等助威添势，岂肯罢休？莫若先除了他的党类，使他势孤力弱，一举可擒，此所谓射人先射马之谓也。”真君曰：“言之有理。”遂即同施岑、甘战、陈勋、盱烈，钟离嘉群弟子随己出外追斩蛟党。犹恐孽龙精溃其郡城，留吴君、彭抗在家镇之。于是真君同群弟子，或登高山，或往穷谷，或经深潭，或诣长桥，或历大湖等处，寻取蛟党灭之。

真君一日至新吴地方，忽见一蛟，变成一水牛，欲起洪水，渰没此处人民。嘘气一口，涨水一尺，嘘气二口，长水二尺。真君大怒，挥剑欲斩之。那蛟孽见了真君，魂不附体，遂奔入潭中而去。真君即立了石碑一片，作镇蛟之文以禁之，其文曰："奉命太玄，得道真仙。劫终劫始，先地先天。无量法界，玄之又玄。勤修无遗，白日升仙。神剑落地，符法升天。妖邪丧胆，鬼精逃潜。"其潭至今名曰镇龙潭，石碑犹存。

一日，真君又行至海昏之上，闻有巨蛇据山为穴，吐气成云，长有数里。人畜在气中者，即被吞吸。江湖舟船，多遭其覆溺，大为民害。施岑登北岭之高而望之，见其毒气涨天，乃叹曰："斯民何罪，而久遭其害也?"遂禀真君，欲往诛之。

真君曰："吾闻此畜，妖气最毒，搪突其气者，十人十死，百人百亡，须待时而往。"良久，俄有一赤乌飞过，真君曰："可矣。"言赤乌报时，天神至，地神临，可以诛妖。后于其地立观，名候时观，又号赤乌观。且说那时真君引群弟子前至蛇所。其蛇奋然跃出深穴，举首高数十丈，眼若火炬，口似血盆，鳞似金钱，口中吐出一道妖气，则见：

冥冥濛濛，比蚩尤迷敌的大雾；昏昏暗暗，例元规污人的飞尘。飞去飞来，却似那汉殿宫中结成的黑块；滚上滚下，又似那泰山岩里吐出的顽云。大地之中，遮蔽了峰峦岭岫；长空之上，隐藏了日月星辰。弥弥漫漫，涨将开千有百里；霏霏拂拂，当着了十无一生。

正是：

妖蛇吐气三千丈，千里犹闻一阵腥。

真君呼一口仙风，吹散其气。率弟子各挥宝剑，乡人摩旗擂鼓，呐喊振天相助。妖蛇全无惧色，奔将过来。真君运起法雷，劈头打去，兼用神剑一指，蛇乃却步。施岑、甘战二人，奋勇飞步纵前，施踏其首，甘踹其尾，真君先以剑劈破其颡，陈勋再引剑当中腰斩之，蛇腹遂尔裂开。忽有一小蛇自腹中走出，长有数丈。

施岑欲斩之，真君曰："彼母腹中之蛇，未曾见天日，犹不曾加害于民，不可诛之。"遂叱曰："畜生好去，我放汝性命，毋得害人!"小蛇惧怯，奔行六七里，闻鼓噪之声，犹反听而顾其母。此地今为蛇子港。群弟子再请追而戮之，真君曰："既放其生而又追戮之，是心无恻隐也。"蛇子遂得入江。——今有庙在新建吴城，甚是灵感。宋真宗敕封"灵顺昭应安济惠泽王"，俗呼曰小龙王庙是也。——大蛇既死，其骨聚而成洲，今号积骨洲。

真君入海昏，经行之处，皆留坛靖，凡有六处。通候时之地为七，一曰进化靖，二曰节奏靖，三曰丹符靖，四曰华表靖，五曰紫阳靖，六曰霍阳靖，七曰列真靖。其势布若星斗之状，盖以镇压其后也。其七靖今皆为宫观，或为寺院。巨蟒既诛，妖血污剑，于是洗磨之，且削石以试其锋，今新建有磨剑池、试剑石犹在。真君谓诸徒曰："蛟党除之莫尽，更有孽龙精通灵不测，今知我在此，若伺隙溃我郡城，恐吴、彭二人莫能慑服。莫若弃此而归。"施岑是个勇士，谓曰："此处妖孽甚多，再寻几日，杀几个回去却好。"真君曰："吾在外日久，恐吾郡蛟党又聚作一处，可速归除之！"于是悉离海昏而行。海昏乡人感真君之德，遂立生祠，四时享祭，不在话下。

且说孽龙精果然深恨真君，乘其远出，欲将豫章郡滚成一海，以报前仇。遂聚集败残蛟党，尚有七八百馀，孽龙曰："昨夜月离于毕，今夜酉时，主天阴晦暝，风雨大作。我与尔等，趁此机会，把豫章郡一滚而沉，有何不可？"此时正是午牌时分，吴君猛与彭君抗恰从西山高处，举目一望，只见妖气漫天，乃曰："许师往外诛妖，不想妖气尽聚于此……"言未毕，忽见豫章郡社伯并土地等神，来见吴君说："孽龙又聚了八百馀蛟党，欲搅翻江西一郡，变作沧海，只待今夜酉牌时分风雨大作之时，就要下手。有等居民，闻得此信，皆来小神庙中，叩头磕脑，叫小神保他。我想江西不沉却好，若沉了时节，正是'泥菩萨落水，自身难保'，还保得别人？伏望尊仙怎生区处！"吴君听说此事，到吃了一大惊，遂与彭君急忙下了山头。

吴君谓彭君曰："尔且仗剑一口，驱使神兵，先往江前江后寻逻。"彭君去了。吴君乃上了一座九星的法坛，取过一个五雷的令牌，仗了一口七星的宝剑，注上一碗五龙吐的净水，念了几句"乾罗恒那九龙破秽真君"的神咒，捏了一个三台的真诀，步了一个八卦的神罡。乃飞符一道，径差年值功曹，送至日宫太阳帝君处投下。叫那太阳帝君，把这个日轮儿缓缓的沉下，却将酉时翻作午时，就要如鲁阳挥以长戈，即返三舍；虞公指以短剑，却转几分的日子。又飞符一道，迳差月值功曹，送至月宫太阴星君处投下。叫那太阴星君把这个月轮儿缓缓的移上，却将亥时翻作酉时，就要如团团离海角，渐渐出云衢，此夜一轮满，清光何处无。又飞符一道，迳差日值功曹，送至风伯处投下。叫那风伯今晚将大风息了，一气不要吹嘘，万窍不要怒叫，切不可过江掇起龙头浪，拂地吹开马足尘，就树撮将黄叶落，入山推出白云来。又飞符一道，迳差时值功曹，送至雨师处投下。叫那雨师今晚收了雨脚，休要得点点滴滴打破芭蕉，淋淋漓漓洗开苔藓，颓山黑雾倾浓墨，倒海冲风泻急湍，势似阳侯夸溟海，声如项羽战章邯。又飞符一道，差那律令大神，迳到雷神处投下。叫那雷神今晚将五雷藏着，休得要驱起那号令，放出那霹雳，轰轰烈烈，使一鸣山岳震，再鼓禹门开，响激天关转，身从地穴来。又飞符一道，差着急脚大神，送至云师处投下。叫他今晚卷起云头，切不可氤氤氲氲，遮掩天地，渺渺漠漠，蒙蔽江山。使那重重翼凤飞层汉，叠叠从龙出远波，太行游子思亲切，巫峡襄王入梦多。吴君遣符已毕，又差那社伯等神，火速报知真君，急回豫章郡，慑伏群妖，毋得迟误！吴君调拨已毕，遂亲自仗剑，镇压群蛟，不在话下。

却说孽龙精只等待日轮下去月光上来的酉牌时分，就呼风唤雨，驱云使雷，把这豫章一郡滚沉。不想长望短望，日头只在未上照耀，叫他下去，那日头就相似缚下一条绳子，再也不下去。孽龙又招那月轮上来，这月轮就相似有人扯住着他，再也不上来。孽龙怒起，也不管酉时不酉时，就命取蛟党，大家呼着风来。谁知那风伯遵了吴君的符命，半空中叫道："孽龙！你如今学这等歪，都要放风，我那个听你！"孽龙呼风不得，就去叫雷神打雷。谁知那雷神遵了吴君的符命，半下儿不响。孽龙道："雷公雷公！我往日唤你，少可有千百声。今日半点声气不做，敢害哑了？"雷神道："我到不害哑，只是你今日害颠！"孽龙见雷公不响，无如之奈，只得叫声："云师，快兴云来！"那云师遵了吴君的符命，把那千岩万壑之云，只卷之退藏于密，那肯放之弥于六合。只见玉宇无尘，天清气朗，那云师还在半空中唱一个"万里长江收暮云"耍子哩。孽龙见云师不肯兴云，且去问雨师讨雨。谁知那雨师亦遵了吴君的符命，莫说是千点万点洒将下来，就是半点儿也是没有的。

孽龙精望日日不沉，招月月不上，呼风风不至，唤雨雨不来，驱雷雷不响，使云云不兴，直激得怒从心上起，恶向胆边生！遂谓众蛟党曰："我不要风云雷雨，一小小豫章郡终不然滚不成海？"遂耸开鳞甲，翻身一转，把那江西章江门外，就沉了数十馀丈。吴君看见，即忙飞起手中宝剑，驾起足下祥云，直取孽龙。孽龙与吴君厮战，彭君亦飞剑助敌，在江西城外大杀一场。孽龙招取党类，一涌而至，在上的变成无数的黄蜂，扑头扑脑乱丁；在下的变成滚滚的长蛇，遍足乱绕。孽龙更变作个金刚菩萨，长又长，大又大，手执金戈，与吴君、彭君混战。好一个吴君，又好一个彭君！上杀个雪花盖顶，战住狂蜂；下杀个枯树盘根，战住长蛇；中杀个鹞子翻身，抵住孽龙。自未时杀起，杀近黄昏。

忽真君同着诸弟子到来，大喝一声："许逊在此！孽畜敢肆害么？"诸蛟党皆有惧色。孽龙见了真君，咬定牙根，要报前仇，乃谓群蛟曰："今日遭此大难，我与尔等，生死存亡，在此一举！"诸蛟踊跃言曰："父子兄弟，当拚命一战，胜则同生，败则同死！"遂与孽龙精力战真君。怎见得利害：

愁云蔽日，杀气漫空。地覆天翻，神愁鬼哭。仙子无边法力，妖精许大神通。一个万丈潭中孽怪，舞着金戈；一个九重天上真仙，飞将宝剑。一个棱棱层层甲鳞竦动，一个变变化化手段高强。一个呵一口妖气，雾涨云迷；一个吹一口仙风，天清气朗。一个领蛟子蛟孙战真仙，恰好似八十万曹兵鏖赤壁；一个同仙徒仙弟收妖孽，却好似二十八汉将闹昆阳。一个翻江流，搅海水，重重叠叠涌波涛；一个撼乾枢，摇坤轴，烈烈轰轰运霹雳。一个要为族类报了冤仇，一个要为生民除将祸害。正是：

两边齐角力，一样显神机。

到头分胜败，毕竟有雄雌。

却说孽龙精奋死来战真君，真君正要拿住他，以绝祸根。那些蛟党终是心中惧怯，真君的弟子们各持宝剑，或斩了一两个的，或斩了三四个的，或斩了五六个的，喷出腥血，一片通红。周广一剑，又将孽龙的第二子斩了。其馀蛟党一个个变化走去。只有孽龙与真君独战，回头一看，蛟党无一人在身傍，也只得跳上云端，化一阵黑风而走。真君急追赶时，已失其所在，乃同众弟子回归。真君谓吴猛曰："此番若非君之法力，数百万生灵，尽葬于波涛中矣！"吴君曰："全仗尊师杀退蛟孽，不然弟子亦危也。"

却说孽龙屡败，除杀死族类外，六子之中，已杀去四子。众蛟党恐真君诛己，心怏怏不安，尽皆变去，止有三蛟未变。三蛟者：二蛟系孽龙子，一蛟系孽龙孙，藏于新建洲渚之中。其馀各变形为人，散于各郡城市镇中，逃躲灾难。

一日，有真君弟子曾亨入于城市，见二少年，状貌殊异，鞠躬长揖，向曾亨问曰："公非许君高门乎？"曾亨曰："然。"既而问少年曰："君是何人也？"少年曰："仆家居长安，累世崇善。远闻许公深有道术，诛邪斩妖，必仗神剑，愿闻此神剑有何功用？"曾亨曰："吾师神剑，功用甚大，指天天开，指地地裂，指星辰则失度，指江河则逆流。万邪不敢当其锋，千妖莫能撄其锐。出匣时，霜寒雪凛；耀光处，鬼哭神愁。乃天赐之至宝也。"少年曰："世间之物，不知亦有何物可当贤师神剑，而不为其所伤？"曾亨戏谓之曰："吾师神剑，惟不伤冬瓜葫芦二物耳，其馀他物皆不能当也。"少年闻言，遂告辞而去。曾亨亦不知少年乃是蛟精所变也。蛟精一闻冬瓜葫芦之言，尽说与党类知悉。

真君一日以神剑授弟子施岑、甘战，令其遍寻蛟党诛之。蛟党以甘、施二人寻追甚紧，遂皆化为葫芦冬瓜，泛满江中。真君登秀峰之巅，运神光一望，乃呼施岑、甘战谓曰："江中所浮者，非葫芦冬瓜，乃蛟精馀党也。汝二人可履水内斩之。"

于是施岑、甘战飞步水上，举剑望葫芦乱砍。那冬瓜葫芦乃是轻浮之物，一砍即入水中，不能得破。正懊恼之间，忽有过往大仙在虚空中观看，遂令社伯之神，变为一八哥鸟儿，在施岑、甘战头上叫曰："下剔上，下剔上。"施岑大悟，即举剑自下剔上，满江蛟党，约有七百馀性命，连根带蔓，悉无噍类。江中碧澄澄流水，变为红滚滚波涛。止有三蛟未及变形者，因而获免。真君见蛟党尽诛，遂封那八哥鸟儿头上一冠，所以至今八哥儿头上，皆有一冠。真君斩尽蛟党，后人有诗叹曰：

神剑棱棱辟万邪，碧波江上砍葫瓜。
孽龙党类思翻海，不觉江心杀自家。

且说孽龙精所生六子，已诛其四。蛟党千馀，俱被真君诛灭。止有第三子与第六子，并有一长孙藏于新建县洲渚之中，尚得留命。及闻真君尽诛其蛟类，乃大哭曰："吾父未知下落，今吾等兄弟六人，传有子孙六七百，并其族类，共计千馀。今皆被许逊剿灭，止留我兄弟二人，并一侄在此。吾知许逊道法高妙，岂肯容我叔侄们性命？不如前往福建等处，逃躲残生，再作区处。"正欲起行，忽见真君同弟子甘战、施岑卒至，三蛟急忙逃去。真君见一道妖气冲天而起，乃指与甘、施二人曰："此处有蛟党未灭，可追去除之，以绝其根。"

真君遂与甘、施二人，飞步而行，蹑踪追至半路，施岑飞剑斩去一尾。追至福建延平府，地名滌洋九里潭，其一蛟即藏于深潭之中。真君召乡人谓曰："吾乃豫章许逊，今追一蛟精至此，伏于此潭。吾今将竹一根，插于潭畔石壁之上，以镇压之，不许残害生民。汝等居民，勿得砍去！"言毕，即将竹插之，嘱曰："此竹若罢，许汝再生；此竹若茂，不许再出。"至今潭畔，其竹母若凋零，则复生一笋，成竹替换复茂。今号为"许真君竹"，至今其竹一根在。往来舟船，有商人见其蛟者，其蛟无尾。

更有一蛟被真君与甘、施二人，赶至福建建宁府崇安县。有一寺名怀玉寺，其寺有一长老，法名全善禅师，在法堂诵经。忽见一少年，走入寺中，哀告曰："吾乃孽龙之子，今被许逊剿灭全家，追赶至此。望贤师怜悯，救我一命，后当重报！"长老曰："吾闻豫章许逊道法高妙，慧眼通神，吾此寺中，何处可躲？"少年曰："长老慈悲为念，若肯救拔小人，小人当化作粟米一粒藏于贤师掌中，待许逊到寺，贤师只合掌诵经，方保无事。"长老允诺，少年即化为粟米一粒，人于长老掌中躲讫。真君与甘战、施岑二人，赶入寺中，谓长老曰："吾乃豫章许逊，赶一蛟精至此。今在何处？可令他出来见我！"长老也不答应，只管合掌拱手，口念真经。真君不知藏在长老掌中，遍寻不见，遂往寺外前后处寻之，并不见踪迹。施岑曰："想蛟精去矣，吾等合往他处寻赶。"

却说蛟精以真君去寺已远，乃复化为少年，拜谢长老曰："深蒙贤师活命之恩，无可报答，望贤师分付寺中，着令七日七夜不要撞钟擂鼓，容我报答一二。”长老依言，分付师兄师弟、徒子徒孙等讫。及至三日，只见寺中前后狂风顿起，冷气飕飕，土木自动。长老大惊，谓僧众曰：“吾观孽龙之子，本是害人之物，得我救命，教我等‘七日七夜不动钟鼓’。今止三日，风景异常，想必是他把言语哄我。若不打动钟鼓，莫承望他报恩，此寺反遭其害，那时悔之晚矣。”于是即令僧众撞起那东楼上华钟。那钟儿响了一百单八声，荣荣汪汪，正是：

梵王宫里鲸声吼，商客舟中夜半闻。

又打起那西楼上画鼓。那鼓儿响了一个三起三煞，叮叮冬冬，正是：

俨若雷鸣云汉上，恍疑鼍吼海涛中。

那蛟精闻得钟鼓之声，吃了一惊，即转身又化为少年，回到寺中，来见长老言曰：“吾前日分付寺中，七日勿动钟鼓，意欲将寺门外前后高山峻岭，滚成万亩良田，报答我师活命之恩。今才三日，止将高山上略荡得平些，滚有泉出，未及如数，而吾师即动钟鼓，其故何也?”长老以狂风顿起，山动地动为对，那少年不胜叹息。长老乃令人往寺外前后观之，但见高峻之处，皆荡得坦平，滚滚泉流不竭。至今怀玉寺中，不止千顷平坦良田，盖亦蛟精报恩所致。

却说真君离了寺门，遍寻不见蛟精，乃复回高处望之，只见妖气依原还在寺中。乃与甘、施二人，又来寺中寻觅。其蛟精知真君复来，即先化为一僧，拜辞长老言曰：“吾族中有众千馀，皆被许逊诛灭。兄弟六人，已亡其四，吾父又未知存亡何如。吾今悔改前非，修行悟道。”言毕垂泪而别。真君果复至寺中，只见妖气出外，遂乃蹑迹追至建阳，地名叶墩。遥见一僧，知是蛟精所变。乃令甘、施二弟子，追赶至近，甘、施意欲斩之，真君连忙喝住曰：“不可！此物虽是害人，今化为僧，量必改恶迁善。”遂叱曰：“孽畜，我今赦汝前去，汝务要从善修行，勿害生民！吾有谛语，分付与汝，劳心记着：‘逢湖则止，逢仰则住。’”分付已毕，遂纵之而去。甘战叱曰：“孽畜，我师父饶了你性命，再不要害人!”施岑亦叱曰：“孽畜，你若不遵我师父谛语，再若害人，我擒汝就如反掌之易!”那僧含羞乱窜而去。

脱离了叶墩地方，来至一村，前有一山，遇一牧童。其僧乃问曰：“此处是何地方?”牧童答曰：“此处地方贵湖，前面一山，名曰仰山。”僧闻牧童之言，乃大喜曰：“适间承真君分付：‘逢湖则止，逢仰则住。’今到此处，合此二意，可以在此居住矣。”遂憩于路旁水田之间，其中间泉水，四时不竭，此地名龙窟，后乃名离龙窟。龙僧即于仰山修行，法名古梅禅师。遂建一寺，名仰山寺。其寺当时乏水，古梅将指头在石壁上乱指，皆有泉出。其寺田粮亦广，至今犹在。真君即于叶墩立一观，名曰真君观，遥与仰山相对，以镇压之。其观至今犹存。

却说真君又追一蛟精，其蛟乃孽龙第一子之子，孽龙之长孙也。此蛟直走至福州南台躲避，潜其踪迹。真君命甘、施二弟子，遍处寻索，乃自立于一石上，垂纶把钓。忽觉钓丝若有人扯住一般，真君乃站在石上，用力一扯，石遂裂开。石至今犹在，因名为钓龙石。只见扯起一个大螺，约有二三丈高大。螺中有一女子现出，真君曰："汝妖也！"那女子双膝跪地，告曰："妾乃南海水侯第三女。闻尊师传得仙道，欲求指教修真之路，故乘螺舟特来相叩。"真君乃指以高盖山，可为修炼之所，且曰："此山有苦参、甘草，上有一井，汝将其药投于井中，日饮其水，久则自可成仙。"遂命女子复入螺中，用巽风一口，吹螺舟浮于水面，直到高盖山下。女子乘螺于此，其螺化为大石，至今犹在。遂登山采取苦参、甘草等药，日于井中投之，饮其井泉，后女子果成仙而去。至今其乡有病者，汲井泉饮之，其病可愈。

却说施岑、甘战回见真君，言蛟精无有寻处。真君登高山绝顶以望，见妖气一道，隐隐在福州城开元寺井中喷出，乃谓弟子曰："蛟精已入在井中矣。"遂至其寺中，用铁佛一座，置于井上压之。其铁佛至今犹在。真君收伏三蛟已毕，遂同甘战、施岑复回豫章，再寻孽龙诛之。后人有诗叹曰：

迢迢千里到南闽，寻觅蛟精驾雾云。
到处留名留异迹，今人万古仰真君。

却说孽龙既不能滚沉豫章，其族党变为瓜葫，一概被真君所灭。所生六子，斩了四子，只有二子一孙，犹未知下落。越思越恼，只得又奔往洋子江中，见了火龙父亲，哭诉其事。

火龙曰："四百年前，孝悌明王传法与兰公，却使兰公传法与谌母，谌母传法与许逊。吾知许逊一生，汝等有此难久矣。故我当时就令了鼋帅，统领虾兵蟹将，要问他追了金丹宝鉴、铜符铁券之文。谁知那兰公将我等杀败。我彼时少年精壮，也奈何兰公不得。今日有许多年纪，筋力憔悴，还奈得许逊何！这凭你自去。"孽龙叹曰："今人有说，父不顾子的世界，果然果然。"火龙骂曰："畜生，我满眼的孙子，今日被你不长进，败得一个也没了，还来怨我父亲！"遂打将孽龙出来。

孽龙见父亲不与他做主，遂在江岸上放声大哭。惊动了南海龙王敖钦第三位太子。彼时太子领龙王钧旨，同巡江夜叉全身披挂，手执钢刀，正在此巡逻长江。认得是火龙的儿子，即忙问曰："你在此哭甚事？"孽龙道："吾族党千馀，皆被许逊诛灭，父亲又不与我作主。我今累累然若丧家之狗，怎的由人不哭？"太子曰："自古道：'家无全犯。'许逊怎么就杀了你家许多人？他敢欺我水府无人么？老兄且宽心，待我显个手段，擒他报取冤仇！"孽龙道："许逊传了谌母飞步之法，仙女所赐宝剑，其实神通广大，难以轻敌。"太子曰："我龙宫有一铁杵，叫做如意杵；有一铁棍，叫做如意棍。这个杵这个棍，欲其大，就有屋桷般大；欲其小，只如金针般小；欲其长，就有三四丈长；欲其短，只是一两寸短，因此名为如意。此皆父王的宝贝。那棍儿被孙行者讨去，不知那猴子打死了千千万万的妖怪。只有这如意杵儿，未曾使用，今带在我的身边，试把来与许逊弄一弄，他若当抵得住，真有些神通。”

孽龙问道：“这杵是那一代铸的？”太子道：“这杵是乾坤开辟之时，有一个盘古王，凿了那昆仑山几片棱层石，架了一座的红炉。砍了广寒宫一株娑娑树，烧了许多的黑炭。取了须弥山几万斤的生铁，用了太阳宫三昧的真火，叫了那炼石的女娲，炼了七七四十九个日头。却命着雨师洒雨，风伯煽风，太乙护炉，祝融看火，因此上炼得这个杵儿。要大就大，要小就小，要长就长，要短就短。且此杵有些妙处，抛在半空之中，一变十，十变百，百变千，千变万，更会变化哩。”孽龙问曰：“如今那铁杵放在那里？”太子即从耳朵中拿将出来，向风中幌一幌，就有屋桷般大。幌两幌，就有竹竿般长。孽龙大喜曰：“这样东西，要长就长，要大则大，那许逊有些法力，尚可当抵一二。徒弟们皆是后学之辈，禁得几杵？”

夜叉见太子欲与孽龙报仇，乃谏曰：“爷爷没有钧旨，太子怎敢擅用军器？恐爷爷知道，不当稳便。”太子曰：“吾主意已定，你肯辅我，便同去；如不肯辅我，任你先转南海去罢。”夜叉不肯相助自去了。那太子奔杀豫章，要拿许逊，与孽龙报仇。却怎生打扮，则见：

重叠叠“鳖甲”坚固，整齐齐“海带”飞斜。身骑着“海马”号三花，好一似“天门冬”将军披挂。走起了磊磊落落“滑石”，飞将来溟溟漠漠“辰砂”。索儿绞的是“天麻”，要把“威灵仙”拿下。

却说真君同着弟子甘战、施岑等各仗宝剑，正要去寻捉孽龙，忽见龙王三太子叫曰：“许逊，许逊，你怎么这等狠心，把孽龙家千百馀人一概诛戮！你敢小觑我龙宫么？我今日与你赌赛一阵，才晓得我的本事。”真君慧眼一看，认得是南海龙王的三太子，喝曰：“你父亲掌管南海，素称本分，今日怎的出你们不肖儿子？你好好回去，免致后悔！”太子道：“你杀人之父，人亦杀其父；杀人之兄，人亦杀其兄。孽龙是我水族中一例之人，我岂肯容你这等欺负！”于是举起钢刀，就望真君一砍。真君亦举起宝剑来迎，两个大杀一场。则见：

一个是九天中神仙领袖，一个是四海内龙子班头。一个的道法精通，却会吞云吸雾；一个的武艺惯熟，偏能掣电驱雷。一个呼谌母为了师傅，最大神通；一个叫龙王做了父亲，尽高声价。一个飞宝剑，前挑后剔，光光闪闪，就如那大寒陆地凛严霜；一个抛铁杵，直撞横冲，珰珰珰珰，就如那除夜人家烧爆竹。真个是棋逢敌手，终朝胜负难分；却原来阵遇对头，两下高低未辨。

真君与那太子刀抵剑，剑对刀，自巳牌时分，战至午时，不分胜败。施岑谓众道友曰："此龙子本事尽高，恐师父不能拿他，可大家一齐掩杀。"那太子见真君弟子一齐助战，遂在耳朵中取出那根铁杵来，幌了两三幌，望空抛起。好一个铁杵！一变作十，十变作百，百变作千，千变作万，半天之中，就如那纷纷柳絮颠狂舞，滚滚蜻蜓上下飞。满空撞得砯砌响，恰是潘丞相公子打擂槌。你看那真君的弟子们，才把那脑上的杵儿撇开，忽一杵在脑后一打；才把那脑后的杵儿架住，忽一杵在心窝一笃。才把心窝的杵儿一抹，忽一杵在肩膀上一锥。那些弟子们怕了那杵，都败阵而走。好一个真君，果有法术，果有神通，将宝剑望东一指，杵从东落；望西一指，杵从西开；望南一指，杵从南坠；望北一指，杵从北散。真君虽有这等法力，争奈千千万万之杵，一杵去了，一杵又来，却未能取胜。

忽观世音菩萨空中闻得此事，乃曰："敖钦龙王十分仁厚，生出这个不肖儿子，助了蛟精。我若不去收了他如意杵宝贝，许逊纵有法力，无如之何。"于是驾起祥云，在半空之中，解下身上罗带，做成一个圈套儿丢将起来，把那千千万万之杵尽皆套去。那太子见有人套去他的宝贝，心下慌张，败阵而走。孽龙接见，问曰："太子与许逊征战得大胜否?"太子曰："我战许逊正在取胜之际，不想有一妇人使一个圈套，把我那宝贝套去了。我今没处讨得！"孽龙曰："套宝贝者，非是别人，乃是观世音菩萨……"言未毕，真君赶至，孽龙望见，即化一阵黑风走了。太子心中不忿，又提着手中钢刀，再来交战。

此是败兵之将，英勇不加，两合之中，被真君左手一剑架开钢刀，却将右手一剑来斩太子。忽有人背后叫曰："不可，不可！"真君举眼一看，见是观音，遂停住宝剑。观音曰："此子是敖钦龙王的第三子，今无故辅助孽龙，本该死罪。奈他父亲素是仁厚，今我在此，若斩了此子，龙王又说我不救他，体面上不好看。"真君方才罢手。

却说那巡江夜叉回转龙宫，将太子助孽龙之事，一一禀知龙王。龙王顿足骂曰："这畜生恁的不肖！"彼时东海龙王敖顺，西海龙王敖广，北海龙王敖润同聚彼处，亦曰："这畜生今日去战许逊，就如那葛伯与汤为仇，辅助孽龙，就如那崇侯助纣为虐，容不得他！"敖钦曰："这样儿子要他则甚！"遂取过一口利剑，敕旨一道，令夜叉将去叫太子自刎而亡。夜叉领了敕旨，赍了宝剑，径来见着三太子。太子闻知其故，唬得魂不着体，遂跪下观音叫道："善菩萨！没奈何，到我父王处保过这次。"观音道："只怕你父亲难饶你死罪。你不如到蛇盘谷中鹰愁涧躲避，三百年后，等唐三藏去西天取经，罚你变做个骡子，迳往天竺国驮经过来。那时将功赎罪，我对你父亲说过，或可留你。"太子眼泪汪汪，拜辞观世音，往鹰愁涧而去。观音复将所收铁杵付与夜叉，教夜叉交付与龙王去讫。真君亦辞了观音回转豫章，不在话下。

却说观音菩萨，别了真君，欲回普陀岩去，孽龙在途中投拜，欲求与真君讲和，后当改过前非，不敢为害。言辞甚哀。

观音见其言语恳切，乃转豫章，来见真君。真君问曰："大圣到此，复有何见谕？"观音曰："吾此一来，别无甚事。孽龙欲与君讲和，今后改恶迁善，不知君允否？"真君曰："他既要讲和，限他一夜滚百条河，以鸡鸣为止，若有一条不成，吾亦不许。"观音辞真君而去。弟子吴猛谏曰："孽畜原心不改，不可许之。"真君曰："吾岂不知，但江西每逢春雨之时，动辄淹浸。吾欲其开成百河，疏通水路耳，非实心与之和也。吾今分付社伯，阻挠其功，勿使足百条之数，则其罪难免，亦不失信于观音矣。"

却说孽龙接见观音，问其所以。观音将真君所限之事，一一说与。孽龙大喜，是夜用尽神通，连滚连滚，恰至四更，社伯扣计其数，已滚九十九条。社伯心慌，乃假作鸡鸣，引动众鸡皆鸣。孽龙闻得大惊，自知不能免罪，乃化为一少年，未及天明，即遁往湖广躲避去讫。真君至天明查记河数，止欠一条，鸡声尽鸣，乃知是社伯所假也。遂令弟子计功受赏。真君急寻孽龙之时，已不知其所在。后来遂于河口立县，即今之南康湖口县是焉。

却说孽龙遁在黄州府黄冈县地方，变作个少年的先生求馆。时有一老者姓史名仁，家颇饶裕，有孙子十馀人，正欲延师开馆。孽龙至其家，自称："豫章曾良，闻君家有馆，特来领教。"史老见其人品清高，礼貌恭敬，心窃喜之。但不知其学问何如。遂谓曰："敝乡旧俗，但先生初来者，或考之以文，或试之以对，然后启帐。卑老有一对，欲领尊教何如？"孽龙曰："愿闻。"史老曰："曾先生腰间加四点，鲁邦贤士。"孽龙曰："我就把令孙为对。"遂答曰："史小子头上着一横，吏部天官。"史老见先生对得好，不胜之喜，乃曰："先生高才邃养，奈寒舍学俸微少，未可轻屈。"孽龙道："小子借寓读书，何必计利！"史老遂择日启馆，叫诸孙具贽见之仪，行了拜礼，遂就门下受业。孽龙教授那些生徒，辨疑解惑，读书说经，明明白白，诸生大有进益，不在话下。

却说真君以孽龙自滚河以后，遍寻不见，遂同甘战、施岑二人，迳到湖广地面，寻觅踪迹。忽望妖气在黄冈县乡下姓史的人家，乃与二弟子迳往其处，至一馆中，知是孽龙在此，变作先生，教训生徒。真君乃问其学生曰："先生那里去了？"学生答云："先生洗浴去了。"真君曰："在那里洗浴？"学生曰："在涧中。"真君曰："这样十一月天气，还用冷水洗浴？"学生曰："先生是个体厚之人，不论寒天热天，常要水中去浸一浸。若浸得久时，还有两三个时辰才回来。"真君乃与弟子坐在馆中，等他回时，就下手拿着。忽举头一看，见柱壁上有对联云：

赵氏孤儿，切齿不忘屠岸贾；伍员烈士，鞭尸犹恨楚平王。

又壁上题有诗句云：

自叹年来运不齐，子孙零落却无遗。
心怀东海波澜阔，气压西江草树低。
怨处咬牙思旧恨，豪来挥笔记新诗。
男儿不展风云志，空负天生八尺躯。

真君看诗对已毕，大惊，谓弟子曰："此诗此对，皆是复仇之诗。若此孽不除，终成大患。汝等务宜勉力擒之！"言未毕，忽史老来馆中，看孙子攻书。时盛冬天气，史老身上披领羊裘，头上戴顶暖帽，徐徐而来。及见真君丰姿异常，连忙施礼，问曰："先生从何而来？"真君曰："小生乃豫章人，特来访友。"史老谓孙子曰："客在此，何不通报？"遂邀真君与二弟子至家下告茶。茶毕，史老问真君姓名，真君曰："小生姓许名逊。此二徒，一姓施名岑，一姓甘名战。"史老曰："闻得许君者，法术甚妙，诛灭蛟精，敢是足下否？"真君曰："然。"史老遂下拜。真君以其年老，连忙答礼。史老问曰："仙驾临此，欲何为？"真君曰："尊府教令孙者，乃孽龙精也，变形于此。吾寻踪觅迹，特来擒之。"史老大惊曰："怪道这个先生无问寒天暑天，日从涧中洗浴。浴水之处，往时浅浅的，今成一潭，深不可量。"真君曰："老翁有缘，幸遇小生相救，不然，今日是个屋舍，后日是个江河，君家且葬鱼腹矣。"

史老曰："此蛟精怎的拿他？"真君曰："此孽千变万化，他若提防于我，擒之不易。幸今或未觉，纵要变时，必资水力。可令公家凡水缸水桶洗脸盆，及碗盏之类，皆不可注水，使他变化不去，我自然拿了他。"史老分付已毕。孽龙正洗浴回馆，真君见了，大喝一声："孽畜走那里去？"孽龙大惊，却待寻水而变，遍处无水，惟砚池中有一点馀水未倾，遂从里面变化而去，竟不知其踪迹。后人有诗叹曰：

堪叹蛟精玄上玄，墨池变化至今传。
当时若肯心归正，却有金书取上天。

史老见真君赶去孽龙，甚是感谢，乃留真君住了数日，极其款曲。真君曰："此处孽龙居久，恐有沉没之患。汝可取杉木一片过来，吾书符一道，打入地中，庶可以镇压之。"

真君镇符已毕，感史老相待殷勤，更取出灵丹一粒，点石一片，化为黄金，约有三百馀两，相谢史老而去。施岑曰："孽龙今不知遁在何处？可从此湖广上下，遍处寻觅诛之。"真君曰："或此孽瞰我等在此，又往豫章，欲沉郡城土地，未可知也。莫若且回家中，觅其踪迹；如果不在，再往外获之未晚。”于是师弟们一路回归。

却说孽龙精砚池变去，又化为美少男子，逃往长沙府。闻知刺史贾玉家生有一女，极有姿色。怎见得：

眉如翠羽，肌如凝脂，齿如瓠犀，手如柔荑。脸衬桃花瓣，鬟堆金凤丝。秋波湛湛妖娆态，春笋纤纤娇媚姿。说甚么汉苑王嫱，说甚么吴宫西施，说甚么赵家飞燕，说甚么杨家贵妃。柳腰微摆鸣金珮，莲步轻移动玉肢。月里嫦娥难比此，九天仙子怎如斯！

孽龙遂来结拜刺史贾玉，贾玉问曰：“先生何人也？”答曰：“小人姓慎名郎，金陵人氏。自幼颇通经典，不意名途淹滞，莫能上达，今作南北经商之客耳。因往广南贩货，得明珠数斛，民家无处作用，特来献与使君，伏望笑留！”贾使君曰：“此宝乃先生心力所求，况汝我萍水相逢，岂敢受此厚赐？”再三推拒。慎郎献之甚切，使君不得已而受之。留住数日，使君见慎郎礼貌谦恭，丰姿美丽，琴棋书画，件件皆能，弓矢干戈，般般惯熟，遂欲以女妻之。慎郎鞠躬致谢，复将珍宝厚贿使君亲信之人，悉皆称赞慎郎之德。使君乃择吉日，将其女与慎郎成亲，不在话下。

却说慎郎在贾府成婚以后，岁遇春夏之时，则告禀使君，托言出游江湖，经商买卖。至秋冬之时，则重载船只而归，皆是奇珍异宝。使君大喜曰：“吾得佳婿矣！”盖不知其为蛟精也。所得资财宝货，皆因春夏大水，覆人舟船，抢人财宝，装载而归。慎郎入赘三年，复生三子。一日慎郎寻思起来，不胜忿怒曰：“吾家世居豫章，子孙族类一千馀众，皆被许逊灭绝，破我巢穴，使我无容身之地。虽然潜居此地，其实怨恨难消。今既岁久，谅许逊不复知有我也。我今欲回豫章，大兴洪水，溃没城郡，仍灭取许逊之族，报复前仇，方消此恨。”言罢，来见使君。使君问曰：“贤婿有何话说？”慎郎曰：“方今春风和暖，正宜出外经商，特来拜辞岳父而去。家中妻子，望岳丈看顾。”使君曰：“贤婿放心前去，不必多忧。若得充囊之利，早图返棹。”言罢，分别而去。

时晋永嘉七年，真君与其徒甘战、施岑周览城邑，遍寻蛟孽。三年间，杳无踪迹，已置之度外去了。不想这孽龙自来送死。忽一日，道童来报，有一少年子弟，丰姿美貌，衣冠俊伟，来谒真君。真君命入，问曰：“先生何处人也？”少年曰：“小生姓慎名郎，金陵人氏。久闻贤公有斡旋天地之手，慑伏孽龙之功，海内少二，寰中寡双。小生特来过访，欲遂识荆之愿，别无他意。”真君曰：“孽精未除，徒负虚名，可愧，可愧！”真君言罢，其少年告辞而出，真君送而别之。

甘、施二弟子曰：“适间少年，是何人也？”真君曰：“此孽龙也。今来相见，探我虚实耳。”甘、施曰：“何以知之？”真君曰：“吾观其人妖气尚在，腥风袭人，是以知之。”甘、施曰：“既如此，即当擒而诛之，何故又纵之使去也?”真君曰：“吾四次擒拿，皆被变化而去。今佯为不知，使彼不甚提防，庶可随便擒之耳。”施岑乃问曰：“此时不知逃躲何处？吾二人愿往杀之。”真君举慧眼一照，乃曰：“今在江浒，化为一黄牛，卧于郡城沙碛之上。我今化为一黑牛，与之相斗，汝二人可提宝剑，潜往窥之。候其力倦，即拔剑而挥之，蛟必可诛也。”言罢，遂化一黑牛，奔跃而去，真个：

四蹄坚固如山虎，两角峥嵘似海龙。
今向沙边相抵触，神仙变化果无穷。

真君化成黑牛，早到沙碛之上，即与黄牛相斗。恰斗有两个时辰，甘、施二人蹑迹而至，正见二牛相斗，黄牛力倦之际，施岑用剑一挥，正中黄牛左股。甘战亦挥起宝剑斩及一角，黄牛奔入城南井中，其角落地。今马当相对，有黄牛洲。此角日后成精，常变牛出来，害取客商船只，不在话下。

却说真君谓甘、施曰：“孽龙既入井中，谅巢穴在此。吾遣符使吏兵导我前进，汝二人可随我之后，蹑其踪迹，探其巢穴，擒而杀之，以绝后患。”言罢，真君乃跳入井中，施、甘二人，亦跳入井中。符使护引真君前进。只见那个井，其口上虽是狭的，到了下面，别是一个乾坤。这边有一个孔，透着那一个孔，那边有一个洞，透着那一个洞，就似杭州城二十四条花柳巷，巷巷相穿；又似龙窟港三十六条大湾，湾湾相见。常人说道井中之蛙，所见甚小，盖未曾到这个所在，见着许大世界。

真君随符使一路而行，忽见有一样物件，不长不短，圆圆的相似个擂槌模样。甘战抬起看时，乃是一车辖。问于真君曰：“此井中怎的有此车辖?”真君道：“昔前汉有一人，姓陈名遵，每大会宾客，辄闭了门，取车辖投于井中，虽有急事，不得去。必饮罢，才捞取车辖还人。后有一车辖，再捞不起，原来水荡在此处来了。”又行数里，忽见有一个四方四角，新新鲜鲜的物件，施岑检将起来一看，原来是个印匣儿。问于真君，真君曰：“昔后汉有宦官张让劫迁天子，北至河上，将传国玉玺投之井中，再无人知觉。后洛阳城南骊宫井有五色气一道直冲上天，孙坚认得是宝贝的瑞气，遂命人浚井，就得了这一颗玉玺。玺便得去，却把这个匣儿遗在这里。”又行数里，忽见有一物件，光闪闪，白净净，嘴湾湾，腹大大的。甘战却拾将起来一看，原来是个银瓶。甘战又问于真君，真君曰：“曾闻有一女子吟云：‘石上磨玉簪，玉簪欲成中央折；井底引银瓶，银瓶欲上丝绳绝。’想这个银瓶，是那女子所引的，因断了绳子，故流落在此。”

符使禀曰：“孽龙多久遁去，真仙须急忙追赶，途路之上，且不要讲古。”真君于是命弟子趱步而行。只见水族之中，见了的，唬得魂不附体。鲇鱼儿只把口张，团鱼儿只把颈缩，虾子儿只顾拱腰，鲫鱼儿只顾摇尾，真君都置之不问。却说那符使引真君再转一湾抹一角，正是行到山穷水尽处，看看在长沙府贾玉井中而出。真君曰："今得其巢穴矣。"遂辞了符使回去，自来抓寻。

却说孽龙精既出其井，仍变为慎郎，入于贾使君府中。使君见其身体狼狈，举家大惊，问其缘故。慎郎答曰："今去颇获大利，不幸回至半途，偶遇贼盗，资财尽劫。又被杀伤左额左股，疼痛难忍。"使君看其刀痕，不胜隐痛，令家僮请求医士疗治。真君乃扮作一医士，命甘、施二人，扮作两个徒弟跟随。这医士呵：

道明贤圣，药辨君臣。遇病时，深识着望闻问切；下药处，精知个功巧圣神。戴唐巾，披道服，飘飘扬扬；摇羽扇，背葫芦，潇潇洒洒。诊寸关尺三部脉，辨邪审痼，奚烦三折肱；疗上中下三等人，起死回生，只是一举手。真个是东晋之时，重生了春秋扁鹊；却原来西江之地，再出着上古神农。万古共称医国手，一腔都是活人心。

却说真君扮了医士，贾府僮仆见了，相请而去。进了使君宅上，相见礼毕。使君曰："吾婿在外经商，被盗贼杀伤左额左股。先生有何妙药，可以治之？容某重谢。"真君曰："宝剑所伤，吾有妙法，手到即愈。"使君大喜，即召慎郎出来医治。当时蛟精卧于房中，问僮仆曰："医士只一人么？"僮仆曰："兼有两个徒弟。"蛟精却疑是真君，不敢轻出。其妻贾氏催促之曰："医人在堂，你何故不出？"慎郎曰："你不晓事，医得我好也是这个医士，医得不好也是这个医士。"贾氏竟不知所以。使君见慎郎不出，亲自入房召之。真君乃随使君之后，直至房中厉声叱曰："孽畜再敢走么？"孽龙计穷势迫，遂变出本形，蜿蜒走出堂下。不想真君先设了天罗地网，活活擒之。又以法水喷其三子，悉变为小蛟。真君拔剑并诛之。

贾玉之女，此时亦欲变幻，施岑活活擒住。使君大惊。真君曰："慎郎者，乃孽龙之精，今变作人形，拜尔为岳丈。吾乃豫章许逊，追寻至此擒之。尔女今亦成蛟，合受吾一剑。"贾使君乃与其妻跪于真君之前，哀告曰："吾女被蛟精所染，非吾女之罪，伏望怜而赦之！"真君遂给取神符与贾女服之，故得不变。

真君谓使君曰："蛟精所居之处，其下即水。今汝舍下深不逾尺，皆是水泉。可速徙居他处，毋自蹈祸！"使君举家惊惶，遂急忙迁居高处。原住其地，不数日果陷为渊潭，深不可测。今长沙府昭潭是也。

施岑却从天罗地网中取出孽龙，欲挥剑斩之。真君曰："此孽杀之甚易，擒之最难。我想江西系是浮地，下面皆为蛟穴。城南一井其深无底，此井与江水同消长。莫若锁此畜回归，吾以铁树镇之井中，系此孽畜于铁树之上。

使后世，倘有蛟精，见此畜遭厥磨难，或有警惕，不敢为害。”甘战曰：“善！”遂锁了孽龙，径回豫章。于是驱使神兵，铸铁为树，置之郡城南井中。下用铁索钩锁，镇其地脉，牢系孽龙于树，且祝之曰：

铁树开花，其妖若兴，吾当复出。铁树居正，其妖永除。水妖屏迹，城邑无虞。

又留记云：

铁树镇洪州，万年永不休！天下大乱，此处无忧。天下大旱，此处薄收。

又元朝吴全节有诗云：

八索纵横维地脉，一泓消长定江流。
豫章胜地由天造，砥柱中天忆万秋。

真君又铸铁为符，镇于鄱阳湖中。又铸铁盖覆于庐陵元潭，今留一剑在焉。又立府靖于岩峣山顶，皆所以镇压后患也。

真君既擒妖孽，功满乾坤。时晋明帝太宁二年，大将军王敦，字处仲，出守武昌，举兵内向，次洞庭湖。真君与吴君同往说之，盖欲止敦而存晋室也。是时郭景纯亦在王敦幕府，因此三人得以相会。景纯谓真君曰：“公斩馘蛟精，功行圆满。况曩时西山之地，灵气钟完，公不日当上升矣。”真君感谢。

一日，景纯同真君、吴君来谒王敦。敦见三人同至，大喜，遂令左右设宴款待。酒至半酣，敦问曰：“我昨宵得一梦，梦见一木破天，不知主何吉凶？”真君曰：“木上破天，乃‘未’字也。公未可妄动。”吴君曰：“吾师之言，灼有先见，公谨识之！”王敦闻二君言，心甚不悦，乃令郭璞卜之。璞曰：“此数用克体，将军此行，干事不成也。”王敦不悦曰：“我之寿有几何？”璞曰：“将军若举大事，祸将不久；若遂还武昌，则寿未可量。”王敦怒曰：“汝寿几何？”璞曰：“我寿尽在今日。”王敦大怒，令武士擒璞斩之。真君与吴君举杯掷起，化为白鹤一双，飞绕梁栋之上。王敦举眼看鹤，已失二君所在。

且说郭璞既死，家人备办衣衾棺椰，殓毕。越三日，市人见璞衣冠俨然，与亲友相见如故。王敦知之不信，令开棺视之，果无尸骸，始知璞脱质升仙也。自后王敦行兵果败，遂还武昌而死，卒有支解之刑，盖不听三君之谏，以至于此。

再说吴君邀真君同下金陵，遨游山水，既而欲买舟上豫章，打头风不息。舟中人曰：“当此仲夏，南风浩荡，舟船难进，奈何？”真君曰：“我代汝等驾之，汝等但要瞑目安坐，切勿开眼窥视。”吴君乃立于船头，真君亲自把船，遂召黑龙二尾，挟舟而行。经池阳之地，以先天无极都雷府之印，印西崖石壁上以辟水怪，今有印纹。舟渐渐凌空而起，须臾，过庐山之巅，至云霄峰。二君欲观洞府景致，故其船梢刮抹林木之表，戛戛有声。舟人不能忍，皆偷眼窥之，忽然舍舟于层峦之上，折桅于深涧之下，今号铁船峰。其下有断石，即其桅也。真君谓舟人曰："汝等不听吾言，以至如此，今将何所归乎？"舟人恳拜，愿求济度之法。真君教以服饵灵药，遂得辟谷不饥，尽隐于紫霄峰下。

二君乃各乘一龙，回至豫章，遂就旧时隐居，终日与诸弟子讲究真诠，乃作《思仙》之歌云：

天运循环兮，疾如飞，人生世间兮，欲何为？争名夺利兮，徒丘墟，风月滋味兮，有谁知？

不如且进黄金卮，一饮一唱日沉西。

丹砂养就玉龙池，小口世界宽无涯；

世人莫道是愚痴，酩然一笑天地齐。

又作八宝垂训曰：

忠孝廉谨，宽裕容忍。

忠则不欺，孝则不悖；

廉而罔贪，谨而勿失；

修身如此，可以成德。

宽则得众，裕然有馀；

容而翕受，忍则安舒；

接人以礼，怨咎涤除。

凡我弟子，动静勤笃。

念兹在兹，当守其独。

有丧厥心，三官考戮。

却说天地水府三元三品三官大帝，及太白金星，因言真君原是玉洞天仙下降，今除荡妖孽，惠及生灵，德厚功高。其弟子吴猛等，扶同真君，共成至道，皆宜推荐，以至天庭。商议具表，奏闻玉帝。玉帝准奏，乃授许逊九天都仙大使，兼高明大使之职，封孝先王。远祖祖父，各有职位。先差九天采访使崔子文、段丘仲捧诏一道，谕知许逊，预示飞升之期，以昭善报。

采访二仙捧诏下界，时晋孝武宁康二年，甲戌，真君时年一百三十六岁。八月朔旦，见云仗自天而下，导从者甚众，降于庭中。真君迎接拜讫，二仙曰："奉玉皇敕令，赐子宝诏。子可备香花灯烛，整顿衣冠，俯伏阶下，以听宣读！"诏曰：

上诏学仙童子许逊：卿在多劫之前，积修至道，勤苦悉备。天经地纬，悉已深通；万法千门，罔不师历。救灾拔难，除害荡妖；

功济生灵，名高玉籍。众真推荐，宜有甄升。可受九州都仙大使，兼高明大使、孝先王之职。赐紫彩羽袍琼旌宝节各一事。期以八月十五午时，拔宅上升。诏书到日，信诏奉行。

读罢，真君再拜，遂登阶受诏毕，乃揖二仙上坐，问其姓名。二仙曰："余乃崔子文、叚丘仲，俱授九天采访使之职。"真君曰："愚蒙有何德能，感动天帝，更劳二仙下降?"二仙曰："公修已利人，功行已满。昨者群真保奏，升入仙班，相迎在迩，先命某等捧诏谕知。"言毕，遂乘龙车而去。

真君既得天书之后，门弟子吴猛等，与乡中耆老，及诸亲眷，皆知行期已近，朝夕会饮，以叙别情。真君谓众人曰："欲达神仙之路，在先行其善而后立其功。吾去后一千二百四十年间，豫章之境，五陵之内，当出地仙八百馀人。其师出于豫章，大阐吾教。以吾坛前松树枝垂覆拂地，郡江心中，忽生沙洲掩过井口者，是其时也。"后人有言："龙沙会合，真仙必出。"按龙沙在章江西岸畔，与郡城相对，事见《龙沙记》。潘清逸有《望龙沙》五言诗云：

五陵无限人，密视松沙记。
龙沙虽未合，气象已虚异。
昔时云浪游，半作桑麻地。
地形带江转，山势若连契。

是时八月望日，大营斋会，遍召里人，及诸亲友，并门弟子，长少毕集。至日中，遥闻音乐之声，祥云缭绕，渐至会所。羽盖龙车，仙童彩女，官将吏兵，前后拥护。前采访使崔子文、叚丘仲二仙又至。真君拜迎。二仙复宣诏曰：

上诏学仙童子许逊：功行圆满，已仰潜山司命官，传金丹于下界，返子身于上天。及家口厨宅，一并拔之上升。着令天丁力士与流金火铃，照辟中间，无或散漫。仍封远祖许由，玉虚仆射；又封曾祖许琰，太微兵卫大夫，曾祖母太微夫人；其父许肃，封中岳仙官，母张氏封中岳夫人。钦此钦遵，诏至奉行！

真君再拜受诏毕。崔子文曰："公门下弟子虽众，惟陈勋、曾亨、周广、时荷等外，黄仁览与其父，盱烈与其母，共四十二口，合当从行。馀者自有升举之日，不得皆往也。"言罢，揖真君上了龙车，仙眷四十二口，同时升举。

里人及门下弟子，不与上升者，不舍真君之德，攀辕卧辙，号泣振天，愿相随而不可得。真君曰："仙凡有路可通。汝等但能遵行孝道，利物济民，何患无报耶！"真君族孙许简哀告曰："仙翁拔宅冲升，后世无所考验，可留下一物，以为他日之记。"真君遂留下修行钟一口，并一石函，谓之曰："世变时迁，此即为陈迹矣。"真君有一仆名许大者，与其妻市米于西岭，闻真君飞升，即奔驰而归。行忙车覆，遗其米于地上，米皆复生，今有覆米冈、生米镇犹在。比至哀泣，求其从行。真君以彼无有仙分，乃授以地仙之术，夫妇皆隐于西山。仙仗既举，屋宇鸡犬皆上升。惟鼠不洁，天兵推下地来。一跌肠出，其鼠遂拖肠不死。后人或有见之者，皆为瑞应。又坠下药臼一口，碾毂一轮；又坠下鸡笼一只，于宅之东南十里；又许氏仙姑，坠下金钗一股，今有许氏坠钗洲犹在。时人以其拔宅上升，有诗叹美云：

慈仁共羡许旌阳，惠泽生民耿不忘。
拔宅上升成至道，阳功阴德感苍苍。

仙驾飞空渐远，望之不可见，惟见祥云彩霞，弥漫上谷，百里之内，异香芬馥。忽有红锦帷一幅飞来，旋绕故地之上。

却说真君仙驾经过袁州府、宜春县、栖梧山，真君乃遣二青衣童子下告王朔，具以玉皇诏命，因来相别。王朔举家瞻拜，告曰："朔蒙尊师所授道法，遵奉已久，乞带从行！"真君曰："子仙骨未充，止可延年得寿而已，难以带汝同行。"乃取香茆一根掷下，令二童子授与王朔，教之曰："此茆味异，可栽植于此地，久服长生。甘能养肉，辛能养节，苦能养气，咸能养骨，滑能养肤，酸能养筋，宜调和美酒饮之，必见功效。"言讫而别。王朔依真君之言，即将此茆栽植，取来调和酒味服之，寿三百岁而终。今临江府玉虚观即其地也。仙茆至今犹在。

真君飞升之后，里人与其族孙许简，就其地立祠，以所遗诗一百二十首，写于竹简之上，载之巨筒，令人探取，以决休咎。其修行钟、药毂、药臼、石函等事，并宝藏于祠。后改为观。因空中有红锦帷飞来旋绕，故名曰游帷观。

真君既至天庭，玉帝升殿，崔子文、段丘仲二仙引真君与弟子等听候玉旨。玉帝宣入朝见，真君扬尘拜舞，俯伏金阶下，上表奏曰："臣许逊庸才劣质，虽有咒水行符馘毒之功，盖亦赖众弟子十一人之力。今弟子之中止有陈勋、曾亨、周广、时荷、黄仁览、盱烈六人，已蒙圣恩超升天界。更有吴猛、施岑、甘战、钟离嘉、彭抗五人，未蒙拔擢，诚为缺典。望乞一视同仁，宣至天庭，同归至道。"玉帝见奏，即传玉旨差周广为使，赍传诏旨，令吴猛等五人同日上升。周广即拜辞玉帝，赍诏下宣。是时乃晋宁康二年九月初一日也。吴猛时年一百八十六岁，见真君上升，已不与从，心曲怏怏，正与施岑、甘战、钟离嘉、彭抗四道友同归西宁，聚义修炼。只见周广赍诏自天而下。众相见毕，动问其下界之故。周广曰："吾师朝见玉帝，奏上帝诸位仙友多助仙功，未得上升，恳求玉帝超擢。玉帝即差广赍诏旨令五君上升，同归至道。"五人听言大喜，各乘白鹿车，白昼冲升。今有吴仙村吴仙观，是其飞升之处。然真君所从游者三千馀人，其有功有行而得上升者，通吴君十有一人焉耳。真君领弟子朝见玉帝毕，玉帝各授以仙职。遂率群弟子拜谒太师祖孝悌明王卫弘，师祖孝明王兰公，师傅谌母已毕，又谢了三官金星保奏之功。真君又荐举故人许都胡云、云阳詹晚二人，皆有道之士，玉帝皆封真人之号，不在话下。

却说真君自升仙后，屡显神通。隋炀帝无道，烧毁佛祠，乃将游帷观废毁。唐高宗永淳年间，遂命真人胡惠超重新建之。至宋太宗、仁宗皆赐御书，真宗时赐改游帷观曰玉隆宫。

至宋代政和二年，徽宗忽得重疾，面生恶疮。昼寝恍然一梦，见东华门有一道士，戴九华冠，披绛章服，左右童子，持剑导前，来至丹墀稽首。帝疑非人间道士，因问曰："卿是何人？"道士对曰："吾为许旌阳，权掌九天司职。上帝诏往西瞿耶国按察，经由故国，知主上患疾，特来顾之。"帝曰："朕患毒疮，诸药不能愈，卿有药否？"道士即取小瓢子倾药一粒，如绿豆子大，呵气抹于徽宗疮上，遂揖而去。且曰："吾洪都西山弊舍，久已零落，乞望圣眼一瞻为幸！"帝豁然而寤，觉满面清凉，以手摩之，疮遂愈矣。乃令近臣将图经考之，见洪州西山有许旌阳遗迹。诏造许真君行官，改修玉隆宫。仍添"万寿"二字。塑真君新像，尊号曰"神功妙济真君"。

许真君所遗之物，皆有神护守，不可触犯。如殿前手植柏树，其荣瘁常兆本宫盛衰，翦叶煮汤，诸病可愈。井中铁树，唐严撰作洪州牧，心内不信，令人掘发，俄然天变，忽有迅雷烈风，江波泛溢，城郭震动。撰惧，叩头悔谢，久之而后止。又强取修行钟，置之僧寺，击之声哑如土木。撰坐寐，见神人叱责，醒觉，而送钟还宫。又碾轮、药臼，州牧徐登令取至府观之，犹未及观，遂乃飞去还宫。又石函，唐朝张善安窃据洪州，强凿开其盖，内册朱书数字云："五百年后强贼张善安开凿之。"善安看毕，恐惧，遂磨洗其字，终不泯灭。因藏其盖，其字尚留函底。宋高宗建炎间，金人寇江左，欲焚毁宫殿。俄而水自楹桷喷出，火不能烧，虏酋大惊，乃彻兵而去。皇明列圣，元加寅奉，敕赐重修宫殿，真君屡出护国行医。正德戊寅年间，宁府阴谋不轨，亲诣其宫，真君降箕笔云：

三三两两两三三，杀尽江南一檐耽。
荷叶败时黄菊绽，大明依旧镇江山。

后来果败。诸灵验不可尽述。后人有诗叹云：

金书玉检不能留，八字遗言可力求。
试看真君功行满，三千弱水自通舟。

图书在版编目(CIP)数据

警世通言 / (明) 冯梦龙编. -- 哈尔滨 : 黑龙江美术出版社, 2012.7
(中国古典文学名著丛书)
ISBN 978-7-5318-3507-3

Ⅰ. ①警… Ⅱ. ①冯… Ⅲ. ①话本小说 - 中国 - 明代
Ⅳ. ①I242.3

中国版本图书馆 CIP 数据核字(2012)第 124020 号

警世通言

作　　者	冯梦龙
责任编辑	陈颖杰　郭建廷
出版发行	黑龙江美术出版社
地　　址	哈尔滨市道里区安定街 225 号
邮政编码	150016
发行电话	(0451)84270514
网　　址	www.hljmscbs.com
经　　销	全国新华书店
印　　刷	哈尔滨市石桥印务有限公司
开　　本	720×1020　1/16
印　　张	24.75
字　　数	450 千字
版　　次	2012 年 9 月第 1 版
印　　次	2012 年 9 月第 1 次印刷
书　　号	ISBN 978-7-5318-3507-3
定　　价	110.00 元